FDAのGMP査察から学ぶ 第2版

読めばわかる
査察官の視点・指摘の意図

編集● 佐々木次雄

じほう

第２版発刊にあたって

2018年7月に発行されました初版が完売し，第2版を刊行することができました。初版は試行錯誤的に米国FDAのGMP査察について纏めましたが，今回はより実践的に製薬企業の皆様にお役に立つ情報提供に心がけました。

GMPとは，「医薬品及び医薬部外品の製造管理及び品質管理の基準」と称され，その目的は，①人為的な誤りを最小限にする，②医薬品に対する汚染や品質低下を防止する，③高い品質を保証するシステムを設計し，患者さんに安心して使っていただける安全で有効かつ高品質の医薬品を製造・供給することです。GMPは時代とともに改正されますが，FDAがそのリード役を果たしていると言っても過言ではありません。そのため，FDAのGMP規制やGMP査察での指摘事項からは目が離せません。

FDAをはじめとする，国内外の規制当局のGMP査察を受けられた方ならご存じのように，全く指摘がないということはほぼありえません。FDAは，査察終了日に指摘事項があれば，FDA Form 483に査察所見(Observation)として出しますが，査察所見に驚くことはありません。要は，査察官の指摘意図を十分に理解し，お座なりにならない回答書を15営業日内に提出することです。重大な指摘があり，行政措置がとられるOAI（Official Action Indicated）や警告書（Warning Letter）を受けないようにするにはどうしたら良いのかについて，本書を参考にご理解いただきたいと思っております。本書は最初から順番に読む必要はなく，必要なときに，必要な箇所に目を通していただければと思います。

本書が皆様のGMP査察対応のお役に立つことを切に願っております。本書作成にご協力をいただきました寄稿者の皆様方，また，じほう社の編集担当，関口美紀子さんには一方ならぬお世話になり，第2版を上梓していただきましたこと，ここに謹んでお礼申し上げます。

2020年8月
GMP Technical Advisor
佐々木次雄

発刊にあたって

じほう社の月刊雑誌「PHARM TECH JAPAN」は製薬企業ならびに関連企業にとっては貴重な情報誌である。その歴史も長く，発行から34年目になる。PHARM TECH JAPANには，時代を反映した種々の記事が掲載されてきたが，なかでも“World News Topics”は貴重な情報欄である。米国FDAがGMP査察を踏まえて，被査察製造所に発行する「Form 483」や「警告書（Warning Letter）」が，わかりやすい訳文で要領よく紹介されており，製薬企業にとってはGMP査察対応やGMP教育上，非常に役立つ情報源になっている。

2017年11月1日より，米国とEUがGMP査察結果を国家間で互いに認め合う相互承認協定（MRA）締結が新たな施行段階に進んだことによって，今後，FDAが開発した“システム査察手法”が世界のGMP査察に取り入れられ，PIC/S加盟国間ではMRA締結も加速化されていくものと考えられる。

私は，PMDA在職中，国内外多くの製薬企業のGMP調査に参加した経験，またPMDAが発足する前は，厚生省医薬安全局監視指導課（現 厚生労働省医薬・生活衛生局監視指導・麻薬対策課）時代より，国内のワクチンメーカーや血液製剤メーカーへのGMP調査に協力してきたことにより，まさにGMPの世界で育てられた一人と自覚している。また，1992年からヘルスケア製品の無菌操作法に関する国際規格作成会議（ISO/TC198/WG9）や日本薬局方微生物関連試験法の作成に参加し，日本版「無菌操作法による無菌医薬品の製造に関する指針」や「最終滅菌法による無菌医薬品の製造に関する指針」作成にも従事してきた。

GMPの世界では本当にお世話になったものである。そこで最後のご奉公の意味を込め，米国FDAがGMP査察を踏まえて発するForm 483や警告書の最近の傾向を整理し，米国FDAをはじめとする当局のGMP査察（調査）において注意すべき点を整理してみた。本書が皆様のGMP査察対応に役立つことを切に願っている。

なお，本書は読者が必要とするときに，必要な項目を読んでいただければよく，前から順番に読む必要はありません。

最後に，本書発行にあたり，内容を丁寧に精査されましたじほう社の関口美紀子氏に深謝申し上げます。

2018年4月

GMP Technical Advisor
佐々木次雄

執筆者一覧

編集

佐々木次雄　GMP Technical Advisor
大阪大学大学院工学研究科招聘教授

寄稿者

的場　文平	小野薬品工業株式会社 CMC・生産本部 分析研究部	第2章，6.10
福﨑　雅英	エーザイ株式会社 川島品質保証部	3.5 1 項
望月　一樹	小野薬品工業株式会社 フジヤマ工場 品質保証課	3.5 2 項
荒木　美貴	シオノギファーマ株式会社 信頼性保証本部 品質保証部	3.5 3 項
青木　信策	日本ビーシージー製造株式会社 生産本部 品質保証部	3.5 4 項
長野　尚弘	中外製薬株式会社 製薬本部 製薬品質部	3.5 5 項

目次

翻訳にあたって

頻出する用語については，以下のように訳した。

- **Firm**：使われている箇所により，会社，企業，工場，施設等の表現のほうがよいのかもしれないが，本書では一律「企業」とした。
- **Establishment**：一節中で，“firm” と “establishment” が出てくる場合，“establishment” を事業所とした。
- **Component(s)**：部材や資材を表す箇所もあるが，医薬品を構成する原薬（主薬）や添加剤等の各成分を指す場合，本書では「医薬品成分」または「医薬品原料」とした。
- **Process**：各種製造工程，品質管理，出荷方法等を指しているが，本書では「プロセス」または「工程」とした。
- **Equipment**：適語を充てるのが難しい語であった。設備（例 manufacturing equipment：製造設備），装置（例 sterilizing equipment：滅菌装置），機器（例 analytical equipment：分析機器）など，日本で一般的に使用されている訳語とした。

第 1 章

GMP査察とFDAの組織

1.1　GMP査察は相互承認協定（MRA）時代に

1.2　FDAの組織

1.3　FDAによる施設査察の概要

1.4　リスクベースに基づくサイト選択モデル

第1章

GMP査察とFDAの組織

1.1 GMP査察は相互承認協定（MRA）時代に

相互承認協定（Mutual Recognition Agreement；MRA）とは，政府–政府間（または民間–民間間もしくは政府–民間間）で，適合性評価などの認定結果をお互いに承認し合う取り決めを指す。例えば，海外の機関が行った証明・認証が国外で法的効力を発揮し，また逆に国内の機関が行った証明・認証が国外で法的効力を発揮する協定を指す。GMP査察に関するMRAも2国間または多国家間で締結される時代になっている。

2国間または多国家間でGMPに関するMRAを締結できるようになった背景には，PIC/Sの存在が大きい。PIC/Sの前身は，1970年に発足したPIC（Convention for the Mutual Recognition of Inspections in respect of the Manufacture of Pharmaceutical Products：医薬品の製造に関する査察の相互承認に関する条約）であり，法的拘束力を持つ国家間の条約であった。EUが発足したことによりEU加盟国間での条約締結の必要性がなくなったこともあり，1995年，PICを拡大させたPIC/S（Pharmaceutical Inspection Convention and Pharmaceutical Inspection Co-operation Scheme：医薬品査察協定および医薬品査察共同スキーム）が結成された。PICとPIC/Sの違いを**表1-1**に，PIC/S発足時の目的を**表1-2**に示す。

PIC/Sは，加盟規制当局間の協力関係を強化し，GMP基準の国際化を推進するものであり，法的拘束力は持たない。しかし2014年には，GMPに加え，GDP（医薬品の適正流通に関する基準），GCP（医薬品の臨床試験の実施の基準），GVP（医薬品の安全性監視に関する基準）といった他の医薬品関連基準を含めることで，PIC/S加盟国内では医薬品の品質・安全性を，製造から流通，使用まで総合的に管理できる体制が整ったこともMRA締結推進に貢献している。

表1-1 | PICとPIC/Sの比較

PIC	PIC/S
・国家代表者会議 ・公式協定 ・法的効力あり ・国家間交渉 ・査察の相互認証	・当局機関の組織 ・非公式協定 ・法的効力なし ・当局（査察機関）の協力 ・情報交換

表1-2｜PIC/Sの目的

PIC/Sの目的は，公衆衛生を尊重し，以下の事項を実現することである（1995年3月1日）。
- GMP査察分野における相互信頼の維持と査察品質の向上を図るため，加盟当局の協力関係を推進・強化する。
- 情報や経験を共有する枠組みを提供する。
- 査察官や関連の技術専門家を対象とする相互トレーニングを開催する。
- 製造所の査察および公的試験機関で実施する試験に関する技術的な基準と手順の改善および調和を図るため，共同の取り組みを継続する。
- GMP基準の作成，調和，維持を目的とした共同の取り組みを継続する。
- 国際調和を実現するため，共通の基準と手順を採用するための国家協定を締結した他の規制当局との協力関係を拡大する。

1 EUと米国間のMRA締結

米国食品医薬品庁（FDA）は，以下のような経緯を経ながら，EUとのMRA締結を推進してきた（表1-3）。

2012年7月，議会は，Food and Drug Administration Safety and Innovation Act（FDA安全およびイノベーション法）を成立させた。本法は，処方箋薬ユーザーフィー法（1992年制定）および医療機器ユーザーフィー法（2002年制定）を改正して，各ユーザーフィープログラムを再承認することを主な目的としている。本法により，海外規制当局が実施した査察結果が米国の要求に適合しているとFDAが判断した場合，査察結果を受け入れることを認めることにした。

2014年5月以降，FDAとEUは，それぞれの医薬品製造所の査察方法を評価し，査察の相互承認のリスクと利益を評価するために協力してきた。FDAは2つのEU加盟国が他のEU国の規制当局を査察する共同監査プログラム（Joint Audit Program；JAP）に招待され，査察を観察してきた。

- FDAは，最初に英国およびノルウェーの査察官によるスウェーデンの査察を観察した。それ以後，FDAはEU全体で13の医薬品査察当局の査察を観察し，2017年中により多くの査察観察を計画した。
- 同時に，EU当局者がFDAの査察プログラムを監査した。EU当局は，2017年7月までにFDAの査察評価を完了し，FDAは2017年11月までにEU 8カ国において査察手法を確認し，2019年7月までにEU加盟国すべての評価を完了した。

表1-3｜EUと米国間の相互承認協定の影響に関する質問と回答（2019年7月11日現在）

質問1　**：2017年11月1日から何が行われているか？**

回答1　：査察の相互承認に関する合意の規定は，2017年11月1日に発効した。この一里塚（マイルストーン）は，欧州委員会（EU）が2017年6月に，米国FDAが同等のレベルでGMP査察を実施する実務能力，処理能力，手順を有しているかどうかを確認したことに続き，FDAは2017年11月1日に，8つの加盟国（オーストリア，クロアチア，フランス，イタリア，マルタ，スペイン，スウェーデン，英国）の能力を確認した。

FDAは以下の国の能力を確認した。

- 2018年3月1日：Czech Republic, Greece, Hungary and Romania
- 2018年6月1日：Ireland and Lithuania
- 2018年9月14日：Portugal
- 2018年11月16日：Belgium, Denmark, Finland and Latvia
- 2018年11月28日：Estonia
- 2019年2月7日：Poland and Slovenia
- 2019年4月29日：Bulgaria and Cyprus
- 2019年6月10日：Luxembourg and the Netherlands
- 2019年6月26日：Germany
- 2019年7月11日：Slovakia

質問2：この相互承認協定は，2017年11月1日からEUと米国の規制当局が互いの地域でGMP査察の実施を停止することを意味しているのか？

回答2：2017年11月1日現在，EU加盟国はFDAが実施した査察を重複しない意向である。同時に，FDAはEUの規制当局によって実施された査察を重複しないことが期待されている。例外的に，EUとFDAの両方は，いつでも互いの地域で査察する権利を留保している。

質問3：この相互承認協定は，2017年11月1日から，EUと米国の規制当局が，お互いの地域内だけでなく，EUと米国外でもお互いのGMP査察に頼ることができるという意味か？

回答3：当面は，EUとFDAはそれぞれの地域内で実施された査察に焦点を当てる。ただし，EUとFDAは，それぞれの地域外にある製造施設に対して規制当局者によって発行された査察報告書を信頼することはできる。MRAのGMP分野別アネックス第3条（1）を参照のこと。米国またはEU以外で実施された査察の結果を受け入れるためのMRAのこの規定は，まだ運用されておらず，今後ガイダンスを発行していく予定であるので，注目のこと。

質問4：この協定と1998年に締結された相互承認協定の違いは何か？

回答4：EUと米国は，1998年に欧州経済共同体と米国の相互承認に関する協定に署名した。この協定には，相互のGMP査察に依存する医薬品アネックスが含まれていた。ただし，これは完全には実施されなかった。2017年の分野別改訂アネックスは，1998年のMRAに基づいている。GMP査察に関するさまざまなパイロットイニシアチブを通じて，過去数年間，EUと米国が協力し合ってきた恩恵である。

質問5　**：相互承認協定の範囲に含まれる製品は何か？**

回答5　：分野別改訂アネックスの適用範囲は，ヒト血液，血漿，組織および臓器，ならびに動物用免疫製剤を特定除外品目とし，広範囲のヒト用医薬品ならびに生物学的製剤および動物用医薬品を対象としている。現在の運用範囲には，ワクチンと血漿分画製剤を除き，ヒト用医薬品のみが含まれる。

［対象製品］

- 錠剤，カプセル剤，軟膏，注射剤などのさまざまな形態で提供されるヒト用の市販最終医薬品
  - 医療用ガス
  - 放射性医薬品または放射性生物薬品
  - 薬用製品として分類されている場合のハーブ（植物性）製剤
  - ホメオパシー製剤
- 市販の生物学的製剤
  - 治療用バイオテクノロジー関連生物学的製剤
  - アレルギー誘発性製剤
- 中間製品
- 医薬品活性成分または医薬品原薬

EMAウェブサイトのMRAウェブページも参照のこと。

質問6　**：現在，相互承認協定の範囲から除外されている製品は何か？**

回答6　：動物用医薬品は現在の協定の運用範囲には含まれないが，ECとFDAは2019年5月に，それらが2019年12月15日までに含めることを検討することに合意した。ヒト用ワクチンおよび血漿分画製剤は，協定の運用範囲にすぐには含まれないが，2022年7月15日までにそれらを含めることが検討される。ヒト血液，血漿，組織および臓器，ならびに動物用免疫製剤はこの範囲から除外される。

質問7　**：コンビネーション製品は，米国でFDA医薬品評価研究センター（CDER）および生物学的製剤評価研究センター（CBER）によって規制され，EUで「医薬品」として登録されていれば，対象範囲に含まれるか？**

回答7　：適用される製品の範囲は，分野別アネックス第4条および付録3の規定によって定義される。この範囲に含まれる製品は，MRAの対象となる。

質問8　**：次に何が予定されているか？**

回答8　：2019年7月11日のFDAによるすべてのEU加盟国のヒト用医薬品の査察能力の確認に続いて，MRAの実施範囲は，動物用医薬品，ヒト用ワクチン，およびヒト用血漿分画製剤への拡大を目指して継続される。

質問9　：承認された規制当局の最新リストはどこで見られるか？

回答9　：ECは承認された規制当局のリストを公開している。このリストは，FDAによってヒトおよび/または動物用医薬品の査察が可能な加盟国が認定された時点で定期的に更新される。

質問10　：輸入時試験を今すぐ停止できるか？

回答10　：第9条の免除は，MRAのアネックス2に記載されているヒト用医薬品の責任を負うすべてのEU加盟国当局が承認されることを条件としているため，現在はMRA範囲に含まれるヒト用医薬品にのみ適用される（質問5の製品を参照）。
2019年7月11日から，EU加盟国のQualified Person（QP）は，製品が米国で製造され，管理が米国で行われたことを確認する指令2001/83/ECの第51条1項に定められたヒト用医薬品の管理を実施する責任から解放される。
各バッチ/ロットには，製品が販売承認の要件に適合していることを証明し，当該バッチ/ロット製品の出荷責任者が署名した，製造業者が発行したバッチ証明書（医薬品の品質に関するWHO認証スキームと一致）を添付する必要がある。

（*Questions & Answers on the impact of Mutual Recognition Agreement between the European Union and the United States as of 11 July 2019*，*EMA/395913/2019*，*2019年7月11日*）

2 日本とEUとのMRA/MOU

日本は，関係各国との間で，医薬品等製造所の査察結果の相互受入れを義務付ける国際条約である相互承認協定（MRA）を締結，または国際条約を構成しないが相互に査察結果報告書または証明書を発行すること等の協力についての覚書であるGMP調査等協力覚書（Memorandum of Understanding；MOU）を交わしてきた。法的拘束力を持たないMOU締結国は，輸入特例対象国として，オーストラリア，スイス，スウェーデンおよびドイツであり，対象医薬品は原薬，治験薬を含む医薬品全般である。EUとMRAを締結した現在，MOUは意味をなさなくなっている。

MRAについては，当初，日本・EC相互承認協定の枠組み（15カ国）の中で運用してきたが，2016年に厚生労働省医薬・生活衛生局監視指導・麻薬対策課課長通知「相互承認に関する日本国と欧州共同体との間の協定の運用について」（薬生監麻発0426第3号，平成28年4月26日）が発出されたことにより，EU加盟国すべて（当時，28カ国）がMRA対象国になった。MRA対象医薬品は，化学的医薬品（chemical pharmaceuticals）であり，原薬（active pharmaceutical ingredient），免疫学的医薬品（immunological medicinal product）および無菌医薬品（sterile medicinal product）は，MRA対象外とした。

2018年，厚生労働省医薬・生活衛生局監視指導・麻薬対策課課長通知「相互承認に関する日本国と欧州共同体との間の協定の運用についての一部改正について」（薬生監麻発0718第1号，平成30年7月18日）が発出されたことにより，日欧MRAに基づくGMP相互承認対象医

表1-4｜日本・EU間のMRAに基づくGMP相互承認対象医薬品

①化学的医薬品
　原薬および無菌製剤について，新たに対象医薬品とする。
②生物学的医薬品※
　原薬および無菌製剤（ワクチン等）を含め，新たに対象医薬品とする。ただし，適用されるGMPの同等性が再確認されていない以下のものを除く。
　ア．不特定多数のドナーから採取されたヒト血液・組織・細胞に由来する医薬品
　イ．トランスジェニック動物・植物に由来する医薬品

※生物学的医薬品には，免疫学的製剤（immunologicals）およびワクチン類（vaccines）が含まれ，また，微生物，動物または植物に由来する医薬品のほか，わが国でいう「遺伝子組換え技術応用医薬品」，「細胞培養技術応用医薬品」も含まれる。

薬品は，原薬，無菌製剤，ワクチンなどの生物学的医薬品にも拡大し，ほとんどの医薬品をカバーすることになった（表1-4）。

日本・EU間のMRAに基づくGMP相互承認により，図1-1（a，b）に示すように，日本の製薬企業で出荷試験に適合した医薬品については，EU圏の受入れ国で同じ試験を繰り返すことなく，即市場に出荷できるようになった（EU国から日本への出荷医薬品についても同じ要件となった）。

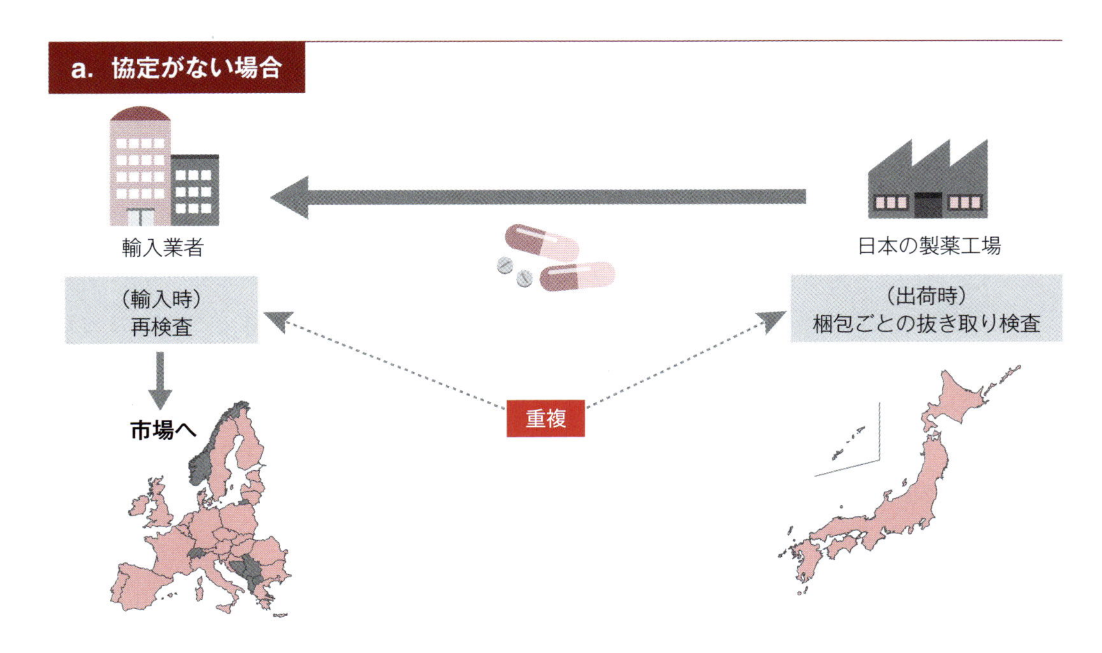

図1-1a｜MRA協定のメリット（医薬品GMPの場合）

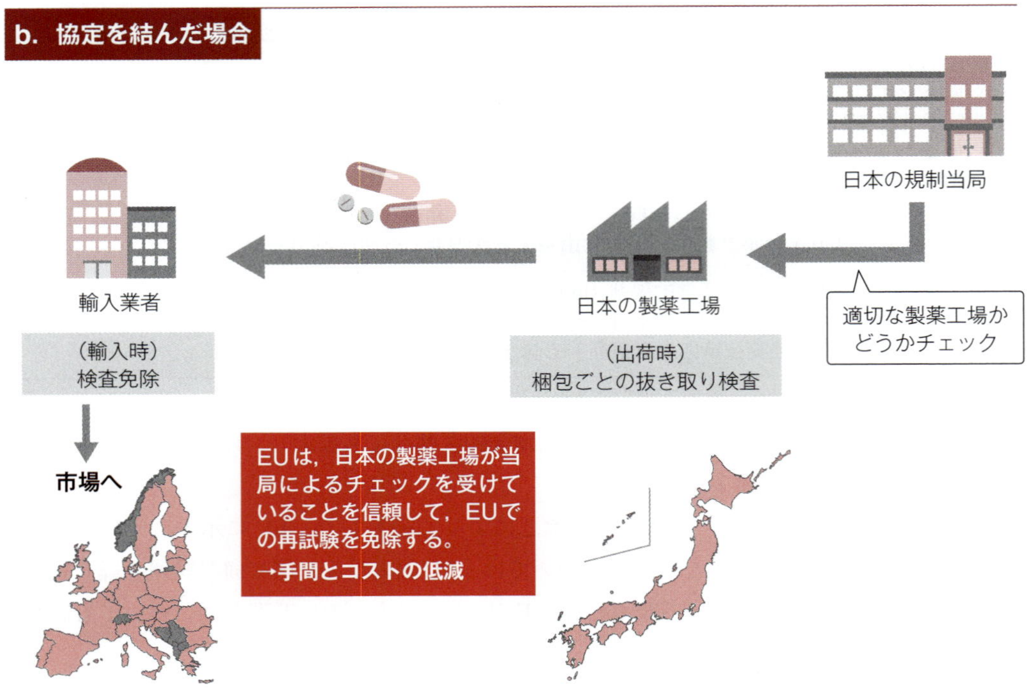

b. 協定を結んだ場合

日本の規制当局

適切な製薬工場かどうかチェック

日本の製薬工場

（出荷時）
梱包ごとの抜き取り検査

輸入業者

（輸入時）
検査免除

市場へ

EUは，日本の製薬工場が当局によるチェックを受けていることを信頼して，EUでの再試験を免除する。
→手間とコストの低減

図1-1b｜MRA協定のメリット（医薬品GMPの場合）

3 EUと他国とのMRA

MRAは市場アクセスを促進し，コンプライアンス基準の国際調和を促進し，消費者の安全を守ることを目的とした貿易協定である。これらの協定は，各国・地域でのGMP査察の重複を減らすことによって規制当局に利益をもたらし，リスクが高く，グローバルサプライチェーンとして拡大する可能性のある施設・工場に査察の重点を移すことができる。MRAはまた，施設で行われる査察の回数を減らし，輸入時に製品の再試験を免除することによって，製造業者のコストを削減し，医薬品の貿易を促進することができる。

欧州連合（EU）は，ヒト用および動物用医薬品の規制対象製品の適合性評価に関して第三国と相互承認協定（MRA）を締結している。MRA協定により，EU当局とその対応国は，以下を取り決めている。

- お互いのGMP査察システムに依拠する
- 査察および品質欠陥に関する情報を共有する
- 自国への製品輸入時にバッチ試験を免除する

EUは，現在（2020年7月），オーストラリア，カナダ，イスラエル，日本，ニュージーランド，スイス，米国とMRAを締結している。EUと各国との間でのMRA締結内容を表1-5に簡単に示す。

表1-5 EUと各国との間でのMRA締結内容

■オーストラリア

締結年月日	1999年1月1日：ヒト用医薬品 2001年6月1日：動物用医薬品
適用製品	• ヒト用化学的医薬品（human chemical pharmaceuticals） • 医療用ガス（medicinal gases） • ワクチン，免疫学的製剤および生物学的治療薬を含むヒト用生物学的製剤（human biologicals, including vaccines, immunologicals and biotherapeutics） • ヒト用放射性医薬品（human radiopharmaceuticals） • ヒト血液またはヒト血漿から得られた安定した医薬品（stable medicinal products derived from human blood or human plasma） • 医薬品として分類されているならホメオパシー薬（homeopathic medicines, if classified as medical product） • 医薬品として分類されているならビタミン，ミネラル，薬草（vitamins, minerals and herbal medicines if classified as medicinal products） • 第Ⅰ相臨床試験で使用されるものを除き，臨床試験で治験薬（IMPs）としての使用を意図した製品（products intended for use in clinical trials, investigational medicinal products (IMPs), except those used in phase I clinical trials） • 中間製品およびバルク医薬品（intermediate products and bulk pharmaceuticals） • ヒト用医薬品として使用される原薬（active pharmaceutical ingredients, only for human medicinal products） • 動物用化学的医薬品（veterinary chemical pharmaceuticals） • 動物用薬用飼料調製のためのプレミックス（premixes for preparation of veterinary medicated feedstuff） • ワクチン，免疫学的製剤および生物学的治療薬を含む動物用免疫学的製剤（veterinary immunologicals, including vaccines, immunologicals and biotherapeutics）
非適用製品	• 先進治療医薬品（Advanced therapy medical products；ATMP）
情報交換	製造業者とバッチ証明書のGMP遵守証明書の交換。 双方向アラートシステムが稼動している。

■カナダ

締結年月日	2003年2月1日 2017年，MRAは中断され，2017年9月現在暫定的に適用されるEUとカナダ間の包括的経済貿易協定（CETA）に組み込まれている。中断されたMRAは，CETAが完全に発効し，EU加盟国による批准を待って終了する。 CETAに基づく最初の医薬品共同部門グループは，2018年11月に会合し，多くの管理上の取り決めに合意した。詳細については，欧州委員会から入手できる（http://trade.ec.europa.eu/doclib/press/index.cfm?id=1811）。
適用製品	• ヒト用化学的医薬品 • 医療用ガス • ワクチン，免疫学的製剤および生物学的治療薬を含むヒト用生物学的製剤 • 製造所が国民健康製品規制（National Health Products Regulations）に基づいて，必要とされるサイトライセンス（site license）に加えて，製造所ライセンス（establishment license）を保持しているなら，国民健康製品（National Health Products；NHP）に分類されるヒト用放射性医薬品，ビタミン，ミネラル，薬草 • 製造認可/製造ライセンスを保有する製造業者に限定され，臨床試験での使用を意図した治験薬（IMP） • 中間製品およびバルク医薬品 • 動物用化学的医薬品 • 動物用薬用飼料調製のためのプレミックス

非適用製品	・ヒト血液またはヒト血漿から得られた安定した医薬品 ・先進治療医薬品 ・原薬 ・動物用生物製剤
情報交換	記載なし

■イスラエル

締結年月日	2013年1月19日 イスラエルとのMRAは，工業製品の適合性評価と受け入れに関する合意（agreement on conformity assessment and acceptance of industrial products；ACAA）である。これは，EUに関係する国の立法システムとインフラストラクチャーの整合に基づく特別なタイプのMRAである。
適用製品	・ヒト用化学的医薬品 ・ヒト用放射性医薬品 ・医薬品として分類されているならビタミン，ミネラル，薬草 ・中間製品およびバルク医薬品 ・原薬 ・添加物 ・動物用化学的医薬品 ・動物用薬用飼料調製のためのプレミックス ・免疫学的製剤を除く動物用生物学的製剤
非適用製品	・医療用ガス ・ホメオパシー薬 ・臨床試験で治験薬（IMPs）としての使用を意図した製品 ・ヒト血液またはヒト血漿から得られた安定した医薬品 ・動物用免疫学的医薬品 ・先進治療医薬品
情報交換	製造業者とバッチ証明書のGMP遵守証明書の交換。 双方向アラートシステムが稼動している。

■日本

締結年月日	2004年5月29日：MRA対象医薬品の範囲を限定して締結 2018年7月17日：MRA対象医薬品の範囲を拡大（無菌医薬品，生物学的製剤，原薬を含む）
適用製品	以下のヒト用医薬品に限定。 ・ヒト用化学的医薬品 ・日本で，医薬品として分類され，GMP要件が適用されるならホメオパシー薬 ・日欧で医薬品として分類されているならビタミン，ミネラル，薬草 ・免疫学的製剤およびワクチンを含む生物学的医薬品には，以下を含む。 －天然または組換え微生物または樹立細胞株を利用する細胞培養によって産生されるもの －非トランスジェニック植物および非トランスジェニック動物由来 ・協定でカバーされるあらゆる医薬品の原薬 ・上記範疇に所属する無菌医薬品
非適用製品	・動物用医薬品 ・ヒト血液またはヒト血漿から得られた安定した医薬品 ・先進治療医薬品 ・医療用ガス ・臨床試験で治験薬（IMPs）としての使用を意図した製品

情報交換	EudraGMDPデータベースおよび製造業者とバッチ証明書のGMP遵守証明書の交換。 双方向アラートシステムが稼動している。

■ニュージーランド

締結年月日	1999年1月1日：ヒト用医薬品 2001年6月1日：動物用医薬品
適用製品	• ヒト用化学的医薬品 • 医療用ガス • ワクチン，免疫学的製剤および生物学的治療薬を含むヒト用生物学的製剤 • ヒト用放射性医薬品 • ヒト血液またはヒト血漿から得られた安定した医薬品 • 医薬品として分類されているならホメオパシー薬 • 医薬品として分類されているならビタミン，ミネラル，薬草 • 臨床試験で治験薬（IMPs）としての使用を意図した製品 • 中間製品およびバルク医薬品 • 動物用化学的医薬品 • 動物用薬用飼料調製のためのプレミックス • ワクチン，免疫学的製剤および生物学的治療薬を含む動物用免疫学的製剤
非適用製品	• 先進治療医薬品 • 原薬
情報交換	製造業者とバッチ証明書のGMP遵守証明書の交換。 双方向アラートシステムが稼動している。

■スイス

締結年月日	2002年6月1日
適用製品	• ヒト用化学的医薬品 • 医療用ガス • ワクチン，免疫学的製剤および生物学的治療薬を含むヒト用生物学的製剤 • ヒト用放射性医薬品 • ヒト血液またはヒト血漿から得られた安定した医薬品 • 先進治療医薬品 • 医薬品として分類されているならホメオパシー薬 • 医薬品として分類されているならビタミン，ミネラル，薬草 • 臨床試験で治験薬（IMPs）としての使用を意図した製品 • 原薬 • 中間製品およびバルク医薬品 • 動物用化学的医薬品 • 動物用薬用飼料調製のためのプレミックス • ワクチン，免疫学的製剤および生物学的治療薬を含む動物用免疫学的製剤
非適用製品	記載なし
情報交換	EudraGMDPデータベースを通じた製造/輸入許可，GMP遵守および不適合に関する情報の交換。 双方向アラートシステムが稼動している。

■米国

締結年月日	2017年11月1日：発効 2019年7月11日現在：ヒト用医薬品が完全に運用可能 一時的な規定は，動物用医薬品，ヒト用のワクチン，および血漿由来の医薬品に適用される。
運用範囲の拡大	運用範囲の拡大に伴う決定： • 動物用医薬品：2019年7月15日まで。 • ヒト用ワクチンおよび血漿由来医薬品：2022年7月15日まで。 • 臨床試験で使用する製品（治験薬）：これらの製品は，FDAによる査察を受ける場合にのみ対象になる。
適用製品	• ヒト用化学的医薬品 • 医療用ガス • ワクチン，免疫学的製剤および生物学的治療薬を含むヒト用生物学的製剤 • ヒト用放射性医薬品 • 医薬品として分類されているならホメオパシー薬 • 医薬品として分類されているならビタミン，ミネラル，薬草 • 原薬 • 中間製品およびバルク医薬品
非適用製品	• ヒト血液および血漿 • ヒト組織および臓器 • 原薬 • 先進治療医薬品
情報交換	公的GMP文書の交換。 双方向アラートシステムが稼動している。

4 カナダ規制当局（Health Canada）とEUのGMP査察結果

EUとMRAを締結している，オーストラリア，カナダ，イスラエル，日本，ニュージーランド，スイス，米国の中で，GMP査察結果を公表しているのは，米国と，カナダ，EUである。

本項では，カナダとEUの査察結果の検索方法を紹介する。

1）カナダ規制当局の査察結果

カナダ規制当局（Health Canada）によるGMP査察結果は，当局ウェブサイト内のEstablishment Licences（ライセンス保有施設）画面※1（図1-2）に検索したい企業名を入れると，当該企業のGMP査察結果が表示される。日本のPMDAや地方庁もいつかはGMP調査結果をこのように公表する時は訪れるとは思われるが，できるだけ早めに公表システムを確立すると，それだけGMPレベルの向上につながり，海外からも信頼のおけるGMP調査となるであろう。

2）EUの査察結果

EUも「EudraGMDP」※2でGMP査察結果を公表している。検索画面の「From Date」，

※1 Government of Canada：Establishment Licences, Compliance and enforcement: Drug and health products（https://www.canada.ca/en/health-canada/services/drugs-health-products/compliance-enforcement/establishment-licences.html）

※2 EudraGMDP（http://eudragmdp.ema.europa.eu/inspections/gmpc/searchGMPNonCompliance.do）

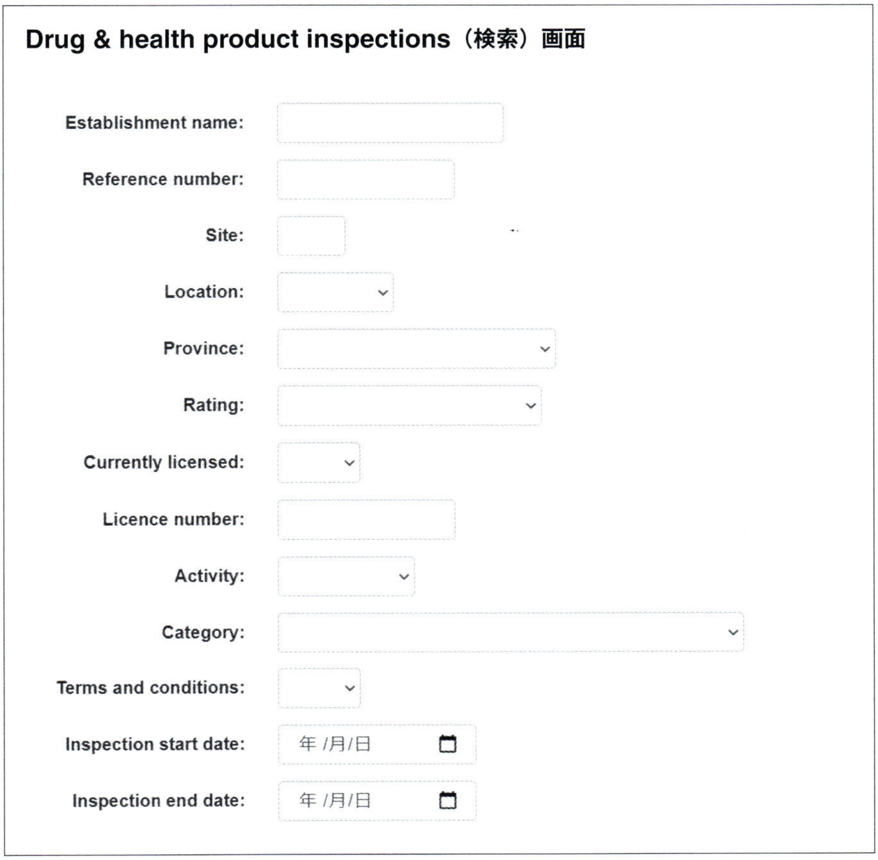

Drug & health product inspections（検索）画面

Establishment name:

Reference number:

Site:

Location:

Province:

Rating:

Currently licensed:

Licence number:

Activity:

Category:

Terms and conditions:

Inspection start date: 年 /月/日

Inspection end date: 年 /月/日

図1-2｜カナダ規制当局によるGMP査察結果の検索画面

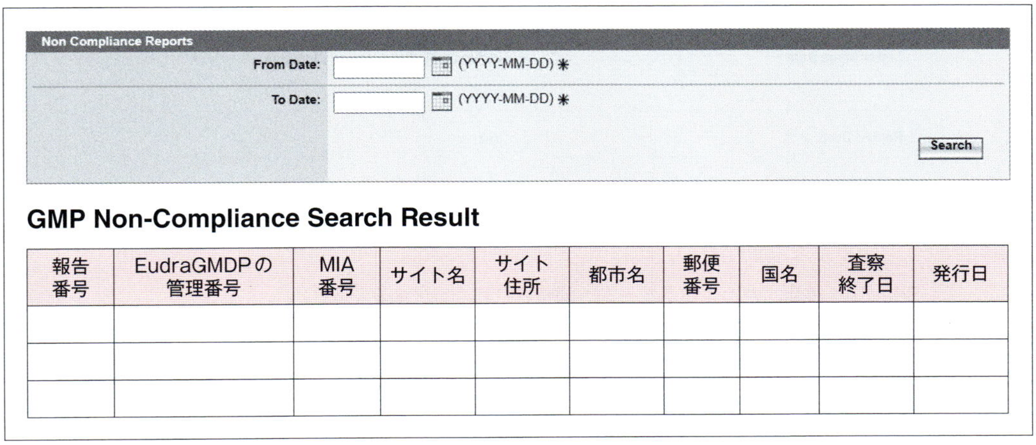

Non Compliance Reports

From Date: (YYYY-MM-DD) *

To Date: (YYYY-MM-DD) *

Search

GMP Non-Compliance Search Result

報告番号	EudraGMDPの管理番号	MIA番号	サイト名	サイト住所	都市名	郵便番号	国名	査察終了日	発行日

図1-3｜EUによるGMP査察結果の検索画面

「To Date」に検索したい年月日を入れると，図1-3のように査察結果が現れる。

5 FDAの査察結果

FDAが発出しているWarning Letters（警告書），査察結果の検索サイトを以下に示しながら，検索方法などについて簡単に説明する。

1）Warning Letters

警告書の検索サイトは，ウェブアドレスを入力せずとも“Warning Letters FDA”（大文字，小文字は関係なく，warning letters fdaでもよい）などと検索エンジンに入力するだけで，簡単にアクセス可能である。FDAのウェブサイト内の「Warning Letters」というページに図1-4のような検索画面が現れる。

2）Inspection Classification Database Search

FDAのGMP査察を受けた施設・製造所の査察結果が入手できるウェブページである。

“Inspection Classification Database Search”を入力すると，図1-5のような検索画面が現れる。

図1-5の「Firm Name」欄に，例えば第5章で引用した協和発酵バイオ株式会社の英語名“Kyowa Hakko Bio”と入力すると，図1-6のような検索結果が現れる。

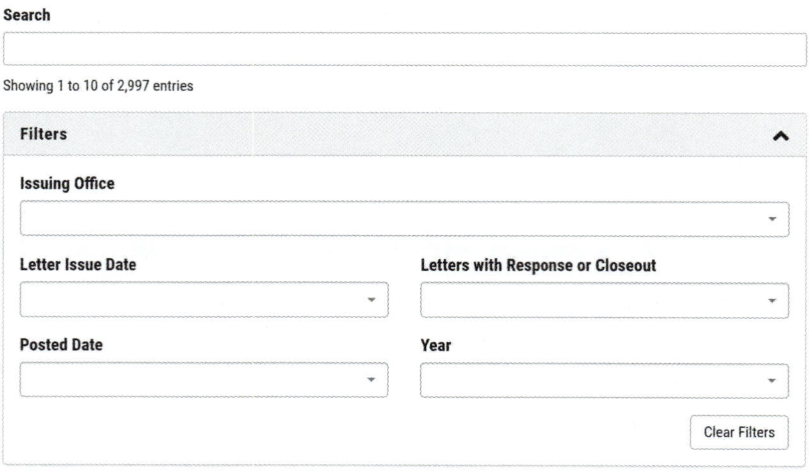

Search

Showing 1 to 10 of 2,997 entries

Filters

Issuing Office

Letter Issue Date

Letters with Response or Closeout

Posted Date

Year

Clear Filters

Search：検索したい企業名を入力，通常はここだけで事足りる。
Filters：検索を絞るときに使用できるが，通常は不要。
Issuing Office：警告書発行部門を110以上に分けている。
Letter Issue Date：警告書発行日を過去7日，30日，60日，90日で選択可能。
Letters with Response or Closeout：Response Letters，Closeout Letters，Response and Closeout Lettersを選択可能。
Posted Date：警告書公表日を過去7日，30日，60日，90日で選択可能。
Year：2015年～2020年で選択可能。

図1-4｜FDAのWarning Letter検索画面

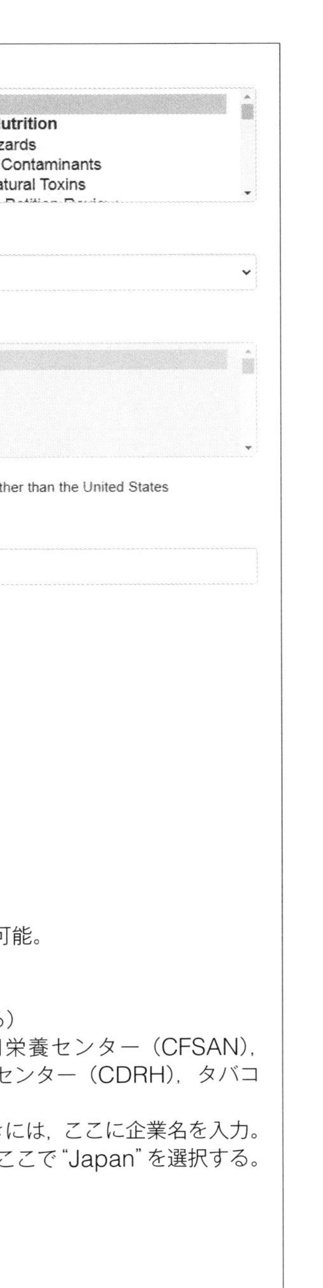

Classification

All
NAI - No Action Indicated
VAI - Voluntary Action Indicated
OAI - Official Action Indicated

Project Area

All
Center for Food Safety and Applied Nutrition
Project 03 - Foodborne Biological Hazards
Project 04 - Pesticides and Chemical Contaminants
Project 07 - Molecular Biology and Natural Toxins

Firm Name

Country / Area

All

District

All
Atlanta
Baltimore
Chicago
Cincinnati

District ORA inspects Foreign locations

State

All
Alaska
Albama
Arizona
Arkansas

State Information is not available for countries other than the United States

Zip Code

City

Inspection End Date

From: MM/DD/YYYY　To: MM/DD/YYYY

Data available for Inspections ending October 1, 2008 through April 29, 2020

Sort By

Sort By...

Search　Reset

Classification：査察結果を3段階で示しており，NAI，VAI，OAIから選択可能。
NAI：No Action Indicated（指摘事項なし）
VAI：Voluntary Action Indicated（指摘はあったが，行政的措置はない）
OAI：Official Action Indicated（重大な指摘があり，行政措置がとられる）
Project Area：FDAの査察部署を選択したい場合には，食品安全・応用栄養センター（CFSAN），CBER，CDER，動物用医薬品センター（CVM），医療機器・放射線保健センター（CDRH），タバコ製品センター（CTP）から選択可能。
Firm Name：検索したい企業名を入力。特定企業への査察結果を知りたいときには，ここに企業名を入力。
Country/Area：検索した国名を入力。日本への査察結果を知りたいときには，ここで“Japan”を選択する。
District：米国内の地域を入力。
State：米国の州を入力。
Inspection End Date：検索したい年月日を入力。
Sort By：上記検索内容を絞りたいときに使用。

図1-5｜FDAの査察結果の検索画面

District	Firm Name	City	State	Zip Code	Country/ Area	Inspection End Date	Center	Project Area	Classification
ORA	＊1	Hofu			JP	06/25/10	CDER	＊2	OAI
ORA	＊1	Ube			JP	07/02/10	CDER	＊2	VAI
ORA	＊1	Hofu			JP	10/27/11	CDER	＊2	VAI
ORA	＊1	Ube			JP	03/14/14	CDER	＊2	VAI
ORA	＊1	Hofu			JP	09/08/17	CDER	＊2	OAI
ORA	＊1	Hofu			JP	11/08/19	CDER	＊2	OAI
ORA	＊1	Ube			JP	11/08/19	CDER	＊2	NAI
ORA	＊1	Ube			JP	09/15/17	CDER	＊2	VAI
ORA	＊1	Hofu			JP	03/20/14	CDER	＊2	NAI

＊1：Kyowa Hakko Bio Co., Ltd.
＊2：Drug Quality Assurance

図1-6 | Kyowa Hakko Bioの検索結果（2020年5月30日時点）

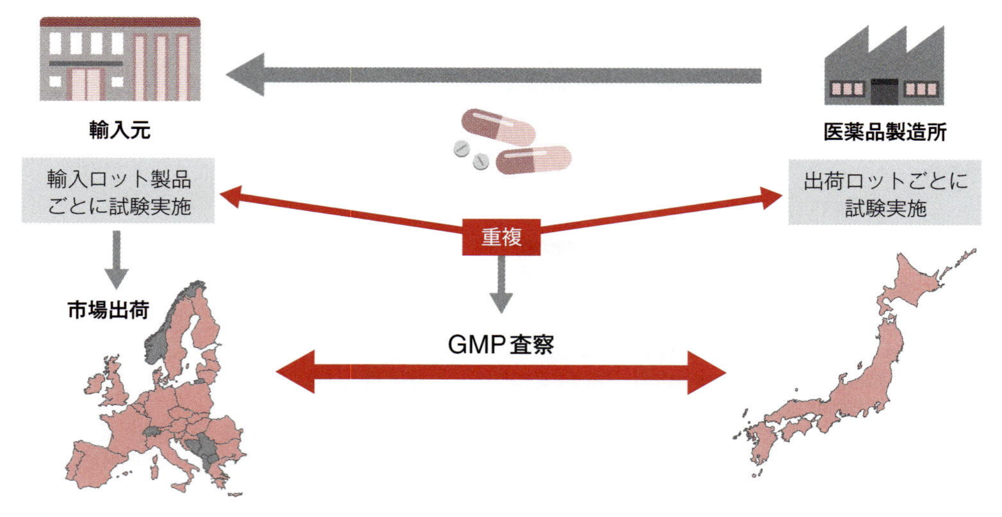

図1-7 | MRA締結前

6 実地査察からデスクトップ査察に

国家間の条約締結には，一般的にかなりの労力と時間がかかる（図1-7）。当該国のすべての製薬企業を対象とするMRAではなく，PIC/S加盟国内で査察対象企業に対する情報を共有しようとするシステムの導入が検討されている。国際医薬品規制当局連合（International Coalition of Medicines Regulatory Authorities；ICMRA）からの要請によりPIC/S加盟国間では，海外に拠点を置く製造所のGMP査察は，条件付きながら実地査察（onsite inspection）ではなく，デスクトップ査察（desktop inspection）に切り替えるように提言したガイダンス（PIC/S Guidance，PI 048-1）が発行されたことにより，GMP査察の在り方が変わろうとしている（図1-8）。

図1-8｜医薬品製造所のGMP査察は，実地調査から書面調査へ

図1-9｜PIC/S GMPの文書体系

PIC/S GMPの文書体系は，図1-9に示すようになっており，“PI”から始まる番号のものは，推奨事項であり，2018年4月のPIC/S総会で採用された「GMP Inspection Reliance（PI 048-1）」も「データ管理とデータの完全性（PI 041）」同様，推奨文書である。

以下には，「GMP Inspection Reliance（PI 048-1）」について示す。

1．文書歴

PIC/S委員会でPI 048-1の採用	2018年4月17～18日
PI 048-1の運用	2018年6月1日

このガイダンスは，ICMRA[注1]のGMP査察リライアンスフレームワーク（GMP Inspection Reliance Framework）によって作成され，ICMRAからの要請によりPIC/Sが引き継いだものである。

注1：ICMRAとは

ICMRAは，規制当局による自発的，ハイレベルな支援組織であり，戦略的調整および指導的な役割を担っており，協働して以下の目的に取り組んでいる。

- ヒト用医薬品の規制と安全に関する既存ならびに新規の課題に対し，その権限と制度上の方法をもって，グローバルかつ戦略的に，透明性の高い方策を講ずること
- 多くの規制当局のミッションに共通する分野や活動に対し，方向性を示すこと
- 相乗効果を生み出せる可能性のある分野を特定すること
- 可能な限り，既存の取り組みやリソースを活用すること

ICMRAメンバー

オーストラリア（TGA），ブラジル（ANVISA），カナダ（HPFB-HC），中国（CFDA），欧州（EMA and DG-SANTE，EU），フランス（ANSM），ドイツ（PEI），アイルランド（HPRA），イタリア（AIFA），日本（PMDA and MHLW），韓国（MFDS），メキシコ（COFEPRIS），オランダ（MEB），ニュージーランド（Medsafe），ナイジェリア（NAFDAC），シンガポール（HSA），南アフリカ（MCC），スイス（Swissmedic），スウェーデン（MPA），英国（MHRA），米国（FDA）

（PMDAホームページ，https://www.pmda.go.jp/int-activities/int-harmony/icmra/0001.htmlより）

2. 序文

2.1 グローバルなサプライチェーンの複雑さに伴い，医薬品製造施設の査察需要は，各国規制当局（National Competent Authority；NCA）が達成できるものをはるかに上回り，ますます複雑化する医薬品のグローバルサプライチェーンによって引き起こされる，製品の品質リスク管理を支援するための枠組みが必要となっている。

2.2 製造施設のGMP遵守に関する適切な決定は，状況によっては，他の規制当局または複数の規制当局による作業成果に基づいて行うことができる。その結果，（相互承認協定の確立された枠組み，または同等の法的要件が認められる場合，）査察当局にとって，GMP適合性の許容レベルが当該規制当局または他の複数の規制当局によって確認され保証されているため，海外領土内の製造施設の実地査察が不要な具体的な事例を特定することが可能である。

2.3 適切な場合には，実地査察（onsite inspection）を行わずにデスクトップ査察（desktop inspection）[注2]でGMP適合性を確認することで，規制当局間の業務の重複を回避し，製造現場の規制負担を軽減し，グローバルな査察リソースのより効率的な展開を可能にする。

注2：実地査察と書面査察

日本では一般に，onsite inspectionを“実地調査”，desktop inspectionを“書面調査”と称している。日本では，医薬品医療機器等法第14条の規定により，“書面による調査又は実地の調査”を受けることになっており，“GMP調査”が正式呼称ではあるが，“GMP査察”とも称している。

3. 目的

3.1　本文書は，海外施設のGMP適合性について実地査察をせずに，当該規制当局または他の複数の規制当局の活動から許容可能なGMP適合性レベルを，確認および保証できる場合を特定するための遠隔評価の手順について概説している。

3.2　この評価プロセスを促進するために，高度なガイダンスを提供する。プロセスの詳細は規制当局間で異なるので，その詳細は各国のプロセスで定義されていることが推奨される。規制当局によっては，海外施設の現場査察が不要であることを確認するための手順がすでに確立されており，本文書で説明されている枠組みの下で継続することができる。

4. 適用範囲

4.1　本手法は，ホスティングNCA（すなわち，製造施設がある領域内の規制当局）の能力が保証されている地域の製造施設に限定される。つまり，次のいずれかである。

a）当該施設がPIC/S加盟当局の地域内にある。または，

b）ホスティングNCAは，一般的に過去5年以内に，「通常は共同監査プログラム（Joint Audit Program；JAP）[注3]/共同再評価プログラム（Joint Reassessment Program；JRP）の調和フレームワークに沿った」堅牢な評価ツールを用いて評価され，肯定的な結果が得られている。

c）GMPをカバーする両国間に相互承認協定（MRA）が設けられている場合，MRAの各締約国は，例外として，例えば製品が協定の運用範囲に含まれていない場合に，他の締約国に特定された理由により査察を実施する権利を留保する。

注3：共同監査プログラム（JAP）

EUと米国は，MRA交渉において，共同監査プログラム（JAP）を作成し，この枠組みで組織された米国FDA監査団は，各EU加盟国のGMP査察官の能力評価を行ってきた。またEUも米国FDAの査察手法を評価してきた。日本がEUとMRAを締結した際には，EUと日本間でJAPを作成したとは聞いていない。

4.2　本手法の範囲内ではないが，製造施設がホスティングNCAの能力が保証されていない地域に拠点を置いている場合，NCAは枠組みの原則を使用し，リスクベースの査察プログラムを使用することができる。しかし，当該製造施設は，NCAが信頼している規制パートナーによって査察されていることである。

4.3　一部のNCAは，販売承認書（Marketing Authorisation）/品目許可書（Product Licence）に記載されている内容の遵守状況を確認するためだけに査察を行っており，それら査察の特異性を考慮し，本枠組みの範囲外であるとみなしてもよいことに留意すべきである。

4.4 本手法は，PIC/Sに加盟していない査察当局が査察プログラムを支持し，査察リソースのより効率的な配備を行うために同様に使用することができる。

5. プロセス

5.1 序文

5.1.1 海外施設のGMP適合性が満足できるレベルであるかどうかを，実地査察なしに間接的に確認できる評価プロセスを，以下の項目で概説している。

5.1.2 規制当局には，この枠組みを使用して，評価プロセスの詳細を含む独自の手順を確立することが推奨される。

5.1.2.1 手順には，製造所の適合性，査察が必要となる誘因とリスク要因，評価と結果の記録方法について，情報に基づいた規制上の決定を下すために必要な情報を含める必要がある。

5.1.2.2 また，あらゆる手法について，誰が評価を実行/認可すべきか，とりわけGMP査察官または関連するGMP要件について研鑽を受けた技術者について詳述すること。

5.1.2.3 規制当局は，プロセスから除外されるあらゆるタイプの製品と，規制当局が常に実地査察を要求するとみなされる製品を定義することもできる。

5.1.3 規制当局は，国の法律，および世界の規制環境とどのように連携しているかに応じて，国レベルまたは地域レベルでこれらの手続きを確立することができる。

5.2 国家の信頼確立

5.2.1 評価を実施する規制当局（requesting NCA）は，ホスティングNCA（hosting NCA）の能力の保証を最初に得る必要がある。これは次の方法で行うことができる。

a）ホスティングNCAがPIC/S参加当局であることの確認：https://picscheme.org/ja/members または，

b）評価実施規制当局（要請NCA）[注4]が，JAP/JRPプロセスまたは同様の堅牢な評価ツールを用いてホスティングNCAの評価を行う。この評価は，GMPの信頼性の枠組みのためにPIC/Sによって実施される予定はない。

注4：requesting NCAとhosting NCA

評価を実施する規制当局（requesting NCA）を“要請NCA”，評価対象製造所を所轄する規制当局（hosting NCA）を“ホスティングNCA”と称することにした（図1-8，p. 17参照）。

5.2.2　評価を実施する規制当局（要請NCA）がホスティングNCAの能力を保証するならば，“要請NCA”が製造所の適合性評価を行うことができる。

5.3　製造所適合性の評価

5.3.1　情報の収集

ホスティングNCAによってGMP証明書が発行された場合，評価を実施する規制当局はこの文書を最低限取得する必要がある。このドキュメントは，セントラルデータベース（例えばEudraGMP）または製造所から入手し，必要に応じてホスティングNCAと確認することができる。

ホスティングNCAがGMP証明書を発行しない場合は，ホスティングNCAによる当該製造所の最新の査察による査察報告書を最低限取得することが推奨される。これにより，製造所のGMP状況に関する明確な声明が報告書に含まれているかどうかの評価が可能になる。したがって，ホスティングNCAへの要求を最小限に抑えるために，この情報は製造業者から入手し，必要に応じてホスティングNCAと確認することができる。

必要に応じて製造所に追加情報を要求する必要がある。これには，

- ホスティングNCAによる最新の査察に関する情報。例えば，査察実施日付，査察範囲と結果，査察報告書，会社の対応/是正処置と予防処置（CAPA）計画，計画されている再査察日（既知の場合）。
- 正当な要求に応じてホスティングNCAから提供された査察後情報。
- 定義された期間内（例えば，過去2年間または評価を行っている規制当局による前回の査察以降）に，当該規制当局による査察に関する情報。例えば，規制当局の名前，査察実施日付，査察の範囲と結果，計画されている再査察日（既知/適用可能な場合）。必要に応じて，査察報告書と企業の回答も要求することができる。
- サイトマスターファイル（通常，これはEU-PIC/Sフォーマットによる）。
- リスクの評価に役立つ情報。例えば，ホスティングNCAによる最後の査察以降に，製造所の主要担当者または従業員番号，会社の所有者，プロセスおよび製品に対する変更（例えば，製造/取り扱い製品のタイプまたは数の変更，以前に外注に出した業務の取り戻し）。

製造現場に情報を要求する場合，なぜその情報が要求されているかの説明を，電子メールまたは手紙の添え状に含める必要がある。例えば，

「私は，<評価を実施する規制当局の名称>による貴施設の次回GMP査察に関して連絡しています。私たちは貴殿が操業する施設のGMP評価をリモートで実施するプロセスを開始しました。結果が成功すると，工場訪問を必要とせずにGMP適合性を確認することになります。評価を行うために，私たちは以下の情報を提供下さることを要求します。」

追加情報は，必要に応じて他の情報源から入手することもできる。これには，警告書（または同様のもの），医薬品情報システム，回収に関する情報が含まれる。

取得した情報，および最後の査察以降の時間に応じて，ホスティングNCAによる次回の計画査察の日付を入手することが適切な場合がある。これは，ホスティングNCAまたはセントラルデータベース（可能な場合）から入手できるかもしれない。

5.3.2 評価と結果

情報の審査目的は，ホスティングNCAによって実証されたGMP適合性の保証を得るため（GMP証明書，または5.3.1項で定義された査察報告書または情報に含まれる同等の情報による証明）であり，また評価を実施する規制当局による実地査察を正当化する，新たな収集された証拠がないことの保証を得ることである。

入手可能な情報からGMP適合性の適切なレベルが確認できるか，また実地査察が不要であるか（これは，この手順の対象となる有資格製造所に対する基本姿勢である），またはさらなる情報収集もしくは実地査察が必要かどうかの評価をする必要がある。

製造所の適合性評価は，国内または地域の手順に従って記録する必要がある。これは，査察報告書の形式であってもよい。これには，以下の最低限の情報が含まれていることが推奨される（何の文書が誰によって評価されたのか，評価の結果と決定の根拠)。書面による評価の示唆内容に関する詳細なガイダンスを付録1に提示している。

評価の結果は製造所に伝達され，可能であればホスティングNCAにも伝達されるべきである。

査察が必要でないとの決定が下された場合，査察当局はGMP証明書（法的に許可されている場合）の発行を選択することができる。GMP証明書の発行にあたっては，リモート（デスクトップ）審査のプロセスと，GMP遵守レベルが許容可能であると評価されたことを確認するために考慮された情報を参照しながら，GMP証明書が発行されたことへの声明を含むこと。

5.3.3 実地査察の誘因とリスク要因

以下は，実地査察の可能性がある誘因またはリスク要因の例である。

- 製造所が要求した情報を提供しなかった場合。
- 査察実績のない製造所。
- ホスティングNCAによって承認されていない製造所。
- GMP証明書/利用可能な査察報告書は，規制当局が評価を実施しようとしている製品または工程に適用されていない。
- 他の規制当局が製造施設，または製造施設の側面（例えば，無菌区域と非無菌区域）を承認していないことを示す証拠がある。

これは，完璧なリストではなく，実地査察を実施するかどうかの決定は，国内/地域の手順で定義された入手可能な情報や誘因，リスク要因を考慮してケースバイケースで行う必要がある。

実地査察が必要と考えられる場合，これは関連する国内/地域の手順に従って計画され，実施されるべきである。可能ならば，ホスティングNCAとの共同査察を行うことを検討することができる。

5.3.4　追加の検討事項

製造所の適合性を評価するために入手した文書の翻訳を必要とする場合，これは評価を実施する規制当局の責任であり，この作業を行うように製造業者から要求されることがある[注5]。

注5：文書の翻訳作業

通常のGMP実地査察では，GMP査察で必要な文書の翻訳作業を行うのは製造所であり，GMP査察を行う規制当局が行うことはない。本要件では，規制当局が翻訳を行うような記載文書になっている。このあたりが，実地査察と書面査察の違いかもしれない。

この手続きの下で評価を実施する規制当局は，このプロセスで共有される情報の機密性を保護するためのプロセスを有するべきである。

ホスティングNCAに向けられる質問は，規制上の負担を増加させないように最低限に抑えるべきである。場合によっては，その真正性を保証するために，製造所から提供された情報をホスティングNCAとともに検証することが適切な場合がある。

5.4　モニタリングとレビュー

5.4.1　海外施設の実地査察を行わないことを決定した場合，当該評価を下した規制当局は，海外の施設が自国市場に製品を供給することを認可しない場合を除き，定期査察（例えば，査察を行わないという決定がまだ適用されるかどうか，または新たな誘因，諜報または特定されたリスクに照らして実地査察が必要かどうかの年1回のレビュー）を確実にするために，査察計画の範囲内にその施設を含めておくべきである。

5.4.2　承認期間内に，または承認期間の終了時に査察が行われるという条件で製造所が承認される場合がある。状況には，低水準の適合性または製造基準に適合していない過去の履歴が含まれる場合がある。

6.　改訂履歴

日付	版番号	改訂理由

7. 附属書

付属資料1：GMP査察信頼評価報告書の推奨内容

サイト情報	・評価中の製造所の名称と住所 ・建物番号/GPS位置/UFIなどの利用可能/適用可能な場合の詳細 ・サイトの連絡者の名前と連絡先の詳細
評価を実施する規制当局	・評価を実施する規制当局の名称 ・評価を実施/担当者の氏名と役職 ・評価の実施日 ・評価担当者の署名/裏書き
評価の範囲	・GMP適合性の評価がPICスキーム下で実施されていることの表明 ・評価の範囲内にある特定の製品/剤形 ・評価の範囲内にある活動（例えば，API/非無菌最終製品/無菌最終製品/生物学的最終製品の製造/包装，輸入など）
ホスティングNCA	・ホスティングNCAの名称 ・どこの国の信頼性が確立しているか，以下どちらかの基礎情報 －ホスティングNCAがPIC/S加盟当局であることの確認，または， －ホスティングNCAがPIC/S加盟当局でない場合は，JAP/JRPプロセス，または同様の堅牢な国家評価ツールを使用してホスティングNCAの評価から肯定的な結果を確認し，評価が行われた日付
評価の基礎（文書のレビュー）	・バージョン/日付を含む評価の一部としてレビューされた文書のリスト ・ホスティングNCAによる最後の査察の日付，範囲および結果 ・GMP証明書（入手可能な場合）または査察報告書が，評価を実施する規制当局に関心のある製品および活動をカバーしていることの確認 ・評価にホスティングNCAが関与する可能性のある情報（例えば，製造所が提供する文書の翻訳の確認）
結果の評価と理由	例えば， ・収集した情報に基づき，製造所が所在する国のPIC/S加盟当局による業務の監視とともに，現時点では〈評価を実施する規制当局の名称〉による実地査察は不要と考えられる。新しいGMP証明書を発行することができる（法律が許可する場合）。 ・以下の〈リスクファクター/トリガーの要約を挿入する〉により，実地査察が必要と考えられる。

解説：新型コロナウイルスの感染拡大を機に

新型コロナウイルス（COVID-19）感染症パンデミックにより，各国規制当局は実地査察（onsite inspection）をとりやめ，遠隔査察（remote inspection）に取り組むことを述べている。また，“PIC/S Guidance（PI 048-1）”が推奨する実地査察（onsite inspection）から書面査察（desk-top inspection）の実施が現実化している。

各規制当局の対応

- MHRA：MHRA Good Practice (GxP) inspections during the COVID19 outbreak（2020/03/23）
- EMA：Questions and Answers on Regulatory Expectations for Medicinal Products for Human Use During the COVID-19 Pandemic（2020/04/10）
- TGA：Domestic Good Manufacturing Practice (GMP) inspections during the COVID-19 pandemic（2020/04/24）

・FDA：Coronavirus (COVID-19) Update: FDA updates on surveillance inspections during COVID-19（2020/05/11）

GMP調査よもやま話①

独立行政法人医薬品医療機器総合機構（Pharmaceuticals and Medical Devices Agency；PMDA）は，平成13年に閣議決定された特殊法人等整理合理化計画を受けて，国立医薬品食品衛生研究所医薬品医療機器審査センター，医薬品副作用被害救済・研究振興調査機構および財団法人医療機器センターの一部の業務を統合し，独立行政法人医薬品医療機器総合機構法に基づいて平成16年4月1日に設立され，業務を開始した。

国が承認する医薬品（新規承認医薬品，生物学的製剤，放射性医薬品等）製造所へのGMP調査は，PMDAが実施している。PMDAが発足する平成16年以前は，生物学的製剤（ワクチン，血液製剤）製造所へのGMP調査には，厚生省監視指導課（現，厚生労働省監視指導・麻薬対策課）からの要請により，国立予防衛生研究所（現，国立感染症研究所）が協力していた。

図は，平成8年9月10日に発行された「薬事監視員身分証明書」である。この身分証明書の裏面には，薬事法第69条（立入検査等）と第70条（廃棄等）による立入りになっている旨が記載されており，筆者はとりわけ薬事法第69条に基づくGMP調査に協力していた。

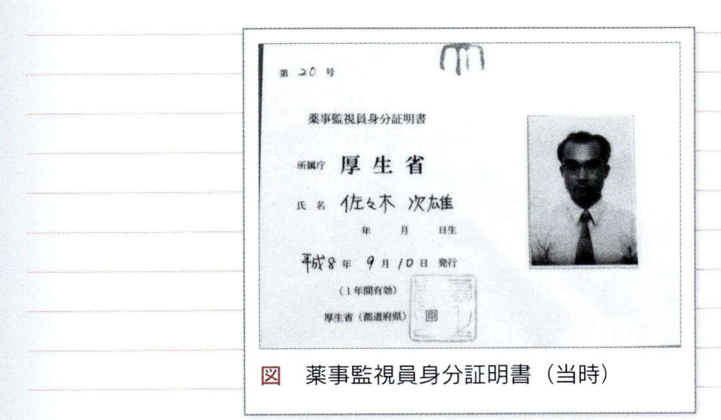
第 20 号

薬事監視員身分証明書

所属庁　厚生省

氏名　佐々木 次雄

年　月　日生

平成8年 9月 10日 発行

（1年間有効）

厚生省（都道府県）　印

図　薬事監視員身分証明書（当時）

1.2 FDAの組織

1 FDAとは

1）FDAの規制する品目

FDA（米国食品医薬品庁）は，ヒトおよび動物用医薬品，生物製剤，医療機器，化粧品，食品（食肉，鶏肉は除く），放射線製品の安全性・有効性等を確保することにより，国民の健康を守る責任を負う。FDAが規制している品目は，食糧（米国農務省によって規制される食肉と鶏肉製品を除くすべての食品の安全性，ラベル表示，ボトル入り飲料水，食品添加物，乳児用調製粉乳），栄養補助食品，ヒト用医薬品，ワクチン，血液製剤およびその他の生物製剤，医療機器，医療用電子製品，化粧品，動物用医薬品，タバコ製品である。

2）FDAの組織

FDAは，米国保健福祉省（Department of Health and Human Services）配下の政府機関で，連邦食品・医薬品・化粧品法（Federal Food, Drug, and Cosmetic Act）を根拠とし，医療品規制，食の安全を責務としている。FDAの組織は，長官事務局（Office of the Commissioner），食品・動物医薬品局（Office of Foods and Veterinary Medicine），国際的規制運用および政策局（Office of Global Regulatory Operations and Policy），医療品・タバコ局（Office of Medical Products and Tobacco），オペレーション局（Office of Operations），政策・企画・法務・分析局（Office of Policy, Planning, Legislation, and Analysis）の6つの局および8つのセンター（表1-6）といくつかの部（Office）から構成されている。腫瘍学研究センターは，2017年1月に発足した最も新しいセンターである。医薬品評価研究センター（CDER），生物学的製剤評価研究センター（CBER），規制業務部（ORA）の組織を図1-10，1-11，1-12，1-13に示す。“Office”を規模の大きさに関係なく便宜的に上位組織から局，部，課と訳した。

表1-6｜FDAの８つのセンター

- 生物学的製剤評価研究センター（Center for Biologics Evaluation and Research）
- 医療機器・放射線保健センター（Center for Devices and Radiological Health）
- 医薬品評価研究センター（Center for Drug Evaluation and Research）
- 食品安全・応用栄養センター（Center for Food Safety and Applied Nutrition）
- タバコ製品センター（Center for Tobacco Products）
- 動物用医薬品センター（Center for Veterinary Medicine）
- 国立毒性研究センター（National Center for Toxicological Research）
- 腫瘍学研究センター（Oncology Center of Excellence）

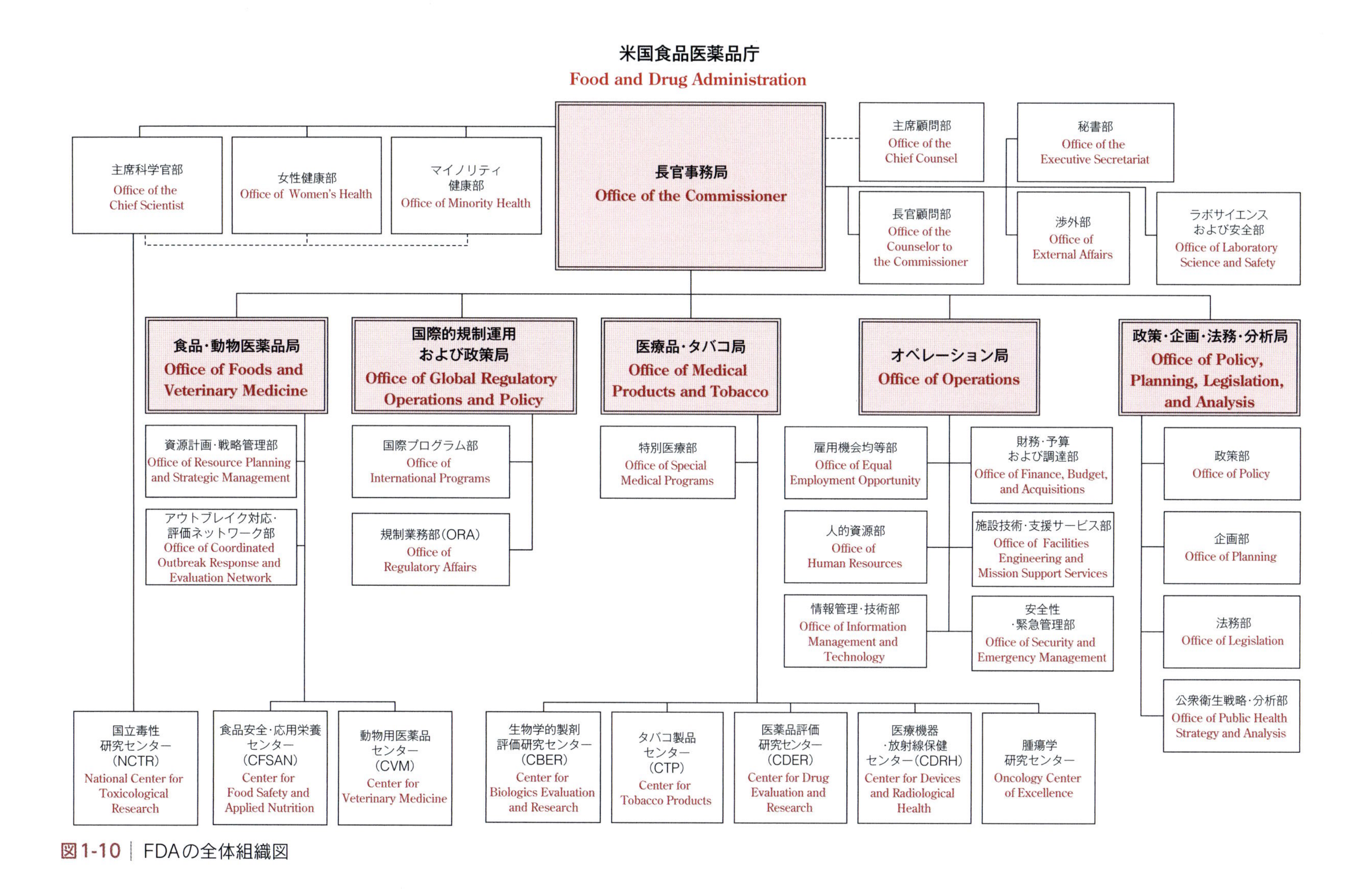

図1-10 | FDAの全体組織図

医薬品評価研究センター(CDER)
Center for Drug Evaluation and Research

- センター長事務局 Office of the Center Director
  - 規制政策部 Office of Regulatory Policy
  - 医療政策部 Office of Medical Policy
    - 処方薬推進課 Office of Prescription Drug Promotion
    - 医療政策課 Office of Medical Policy Initiatives
  - コミュニケーション部 Office of Communications
  - 管理部 Office of Management
  - 戦略計画部 Office of Strategic Programs
    - 計画・戦略分析課 Office of Program and Strategic Analysis
    - ビジネス情報課 Office of Business Informatics
  - 行政執行計画部 Office of Executive Programs
  - コンプライアンス部 Office of Compliance
    - 製造品質課 Office of Manufacturing Quality
    - 学術調査課 Office of Scientific Investigations
    - 未承認医薬品・表示遵守課 Office of Unapproved Drugs and Labeling Compliance
    - 医薬品の安全性・完全性・反応性課 Office of Drug Security, Integrity, and Response
    - プログラム・規制業務課 Office of Program and Regulatory Operations
  - トランスレーショナル・サイエンス部 Office of Translational Sciences
    - 生物統計課 Office of Biostatistics
    - 臨床薬理学課 Office of Clinical Pharmacology
    - 計算科学課 Office of Computational Science
    - インテグリティ・サーベランス研究課 Office of Study Integrity and Surveillance
  - 監視・疫学部 Office of Surveillance and Epidemiology
    - 投薬過誤予防・リスク管理課 Office of Medication Error Prevention and Risk Management
    - 市販後医薬品安全監視・疫学課 Office of Pharmacovigilance and Epidemiology
  - 新薬部 Office of New Drugs
    - 医薬品審査第一課 Office of Drug Evaluation I
    - 医薬品審査第二課 Office of Drug Evaluation II
    - 医薬品審査第三課 Office of Drug Evaluation III
    - 抗菌製品課 Office of Antimicrobial Products
    - 医薬品審査第四課 Office of Drug Evaluation IV
    - 血液・腫瘍製品課 Office of Hematology and Oncology Products
  - 後発医薬品部 Office of Generic Drugs
    - 標準品研究課 Office of Research Standards
    - 生物学的同等性課 Office of Bioequivalence
    - 後発医薬品課 Office of Generic Drug Policy
    - 規制業務課 Office of Regulatory Operations
  - 医薬品品質部 Office of Pharmaceutical Quality
    - バイオ製品課 Office of Biotechnology Products
    - 新薬課 Office of New Drug Products
    - 医薬品品質政策課 Office of Policy for Pharmaceutical Quality
    - 工程・施設課 Office of Process and Facilities
    - サーベイランス課 Office of Surveillance
    - 試験・研究課 Office of Testing and Research
    - プログラム・規制業務課 Office of Program and Regulatory Operations
    - 医薬品ライフサイクル課 Office of Lifecycle Drug Products

図1-11 CDERの組織図

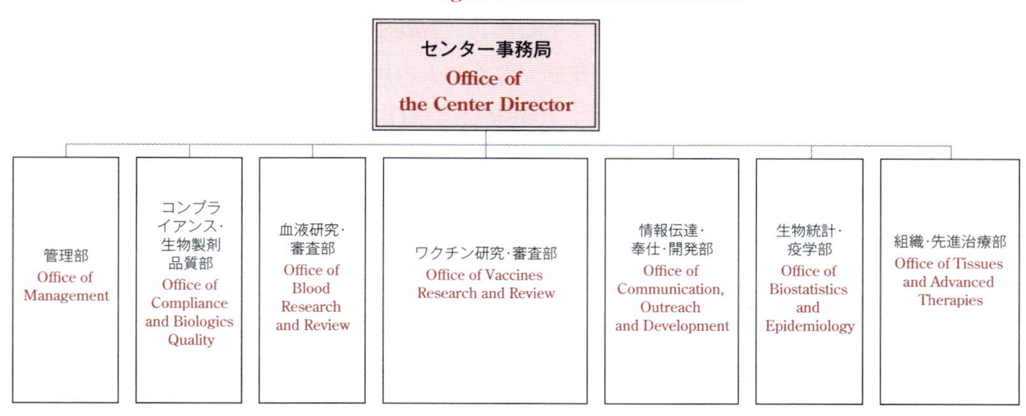

図1-12｜CBERの組織図

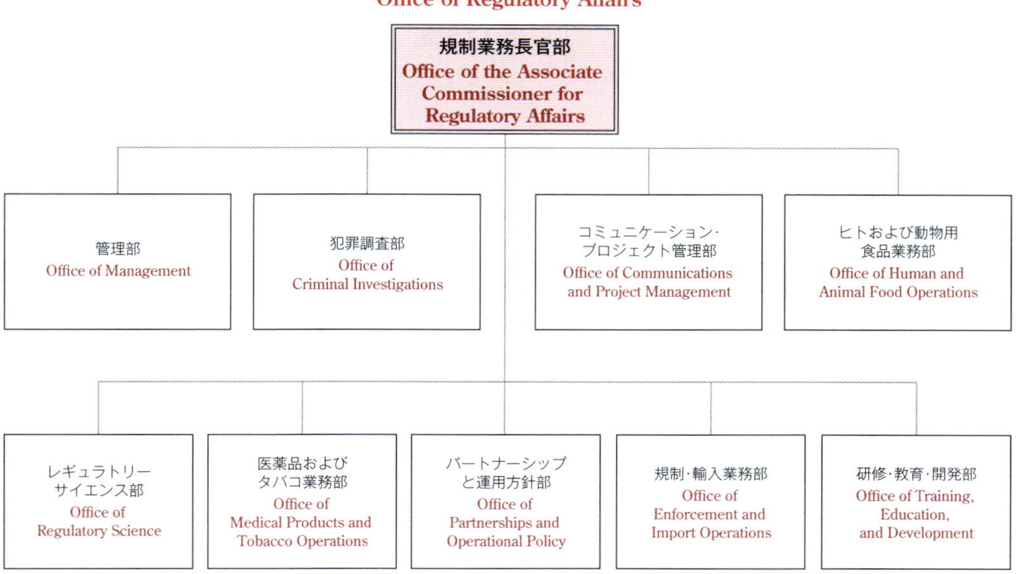

図1-13｜ORAの組織図

なお，2017年8月31日付で，FDA長官は医薬品製造の査察および監視を強化するFDAの新しいステップを発表した。医薬品の製造は，世界規模で複雑になり，FDAの効率および権限の及ぶ範囲を改善するため，現場の業務を再構築し，これまでの組織構造に代えて，地理的地域を基準として業務と資源を組織化し，規制プログラムの焦点と組織を管理することを発表した。この目標を達成する重要な鍵として，CDERおよびORAは医薬品の査察プログラムにおいて，医薬品製造施設の査察チームとヒト用医薬品の審査チームを統合し，同一歩調をとることに着手した。本書が発行される頃には，一部組織も変わっている可能性はあるが，図1-12，図1-13には2017年8月31日時点での組織を示している。

2 規制業務部（ORA）

国際的規制運用および政策局（Office of Global Regulatory Operations and Policy）には，規制業務部（Office of Regulatory Affairs；ORA）と国際プログラム部（Office of International Programs；OIP）があり（図1-10，p. 27），規制業務部（ORA）（図1-13，p. 29）は，FDA職員全体の約3分の1のスタッフを擁し（表1-7），ORA職員の85％以上は，5つの地域事務所，20の地区事務所，13の研究所，全米各地に所在する150以上の駐在所・国境事務所に配置され，地方における現場活動（輸入監視，査察，規制品のサンプル分析等）に従事する。

表1-7｜ORA活動概要（2016～2019年度）

	2016年度	2017年度	2018年度	2019年度
職員数（人）	4,899	約5,000	4,551	4,563
査察件数				
国内査察	16,149	16,577	16,336	14,204
海外査察	3,512	3,776	3,736	3,766
州査察	21,133	19,160	18,784	17,059
計	40,794	39,513	38,856	35,029
検体の採取・分析数	35,220	45,002	43,099	40,066
輸入商品数	36,990,459	40,018,795	43,606,426	45,194,561
執行				
警告書発出数	14,580	15,318	14,285	14,949
回収製品件数	8,305	9,199	7,562	7,893
禁止命令件数	17	12	14	8
差押え件数	4	3	1	2
輸入禁止件数	248	243	231	212
犯罪調査				
逮捕者数	257	283	317	259
有罪判決数	274	226	215	242
没収物資産額（ドル）	41,347,724	205,048,648	114,163,550	1,359,707,049
罰金と賠償金（ドル）	333,159,842	461,432,091	2,182,317,876	1,628,507,151

国際プログラム部（OIP）の海外拠点としては，Mexico City（メキシコ），San Jose（コスタリカ），Santiago（チリ），London（英国），Brussels（ベルギー），New Delhi（インド），Beijing（中国）に事務所を置いており，計154人の職員がいる（2017年5月時点）。

FDA規制の輸入品は，2006年には1,500万件であったのが，2019年には約4,500万件と増加している（図1-14）。これらの製品は，150カ国以上の300,000以上の海外施設で製造，加工，包装されており，130,000もの輸入業者によって扱われている。輸入品が増える国際化の中で，FDAとしては相互承認協定（MRA）を推進することが急務の課題である。表1-7に2019年度におけるORAの活動概要を示す。

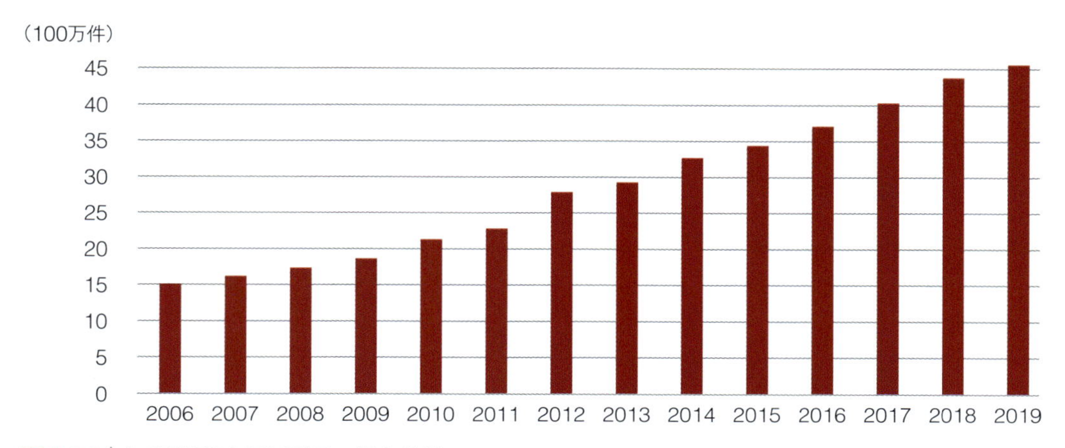

図1-14｜年度別FDA規制製品の輸入件数

1.3 FDAによる施設査察の概要

FDAの施設査察の概要を以下の出典から紹介する。

出 典

Alena C. Galante and Michael F. Ruggio: FDA Enforcement – Facility Inspection. Pharmaceutical Compliance and Enforcement Answer Book 2016. Edited by Howard L. Dorfman, Practising Law Institute, New York.

1）FDA査察の基礎

Q2.1 FDAは何を査察するのか？

FDAは，関連する規制を遵守しているかどうかを確認するため，FDAの規制対象製品の製造業者または加工業者を査察する。査察対象は，以下のとおりである。

- ワクチンおよび医薬品製造業者
- 血液銀行
- 食品加工施設
- 酪農場
- 動物用飼料加工業者

FDAはまた，以下についても査察する。

- 人対象の臨床試験施設
- これらの研究が医薬品のFDA承認を申請するために使用される場合，動物または微生物に関する研究を行うラボラトリー
- 米国で販売されているFDA規制製品の海外製造所および加工業者
- 米国に輸入された製品

Q2.2 FDAはいつ/施設/企業/会社を査察するか？

FDAは，新製品の申請書をFDAに提出した後，FDA規制製品の製造業者または加工業者を査察する。施設が「日常的な」査察の対象となる場合，または以前の査察のフォローアップ（通常は2年ごと）が必要な場合，またはFDAが注意を引いた特定問題について調査するために，査察を行う。上述したように，査察には，米国で販売されているFDA規制製品の海外製造所または加工業者も含まれる。

Q2.3 査察の種類は何か？

FDAは，会社が新製品を市販するために，施設と医薬品製造工程の承認前査察（pre-approval inspection）を行う。FDAは，製造施設が連邦規制を遵守していることを確実にするために，定期的（routine inspection），または一般的な査察（general inspection）を

実施している。FDAは，FDAが注意を引いた問題を調査するための「特別査察（for-cause inspection）」も実施している。

Q2.4 会社は査察を拒否できるのか？

はい，拒否できる。会社は，査察やあらゆるエリアや記録へのアクセスを拒否することはできるが，会社は米国で流通させる医薬品を製造するためには（食品とみなされ，違う規制対象となるビタミンや栄養剤は別として），ライセンスを保持しなければならないことを認識すべきである。このライセンスは，連邦食品・医薬品・化粧品法（FDC法），より具体的にはFDAの査察義務である連邦規則集 Title 21 の Part 211 への適合を前提としている。会社が査察を拒否した場合，FDAはライセンスを終了させる権利を有している。これは，リコール，差し押さえ，差し止めよりも過激な手段である。会社が査察官のアクセスを拒否した場合，FDAは裁判所の命令を受けて，米国連邦保安局（U.S. Marshals）を伴って施設に強制的に入ることができる。

2）査察

Q2.5 現場訪問査察官をどのように扱うべきか？

会社は，FDA査察対応に関する標準操作手順書（SOP）を持っているべきである。SOPは，査察官が到着したときに，会社の幹部職員への連絡対処について示されていなければならない。SOPはまた，これら幹部職員の責任同様，誰がどのように査察官と関わるのかに焦点を当てていなければならない。FDA査察官に同行するように指定された職員は，現場作業および規制当局といかに適切に働くかについて知識を有していなければならならない。通常，現場管理者は査察通知の受領者として指定される。

建物入口付近の会議室など，指定された場所を確保すること。査察官は通常，個人の休憩や施設ツアーを要求した場合を除き，指定された会議室に滞在する。査察官は，飲み物，軽食，または食事を提供することに関し，適切な手順について相談するかもしれない。通常，FDAの査察官は，自分の飲み物，軽食，または食事を購入することを好み，オフサイトでもそうしたいと思うかもしれない。

査察を取り扱うSOPには，要求された情報入手，要求された文書やコピーの記録および追跡方法，毎日の書類査察活動およびこの情報の伝達・配布，および査察が完了した後のフォローアップおよび対応手順を示していなければならない。SOPにはまた，査察期間中に稼働または休止している現場活動を識別できるようにしておかなければならない。

Q2.6 FDAは誰に法的，品質上，または管理責任を求めるか？

査察の開始時に，通常，FDAはサイトの概要と組織図を要求する。彼らは組織内の誰かと話すことを要求するかもしれないが，通常，査察官の質問に最もよく答えることができる専門家の特定は会社に任せている。通常，FDA査察に対応するのは品質保証部門であり，バリデーション，品質管理，製造，技術，および製品の製造に関わる他の部門の代表者が必要に応じて査察過程で参加する。結局のところ，適切な会社の代表説明者は，査察理由と査察官の質問方針に依存することになるだろう。

Q2.7 査察の対象となる文書類は何か？

査察の対象となる文書は，連邦食品・医薬品・化粧品法（FDC法）の下，FDAがアクセスするか，コピーを得る権限のあるあらゆる記録が含まれる。通常，これは製品のライフサイクルをサポートする文書である（例えば，製造記録，製品の安定性試験，包装材試験，分析方法，装置の妥当性検証試験など）。ただし，FDA査察官の権限には，特に法律で要求されている場合を除き，製品処方，出荷リスト，社内規約など特定の情報へのアクセスは含まれていない。

Q2.7.1 査察の対象とならない記録閲覧を要求する査察官を，会社はどのように扱うべきか？

会社は，査察官に問題の記録が記載されている法律の該当条項の提示を求めることができる。査察官が該当条項を提供できない場合，会社は拒否することができる。査察官は，その拒否を書き留める。

Q2.8 会社は，逸脱，変更管理，苦情，拒否バッチを紙ではなく電子形式で提供する必要があるか？

FDAにコピーフォーマットを提供する必要はなく，また，記録を紙と電子フォーマットの両方で提出する必要があるというガイダンスはない。ただし，記録が電子データとして存在する場合，FDAはコピーを要求することがある。

Q2.8.1 会社は，FDA査察官をシステムの「ライブ」デモへのアクセスを許可する必要があるか？

FDA査察官は，査察中に個人的に，会社の電子記録，データベース，またはソース/生データにアクセスすべきではない。データの完全性は維持されなければならず，不正な変更を防止する必要がある。FDA査察官は，データがオリジナルであることを確認し，受け取ったコピーを認証する必要があるため，要求した情報とデータをコピーする措置を含むデータベース/システムにアクセスする従業員を観察することがある。

Q2.9 査察官が遵守したくない現場SOPに特定の要件がある場合（例えば，化粧なし），そのエリアへのアクセスを拒否することはできるか？

はい，できる。査察官は，製造エリアに入るための更衣手順のような特定の要件に従わなければならない。会社は，適切な同行者，訓練，更衣，ロッカーの提供など，査察官を支援した上で利用可能であることを確認する必要がある。

Q2.9.1 査察官が営業時間外に現場に来た場合，適切な人員を確保する義務があるか？

会社には査察官を拒否する選択肢はある。拒否理由を説明すること。査察官には拒絶理由を文書化することが求められる。また，営業時間外に査察官に現場査察を許可する選択肢もあり，その場合，特定の人員に参加依頼するかどうかは会社の裁量に委ねられている。会社は，査察官が勤務時間外に来る理由と査察官の質問の順番を知った場合，営業時間外に来るのがより良い選択肢になるかもしれない。

Q2.10 査察範囲外の質問をしている査察官には，どのように対応する必要があるか？

査察官が，到着時に査察通知書FDA 482に記載されている査察の範囲外の質問をし始めた場合，会社は査察官にそれを指摘し，回答を拒否することはある。

Q2.10.1 査察中に敵対関係が発生した場合，査察官を交代させる機会はあるか？

会社は状況を和らげるために，交渉術，誠実さ，そして機転を働かせて，査察の進行に，最善を尽くすべきである。しかし，状況が悪化して査察プロセスが妨げられた場合，会社はその日の査察中止を要求することはできる。会社は，査察官の上司に連絡して状況を報告することになるかもしれない。上司は査察の進め方について助言することになるだろう。

Q2.10.2 査察中に，会社は写真を撮ることを拒否する権利はあるか？

FDAの査察官が，そのようなアクセスの必要性を文書化した令状を持っていなければ，会社は施設の写真を撮ることを否定する権利があるというのが，長い間の共通認識であった。FDAは，FDC法の第704条の規定により，査察プロセスの一部として写真を撮る権利を査察官に与えたという意見を長い間表明してきたが，会社による拒否に直面したことはほとんどない。

2012年，“FDA安全およびイノベーション法（FDA Safety and Innovation Act：FDASIA）”の成立により，FDAは査察が拒否されたことに関する指針を発行し，第301条（f）に基づき刑事制裁を課した。2013年7月（2014年に最終決定）に発行されたドラフトガイダンスで，写真がFDAの査察には不可欠な部分であることが明確に述べられている。

今日まで，会社やFDAによる法的挑戦はない。現場状態が問題ではない場合（例えば，代理店への提出が適時に行われたかどうかを判断するために社内文書を検討する場合など），写真を撮る必要はなく，査察プロセスの範疇ではない。

3）査察後

Q2.11 査察の結果はどうなるか？

Form FDA 482は，査察官が現地に到着した際に手渡す査察実施通知である。それには査察の目的を述べている（例えば，通常査察，新製品の承認前査察など）。

査察の後，規制から逸脱しているものがあれば，FDAはForm FDA 483を発行する。このフォームには，CGMPに対する不適合事項と，その結論に至るために照査した文書類の詳細が記載されている。会社にはForm FDA 483への対応が期待されている。対応は，各指摘事項に，説明，採用しようとしている是正措置，および是正措置の行動計画表を提供するか，または明確化を求めることによって対処する必要がある。会社がこの指摘に同意しない場合，会社はそれを述べ，正当な理由を提示する必要がある。Form FDA 483へのタイムリーな回答は，場合によっては警告書の発行を防止する良い考えである。

規則に違反し，執行措置（enforcement action）を是認する可能性のある会社には，警告書を発行することがある。警告書の目的は，製品の承認保留や，工場の操業停止など，FDAの執行措置を回避するために，会社に自主的かつ迅速な是正措置を講じる機会を提供することである。

会社が措置を講じなかった場合，またはFDAが提案された措置に満足しない場合，同社は同意判決（consent decree）の命令を受けることがある。同意判決は法的に会社に強制的にその製品，プロセス，もしくは施設をFDAの監督下にある規制に準拠させることである。同意判決は，しばしば，会社がその施設および内部手続きを徹底的に監査し，新しい手続きおよび統制の実施を支援するために第三者専門家（コンサルタント）を雇うことを要求している。

Q2.11.1 会社が指摘に同意しない，またはその指摘が間違っていると信じる場合，会社の選択肢は何か？

査察官は，Form FDA 483を発行したときの驚き，間違い，および誤解を最小限に抑えるために，指摘事項を観察したときには毎日，すべての観察事項を会社の経営陣と議論すべきである。この議論には，Form FDA 483に記載されている観察結果と，査察終了会議で経営陣とのみ討議される観察事項が含まれている必要がある。会社はこの機会を利用して，観察事項に関して質問をしたり，明確化を要請したり，査察プロセス中にどのような修正が行われたのかを査察チームに知らせることができる。査察官には，査察期間を不当に延長しない限り，会社の完了した是正措置を確認することが奨励される。

Q2.12 なぜ米国の企業は予告なく査察されるのか？

査察の事前通告は，特定の基準を満たす施設にのみ与えられ，明確に記述された基準を使用して，査察事務所の裁量で行われる。事前通告は，査察の5日以上前に出す。会社には，適切な人員と記録を査察に利用できることが期待されている。

事前通告は，以下のタイプの査察に適用される。市販前査察〔市販前届［501(k)］や市販前承認（PMA）など〕，海外査察，2年ごとの定期査察，新しい施設への初期査察，または新規登録企業の品質システム / GMP査察，新しい経営者もしくは所有者の下での初期査察。適用性を決定するために使用される基準は，(1)違反のない品質システム / GMP

査察歴，および（2）事前通告された査察にふさわしいように，会社は特定された個人および文書を査察時に適切に確保できていた履歴を有していることである。

4）FDA規制外

Q2.13　査察官がある会社で特定の慣行を見た場合，他者にそれを採用させる権利があるか？

FDAは，既存および承認された規制への遵守状況を査察する。以前に査察した他の会社で，業界水準を引き上げることになったと考えられる手法を採用している場合，FDAは会社により良い実践として伝え，それに従うことを提案するかもしれない。この提案は，規制を遵守し，許容可能な方法やプロセスを使用していると感じている会社にとっては難しい立場である。会社にとって新しい慣習や規制に関連する業界の会議や議論に参加することが重要であることに注目してほしい。例えば，会社が現在の基準と整合するように全力を尽くしていないと考えられる理由がある場合，FDAの製品承認保留を止めるものは何もない。

5）外国での苦情

Q2.14　FDAは，米国外で起こった問題/苦情について，海外企業に対して法令遵守を強制することができるか？

はい，できる。例えば，FDAは，苦情の発信が管轄区域外の外国であったとしても，食品添加物規制または生物製品逸脱報告に関する苦情は，米国企業に強制することができる。

1.4 リスクベースに基づくサイト選択モデル

FDA/CDERの2017年度におけるヒト用製剤の定期的監視査察対象拠点（サイト）は5,063サイトあり，そのうち外国拠点は3,025サイトである。1.1節（p. 2）で述べたように，FDAは資源・効率を最大限に活用するため，EUとの相互承認協定（MRA）の拡大を目指してきた。製薬業界のグローバル化が進み，世界的に生産される製品の品質と安全性を確保するためには，医薬品製造のライフサイクルを通して，さまざまな時期に多様な努力が必要である。FDAは，医薬品製造所の監視査察（Surveillance Inspection）が進化し続ける状況に対応し，消費者が引き続き安全で効果的な医薬品を確実に受けられるようにし，またFDAの査察資源（リソース）を効果的に利用するために，さまざまな措置を講じる必要があった。その1つとして，リスクベースに基づく製造所の査察順位付けに関するマニュアル（Manual of Policies and Procedures；MAPP）を発行した。本マニュアルの公開により，サイト選定モデルの透明性が高まり，製造所の優先順位付けと査察のスケジュールが明らかになった。本マニュアルは，2018年9月26日から施行されている。

CDERのリスクベースに基づくサイト選択モデル（MAPP 5014.1）

1 目的

本MAPPは，定期的な品質関連CGMP監視査察の製造サイトに優先順位を付けるために，CDER職員が使用するサイト選択モデル（Site Selection Model：SSM）の方針と手順を概説している。

2 背景

- FDAは，2005年度に，ヒト用医薬品製造サイトの定期的なCGMP監視査察の優先順位付けにリスクベースアプローチを導入した。これは，「21世紀に向けた医薬品品質：リスクに基づいたアプローチ（Pharmaceutical Quality for the 21st Century — A Risk-Based Approach）」の取り組み成果の1つであった。2005年度のSSMは，連邦食品・医薬品・化粧品法（FDC法）のセクション510(h)に規定されていた，国内サイトに対しての2年ごとの査察頻度アプローチを変更した。
- 2012年の「FDA安全およびイノベーション法（FDASIA）」は，FDC法のセクション510(h)を改正し，国内事業所（サイト）への固定された査察間隔を，国内および国外の医薬品サイトの「既知の安全リスク」を考慮した「リスクベースのスケジュール」に従って査察するという要件に変更した。
- これは，地域にかかわらず，すべてのサイトに対してリスクベースの査察頻度を定義し，査察対象範囲の同等性と，最も重要な公衆衛生上のリスクに対処するために，FDAの資源を効果的かつ効率的に活用することを促進することを目指した。本改正法では，2005年以降に使用されているSSM基準を大幅に変更したが，FDAは査察頻度をあまり重視していない。

- CDERの医薬品品質部（Office of Pharmaceutical Quality；OPQ）内のサーベイランス課（Office of Surveillance；OS）が監視査察のためのサイトの優先順位付けを行うサイト監視査察リスト（Site Surveillance Inspection List；SSIL）の作成を担当している。このリストは，CDERの製造サイトカタログ（Catalog of Manufacturing Sites）からSSMにサイトを入力することによって作成される。被査察サイトはCDER SSMによってランク付けされ，より高いリスクのサイトが監視査察のために規制業務部（Office of Regulatory Affairs；ORA）に割り当てられる。
- 割り当てられるサイトの数は，ORA/FDAで計画立案する複数年の資源能力によって異なる。
- SSMは，FDC法（セクション501(a)(2)(B)）および関連する規制（例えば，21 CFR Part 210および211）におけるCGMP要件の違反から生じる可能性のある医薬品（原薬と最終製品）の品質に関連したリスクを考慮する。
- モデルによって優先順位付けされたサイトのリストには，FDC法のセクション510で定める定期的な監視査察の対象となるCDERの製造サイトカタログのサイトが含まれている。CDERの製造サイトカタログは，ヒトを対象とした医薬品に使用する最終医薬品（最終製剤），製造中の物質，または医薬品有効成分（API：原薬）を商業的に製造するサイトで構成されている。
- 次のタイプのサイトは，このMAPPで説明されているCDER SSMによる優先順位付けから除外される。
  - FDC法のセクション503Bに基づいて登録されたヒト用医薬品の外部調剤サイト，これらのサイトの査察スケジュールは個別のCDER選択プロセスによって確立されている。
  - 個別の選択プロセスによって管理される医療用ガスサイト。
  - 不活性成分（添加剤）（必要と思われる場合は，査察することができる）。
  - 臨床試験での使用のみを目的とした医薬品（必要とみなされる場合には，査察することができる）。
- SSMとそれを使用するデータベースは，継続的改善プログラムの対象である。OSは毎年FDAのビジネスパートナーからの内部フィードバックを求めている。さらに，SSMは学界の専門家からの外部評価を受けてきた。最後に，特定の結果と現在および将来のリスク要因との間の相関を評価するために統計分析を使用した。これらすべて，モデルの継続的な改善に役立つ。モデルの現在のガバナンス構成には，機能横断的なモデル改善ワーキンググループと，モデルに提案された変更をレビューする運営委員会が含まれる。

3 方針

1．はじめに

OPQは，定義されたリスクファクターを持つSSMを使用してSSILを作成する。SSILは，他の査察タイプではなく，定期的な監視査察をスケジューリングするためにサイトの優先順位を決める。コンプライアンスプログラム7356.002で定義されている監視査察プログラムの目標は，

FDC法セクション510およびセクション704の要件に従って，許容される品質の医薬品を一貫して製造し，不良医薬品への曝露を最小限に抑えることである。具体的には，プログラムの目的は次のとおりである。

- 査察対象事業所（すなわち，サイト）が適用可能なCGMP要件に準拠して操作しているかどうかを判断し，そうでない場合は，粗悪製品が市場に出荷されないようにするための措置の証拠を提供し，市場から適切に不良製品を取り除き，そして責任者（企業を含む）に対する行動を示すこと。
- FDAの決定に対するCGMP要件に対する企業の適合性の評価を提供すること。
- 法令遵守の改善のために査察中に企業に情報を提供すること。そして，
- CGMP要件，規制方針，ガイダンス文書を更新する目的で，医薬品製造における現行の実践をよりよく理解すること。

コンプライアンスプログラムの文脈内で，SSM目標の1つは，地理学的（外国対国内），または製品の種類（例えば，先発医薬品，ジェネリック医薬品，またはOTC医薬品）に関係なく，リスクが等しいサイトに対しては，等しい査察頻度を適用する。

2. リスク要因

2.1 はじめに

SSMは，FDC法のセクション510と合致するリスク要因を使用する。この規定は，特定のリスク要因を特定し，次のようにFDAが追加のリスク要因を決定できるようにする。

a) 事業所のコンプライアンス履歴
b) 事業所に関連するリコールの記録，歴史，性質
c) 事業所で製造，調製，増殖，配合，または処理された医薬品の固有のリスク
d) 過去4年間にFDC法セクション704に従って事業所が査察されたかどうかを含む，事業所の査察頻度および履歴
e) 事業所が外国政府またはFDC法セクション809に基づいて認定された外国政府の機関によって査察されたかどうか
f) 査察資源（リソース）の配分目的で，長官が必要かつ適切と考える他の基準

OSはSSMを使用して，各サイトのリスクスコアを作成する。リスク要素のスコアリングは，FDAによって収集された経験的証拠，主題ごとの専門家の判断，またはその両方の組み合わせに基づいている。現在，SSMに含めるリスク要因として，以下が挙げられている。

a) サイトタイプ（例：製造業，包装業のみ，試験検査のみ）
b) 前回の監視査察からの経過時間（または，以前に査察されたことがないかどうか）
c) FDAのコンプライアンス履歴
d) 外国の規制当局（FDC法のセクション809の下で能力があるとみなされる当局）による査察歴
e) 患者への曝露
f) 危険信号（FARs，BPDRs，MedWatch報告書，リコールなど）

g）製品固有のリスク
  i. 剤形
  ii. 投与経路
  iii. 無菌を意図した製品
  iv. API量（剤形または単位用量におけるAPIの濃度）
  v. 生物学的原薬または製剤
  vi. 治療クラス
  vii. 投与量許容狭範囲（NTI）薬
  viii. 緊急時使用薬

3. モデルの継続的改善

SSMガバナンスは，CDERとORAが共同でモデルを評価する年次照査と承認プロセスを要求している。最近，SSMのリスク要因，重み，および方法論が評価され，改善，修正，および強化領域が特定されるように，継続的な改善を行っている。これには，モデルに使用されている方法論，リスク要因，および重みの見直し，モデルの現在のバージョンの評価，（もしあれば）モデルへの推奨される修正（更新されたデータ，新しいデータソース，および/または修正された方法論を含む），必要な専門家チームの形成，および提案されたSSM修正案を科学的にサポートするために，必要な調査と研究（該当する場合）を実施する。

4 責任

- OPQ/OS：CDERの医薬品品質部（Office of Pharmaceutical Quality；OPQ）サーベイランス課（Office of Surveillance；OS）は，SSMへの入力用のサイトおよび製品データを提供し，ORAからのサイト削除要求を年間通じて処理する。またOSはSSMを実行し，その後の査察プログラムをサポートし，モデルの継続的照査と改善を管理する。さらに，OSは，SAP（Surveillance Action Plan）内でSSILとして割り当て，査察の進捗状況を追跡し，四半期ごとのSAPレポートを発行している。
- ORA：規制業務部（Office of Regulatory Affairs；ORA）は，査察を計画，進捗把握，および実施する

5 手順

1. SSMの実行とSSILの作成

1.1　OSは現在のサイトのカタログを取得し，承認されたリスク要因と重みを使用して，サイトをスコアリングし，入力データのあらゆる問題に対処する。次に，OSはスコアによってサイトをランク付けする。

1.2　OSは，リストの品質管理評価を実行する。

a）モデルの実行と照査で特定されたデータの不一致は，解決のためにそれぞれのデータセットの所有者に転送される。

b) 最後の査察が公開，または最終的な強制措置指示（Official Action Indicated；OAI）として分類されたサイトが特定される。OAIサイトのリストは，ORA，OS，およびOCによって確認され，OAIサイトは定期的な監視査察計画から削除される（すなわち，OAIサイトの再査察は，法的執行の一環として決定される）。

c) 現在，輸入警告（Import Alert）を受けているサイトは，定期的な監視査察計画から除外される。

d) 新規に登録された，または以前に定期的な監視査察を受けていないサイトは，通常，30日以内に正当な職務として査察される。OSは，新しいサイトが実際に定期的な監視査察の対象であることを確認するためにORAと協力することがある。

1.3 SSILはSAPを介してORAと情報共有する。

2. 査察の計画と実施プロセスの追跡

2.1 ORAは，SSILに基づいて割り当てられた査察を計画し実施する。

2.2 OSは完了した査察を追跡し，SAPを通じて四半期ごとの更新を提供する。

3. サイトの削除：ORAはSSILからサイトの削除を要求できる

3.1 OSは削除要求の理由を調査する。

3.2 サイトの削除要求が，SSILが作成された後に実施された最新の査察によるものである場合，削除はCGMP査察が完了したことを確認してから実施される。

3.3 サイトの運営状況の変更（例えば，サイトが業の廃止），またはFDAの理解とサイトからの要求（例えば，サイトがUS市場向けに医薬品を製造しないと主張する），の不一致により削除が要求された場合，OSの調査によりFDA情報の修正が必要であることが確認され，FDAとサイトとの間の相違が修正された場合にのみ，削除が行われる。

略語

OC（Office of Compliance）：CDERコンプライアンス部

ORA（Office of Regulatory Affairs）：規制業務局

OS（Office of Surveillance）：CDER医薬品品質部サーベイランス課

SAP（Surveillance Action Plan）：SSILを含む，四半期ごとの進捗報告を持つOS（サーベイランス課）の監視製品

SSIL（Site Surveillance Inspection List）：ヒト用医薬品CGMPコンプライアンスプログラム7356.002（4.1節，p. 149）の一環として，ルーチン監視査察のために選択された，SSMからの優先サイトの出力リスト

SSM（Site Selection Model）：日常的なCGMP監視査察に査察リソースを割り当てるための一貫した科学ベースのアプローチをサポートするリスク管理ツール

第 2 章

医薬品に対するForm 483とWarning Letters

第2章 医薬品に対するForm 483とWarning Letters

2.1 Form 483

FDAの発行するForm 483とは，査察を終了するにあたり施設を退出する前に，可能な範囲で最も高い地位の経営層に査察官の査察所見（Inspection Finding）を書面で提示する目的の書類である。その典型例を図2-1に示す。

所見は，若干の例外はあるものの“Observations”という箇条書き見出しのもとに列挙して記載され，クロージングミーティングの際に提示される。査察所見がない場合，すなわち査察評価がNAI（No Action Indicated：指摘事項なし）となる場合は提示されない。提示された場合，後日に正式な評価結果が通知される。結果はVAI（Voluntary Action Indicated：指摘はあったが，行政措置はない）またはOAI（Official Action Indicated：重大な指摘があり，行政措置がとられる）のいずれかとなる。

本節では，自施設で提示を受けたForm 483にどのように対応するかではなく，他施設に対して発行されたForm 483を入手して記載事項を読み込み，自施設のGMPの改善につなげるという観点からForm 483について解説する。

1 公開情報の入手方法と概要

「第5章 警告書の代表例」(p. 338) にも紹介されているように，警告書の場合，すべての内容がFDAのウェブサイトを通じて一般にも公開されるが，Form 483ではFDAが必要と認めたもののみ，次の2つのウェブサイトで公開されている。

①Frequently requested or proactively posted compliance records
（https://www.fda.gov/drugs/cder-foia-electronic-reading-room/frequently-requested-or-proactively-posted-compliance-records）

②ORA FOIA Electronic Reading Room
（https://www.fda.gov/about-fda/office-regulatory-affairs/ora-foia-electronic-reading-room）

①は，CDERが公開しているもので，その選択は，行政としての積極的裁量の判断，もしくは情報公開請求件数が多く，FDAの処理時間を節約するためには個別開示ではなく一般公開が望ましいとの判断によっている。2020年5月上旬時点での公開数は百数十件あり，米国外の施設，最近は特にインドと中国の製造所に対するものがほとんどを占める。積極的裁量判断に

DEPARTMENT OF HEALTH AND HUMAN SERVICES FOOD AND DRUG ADMINISTRATION	
DISTRICT ADDRESS AND PHONE NUMBER 12420 Parklawn Drive,.Room 2032 Rockville, MD 20857	DATE(S) OF INSPECTION 2/10/2020-2/21/2020 FEI NUMBER 3011248248
NAME AND TITLE OF INDIVIDUAL TO WHOM REPORT IS ISSUED Kiran Kumar, Vice President and Site Head	
FIRM NAME Biiocon Sdn Bhd	STREET ADDRESS No. 1, Jalan Bioteknologi 1, Kawasan Perindustrian SiLC
CITY, STATE AND ZIP CODE, COUNTRY Iskandar Puteri, Johor, 79200 Malaysia	TYPE OF ESTABLISHMENT INSPECTED Biotech

This document lists observations made by the FDA representative(s) during the inspection of your facility. They are inspectional observations, and do not represent a final Agency determination regarding your compliance. If you have an objection regarding an observation, or have implemented, or plan to implement, corrective action in response to an observation, you may discuss the objection or action with the FDA representative(s) during the inspection or submit this information to FDA at the address above. If you have any questions, please contact FDA at the phone number and address above.

DURING AN INSPECTION OF YOUR FIRM WE OBSERVED:

OBSERVATION 1

There is a failure to thoroughly review any unexplained discrepancy whether or not the batch has been already distributed.

Specifically, batch records reviewed and approved by quality department included Environmental Monitoring (EM) Interventions into the grade A unit which recorded unexplained durations for those interventions. Unexplained discrepancies in the batch records were not investigated to determine whether (QCM) employees followed written procedures during interventions into the Grade A space during filling. For Example:

- (b) (4) filling batch record (b) (4) shows on 10 January 2020 from (b) (4) Environmental Monitoring was performed in (b) (4) Grade A interventions to collect/dispense 7 EM plates and subsequent personnel monitoring was recorded as completed at (b) (4) (b) (4) after initiation of the intervention.
- Undocumented interventions into the Grade A unit, related to collection and distribution of EM plates was observed in the batch records and Personnel Monitoring Details as far back as February 2019.
- (b) (4) illing batch records from 2018 and 2019 documented Environmental ventions as short as (b) (4) espectively.

No investigation was initiated during quality review to determine if these interventions negatively impacted product quality. Filling room Environmental Monitoring locations include 7 inside of the grade A unit and 14 outside of the grade A unit in the immediate vicinity. For comparison on 17 February 2020, EM sampling was observed to require (b) (4) for grade A and (b) (4) of

SEE REVERSE OF THIS PAGE	EMPLOYEE(S) SIGNATURE Shawn E Larson, Investigator Vidya B Pai, FDA Center Employee or Employee of Other Federal Agencies	X Vidya B Pai FDA Center Employee or Employee of Other Federal Agencies Signed By 2001508768 Date Signed 02-21-2020 16 38 46	DATE ISSUED 2/21/2020

FORM FDA 483 PREVIOUS EDITION OBSOLETE **INSPECTIONAL OBSERVATIONS** Page 1 of 3 PAGES

図2-1 | Form 483の典型例（第1ページ）

よる公開とは，FDAがその内容を他施設に対して知らしめることにCGMP厳守上の意味を認めたと理解してよく，その時節にCGMP的に注目されている施設の査察の場合，査察完了日から最速で2週間以内に公開されることもある。

②は，ORAがFOIA（the Freedom of Information Act：情報公開法）に基づいて公開しているもので，米国内の施設が対象となっており，範囲はForm 483に限定せず，さまざまなレターが含まれる。こちらは米国内の調剤薬局（Compound Pharmacy）の例が多く，わが国の原薬または医薬品の製造所に相当するような施設の例は極めて少ない。

①，②両者には，EIR（Establishment Inspection Report）が，件数はForm 483に比べて僅少であるが含まれている。EIRは査察を受けた当事者にとっては当たり前の書類であるが，一般の目に触れる機会は多くないため，CGMP遵守あるいはFDA査察に関係する業務に携わる関係者にとって読む価値があるといえよう。Form 483・EIR共に外部に公開されるものでは，業務上の秘密事項とみなされる部分にFDAの判断により“(b)(4)”というマークのマスキングが施されている。

2 その他の情報の入手方法と概要

上記のFDAウェブサイトで公開されている以外のForm 483・EIRを，対象施設外の一般者が読みたい場合，共に有料であるが次の2つの入手方法がある。

①FOIAの手続きに則ってFDAに開示請求する
②開示請求によって入手済みの情報販売専門業者から購入する

①については，FDAのウェブページ「FDA Freedom of Information Act（FOIA）」(https://www.accessdata.fda.gov/scripts/foi/foirequest/requestinfo.cfm）から直接オンラインで申し込むことができる。米国国民でなくとも，また法人・個人にかかわらず請求が可能である。ただし，どのForm 483・EIR等の文書がどの法人・個人によって請求・開示されたかがFDAのウェブサイトで定期的に公開される。価格は，開示に要するFDAの作業工数に依存して算定されるため一律ではない（ページ数が多く，前述のマスキングに時間を要する場合は，当然高価になる）。

②については，各業者のウェブサイトにてオンラインで購入手続きを行い，クレジットカード決済が完了次第，その場でPDFファイルのダウンロードが可能となっているのが普通である。FDAから直接開示を受ける場合より高価であるが，在庫のあるものについては即時入手できて便利である。一定料金による年間購読が可能な業者もある。

Form 483の提示を受けた施設の立場からすると，自施設に対して提示されたForm 483・EIRの内容は，含まれる秘密事項または人名等の固有名詞等はFDAの判断と処理によりマスキングされるものの，それ以外は世界中のFDAウェブサイト閲覧者に対して公知のものとなりうることを肝に銘じておく必要がある。

3 Form 483と警告書の活用

他の施設に対して発行されたForm 483と警告書のいずれの記述を重要視して，自施設のGMP管理に反映させるかについては両論がある。Form 483を読む上で第一に注意すべきは，Form 483にはその査察官が査察対象施設で感じたままの所見が記載されているため，内容と書きぶりの査察官依存性が大きいことである。また，査察官からの一方的な所見であるため，査察官の誤解を含んでいるおそれもある。よって，Form 483の記載内容を過大に評価してそれに振り回されるべきではないという意見がある。その点，警告書は，査察後に施設から提出された回答内容についてFDAと施設の間で質疑応答が繰り返された後に，施設からの最終回答をFDAの複数の担当者が勘案し，公式の部内協議を経た上で作成・発行されているため，より一般的な判断基準に基づいて主観的要素が軽減された記述となっている。したがって，こちらを重要とみなすべきという意見である。

しかし，Form 483に記載された所見に対しては，施設から改善案がFDAに提出され，査察後は改善された運用が当然行われているとみなされるものであり，次回査察時には前回査察後の実運用状況が真っ先に確認される。もし改善が認められずにRepeat Observationと判定されれば，即OAIにつながるおそれが極めて高くなるという性格のものである。よってForm 483の所見は決しておろそかにできるものではない。また，Form 483には査察現場における細かな状況が具体的に生々しく記載されているのが普通であるため，他施設の状況を思い描きながら自施設と比較することが容易であり，実務担当者にとっては非常に有益と感じられる内容が多いことも事実である。したがって，Form 483を読まなければ実際レベルのことはわからないというのが，もう一方の意見である。

Form 483と警告書の記載内容を比較することにより，FDAが数多くあるForm 483の所見中のどの項目を最もCGMP的に重要とみなして警告書に至ったのかを考察することが可能である。警告書では，FDC法（APIの場合）または21 CFR 211（医薬品の場合）のどの条文に対してのCGMP違反であるかが明記されるのに対して，Form 483では通常明記されない。Form 483の箇条書き見出し文言には，一種の定型句が用いられた後，“Specifically,”という副詞を先頭に，具体的な指摘内容が記載される。しかし，たとえ原薬中間体の製造所であってもCGMP 21 CFR 211の定型句が普通に使用される。この定型句の内容によって，次節「2.2 医薬品に対する年度別Form 483指摘事項の内訳」(p. 49）に示されるように，Form 483所見とCGMP 21 CFR 211の条文とが関連付けられる。

Form 483に記載された所見の数が多いからといってOAIと判定されるとは限らない。十数件の所見数にもかかわらずVAIと判定される場合もあれば，たった1件のみでOAIとなった例も実際に存在する。

査察を担当した査察官の氏名と役職は，Form 483ではそのまま公開されるのに対し，警告書では一切公開されない。Form 483以外でFDAが査察官の査察実施実績を一般公開しているウェブページは存在しない。したがって，個々の査察官の指摘の出し方の傾向をあらかじめ知っておきたい場合は，Form 483の入手が必須となる。例えば，普段は米国内の施設を担当している査察官が限定的に海外施設を担当する形で自施設の査察に来ることがわかり，その査察官が過去に携わったForm 483を検索したいといった場合，前述のORA FOIA Electronic Reading Roomで見つかる場合がある。Form 483が提示されなかった査察を担当した査察官の氏名を，FDAの公開・開示情報から得ることはおそらく極めて難しい。

4 Form 483の作成・提示方法

Form 483の様式はいずれも共通であるが，作成・提示の方法には3通りある。

①紙の用紙に手書き記入して作成したものを提示する（手書き署名入り）
②査察官が持参しているPCとプリンターを使用して，作成した書類を印刷して提示する（手書き署名入り）
③査察官が持参しているPCを端末として，通信回線経由でFDA内のeNSpectシステムにオンライン接続して所見を入力し，システムから清書PDF出力された電子ファイルを，電子メール添付で査察施設の担当者宛に直接送信する（電子署名入り）（図2-1はその一例）

近年の日本国内の施設の査察では，3番目の方法が多くとられていると思われる。2番目，3番目の方法の場合，所見の記入にはシステム内で，定型文の引用等の標準化推進の仕組みがなされ，入力された内容は当然FDA内でデータベース化されていると推測される。しかしながら，実際のForm 483の書きぶりはよく統一されているとは言い難い。

なお，Form 483の記載に誤りが判明した場合には，訂正箇所が明記され，訂正済みの内容のものが再発行される。

2.2 医薬品に対する年度別Form 483指摘事項の内訳

FDAの規制業務部（Office of Regulatory Affairs；ORA）は，FDA職員全体の3分の1のスタッフ（2019年：4,563人）を擁し，ORA職員の85％以上は，全米各地に所在する地域事務所（5カ所），地区事務所（20カ所），ラボラトリー（13カ所）や駐在所・国境事務所（160カ所）に配置され，地方における現場活動（輸入監視，査察，規制品のサンプル分析等）に従事している。

ORAは査察や規制を含むFDAのすべての部門の活動をリードしており，FDA査察官がFDA Form 483に記載した指摘事項を整理し，指摘内容を毎年"Inspection Observations"（https://www.fda.gov/iceci/inspections/ucm250720.htm）として公表している。食品（Foods），医療機器（Devices），医薬品（Drugs），生物研究モニタリング（Bioresearch monitoring），動物用医薬品（Veterinary medicine），生物製剤（Biologics），Part 1240/1250，移植用ヒト組織（Human tissue for transplantation），放射性製品（Radiological health）の分野に分けて，Form 483での指摘事項を公表している。

2015～2019会計年度における分野別Form 483発行数を表2-1に示す。毎年，最も指摘が多いのは食品（Foods）で，次いで医療機器（Devices），医薬品（Drugs）と続く。医薬品に対するForm 483発行数は，毎年，増加傾向にある。

表2-1 | 各会計年度（2015年10月1日～2019年9月30日）での分野別Form 483発行数

分野（センター名）	年度別Form 483発行数				
	2015	2016	2017	2018	2019
生物製剤（Biologics）	123	84	115	89	116
生物研究モニタリング（Bioresearch monitoring）	283	215	243	216	190
医療機器（Devices）	1,008	934	1,030	966	822
医薬品（Drugs）	678	691	694	716	779
食品（Foods）	2,300	2,196	2,662	2,583	2,540
移植用ヒト組織（Human tissue for transplantation）	81	92	61	97	109
Part 1240/1250	66	97	75	70	47
放射性製品（Radiological health）	17	32	31	26	17
動物用医薬品（Veterinary medicine）	294	281	244	206	229
製品領域でのForm 483発行数＊1	**4,850**	**4,622**	**5,155**	**4,969**	**4,849**
システムでの実際のForm 483発行数＊2	**4,751**	**4,528**	**5,045**	**4,910**	**4,770**

＊1　一部のForm 483は手作業で作成されたものであり，このフォーマットを利用できないため，当該会計年度中に発行されたForm 483の完全な数を表すものではない。Form 483に複数の製品分野に関する引用が含まれ，それぞれの関連製品センターで2回以上カウントされるため，会計年度に発行された実際のForm 483の総数よりも多くなる。
＊2　このシステムから発行されたForm 483の実際の総数である。

FDAがCite IDという分類ごとに集計して公開している医薬品（Drugs）に関する指摘件数一覧のデータをもとに，FDAが示したReference Number（FDC法の条文またはCGMP 21 CFR 211の項番号）をさらに大括りに再集計し，集計数上位にランクされた事項を，表2-2に示す。

2015～2019会計年度で，医薬品のForm 483中の指摘件数上位にランクされるセクションに大きな変化はない。常に上位にランクされるのは，211.22(d)(品質管理部門に適用される責任と手順を文書化していない，もしくはその手順書を遵守していない)，211.192（齟齬または規格不適合バッチについての原因調査が不十分)，211.42(c)(建物および施設の設計や構造上の問題点)，211.160(b)(試験室管理で，科学的に正しく適切な規格，基準，サンプリング計画，および試験手順等が設定されていない)，211.166(a)(医薬品の安定性試験の不備)，211.100(a)(医薬品の製造およびプロセス管理について，適切な製造管理手順書がない)，211.113(b)(無菌医薬品中の有害微生物を防止できるように設計された適切な手順書を作成し，これを遵守していない)，211.25(a)(職員への教育ならびに適格性評価）などである。

表2-2 | 医薬品に対するForm 483指摘事項内訳

要件		年度別件数				
		2015	2016	2017	2018	2019
Form 483発行総数		678	691	694	716	779
21 CFR 項番号	内容	年度別件数				
		2015	2016	2017	2018	2019
211.22 (d)	《品質管理部門の責任》 品質管理部門に適用される責任と手順を書面とし，かつ，その手順書を遵守すること。	165	153	185	208	215
211.192	《製造記録の照査》 医薬品の製造および管理記録のすべて，ならびに包装および表示作業における管理記録のすべてを，バッチ出荷または配送するまでに品質管理部門が，定められた承認済みの手順書に適合しているのを照査し，確認すること。 (理論収量に対する割合がマスター製造管理記録で規定してある最大または最小割合を超えている場合を含め）予想していなかった齟齬またはバッチもしくは原料成分がそれぞれの規格に適合していない場合には，当該バッチがすでに出荷配送されているか否かにかかわらず，原因を十分に調査すること。原因調査は，同一医薬品の他のバッチならびに具体的な不備または齟齬に関係している疑いがある他の医薬品へ拡大実施することとする。原因調査の記録文書を作成し，これに結論と追跡調査結果を記載することとする。	250	227	278	183	167
211.42 (c)	《設計と構造上の特徴》 作業は，具体的に明示された適切なサイズの作業区域内で実施することとする。企業の作業として以下の作業手順を実施する際に，分離され，もしくは明確に区分された作業区域あるいは汚染または混同を防止するのに必要な管理システムがあること。	235	227	148	134	156

21 CFR 項番号	内容	年度別件数				
		2015	2016	2017	2018	2019
	(1) 製造作業または包装作業への出荷解除に先立ち，品質管理部門による適切なサンプリング，試験または検査が終了するまで原料成分，医薬品容器，閉塞具，および表示材料の受領，確認，保管を保留する作業手順 (2) 不適の原料成分，医薬品容器，閉塞具，および表示材料を処分するまでの一時保管作業手順 (3) 出庫解除された原料成分，医薬品容器，閉塞具，および表示材料の保管作業手順 (4) 中間製品の保管作業手順 (5) 製造作業および加工作業手順 (6) 包装作業および表示作業手順 (7) 医薬品の出荷解除までの隔離保管作業手順 (8) 出荷解除後の医薬品の保管作業手順 (9) 管理および試験室作業手順 (10) 適宜，以下を含む無菌操作作業手順 (i) 容易に清浄化できる平滑で硬質の床，壁および天井 (ii) 温度および湿度の管理 (iii) 気流が層流か非層流かを問わず，陽圧下にHEPAエアフィルターでろ過された空気の供給 (iv) 環境条件のモニタリングシステム (v) 作業室および設備を無菌条件とするための洗浄および消毒システム (vi) 無菌条件を管理するのに使用する設備の保全システム					
211.160 (b)	**《試験室管理：一般要件》** 試験室管理には，原料成分，医薬品容器，閉塞具，中間製品，表示材料，および医薬品が同一性，力価，および純度の適切な基準に適合していることが保証できるように設計された科学的に正しく適切な規格，基準，サンプリング計画，および試験手順を含んでいることとする。	246	133	207	209	145
211.166 (a)	**《安定性試験》** 医薬品の安定性の特性が評価できるように設計された試験プログラムが文書化されていること。かかる安定性試験の結果を使用して，適切な保管条件ならびに使用期限を決定すること。この文書化されたプログラムを遵守し，かつ以下の事項を記載すること。 (1) 安定性の推定値が妥当であることを保証するために検査した特性ごとの統計学的基準を参考としたサンプルサイズおよび試験間隔 (2) 試験のために保管してあるサンプルの保管条件 (3) 信頼でき，意味があり，かつ特異的な試験法 (4) 市販した医薬品と同じ容器施栓系にある医薬品の試験 (5) (表示物に指定されているとおり) 投与時に再溶解する医薬品の試験ならびに再溶解後の試験	126	124	72	111	135

<table>
<tr><th rowspan="2">21 CFR
項番号</th><th rowspan="2">内容</th><th colspan="5">年度別件数</th></tr>
<tr><th>2015</th><th>2016</th><th>2017</th><th>2018</th><th>2019</th></tr>
<tr><td>211.100
(a)</td><td>《手順書：逸脱》
製造およびプロセス管理については，医薬品が標榜し，または保有していると記述している同一性，力価，品質，および純度を保有しているのが保証できるように設計された手順書があること。かかる手順書には，このサブパートでの要件すべてが組み込まれていること。これら手順書，ならびに何らかの内容変更は，適切な組織の部門が起案し照査し，承認し，かつ品質管理部門が照査し，承認すること。</td><td>123</td><td>110</td><td>116</td><td>102</td><td>129</td></tr>
<tr><td>211.67
(b)</td><td>《設備清浄と保全》
医薬品の製造，加工，または保管で使用する器具を含む設備を清浄し保全するための手順書を作成し，これを遵守すること。これら手順書には，以下の事項を記載すること。ただし，これらに限定することはないこと。
(1) 設備清浄と保全の責任の割り当て
(2) 保全および清浄日程計画，ならびに適切な場合，清浄化作業日程計画
(3) 清浄および保全作業で使用する方法，および材料ならびに，保全が適切であることを保証するために必要な場合には，設備の分解と組み付け方法の詳細な記述
(4) 先行バッチが除去または一掃されていることの確認
(5) 清浄な設備の使用前での汚染防止
(6) 使用直前における設備の清浄度の検査</td><td>91</td><td>102</td><td>91</td><td>112</td><td>124</td></tr>
<tr><td>211.188</td><td>《バッチ製造管理記録》
製造する医薬品のバッチごとに，バッチ製造管理記録を作成し，各バッチでの製造管理に関する完全な情報を記載すること。これらの記録には，以下の事項を記載すること。
(a) 正確さ，日付の記載，および署名されているのをチェックした適切なマスター製造または管理記録
(b) バッチの製造，加工，包装，または保管での重要な段階ごとに所定どおりに実施したこと，ならびに下記事項が記載されている文書
(1) 期日
(2) 使用した個々の主要設備およびラインの識別確認結果
(3) 使用した原料成分または中間製品のバッチごとに実施した具体的な識別確認結果
(4) 加工の過程で使用した原料成分の重量および計量値
(5) 工程内管理および試験室管理の結果
(6) 使用前後における包装表示作業区域の検査点検
(7) 加工の適切な段階における実収量の公示，ならびに理論収量に対する割合の公示</td><td>110</td><td>100</td><td>208</td><td>93</td><td>123</td></tr>
</table>

21 CFR 項番号	内容	年度別件数				
		2015	2016	2017	2018	2019
	（8）表示物管理の完全な記録，ならびに使用したすべての表示物のサンプルまたはコピー （9）医薬品の容器および閉塞具の概要 （10）実施したサンプリング （11）作業での重要なステップごとに作業を実施し，および直接監督またはチェックした者の識別確認，あるいは作業での重要なステップをセクション11.68により自動化設備で実施した場合，当該自動化設備で実施した重要なステップをチェックした者の識別確認 （12）セクション211.192に従って実施した検査の結果 （13）セクション211.134に従って実施した検査の結果					
211.113 （b）	《微生物汚染の管理》 無菌である医薬品中の有害微生物が防止できるように設計された適切な手順書を作成し，これを遵守すること。かかる手順書には，無菌プロセスおよび滅菌プロセスのバリデーションを含むこと。	157	118	92	71	121
211.25 （a）	《職員の適格性評価》 医薬品の製造，加工，包装，または保管に従事するそれぞれの職員は，定められた機能を果たすことができるように教育，訓練，経験またはそれらの組み合わせを備えているようにすること。教育訓練は，職員が実施する特定の作業ならびに（本章のCGMP規則およびこの規則で要件としている手順書を含め）職員の機能に関係するCGMPについて，適格性が評価されている者が職員に適用されるCGMPの要件を職員が熟知しているのを保証するため，継続的かつ十分な頻度で実施すること。	119	99	113	47	113
211.67 （a）	《設備洗浄と保全》 設備および器具を清浄とし，保全し，かつ医薬品の性質からみて適切な場合には，適切な間隔で清浄化および/または滅菌して，医薬品の安全性，同一性，力価，品質，および純度が公定書またはその他の所定要件を超えて変化するような機能不全または汚染を防止すること。	113	94	54	81	99
211.110 （a）	《製造工程をモニターするための管理手法》 医薬品バッチの均一性および同一性を保証するため，バッチごとの中間製品の適切なサンプルについて実施する工程内管理法，試験法または検査法を記載した手順書を作成すること。かかる管理手順書を作成して，成果物をモニターし，中間製品や医薬品の特性が変動する原因となる可能性がある製造プロセスの性能をバリデートすること。かかる管理手順書には，以下の事項を適宜記載すること。ただし，以下に限定することはない。 （1）錠剤またはカプセルの重量変動 （2）崩壊時間	85	65	68	86	94

21 CFR 項番号	内容	年度別件数				
		2015	2016	2017	2018	2019
	(3) 均質性と均質性を保証するため混合が適切であること (4) 溶出時間と速度 (5) 溶液の透明度，完全性，またはpH (6) バイオバーデン試験					
211.165 (a)	**《配送のための試験と出荷解除》** 医薬品のバッチごとに，医薬品の最終規格，ならびに有効成分ごとの同一性および力価について出荷前に適合しているのを適切な試験室で確認すること。使用期間が短い放射性医薬品の特定したバッチについて無菌性および/またはパイロジェン試験を実施する場合，かかるバッチは無菌性および/またはパイロジェン試験が完了するまでに出荷して差し支えない。ただし，かかる試験を可能な限り速やかに完了することを条件とする。	80	73	64	56	90
211.68 (a)	**《自動化，機械化，および電子化設備》** 医薬品の製造，加工，包装，および保管では，自動化，機械化，または電子化した設備もしくはその他のタイプの設備，ならびにコンピュータ，または支障なく機能する関連システムを使用して差し支えない。かかる設備を使用する場合，適切な性能を保証するため，日常的に校正し，検査し，またはチェックすること。これら校正チェックや検査の手順書を維持管理していること。	72	80	67	60	67
211.100 (b)	**《手順書：逸脱》** 製造管理およびプロセス管理の種々の機能を実践する際には，製造管理およびプロセス管理の手順書を遵守し，かつ実行した時点で文書化すること。手順書からのいかなる逸脱も記録し，その正当性を立証すること。	72	70	65	60	54

2.3 FDAによる過去10年間の日本企業査察結果

FDAは査察実施結果のデータベース“Inspection Classification Database”（以下，本データベース）を世界中の誰もが自由に検索できるように，そのウェブページInspection Classification Database Search※1で公開している。

本データベースの蓄積範囲は，査察完了日が2008年10月1日から直近の更新に含まれる最後のものまでである。更新の公開日は不定期で毎月1～2回の頻度となっている。

査察結果の評価に関しては，本章「2.1 Form 483」（p. 44）で述べたNAI，VAI，OAIというClassificationだけが公開されている。個々の施設の結果が本データベースに反映されるのは，FDAから当該施設に対してEIRが送付された後である。したがって場合によっては，査察後に施設から提出された回答書の内容をめぐって施設とFDAとの間で長期間のやりとりが続いたため，EIRの発行までに長期間を要したという理由などから，1年近く経過して初めてこのウェブページでVAIまたはOAIの結果が公開されることがある。一方，NAIでは査察完了日から1～3カ月の間に公開されることが多い。第三者は，本章2.1節で述べたような情報公開請求をしない限り，警告書が発行されないケースにおいて，このウェブページからのみ，ある施設で査察が実施されたことおよびその結果を知ることができる。

本データベース検索結果には，査察を実施した査察官の氏名は含まれない。OAIの結果について，それが警告書となったのか，あるいはImport Alertとなったのかの区別はない。OAIが公開されても警告書が直近に発行されない場合がある。今回の査察が前回のOAI後の再査察であり再びOAIとなった場合，改めての警告書発行はないものと思われる。

本データベースは医薬品に限定されないすべての査察を対象とするため，医薬品の製造施設についての絞り込みは，検索条件“Project Area”の条件指定によって行う。CDER管轄の医薬品の製造施設の定期査察を指定できる条件指定は，“Project 56-Drug Quality Assurance”である。承認前の査察“Pre-Approval Inspection (PAI)”の結果は本データベースには含まれない。CBER管轄の生物製剤では，“Project 41-Human Cellular, Tissue, and Gene Therapies”，“Project 42-Blood and Blood Products”，“Project 45-Vaccines and Allergenic Products”のうちから該当するものを1つ選択する。対象施設の所在地を日本国内に絞り込みたい場合は“Country/Area”条件に“Japan”を指定する。ただし，これと“Project 42-Blood and Blood Products”を組み合わせた場合，日本国内駐留米軍医療施設内の血液製剤取扱い部門も対象に含まれることに留意する必要がある。

表2-3と図2-2に，本データベースの検索によって得られた情報に，別途，インターネット上の査察結果情報販売業者のウェブページから得られたPAIの査察結果を加味した，日本国内のCDER管轄医薬品製造施設の査察結果の評価分類の暦年別集計数を示す（集計時点は2020年5月2日）。

※1　FDA：Inspection Classification Database Search（https://www.accessdata.fda.gov/scripts/inspsearch/）

表2-3｜日本国内のCDER管轄医薬品製造施設の査察結果件数（2020年5月2日集計）

暦年	NAI	VAI	VAI(推測)	OAI	総計
2008		3			3
2009	8	12		1	21
2010	4	14		2	20
2011	7	23			30
2012	15	35		2	52
2013	8	16			24
2014	16	29			45
2015	9	22	1	1	33
2016	12	34	1	3	50
2017	9	32	6	4	51
2018	12	25	4		41
2019	17	29	9	1	56
2020	1		2		3
総計	118	274	23	14	429

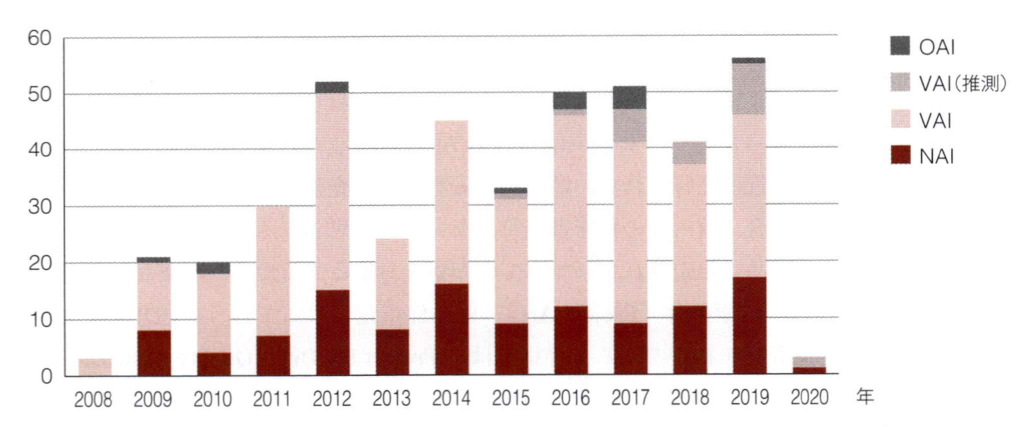

図2-2｜日本国内のCDER管轄医薬品製造施設の査察結果件数（2020年5月2日集計）

ここで「VAI（推測）」とは，査察結果情報販売業者が販売可能なForm 483をウェブページに掲示しているがFDAデータベースには含まれないものを示し，査察結果情報販売業者の情報がFDAの公開情報に先行しているか，あるいはPAIでForm 483が発行されたものに該当する。PAIでNAIであったものの件数は表2-3には含まれない。

表2-3より，2010～2014年の5年間に対して2015～2019年の5年間では明らかに件数の増加がみられ，2015～2019年の5年間の年平均数は46件である。これはFDAの「海外施設の査察実施率を増やす」という施策を反映しているものと思われる。

査察に関する評価結果を「合格」と「不合格」に分類するならば，NAI・VAIが「合格」，OAIが「不合格」といえる。そこで本データベースを“Project 56 − Drug Quality Assurance”に限定して，暦年ごとに，日本・韓国・中国・インドの国別にOAIとALLの分類で検索し，

表2-4｜アジア各国CDER管轄医薬品製造施設の定期査察合格率（2020年5月2日集計）

	日　本			韓　国			中　国			インド		
暦年	ALL	OAI	合格率(%)	ALL	OAI	合格率(%)	ALL	OAI	合格率(%)	ALL	OAI	合格率(%)
2008	3	0	100	0	0	-	5	0	100	3	1	67
2009	21	1	95	1	0	100	43	5	88	93	0	100
2010	20	2	90	1	0	100	53	6	89	46	6	87
2011	30	0	100	3	0	100	74	1	99	102	6	94
2012	52	2	96	7	2	71	59	5	92	125	6	95
2013	24	0	100	4	0	100	86	5	94	114	18	84
2014	45	0	100	8	0	100	96	8	92	102	27	74
2015	34	1	97	9	0	100	133	18	86	206	26	87
2016	55	3	95	10	1	90	164	22	87	176	18	90
2017	45	4	91	55	12	78	126	34	73	152	27	82
2018	37	0	100	29	4	86	117	11	91	196	13	93
2019	47	1	98	25	5	80	110	14	87	221	30	86
2020	1	0	100	3	0	100	1	0	100	59	0	100

合格率(%)＝{(ALL数－OAI数)／ALL数}×100として計算した結果の一覧を**表2-4**に示す。

表2-4より，日本国内の施設は全期間を通じて合格率90%以上を確保し，2010～2019年の10年間のうち合格率95%以上の年が8年を占めていることがわかる。それに対して韓国では，2017年以降一気に査察件数が増加し，その合格率はおおむね80%台前半である。一方，中国とインドではおおむね80%台後半から90%台前半である。

また，中国とインドでは2015年から，日本と韓国では1年遅れて2016年から全査察件数がそれまでに比べて大幅に増加していることがわかる。これは先にも述べたように，FDAの「海外施設の査察実施率を増やす」という施策を反映しているものと思われる。合格率が高いにもかかわらず，残念ながら「日本は他のアジアの国と比較して低リスクの国であるから査察件数を減らす」というFDAの見立てにはなっていないようである。

2.4 日本企業に対する主な警告書

前述の2.3節の表2-4（p. 57）からわかるように，日本国内で2015～2018年にかけて査察評価結果がOAIと判定された8件の査察がある。このうち2015年の1件は，FDAからはそのようなアナウンスはないものの査察を受けた施設が公表している資料によると，査察官の誤った処理によりOAIとされた可能性の高いものであり，本節で取り上げる必要はないと考える。当該警告書に記載された理由は査察拒否であったが，施設側にはまったく身に覚えのない内容とのことであり，対応するForm 483には査察妨害をうかがわせる記載は皆無である。さらに同施設は2017年に再査察を受け，無事にVAIの結果を得ている。

2016年には3件のOAIがあり，このうちの2件は，特にデータインテグリティに関する極めて厳しい指摘を行う1名の査察官による査察結果であった。また，これら3件の施設はその後いずれも再査察を受け，NAIが2件，VAIが1件という優良な結果となっているため，同じく本節では取り上げない。

2017年は4件のOAIがあり，そのうちの3件に警告書が発行され，2020年5月の時点で再査察結果公表またはClose-out Letterの発行は行われていない。よって，そのうちの一部の警告書とForm 483の内容の一部を本節で解説する（2017年の1件と2019件の1件は同一施設のものであるが，その状況の重要性から第5章で取り上げる）。

なお，「●●」は非開示としてマスキングされた内容を示す。

1 警告書事例1

企業名	：A社
施設タイプ	：原薬製造業者
適用法令	：section 501(a)(2)(B) FD&C Act, 21 U.S.C. 351(a)(2)(B)
査察実施日	：2017年7月18日～21日
査察官数	：2名
Form 483発行日	：2017年7月21日
警告書発行日	：2018年1月18日
当査察前の過去査察回数	：0回
警告書指摘事項	：2件

1）原薬の各バッチについて規格適合試験が適切であることを保証していない。

同社はすべての要求された試験を完了することなく数多くの原薬を出荷した。同社は当該原薬の同一性と含量については試験され，これら特性の規格要件に合致していると主張した。しかしながら，これら試験はまったく実施されておらず，それゆえ当該原薬が規格に適合するという保証が同社にはない。同社の行為は消費者を少なくも2つの点でリスクにさらしている。第1に潜在的有効性不足の●●の使用によって，第2に●●および●●のような毒性不純物への曝露のおそれによってである。

同社のForm 483に対する回答中で，同社は前任品質管理責任者が「原料製造業者が提供する品質試験成績書（COA）によって確認されている原料である場合は」同一性試験は不要と決めた，また,「当時の品質管理責任者は試験なしに当該製品を承認した」と述べている。同社は，COAの発行に生データ確認を要件とするようSOPを改訂した。

同社の回答は，いかにこれらのデータを確認することを意図するのか，だれが試験実施に責任を負うのか，また，いかにこのデータのインテグリティを確保することを意図しているのかを示していないことから，不十分である。同社はまた，出荷した医薬品の品質に対して，出荷試験の欠如が及ぼす効果のリスクアセスメントを実施することもできていない。

2）COAに試験結果をすべて報告していない。

本査察中われわれは，同社が2011年6月から2016年2月の間に製造・出荷した●●原薬のバッチについてのCOAをレビューした。同社品質管理部門はこれらのCOAに署名しており，それは，当該バッチについて要求された試験がすべて実行されたこと示唆する。しかしながら査察中，同社は当局査察官に対して，当該COA上に報告した結果についてのすべての試験を実施することなく署名したと述べた。例えば，同社のCOAは，同社がまったく実施していない同一性と不純物試験の結果を報告している。同社は顧客に対して発行したCOAを捏造したことになる。規制当局と顧客はその医薬品とその成分の品質と由来に関する正確な情報をCOAに頼るものである。COA上の同社原薬の品質情報を捏造することは，サプライチェーン責任とトレーサビリティを損ない，消費者をリスクにさらすおそれがある。

われわれは，今回の査察を契機に同社が2011年6月から2016年2月の間に製造した●●原薬の全ロットの自主回収を実施したことを承知している。当査察に対する回答中で，同社はCOA発行前に生データ確認を要求するSOPがなく，また原料COAによって同一性試験は評価できると決定したと述べている。加えて，品質管理責任者が製品分析データシートからこれら試験の結果欄を削除し,「品質管理に関与する配下の従業員はこの逸脱を認識していたにもかかわらず，方法は是正されることなく続けられていた」とも述べている。

同社の回答は不十分である。同社は，同施設内での捏造の拡がり具合を特定しておらず，また同社はCOA捏造に至った条件を是正する計画の詳細を提示することもしていない。

＜対応するForm 483記載＞

同社は2011年6月11日から2016年2月17日までの●●（NDC番号●●）についての正規のCOAを提供していない。当該COAは同社顧客に対して同社製品標準書に定められた要件に沿った完全な分析なしに提供されていた。実施していなかった分析項目は,

- DKK513-001，●●の同一性
- DKK501-062，●●の同一性
- DKK506-059，●●の不純物
- DKK506-012，●●の不純物

同社は●●（NDC番号●●）の規格に従った未承認の製品を，同社原薬が謳うまたは具備すると表示すべき安全性，同一性，力価，品質，および純度の保証なしに出荷した。

解説：SOP改訂にはCGMPの基本知識の蓄積が重要

日本国内のGMP慣習では，原料に対して軽度の処理を施しただけで製品として出荷する製造所において，原料の品質試験成績書（COA）に記載された分析値をもって，当該製造所の分析を省略して出荷することは，最初に製造方法と分析法のバリデーションが実施された上で定期的にその有効性が確認されていることにより許容されている。しかしながら，CGMP上これは認められない。そこを査察官に納得してもらうには，根拠とするバリデーションと管理方法の論理的説明が必要であったであろう。Form 483と警告書の記載から一方的に読み取る限り，そのような説明が十分になされた様子がなく，自社内での試験省略の慣行を，FDAに「COA情報の捏造」と受け取られたことはやむを得ないと思われる。

当施設はこの査察が初めてのFDA査察であったのではないかと推測される。したがって，まずCGMPでは何が許容されないかの基本知識を十分蓄積した上でSOPの改訂を行い，必要な体制を整えた上で査察に臨み，さらに査察官を納得させられるような根拠に基づく論理的な説明をすることが重要であるといえよう。

2 警告書事例2

企業名	：B社
施設タイプ	：原薬製造業者
適用法令	：section 501(a)(2)(B) FD&C Act, 21 U.S.C. 351(a)(2)(B)
査察実施日	：2017年9月11日～14日
査察官数	：1名
Form 483発行日	：2017年9月14日
警告書発行日	：—
当査察前の過去査察回数	：0回
警告書指摘事項	：—

（Inspection Classification Databaseで同社の査察結果がOAIと公表された後，それに対応する警告書が未公表であるため，警告書記載はない。）

解説：初めての査察で指摘された所見

査察完了から3年近くが経過した2020年5月上旬の時点で，当査察のOAI結果に対する警告書の発行もしくはImport Alertはない。

当施設には2009年以降当査察までに査察を受けた記録がなく，当査察が初めてであったと推測される。そのためか，全般にわたる初歩的な部分をついているといえる10件の所見がForm 483に4ページにわたって記載されている。以下には，その見出しだけを列挙する。

＜対応するForm 483記載＞

1. 原薬製造に使用される装置が適切に保守されていない。
2. ●●番作業場の清浄区域が正しく保たれていない。
3. 原薬製造に使用される装置の洗浄が適切に実施されていない。

4. ●●原薬の安定性試験プログラムが効果的に実行されていない。
5. 原薬製造に使用される用水精製装置が正しく保たれていない。
6. 品質出荷試験に使用されるコンピュータシステムにデータの改変または削除を防止するための十分な管理がない。
7. 試験室記録は，規定された規格への適合を保証するのに必要なすべての試験から得られる完全なデータを含んでいない。
8. 品質部の責任が適切に履行されていない。
9. バッチ製造記録中の個々の重要段階の完了の文書化が不完全である。
10. 試験室機器のキャリブレーションの完全な記録が保管されていない。

3 警告書事例3

企業名	：C社
施設タイプ	：原薬製造業者
適用法令	：section 501(a)(2)(B) FD&C Act, 21 U.S.C. 351(a)(2)(B)
査察実施日	：2017年11月13日～17日
査察官数	：1名（海外専門）
Form 483発行日	：2017年11月17日
警告書発行日	：ー
当査察前の過去査察回数	：4回（2010年7月21日完了のものでOAIあり）
警告書指摘事項	：1件

同社原薬が，規定された規格と標準に適合することを確かなものとするために，実施されたすべての試験室試験から導かれた完全なデータが保持されていない。

同社は，同社原薬の試験からの完全なデータが公式バッチ記録に含まれ，同社品質部門によって照査されたことを確かなものとしていない。例えば，2015年7月28日の●●に分析開始したロット番号●●の●●の試験の類縁物質の合格結果を報告している。しかしながら，当局査察官は，当日早くに取得された同一ロットの規格外（OOS）結果，および翌日の報告値を含む未報告の複数の分析を見出した。同社は，当該ロットの出荷に先立って同社品質部門によって照査されるものに，このデータを含めていなかった。米国市場向けではない他製品の同様のパターンを，当局査察官は記している。

回答中で，同社はこの「試行分析」は高速液体クロマトグラフィー（HPLC）カラム調製用試料溶液について実施されたものだと説明している。しかしながら同社の説明は，なぜ「試行分析」が標準溶液の代わりに試料溶液を使用し，あるいは，なぜUSP〈621〉に適合するクロマトグラフィーシステムであることを検証するシステム適合性試験に加えて，この追加分析を実行したのかについて述べていない。

同社は，当該査察後に実施された回顧的照査によって，原バッチ記録中に未報告電子データの追加的具体例を見出したことを認めている。同社の照査は試験室データだけを評価し，CGMP情報が生成され保持されるところのすべての同施設業務分野を評価していない。加えて，同社は照査基準と方法論の詳細を提示していない。

＜対応するForm 483記載＞

試験室管理手順が守られていない。具体的には，同社品質管理試験室のクロマトグラフィー電子データを本査察官がレビュー中，同社試験室管理手順書からの逸脱が特定された。オリジナル注入かつまたは処理注入が報告されておらず，またSOP JHA405標題「逸脱処理手順」(2017年9月15日発効）およびSOP JHA419標題「規格外処理手順」(2017年9月11日発効）に規定する調査が開始されていなかった。加えて，試行サンプル分析（複数）が報告サンプル分析の開始に先立って実施されていた。これら試行サンプル分析の結果は公式の分析バッチ記録には報告されていなかった。

1）HPLC

a. 日本国内向け●●原薬の製造に使用されたロット番号●●の原料の類縁物質と不純物試験について

－ HPLC LC030で2017年6月7日午前11:55開始のオリジナル分析が実施された。当該結果は公式の分析バッチ記録には未報告で，調査またはOOSが開始されていない。

－ LC023で2017年6月7日16:59（午後4:59）に公式/報告済分析が開始された。

b. ●●原薬のロット番号●●の類縁物質試験について

－ HPLC LC027で2015年7月28日13:45（午後1:45）開始のオリジナル分析が実施された。当該結果は公式の分析バッチ記録には未報告で，調査またはOOSが開始されていない。

－ HPLC LC027で2015年7月28日16:18（午後4:18）開始の，ロット番号●●の約●●回注入の分析シーケンスが実施された。当該結果は公式の分析バッチ記録には未報告で，調査またはOOSが開始されていない。

－ LC029で2015年7月28日●●に公式/報告済分析が開始された。

－ HPLC LC027で翌日2015年7月29日13:52（午後1:52）開始の別の分析が実施された。当該結果は公式の分析バッチ記録には未報告で，調査またはOOSが開始されていない。

c. 同社品質管理責任者によれば工業用・食品添加物用途で同社が製造する●●のロット番号●●の類縁物質と●●の試験について

－ HPLC LC027で2014年11月10日●●開始の「ロット番号●●サンプル溶液●●」についての未報告の同一試行注入分析が実施された。結果は未報告であった。

－ 2014年11月11日午前11:30開始のサンプル名「ブランク」についての未報告の試行注入分析が実施された。結果は未報告であった。

－ 2014年11月11日●●開始のロット番号●●，ロット番号●●，ロット番号●●についてのオリジナル分析が実施された。これらの結果は未報告であった。

－ 2014年11月12日午前11:23開始のサンプル名「ブランク」についての未報告の試行注入分析が実施された。結果は未報告であった。

－ 2014年11月12日14:17（午後2:17）開始のサンプル名「ブランク」についての未報告の試行注入分析が実施された。結果は未報告であった。

－ 2014年11月12日14:34（午後2:34）開始のサンプル名「ブランク」についての未報告の試行注入分析が実施された。結果は未報告であった。

解説：1例でも問題が指摘されたら，回答にはすべての調査結果が網羅されなければならない

当査察のForm 483の所見は，Observation 1からObservation 9まで全部で9件あるにもかかわらず，警告書で取り上げられたのはそのうちの，SOPから逸脱したクロマトグラフィー分析における「試行分析」の常態化と結果の未報告，逸脱・OOS未処理を指摘する1件だけであった。

これは，「試行分析（Trial Analysis）」（いわゆる「試し撃ち」）をFDAが極めて重要なCGMP違反とみなしていることを物語っている。当査察を担当した査察官は他の査察においてもデータインテグリティについての詳細で厳しい指摘の多い査察官ではあるが，1名で5日間の日程にもかかわらず，試験室のクロマトグラフィー装置の生データのついての突っ込んだ実地検証を行った様子がForm 483の記載からうかがえる。これは，システムの監査証跡記録を丹念に追跡しながら行われたのであろう。

したがって，標準溶液を使用したシステム適合性試験以外に，実ロットサンプルを用いた試行分析は絶対に実施してはならず，もし妥当な理由があって行った場合は，逸脱・OOS処理を行わなければならないといえる。米国市場向け原薬・医薬品以外の製品であっても，同じ試験室で行われていることが査察時に見出されたならば，試験室管理に対する懸念のもとになる。

また，たとえ1件でも問題事例が指摘された場合，その回答には，すべての調査結果が網羅されなければFDAの納得を得られないことを肝に銘じておく必要がある。

2.5 最近のForm 483指摘事項の具体例

前掲の2.2節の表2-2（p. 50）の要件のうち，Form 483記載ならではの生々しい表現を含むいくつかの具体例を挙げる。なお,「●●」は非開示としてマスキングされた内容を示す。

1 211.22(d)《品質管理部門の責任》

（1）事例1

企業名　　　　：Immunomedics, Inc.（米国）
施設タイプ　　：原薬中間体製造業者
査察実施日　　：2020年3月2日～10日
Form 483発行日：2020年3月10日

特記事項 同社は2020年4月22日に抗体-薬物複合体抗がん剤の肺がん適応迅速審査承認を受けたことを発表したことから，当査察はPAIでありその結果はOAIにつながらなかったことが読み取れる。

解説 品質管理部門によって実施されるべき日常的な照査が行われていなかった例が指摘されている。特に，ダイナミックスモークスタディのビデオをレビュー中に，査察官が映像中に写り込んでいた現場作業者の素肌の露出を見つけ，当該逸脱が品質保証部門によって評価されていないことを指摘している点に注目すべきである。

指摘記載

1) ●●作業の最終QA･微生物学的照査および承認がタイムリーな方法で実施されていない。例えば，
   a. 2019年12月5日～17日の間の●●後の●●エリアの●●についての最終QA・微生物学的照査および承認は当査察期間中の2020年3月6日まで完了していなかった。これは2019年12月17日からの●●の条件付き承認および現在進行中の製造にもかかわらずである。
   b. 2019年12月5日～17日の間の●●後の精製エリアの●●についての最終QA・微生物学的照査および承認は当査察期間中の2020年3月6日まで完了していなかった。これは2019年12月17日からの●●の条件付き承認および現在進行中の製造にもかかわらずである。
2) ダイナミックスモークスタディビデオのレビューの際，BSC E00335装置中で，2名の作業者が素手，素前腕，および外出着でいることが見受けられ，●●のうちの2名がBSC E00335中のP/N:53253，C/N:1910003の●●L●●中ボトルを準備中であり，その間，複数作業者がダイナミックスモークスタディを実施していた。●●エリアはそれから2019年12月17日に●●の製造作業に部分的に供された。●●大規模製造用に2019年12月19日～22日の間に実施されたイノキュラム調製ステップでの使用のために，その後承認されたP/N:53253，C/N:1910003中ボトルのQAまたは微生物学的評価が存在しない。

3）●●精製のための●●精製●●工程における●●中に生成されたクロマトグラムが品質部門による照査用に電子的あるいは手動により提示されていない。

(2) 事例2

企業名　　　　：Kolmar Korea Co. Ltd.（韓国）
施設タイプ　　：一般薬製造業者
査察実施日　　：2019年7月1日～5日
Form 483発行日：2019年7月5日

特記事項　同製造業者は2018年5月18日付け警告書の発行を受け，当査察はClose-outのためのものと推測される（2020年5月上旬現在，当査察結果に基づくClose-out Letterは発行されていない）。

解説　冒頭は警告書への回答に記載された処置が実施されていないという1）項の厳しい指摘から始まっている。2）項は管理されない大量のブランクシートの発見に対するもの，また試験室情報管理システム（LIMS）で発行枚数が追跡不可能な通常の光学的複写機による非制限の複写の指摘である。これらは，FDAのみならず内外のすべての査察・調査実施者によって指摘される点であることを重々承知しておく必要がある。

指摘記載

1）2017年9月25日～28日に実施された査察の結果としての2018年5月18日付け警告書320-18-53への回答中に，最終医薬品製品を支える当該製造工程および品質管理試験に対して好ましからざる諸条件が否定的な影響を及ぼさないことを確かなものとする目的で記載された必須の事前評価/照査を，品質部門が実施していないことを，以下に記された所見リストに文書として示す。

2）品質部門による管理文書に対する監視の欠落が存在する。2019年6月17日発効のSOP-K0201-004標題「品質グループの組織と業務」に骨子が示された同社の文書管理手順は，試験室のワークシートは品質保証部門の一部署である品質マネジメント部門によって管理されるものであると述べている。同社は試験室分析バッチ記録が印刷された回数を追跡するために，LIMSを維持している。同社QCオフィス実地検証中，本査察官は原料と最終製品試験（安定性試験も含む）用QC試験分析バッチ記録の100枚以上の未管理ブランク用紙がQCおよびその他部門の全職員が使用可能な開放状態にあるのを見出した。本査察中，●●用（性状，溶解性，融点法による同定，IRによる同定，TLCによる同定，酸性度，重金属，カールフィッシャー法水分，HPLCおよびTLCによる不純物，加熱残量，滴定による検定，およびGCによる残渣のためのワークシート）はQCオフィス内の1台または2台の非制限コピー機に持ち寄られ，分析バッチ記録が複写されたため二重コピーが生じ，それは同社LIMS文書追跡システムではトレースできないものであった。管理文書に対する品質部門の監視の欠如は2017年9月の当局査察からのrepeat observationである。

2 211.192《製造記録の照査》

(1) 事例1

企業名： Glenmark Pharmaceuticals Ltd（インド）
施設タイプ： 経口固形剤最終製品製造業者
査察実施日： 2018年5月19日～24日
Form 483発行日：2018年5月24日

特記事項 当査察の結果はVAIとなっている。筆頭査察官はDedicated Drug Cadreであり，わが国の施設の査察にも来訪している。

解説 1つ目では，試験室のHPLC分析法バリデーションのAPIピークの問題をQC部門が調査しなかったことが指摘されている。これは，査察官の前での再処理が30％ものピーク面積値の変化をもたらしてしまったためである。査察官は，懸念を持った試験結果値のもとになっているHPLCのクロマトグラム中のピーク再処理を，直接観察中に求めてくることもあることを認識しておかなければならない。2つ目の指摘では具体的に市販のクロマトグラフィーデータ管理パッケージソフトウェアシステム（Empower 3）のユーザー特権設定が挙げられているように，査察官または同行する化学者は，主なCDSシステムのデータの取扱い方法についてはあらかじめ訓練を受けて精通しており，重要なデータのデータインテグリティに懸念を持った場合，次々に詳細を質問し，問題点を見出すことがあることもよく知られている。

指摘記載

- HPLC法による関連物質の分析法バリデーションの際にブランク注入にみられたAPIピークの問題を同社QC部門は調査しなかった。加えて，システム適合性（精度）標準注入（●●ppm）ピークは積分されなかった。これらピークの再積分は標準のピーク面積を●●すなわち30％以上も変えてしまっている。
- 過去2年間において同社は，HPLCおよびGC装置のサンプル試験中にQC試験室で発生した停電に関係する約16件のインシデント報告書を起票している。われわれがこれらインシデント報告書をレビューした際，データを処理する“chromatographers”および処理データを照査する分析品質保証（AQA）レビューアがEmpower 3のユーザー特権“生データファイル中の不完全データを検証する”を持っていないことを見出した。この理由により，最終製品溶出性試験中の2件のこの種のインシデントをレビューする際，同社による調査は，中断されたサンプル注入はchromatographerによって処理されたと決定し，当該サンプルは分析実行されなかったと示していた。しかしながら，QC試験室での電子データのわれわれのレビュー中に，複数のQCマネージャとシステム管理者がユーザー特権“生データファイル中の不完全データを検証する”を持っていることが見出された。その結果として，われわれは同社のマネージャに不完全データを検証し，両方のサンプルセット（2つの異なるインシデントの）注入を再処理することを求めたところ，当該注入サンプルは実際には実行されており，1番目のインシデントでは●●分中の約●●分，2番目のインシデントでは●●分中の約●●分と，両方の注入で当該主ピークの溶離を発見した。不完全データの再処理後，同社は未報告の処理済み注入の放出計算の割合を示し，それらは規格内に収まっているようであった。しかしながら，全電子生データを照査・調査する同社の能力におけるこの食い違いは，本査察中にレビューされた同社のデータインテグリティ手順における重要なギャップである。

（2）事例2

企業名　　　　：Aurobindo Pharma Limited（インド）
施設タイプ　　：最終製品製造業者
査察実施日　　：2019年9月19日～27日
Form 483発行日：2019年9月27日

特記事項　当査察の結果はOAIとなったが，2020年5月上旬現在，警告書は未発出である。

解説　OOSの根本原因を厳密に調査することなく，単なる人為的ミスと装置エラーの結果として当該試験結果を無効化し，合格した再試験の結果を報告している割合の高いことが，査察官自ら集計した数値をもって痛烈に指摘されている。

指摘記載　規格外（OOS）結果が，科学的に健全で正当化可能な根本原因の特定なしにさまざまな試験を無効化していることをもって，同社の調査は不十分であることが見出された。人為的ミスと装置エラーが潜在的根本原因のもととされ，合格した再試験結果が報告されている。2017年1月に始まり，2019年9月までの期間中の同社OOS調査におけるわれわれのレビューは，米国市場向け製品についての以下の内訳を明らかにした。

カテゴリー	総OOS件数	総無効化件数	無効化率（%）
原料	112	102	91
中間製品	85	65	76
保持時間調査	16	15	94
プロセスバリデーション	42	18	43
最終製品試験	172	112	65
最終製品安定性	72	72	100

3　211.160(b)《試験室管理：一般要件》

企業名　　　　：Zhejiang Huahai Pharmaceutical Co., Ltd.（中国）
施設タイプ　　：原薬製造業者
査察実施日　　：2017年5月15日～19日
Form 483発行日：2017年5月19日

特記事項　当査察の施設は，2018年の夏から世界的な問題を引き起こした発がん性物質ニトロソアミンを不純物として含むバルサルタン原薬を製造した中国浙江省の製造所である。当査察は不純物含有問題が露見する前年に実施された。

解説 記載中では原薬名がマスクされているため，この指摘がバルサルタン原薬の分析についてのものであるかは不明である。しかしながら，当該施設の品質管理部門は，クロマトグラムに不定期に出現するピークを調査することなく放置していたことが読み取れる。この査察を実施したのは,広くインドを含む海外施設を専任で担当する経験を積んだ査察官であり，このような不審なピークの発生を見逃していない。しかし，当査察はOAIには至らなかった。

指摘記載 分析試験のインテグリティを確立するための品質管理機器の適切な管理が制定されていない。さらに分析試験における異常が調査されていない。

〔1）項省略〕

2）分析試験中に発生した不純物が矛盾なく文書化・定量化されていない。

a. LS-MSによる，バッチ●●の●●の●●含量試験は，おおよその保持時間●●分に未同定ピークを生み出している。同社はこの未知ピークを,大したことのない理由により時々クロマトグラムに出現する「ゴーストピーク」と説明した。このピークは試験対象である●●のものより十分に大きい。調査は行われなかった。

b. LS-MSによる，バッチ●●の●●の●●含量試験（数ある中で）は，おおよその保持時間●●分からクロマトグラムの終わりまでに未同定ピークを生み出している。このピークは試験対象である●●のものより十分に大きい。調査は行われなかった。

c. バッチ●●の●●の不純物試験は，主●●ピークに伴った目立つ複合ピークを生み出している。にもかかわらず，目的原薬の●●ピークのものとして定量化され，調査は開始されなかった。

4 211.188《バッチ製造管理記録》

企業名　　　　：Indoco Remedies Limited（インド）
施設タイプ　　：製造業者
査察実施日　　：2019年1月17日～25日
Form 483発行日：2019年1月25日

特記事項 当査察の結果は2019年7月16日付け警告書のOAIとなった。

解説 インドの施設では日本では考えられないような作業が行われているらしい。

指摘記載 バッチ製造管理記録が個々のバッチの製造管理に関係した完全な情報を含んでいない。バッチ記録内の工程内確認文書の「実施者」欄に記入された人がすべての試験を実施せず，当該データを記録せず，いつ当該データが取得されたかを常には示さず,「確認者」欄に署名した人によって名前だけが「実施者」欄に書き加えられていた。

5 211.25(a)《職員の適格性評価》

(1) 事例1

企業名　　　　　：Celltrion Inc.（韓国）
施設タイプ　　　：無菌注射剤・原薬製造業者
査察実施日　　　：2018年7月1日～17日
Form 483発行日：2018年7月17日

特記事項　当査察の結果はVAIである。

解説　バイアル中のガラス微粒子混入有無の目視検査の作業者認定に，不明瞭な写真を使うのは不適切，認定用バイアルを使用せよとの指摘である。また，認定中に一部の成績のよくなかった従業員に対処する手順がないとも指摘している。

指摘記載　同社では●●医薬品最終製品の100％目視検査を実施している。同社の作業者の認定は，バイアルの●●部分の●●でない●●の●●の●●の上にあるガラス微粒子に係る●●認定バイアルの点において不適切である。同社はこの欠陥の教育訓練に写真を利用しているが，写真は不明瞭でバイアル中のガラス微粒子を識別するには不適切である。適切な認定用バイアルなしに，同社は100％目視検査中にこの欠陥を同社作業者が観察することを確かなこととすることはできない。さらに，目視検査認定記録のレビューは，2018年1月に実施された直近の作業者●●認定の際に観察されたように，全●●認定実施中に特定の欠陥を繰り返し識別できなかった一人の従業員に対処する手順を同社は有していない。

(2) 事例2

企業名　　　　　：Kolmar Korea Co. Ltd.（韓国）
施設タイプ　　　：一般薬製造業者
査察実施日　　　：2019年7月1日～5日
Form 483発行日：2019年7月5日

特記事項　同製造業者は2018年5月18日付け警告書の発行を受け，当査察はClose-outのためのものと推測される（2020年5月上旬現在，当査察結果に基づくClose-out Letterは発行されていない）。

解説　先に教育訓練記録のレビューについて触れられているが，実際は直接観察中の査察官への従業員のやりとりや質問への回答が頼りないものであったため，教育訓練記録を改めて確認したのかもしれない。

指摘記載　最終製品および原料の試験について同社の品質管理試験室の分析者，管理者，チームリーダーは，同社のデータインテグリティ手順書，SOP-K2201-001 標題「QCデータインテグリティ」(2018年11月5日発効）について適切に教育訓練されていない。2018年1月からの少なくとも9従業員分の教育訓練記録のレビュー中，本査察官は全従業員が少なくとも1回はデータインテグリティ教育訓練を受講していることを見出したが，本査察期間中，所見1，2，3，4および6に列挙したこれら従業員と本査察官とのやりとり・質問に基づき，本査察官は同社手順書と教育訓練教材中に織り込まれたデータインテグリティ原則についての理解・経験の欠如を見出した。

6 211.165(a)《配送のための試験と出荷解除》

(1) 事例1

企業名　　　　：Hospira Healthcare India Pvt. Ltd.（インド）
施設タイプ　　：医薬品製造業者
査察実施日　　：2018年3月27日～4月3日
Form 483発行日：2018年4月3日

特記事項 当査察の結果はOAIである。

解説 合格品として出荷済みの注射剤のバッチの再試験が査察中に関係者注視のもとで実施され，見事に全件不合格となって化学分析者が不正操作していたことが関係者にさらけ出されるという，まるでお笑いのような光景が繰り広げられたようである。

指摘記載 USP注射剤の原料と最終製品の数バッチの●●試験の合格結果を得るために，同社の品質管理の化学分析者（複数）が試験サンプル秤量値を不正操作した。例えば，●●原薬の5バッチ，●●USP注射剤の1バッチが同社分析者によって試験され，●●の合格結果を有するとして出荷されたところであるが，当査察中の2018年3月27日同社責任者と当該分野専門家の監視のもと，再試験が行われた。全6バッチが規格に合致しなかった。当査察中に同施設によって2017年1月から2018年3月に試験・出荷された数バッチに範囲を広げて実施されたさらなる調査の結果は，ヒストリカルデータは期待されるレベルのサンプル秤量値変動と同一の個々のバッチから試験された●●サンプル（●●）の間の対応する●●%を満たさなかった。結果は以下の表に示す（表は省略）。

●●FPバッチ番号●●は，2018年3月31日に同社責任者の指示のもと再試験され，当該バッチの不合格を確認した。

(2) 事例2

企業名　　　　：Cosma SpA（イタリア）
施設タイプ　　：原薬製造業者
査察実施日　　：2016年1月11日～15日
Form 483発行日：2016年1月15日

特記事項 当査察の結果はVAIである。

解説 出荷される原薬に貼付されたラベルの実物に，製造業者，リテスト日が表示されていないという日本では想像もできないような指摘が，一般にCGMP遵守レベルが高いと思われている欧州域内の製造所においてなされている事例である。

指摘記載 製造原料管理システムの管理外へ移送されることを意図した原薬製品ラベルがリテスト日，製造業者の名称・所在地を含んでいない。

7 211.100(b)《手順書：逸脱》

企業名　　　　：Daewoong Pharmaceutical Co., Ltd.（韓国）
施設タイプ　　：原薬および無菌製剤製造業者
査察実施日　　：2017年11月8日～17日
Form 483発行日：2017年11月17日

特記事項　当査察の結果は未公開である（PAIの可能性がある）。

解説　バッチ番号と製造日の付与には決して誤りがあってはならないことは，製造管理における基本中の基本であると考えられるが，そこで逸脱のあったことが指摘されている。

指摘記載　NDC01-005製造におけるバッチ番号と製造日付与の手順書は，医薬品●●についてのバッチ番号付与の具体的指示を記している。これが，●●のようなバッチ番号割り当てに関する数件の逸脱を，結果としてもたらした。

GMP調査よもやま話②

筆者がGMP調査らしきことで初めて出かけた先は，1991年，東レS工場であった。S工場で製造していたダイアライザー（血液透析器）は照射滅菌を行っていたが，照射滅菌前にバイオバーデン検査を行っていなかったため，米国FDAより一時輸出禁止処分を受けていた。そこで，監視指導課からバイオバーデンについて指導してほしいとの依頼があり，S工場に出向いた。当時，滅菌業務において“バイオバーデン管理”は一般的でなかったので，適切な指導もできなかった。東レS工場には貧弱な微生物ラボが工場の片隅にあったことから，講評で「微生物ラボの整備および担当者の拡充等が必要ではないか？」とコメントした覚えがある。そのとき，微生物ラボに在籍していた女性職員が，東レでは女性初の部長になったと伺っている。

1992年にISO/TC 198（Sterilization of health care products）に，WG 8（Microbiological tests）が発足し，バイオバーデンに関する国際規格作成作業が始まるとのことで，日本薬局方調査会委員であった筆者に，ロンドン会議への参加要請があった。以来，今日に至るまでISO/TC 198活動〔特に，WG 9（Aseptic processing of health care products：ヘルスケア製品の無菌操作法）〕に参加しており，ISO/TC 198活動が筆者のライフワークになっている。

当時，ISO/TC 198/WG 8で作成中のバイオバーデン試験の概要を以下の書籍として発行し，業界へのバイオバーデン管理の啓蒙書とした。

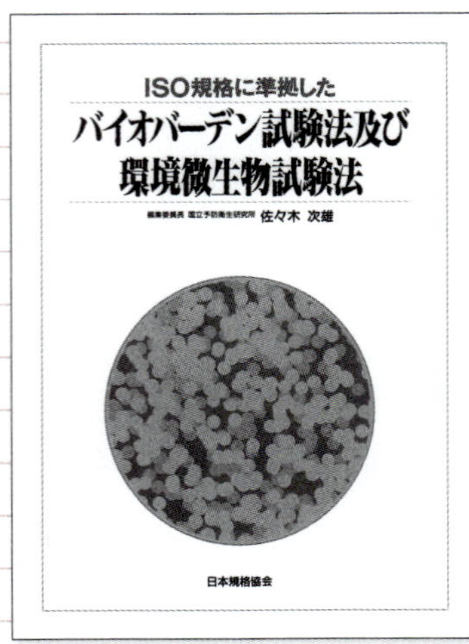

●「ISO規格に準拠した バイオバーデン試験法及び環境微生物試験法」，編集委員長：佐々木次雄（国立予防衛生研究所），日本規格協会，1996年9月20日発行。

第 3 章

GMP査察対応

第3章

GMP査察対応

3.1 FDAのGMP査察

1 FDAのGMP査察（一連の流れ）

GMP査察は，一般に図3-1に示す要領で行われる。本項では，各査察行程におけるポイントについて説明する。

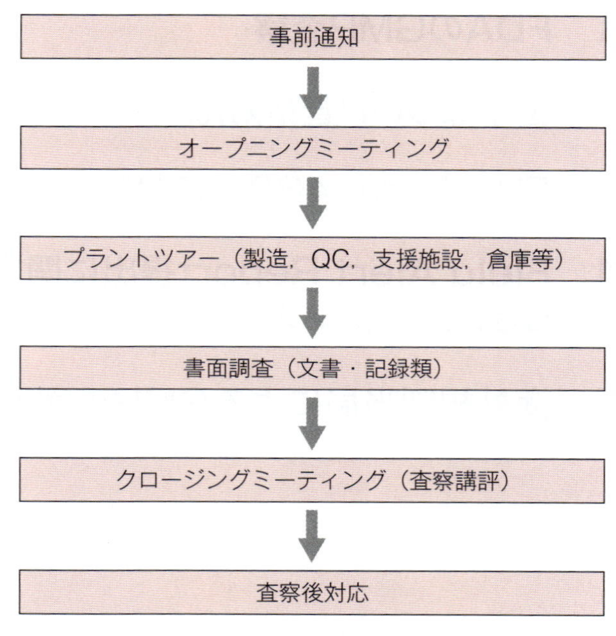

図3-1 | GMP査察の流れ

1）事前通知

FDAのGMP査察は，米国内施設については一般に事前通知なしで行われるが，海外施設の場合は，原則として事前（2〜3カ月前）に通知される。通知は，電子メール，FAX，郵便などで行われる。査察通知を受領したら速やかに記載内容を確認し，必ず指定期限内に返信すること。返信期日厳守に関しては，「本事前通知書に記載されている事項に期限内に回答しない場合，当該施設は査察を拒否したとみなされ，輸入停止となる可能性がある」旨の警告記述もあるので，注意を要する。

本通知書の冒頭には，「本書は，米国食品医薬品局（USFDA）が貴施設をUSFDA要件への遵守状況を査察する公式の通知である。FDAは，xx年xx月xx日からxx月xx日までの間，いつでも合理的な時と場所，合理的な方法で貴施設の査察を実施することを提案する」とあり，この中で査察を受ける会社（工場）の責任者の氏名，メールアドレス，電話番号，FAX番号などを知らせることになっている。FDA Form 482（査察通知書）やFDA Form 483（査察所見書）には，この責任者名が記載される。事前通知書は，査察を行う査察官からではなく，当該査察を担当している地方事務局から届く。

2）オープニングミーティング

・査察官から査察の目的が述べられ，代表者に査察通知書が手渡される
・査察を受ける側の代表者より挨拶があり，主要メンバーの紹介がなされる
・工場の概要紹介（査察対象品目の製造フロー等についても紹介）
・査察スケジュールの確認（プラントツアーの順番確認）
・注意事項等（禁煙，火災発生時の避難，査察官の貴重品保管，食事，その他）があれば，伝えること

3）プラントツアー

・原材料や資材の受入れ施設，一時保管区域（検疫区域），原材料や資材等の検査用検体のサンプリング区域，保管区域（倉庫），製品（中間製品，最終製品）の保管区域，出荷区域，不合格品・回収品・返品等の隔離区域等
・支援区域（空調設備，製薬用水設備，ガス供給設備等）
・製造区域
・動物飼育施設
・QCラボ（理化学試験ラボ，生物試験ラボ，目視検査室等）
・表示・包装区域
・その他

FDA Form 484：検体受領書（Receipt of Samples）

連邦食品・医薬品・化粧品法（FDC法）のセクション704［21 USC 374(c)］に従って，査察官またはFDA職員が査察中に工場，倉庫，または他の施設において検体を採取した場合，査察完了後または施設を出る前に当該施設所有者，オペレーター，または検体受領書責任者にForm 484（図3-2）を手渡すことになっている。

<table>
<tr><td colspan="3">DEPARTMENT OF HEALTH AND HUMAN SERVICES
FOOD AND DRUG ADMINISTRATION</td><td colspan="3">1. DISTRICT OFFICE ADDRESS AND PHONE NUMBER
GMP査察を実施したORA（Office of Regulatory Affairs）地方事務所の住所，電話番号</td></tr>
<tr><td colspan="3">2. NAME AND TITLE OF INDIVIDUAL
通常，査察通知書（FDA Form 482）受取者の氏名と役職</td><td colspan="2">3. DATE
検体採取日</td><td>4. SAMPLE NUMBER
採取検体の整理番号</td></tr>
<tr><td colspan="3">5. FIRM NAME
査察を受けた会社名</td><td colspan="3">6. FIRM'S DEA NUMBER
査察を受けた会社のアメリカ麻薬取締局（Drug Enforcement Administration）番号</td></tr>
<tr><td colspan="3">7. NUMBER AND STREET
査察を受けた会社の住所（番地）</td><td colspan="3">8. CITY AND STATE (Include Zip Code)
査察を受けた会社の住所（市，州，郵便番号）</td></tr>
<tr><td colspan="6">9. SAMPLE COLLECTED (Describe fully, List lot, serial, model numbers and other positive identification)
採取検体（ロット番号，管理番号，モデル番号，他の識別番号等について詳述）</td></tr>
<tr><td colspan="2">10. SAMPLES WERE
☐ PROVIDED AT NO CHARGE
☐ PURCHASED
☐ BORROWED (To be returned)
検体は，☐ 無料で提供，☐ 購入，☐ 借用（返却されるであろう）</td><td colspan="2">11. AMOUNT RECEIVED FOR SAMPLE
☐ CASH
☐ BILLED
☐ VOUCHER
☐ CREDIT CARD
受領検体額：☐ 現金，☐ 請求金額，☐ 領収書，☐ クレジットカード</td><td colspan="2">12. SIGNATURE (Person receiving payment for sample or person providing sample to FDA at no charge)
署名（検体受領にあたって支払いをした人，またはFDAに無料で検体を供給した人）</td></tr>
<tr><td colspan="2">13. COLLECTOR'S NAME (Print or TYPE)
検体採取者の氏名（プリントまたはタイプで）</td><td colspan="2">14. COLLECTOR'S TITLE (Print or Type)
検体採取者の職名（プリントまたはタイプで）</td><td colspan="2">15. COLLECTOR'S SIGNATURE
検体採取者の署名</td></tr>
</table>

FORM FDA 484　PREVIOUS EDITION MAY BE USED　**RECEIPT FOR SAMPLES**　PAGE 1 OF 1 PAGES

図3-2 | Form 484のひな型

4）書面調査（文書，記録類）

承認前査察（PAI）で重要な書面調査は，新薬承認申請書（New Drug Application；NDA）に示されている対象品目の製法および規格試験と実際の製造記録（バッチ記録）との間に齟齬がないことを確認することである。また，これに付随して各種の記録類を照査する。

DEPARTMENT OF HEALTH AND HUMAN SERVICES
FOOD AND DRUG ADMINISTRATION

DISTRICT OFFICE ADDRESS AND PHONE NUMBER GMP査察を実施したORA（Office of Regulatory Affairs）地方事務所の住所，電話番号，Fax番号等	DATE(S) OF INSPECTION GMP査察実施年月日 FEI NUMBER FDAが提供する施設の識別（FDA Establishment Identifier）番号
NAME AND TITLE OF INDIVIDUAL TO WHOM REPORT IS ISSUED Form 483受取者の氏名と職名 TO:	
FIRM NAME 査察を受けた会社名	STREET ADDRESS 査察を受けた会社の住所（番地）
CITY, STATE AND ZIP CODE 査察を受けた会社の住所（市，州，郵便番号）	TYPE OF ESTABLISHMENT INSPECTED 査察を受けた施設のタイプ（例：無菌医薬品製造所）

This document lists observations made by the FDA representative(s) during the inspection of your facility. They are inspectional observations, and do not represent a final Agency determination regarding your compliance. If you have an objection regarding an observation, or have implemented, or plan to implement, corrective action in response to an observation, you may discuss the objection or action with the FDA representative(s) during the inspection or submit this information to FDA at the address above. If you have any questions, please contact FDA at the phone number and address above.

本文書は，貴施設の査察中にFDA査察官によって作成されました観察所見を列記しています。これらは査察での観察所見であり，GMP遵守に関するFDAの最終判断を示すものではありません。観察所見に関して異議がある場合，または観察所見に応じて改善を行った場合，または改善計画，是正措置がある場合には，査察中にその旨をFDA査察官に述べるか，上記に示しました住所のFDAに情報を提供することができます。不明な点がありましたら，上記の電話番号および住所のFDAにご連絡ください。

DURING AN INSPECTION OF YOUR FIRM WE OBSERVED:
OBSERVATION 1
OBSERVATION 2
貴施設の査察中にわれわれが観察したこと
査察官が複数人の場合は「WE」になるが，1人で査察した際には「I」になる。ここには，GMP遵守上，問題のある観察所見の要旨を述べ，2ページ以降から各観察所見について詳しく述べる。

List your significant observations ranked in order of significance.
（指摘事項を記入する欄）

SEE REVERSE OF THIS PAGE	EMPLOYEE(S) SIGNATURE 査察を実施したFDA査察官全員の署名	EMPLOYEE(S) NAME AND TITLE (Print or TYPE)	DATE ISSUED Form 483を発行した日付（査察最終日）

FORM FDA 483　PREVIOUS EDITION OBSOLETE　**INSPECTIONAL OBSERVATIONS**　Page 1 of 1 PAGES

図3-3｜Form 483のひな型

5）クロージングミーティング

- 査察最終日に，査察所見を述べる。査察所見は，Form 483（図3-3）に記載して提出するものと，Form 483には記載せず口頭で述べるものがある。Form 483は，GMPに適合しない指摘事項になる可能性のある事項が記されているので，査察官に誤解があるようなら，この講評時に意見することが重要である。Form 483フォーマットの詳細については第2章（p. 44）も参照。

6）査察後対応

- Form 483に記載された指摘事項については，15営業日以内に（**解説**），指定されたFDA事務局に是正措置内容および是正措置予定時期等をメールで報告することが要求される。期限以内に回答しない場合，対策を実施しない場合は，警告書が出され，輸入停止措置の対象になるので留意すること。
- 期限内に回答しても，是正措置内容が不十分な場合，警告書が発出される。警告書は，FDAのホームページから誰でも自由に目にすることができるため，警告書を受けた企業はイメージダウンにもつながる。警告書を受けないように，Form 483への対応は非常に重要である。
- Form 483に対する回答書を送付すると，FDAからメールを受領した旨の自動返信が届くが，「この連絡は是正措置が承認されたことを意味するわけではない」と説明がある。

解説：「15営業日以内」の解釈と背景

1. FDA Form 483への回答は15営業日以内に

FDA Form 483は，FDA査察官が査察を通じて観察した所見（指摘事項）を文書により，被査察企業の経営トップに出すものである。FDA Form 483を受けた企業は，15営業日以内にFDA Form 483に示された査察所見に対して適切な回答を提出することが求められる。FDAは，2009年8月11日に“査察後回答の評価”（Review of Post-Inspection Responses）に関する通知を出した（Federal Register, Vol. 74, No. 153, 2009）。2009年9月15日から有効になっている本通知により，FDA Form 483への回答期日が15営業日になった背景，また15営業日を超えてからの回答書に対するFDAの対応がわかる。

以下に通知の概要を示す。なお，15営業日（15 business days）とは，特定の企業や組織について使う場合，そのオフィスが営業している日のことを指す。FDAのような政府機関では，土曜，日曜，祝日を除く日，つまり平日のことを指す。

FDAは査察完了時に，被査察施設の経営トップに，査察中に観察された製品および/またはプロセスに関する不適切な状態，または連邦食品・医薬品・化粧品法（FDC法）および関連法への違反を通知するために，査察所見書（FDA Form 483）を発行する。Form 483様式には，「本文書は，貴施設の査察中にFDA査察官によって作成された観察所見を列記しています。これらは査察での観察所見であり，GMP遵守に関するFDAの最終判断を示すものではありません。観察所見に関して異議がある場合，または改善計画，是正措置がある場合には，査察中にその旨をFDA査察官に述べるか，FDAに情報を提供することができます」と印刷されている。査察に基づいて，当該施設がFDC法，または他の法令に違反していると判断された場合，FDAは警告書を発行する可能性がある。

警告書は，速やかにかつ適切に是正されておらず，執行（司法）措置につながる重大な違反に対してのみ発行される。警告書を発行する決定は，関連するすべての事実を徹底的に評価した後，しばしば製品センターを含むFDA内の上級職員によって行われる。被査察施設が，Form 483に記載された査察所見に対する回答書に，完了または進行中の是正措置を記述したり，将来の是正を約束する回答は珍しいことではない。

実際，一部の被査察施設はFDAに複数の回答を提出し，数カ月にもわたることがある。Form 483への遅れた回答書や複数の回答書の評価および対処の間，警告書発行が遅れることになる。FDAからの速やかな警告書発行は，迅速な自発的なコンプライアンスを達成するのに役立つはずであり，公共の利益ともなる。FDAは，是正措置，およびその他の要因を考慮して警告書を発行するかどうかを決定するが，是正措置の継続または約束が一般的に警告書の発行を妨げるものではない。

警告書は，被規制業界に違反を通知し，迅速な自発的是正を達成させる重要な手段である。警告書は，違反の深刻さと範囲が被査察施設の経営トップによって理解され，違反を完全に是正し，再発を防止するために適切なリソースが配分されることを保証するためのものである。FDAは，警告書を発行するかどうかを決定する際の考慮のため，Form 483査察所見に対する回答書提出のための査察後の期間を設定するプログラムを開始した。本プログラムの下では，Form 483が発行されてから15営業日を超えて受領されたForm 483への回答を評価するために，FDAは通常，警告書の発行を延期することはない。このプログラムの目的は，リソースの活用を最適化し，タイムリーに警告書を発行し，違反の迅速な是正を促進することである。FDAはプログラムからの情報を使用して，プログラムを永続的にするかどうかを決定する。FDAは約18カ月後にプログラムの評価を実施するであろう。

2. 15営業日を超えてForm 483査察所見に対する回答書を受け取った場合

FDAは警告書を発行する前に，一般に企業がForm 483査察所見に回答するために15営業日の猶予を与えている。FDAは，15営業日以内に，Form 483査察所見に対する回答を受け取った場合，警告書を発行するかどうかを決定する前に，回答に対して詳細な評価を行っている。企業から提出された回答書を評価した後に，警告書を発行する場合，警告書は回答書の受領を認識し，回答書に記載されている企業の是正措置の妥当性について返答する。必要に応じて，回答書に関してFDAから追加的な連絡が発出される場合もある。

Form 483が発行されてから15営業日を超えてForm 483査察所見に対する回答書を受け取った場合，FDAは警告書に企業の是正措置の妥当性についての回答を含める予定はない。むしろ，FDAは警告書への直接的な回答として提供される他の書面による資料とともに，回答を評価することを計画している（警告書に対する企業の回答は，企業からの以前の回答を参照することができる）。

15営業日（15 business days）とは，通常，土曜，日曜，祝日を除く平日のことを指し，1週5日間の平日から15営業日とは3週間を指すが，Form 483への回答は，コンピュータ管理されているタイムクロックが作動しているので，余裕をもって15営業日以内に回答書を届けるようにすることが重要である。

3.2 上手なGMP査察対応

本節は，筆者の経験による「上手なGMP査察対応」推奨事項であり，必ずしもここに記したことにこだわる必要はない。要は，GMP査察というのは，査察当局が決められた手順（確認事項）に則って実施しているのであって，査察官個人の見解で質問しているわけではない。査察官は，われわれと同じ生身の“人間”であるので，査察中は彼らの感情を害さないことが査察をうまくまとめる上での大きな要素であることを理解していただきたい。

FDA査察では，少なからずForm 483を受けるものとの前提に立ち，Form 483への回答に全力を注ぎ，警告書を受けないようにすることが，会社の信用向上にもつながる。FDAからのGMP査察は，査察官からいろいろと科学的なことを聞けるまたとない機会でもあるので，FDA査察を好機と捉え，とりわけ品質システムの改善・向上に役立ててほしい。

1 査察前準備

FDAの査察を受けたことのある会社と，査察を初めて受ける会社とでは対応も異なるが，ここでは初体験の会社を前提に必要なことを述べる。FDAに「新薬承認申請書（New Drug Application；NDA）」や「生物製剤ライセンス申請書（Biologics License Application；BLA）」を提出する前に行うことを，以下に述べる（表3-1）。

表3-1｜査察前準備

- サイトマスターファイルの作成
- コンサルタントの雇用
- 文書類の点検
- 査察対応チームの発足
- 適切な通訳の確保
- 査察中の役割分担
- その他

1）サイトマスターファイルの作成

国内外の関係企業による監査，ならびに規制当局によるGMP査察に対応するために，PIC/Sの解釈覚書（Explanatory Notes for Pharmaceutical Manufacturers on the Preparation of a Site Master File. PE 008-4, 1 Jan 2011）を参考に，英文でサイトマスターファイル（Site Master File；SMF）を作成しておくこと。サイトマスターファイルは適切な情報を含んでいるべきだが，可能な限り，25～30ページ＋付録程度の簡潔なものとし，付録も含めA4判用紙に印刷して読めるものでなければならない。

SMFの要点は，査察初日のオープニングミーティングでの概要説明用の資料としてPower Pointなどにまとめておくとよい。SMFの構成内容を表3-2に示す。

表3-2｜PIC/S PE 008-4：サイトマスターファイルの構成内容

1．製造業者の一般情報
　1.1　製造業者との連絡情報
　1.2　サイトで認可された医薬品の製造活動
　1.3　サイトで実施されている他の製造活動（あれば非製薬の製造活動）
2．製造業者の品質マネジメントシステム
　2.1　製造業者の品質マネジメントシステム
　2.2　最終製品の出荷手順
　2.3　供給者および契約者の管理
　2.4　品質リスクマネジメント
　2.5　製品品質照査
3．人的組織
4．施設と設備
　4.1　施設
　　4.1.1　暖房，換気およびエアコンディショニング（HVAC）システムの簡潔な記述
　　4.1.2　水システムの簡潔な記述
　　4.1.3　蒸気，圧縮空気，窒素等の他の関連ユーティリティの簡潔な記述
　4.2　設備
　　4.2.1　主要製造設備および実験設備のリスト
　　4.2.2　掃除および衛生
　　4.2.3　GMP上の重要なコンピュータ化システム
5．文書
6．製品
　6.1　製造製品のタイプ
　6.2　プロセスバリデーション
　6.3　原材料の管理と倉庫管理
7．品質管理
8．流通，苦情，製品欠陥および回収
　8.1　流通
　8.2　苦情，製品欠陥および回収
9．自己点検

付録1．有効な製造許可書のコピー
付録2．剤形のリスト
付録3．有効なGMP証明書のコピー
付録4．契約した製造業者や研究所のアドレス，連絡先情報を含むリストと，これら外部委託先のサプライチェーンのフローチャート
付録5．組織表
付録6．材料と人の流れを含む製造エリアのレイアウト，剤形別製造工程の一般的なフロー
付録7．水システムのフロー図
付録8．主要製品と実験設備のリスト

2）コンサルタントの雇用

NDA対象品目を中心に，可能ならFDA査察を受けた経験のある第三者（コンサルタント等）にハード面ならびにソフト面についての模擬査察を依頼し，指摘された問題点について修正しておくこと。

3）文書類の点検

SOPやデータのチェックをしておくこと。SOPは必ずしも英訳する必要はないが，タイト

ルや設定日についてのリストは英訳しておくこと。また，トレンドをとれる成績はグラフ化しておくこと。グラフ化した成績は英訳しておくこと。

4）査察対応チームの発足

QA部門が中心になり，査察対応チームを発足させる。査察対応チームは，査察対象品目に関連する製造部門，QC部門，支援部門（受入れ・保管，空調システム，製薬用水システム，供給ガス等），エンジニアリング部門の従業員で，査察官に要領よく説明できる者がよい。

5）適切な通訳の確保

FDA査察官に十分な英語力で対応できる従業員がいれば，それに越したことはないが，いない場合には外部通訳者に依頼しなければならない。近年，英語力のある人はたくさんいるが，GMP分野に造詣の深い通訳者は必ずしも多くはない。FDA査察または海外監査に立ち会って通訳経験のある人を紹介していただくのも一案である。査察日が決まったら，通訳者と事前打ち合わせを十分に行い，FDA査察官に会社の意図が十分に伝わるようにする。査察成功の半分は，通訳者のスキルに依存するため，適切な通訳者の確保は重要である。

6）査察中の役割分担

査察中の役割分担を決めておくことも重要である。主な担当者を以下に示す。

①査察責任者：査察全体の責任者であり，査察がスムーズに進行するように配慮する。査察時には目立たないようにする。

②FDA査察官随伴者：査察官に随伴し，査察官の質問および担当者の回答をメモする。本担当者は，FDA査察官からの質問には回答しないこと。

③書面調査に入った際に，査察官の質問内容およびそれに対する回答内容をパソコンに入力する担当者：本パソコン情報は，SOP等の文書管理担当者と共有し，文書管理担当者はFDA査察官が必要としている（またはこれから要求するであろう）文書類の提供準備を始める。

7）その他

①査察官の控室および書面調査室の確保

査察官の控室は，入口やトイレに近く，他の施設へのアクセスが容易な場所が望ましい。

②飲み物や軽食の準備

査察期間中に飲み物や軽食を何気なく準備しておくことも感じの良いサービスである。ただし，過度なサービスは不要である。

③査察官の昼食準備

社員食堂があればそこでよいが，適切な社員食堂がない場合には，査察官の控室に弁当やサンドイッチを用意するのもよい。ただし，あらかじめベジタリアンかどうかの確認は必要である。

2 査察中

1）説明者の基本姿勢

- 専門家的態度を表面に出さないこと。FDA査察官は決められたプロトコールに沿って“確認”のための質問をするが，なぜそんな質問をするのかと専門家ぶった態度は示さないこと。ありふれた質問には機械的に簡潔に答えること。
- 礼儀正しくきちんと振る舞うこと。丁寧に専門家らしく振る舞うこと。常に真実を話し，推定や仮定は排す。自信を持ち，よく考えてから話す。質問に答えるだけにし，墓穴を掘るような余計なことは言わないこと。

2）説明者間でしてはならないこと

- 査察官の前で同僚と口論しない，査察者の前で同僚と小声でささやかない，査察官の背後で査察官にわからない言語で話さない，同僚間でメモのやりとりをしない，同僚の回答に割り込んで話さない。
- 査察官のコメントおよび説明に，懐疑的な態度（例えば，首をかしげるような動作）は控える。

3）査察官から請求された資料/書類の提出

- 請求された記録を査察官のいる部屋に運ぶ前に，それが求められた記録であるかどうか，署名または記入の漏れ，ページの欠落がないかどうか，請求された記録に不要な書類が付いていないかどうか，などをチェックする。
- 関連する文書・生データを簡単に取り出せるようにしておくこと。
- 審査の終わった資料/書類は部屋から運び出すこと。

4）査察終了日ごとに

- 1日の査察を“総括”し，翌日に備える。
- 査察官から要求のあった資料/書類をすべて提出したかどうかの確認をする。
- 査察官からの質問にすべて適切に回答したかどうかの確認をする。
- 査察官が納得していなかった事項を整理する。査察最終日に査察所見としてForm 483対象になるかもしれないので，査察官への説明が不十分であったのかどうかも含めて整理すること。
- これらのことは社内の査察対応チームに伝わるようにし，査察対応チームの認識を一致させておくこと。

5）査察期間を通じて

- 査察の妨害をしないこと〔本書，第6章「6.3 GMP査察妨害」（p. 391）参照〕。
- 初日に決めた査察スケジュールを変更しないこと（変更は査察官が同意した場合，もしくは要求した場合に限る）。査察官が見たい工程作業が査察中に終了してしまいそうな場合には，査察官に相談してスケジュールを変更する場合はあり得る。

- 査察の誘導を試みないこと。
- 査察官がいる部屋への不必要な出入りを避けること。
- 神経質になりすぎず，査察官に"攻撃的"にならず，"賢く"振る舞うこと。

3 講評時

厚生労働省医薬食品局監視指導・麻薬対策課課長通知「GMP調査要領の制定について」（薬食監麻発0216第7号，平成24年2月16日）に，GMP調査終了時の講評についての記載がある〔全文は本書の第8章「8.1 GMP調査要領の制定について」（p. 524）参照〕。

3.10．講評，指摘事項書の交付

(1) 調査実施責任者は，調査の全体を概括し，調査において観察された不備等を伝達し，当該事項について調査対象製造業者等の責任者との意見交換を行い，調査実施者が指摘する事項について調査対象製造業者等の理解を深めるための会合（以下「講評」という。）を開催する。講評は，調査期間中に調査実施者が観察した事項について，調査対象製造業者等の適正な認識及び理解を確保することを目的として行うものであり，調査において把握した客観的事実に基づき説明をし，説明に対する質問には誠意をもって対応し，調査対象製造業者等の側も納得するよう努めること。指摘事項の伝達は，不備のあった事項に限定して，施行通知の適合性評価基準を踏まえ，明確に行うことを旨とすること。異なる作業所，作業区域等において見出された不備であっても共通のものについては，改善をより容易にする観点から適宜まとめること。なお，重度の不備と疑われる事項については，調査実施者単独で法令違反か否かを断定することはせず，持ち帰りあらためて連絡することとする等により，調査権者の判断に委ねること。

(2) 調査実施責任者は，調査をすべて完了し，調査対象製造所を離れるに当たっては指摘事項の内容を伝達するようにし，調査対象製造所の責任者に対し調査対象製造業者等あてGMP調査指摘事項書（別紙4）を調査終了日から原則として10業務日以内に調査対象製造業者等に交付するようにすること。なお，調査の完了前に調査対象製造所を離れる必要が生じた場合においては，あらかじめ調査が未了であること及び調査を再開してすべての調査が完了した後に指摘事項を伝達する予定であることを調査対象製造所の責任者に伝えておくこと。

(3) 講評において不備の程度について説明を行う調査実施者は，適合性調査または69条調査以外の立入検査等においては総合機構又は都道府県の職員，69条調査においては法第69条第5項または法第69条の2第4項の身分を示す証明書を携帯する職員であることを原則とすること。なお，調査通知書に記載した調査実施者（専門家を含む。）であって上記職員に該当しない者であっても，指摘事項の内容について技術的説明を行うことはできるものであること。

(4) 調査実施者が記名押印又は署名していないGMP調査指摘事項書（案）については，調査対象製造業者等に交付してはならないこと。講評は口答で行った上で，各指摘事項について調査対象製造業者等の十分な認識と理解を確保した上でGMP調査指摘事項書を交付するようにすること。

(5) 指摘事項のうち，調査対象製造業者等から調査期間中に是正した旨の報告があったときは，調査期間を不合理に延長させるものではない限りにおいて確認に応じることが望ましいこと。

(6) 講評の際に，調査対象製造業者等から改善の方法等について相談された場合においては，調査実施者は，自らの職務上責任をもって応じることができる場合を除き，対応することはせず，調査権者に対して別途照会するように指示すること。

(7) 適合状況の評価結果が重度の不備（D）（必要な処分等は薬事監視指導要領によること。）に分類された事項については，直ちに改善を行い詳細な改善結果報告書（その改善についての客観的証拠の提示が求められる。）を提出するよう指示すること。この際，当該事項については，GMP調査指摘事項書の交付日から15日以内にすみやかに改善を行った上で詳細な改善結果報告書（別紙5）を提出し，かつ，確認を受けないときは，「重度の不備」として確定する（15日以内に改善を行い確認を受けた場合であっても，不備の内容等により「重度の不備」として確定することがある）旨を伝えること。なお，既に該当の品目（製品）について自主回収に着手していたことをもって直ちに重度の不備の指摘が撤回されるものではないこと。

(8) 適合状況の評価結果が中程度の不備（C）に分類された事項については，適切な期間内（承認前適合性調査の場合においては当該不備が他の品目（製品）には関係しないときは，当該承認審査に係る標準的事務処理期間の残余期間内）に，適切な改善がなされた詳細な改善結果報告書（その是正措置についての客観的証拠の提示が求められる。）を，次回更新の日から仮に不利益処分となった場合において要する日数を遡った日を期限日として，提出するよう指示すること。

(9) 適合状況の評価結果が軽度の不備（B）に分類された事項については，具体的な改善計画書（別紙6）又は詳細な改善結果報告書（別紙5）の提出を求め，次回調査等において改善を確認する旨を伝えること。

(10) 中程度の不備（C）又は軽度の不備（B）に分類された事項で又は指摘事項がない場合であっても，調査権者により重度の不備事項と判断される場合があり得ること，また，その場合においては追って連絡がなされることを言い置くこと。

(11) 適合性評価基準に基づき適切に評価を行った結果，「不適合」である場合においては，薬事監視指導要領に従って措置を行うこと。

(12) 69条調査においては，試験検査のために必要な最少分量に限り試料の収去を行うことがあるが，収去する際は原則として調査対象製造業者で実施された試験検査結果の信頼性に関し十分な検討を行うこと，また，収去した試料の試験検査の結果は調査対象製造業者等に連絡されるものであること等を念頭において実施すること。

(13) GMP調査指摘事項書については，調査終了日から原則として10業務日以内に交付するようにすること。

(14) 調査当局は，GMP調査指摘事項書の写しを，監視指導を行う部門等にも送付するなどして，回収の指示等の措置等に資するようにすること。指摘した不備がその他の製造販売業者にも関係する場合においては，薬事監視指導要領に定める手順に基づき当該製造販売業許可者に適宜連絡をすること。

解説：GMP調査/査察の意義

1. 講評の意義

「3.10. 講評，指摘事項書の交付」の（1）に，「講評は，調査期間中に調査実施者が観察した事項について，調査対象製造業者等の適正な認識及び理解を確保することを目的として行うものであり，調査において把握した客観的事実に基づき説明をし，説明に対する質問には誠意をもって対応し，調査対象製造業者等の側も納得するよう努めること」とある。講評は，指摘に対する理解の場であり，不満を述べる場ではない。査察官が誤った指摘をすることもあるので，意見交換をし，当局からの正式な“GMP調査指摘事項書”に指摘として記載されても誤りでないことを確認する場である。企業からの質問者はできるだけ，物腰の柔らかい言い回しのできる担当者を配置することが望ましい。筆者の経験では，自分の知識を披露しながら攻撃的な言い回しで質問をする人もいたが，査察官の心証を悪くするだけである。

2. 査察で最も重要なこととは？

査察で最も重要なことは何かと問われたら，筆者は以下の2点のみを挙げている。

①査察官の問いに窮しても，絶対にウソは言わないこと。ウソがばれると，「品質システム」に重大な欠陥があるとみなされ，査察官による“あら探し”が始まることがある。

②査察前に，前回の査察で指摘されたことに対する回答書内容が完璧に実施されていることを確認すること。約束事を守れない場合，「品質システム」に重大な欠陥があるとみなされ，米国FDA査察の場合はForm 483が機械的に発出される。

GMP調査よもやま話③

PMDAが発足する以前に参加したGMP調査で，調査後に業を廃止したワクチンメーカー2社（細菌化学研究所と千葉県血清研究所）についても強く印象に残っている。細菌化学研究所は仙台にあったワクチンメーカーで調査対象は日本脳炎ワクチンであったが，ハード面・ソフト面的にもワクチン製造所の体をなしていなかった。千葉県血清研究所は，県営で戦後の感染症予防には多大な貢献をし，天然痘ワクチンや抗毒素製剤等のユニークな製剤を製造していたが，2000年に乾燥弱毒麻疹ワクチン4ロットが力価試験で不合格になったことが業の廃止につながった。調査の結果，力価での不合格は，（割合複雑な組成の）添付溶解剤の製法を（ろ過滅菌から高圧蒸気滅菌に）一変申請も出さずに安易に変更したため，品質劣化が起こったためと結論付けられた。

千葉県血清研究所の廃業後，天然痘ワクチンと抗毒素製剤の製造は，化学及血清療法研究所（化血研，熊本県）に技術移管された。化血研では2015年に法令違反が発覚し，2016年1月に110日間の業務停止命令を受け，社名も「KMバイオロジクス」に変更された。素晴らしい技術を持つ化血研をよく知る者として，化血研の名前が消えたことに，時代の流れとともに一抹の寂しさを感じる。

3.3 FDA Form 483への対応

査察ではForm 483を受けないようにするのが最上の対応ではあるが，FDAやPIC/S加盟国のGMP査察経験の少ない企業にとってはForm 483への対応は非常に難しいと思われる。ベストを尽くした上で，Form 483を受けた場合には，指摘事項に対する回答に最善を尽くすことである。おざなりの回答は避け，指摘事項に真摯に具体的に答えることが重要である。

1 指摘事項に対する具体的な対応とは

以下の記事は，Form 483対応を具体的によく示している。本書「第6章 分野別警告書」（p. 359）に示す発出内容とともに参考にされたい。

●品質システム欠陥の兆候を分析することによってForm 483の回答を始める[4)]

Form 483への回答は，日常的なあるいは非公式の連絡ではなく，会社を連邦告訴から守るために行うのと同じ注意と配慮が払われなければならない。なぜなら，これがForm 483のForm 483たるゆえんだからである。

本質的にForm 483は，連邦法執行官（FDA査察官）によって発行される書面による告訴であり，法に違反していることを会社に知らせるものである。これは行政措置がとられる前の警告であり，Form 483に書かれた指摘への会社の回答は，当局が行動する前に，FDAを食い止めるチャンスである。

回答の目的は，FDAに実態を示すことである。会社が指摘を重大に受け止め，改善を表明し，欠陥を直すしっかりとした詳しい計画があることを当局に確信させる。残念ながら，回答に何を期待するかについてのガイダンスがFDAにはない。さらに悪いことには，回答に15日間しか期間が設けられていないことである。

【効果的なForm 483への回答についての報告書】

「FDAnews」が，効果的なForm 483への回答についての報告書を以前発表した。CAPAの違反に重点をおいて，15日間の回答期限から，案を校正するような具体的なことまで，当局がしないアドバイスをしている。

回答を作成する上で最も大切なステップは，Form 483の指摘を分析することであると報告書は説明している。たいていの場合，Form 483の指摘は品質システムの欠陥の兆候あるいは前兆を反映している。教育，監視，記録の保管および監査を含む品質システムのすべての観点をみること。回答に示す計画が是正的，予防的であることを確かめる必要がある。そして是正措置が完全に行われるまで管理状態を維持するために，短期の措置あるいは管理を考慮していることを確かめること。

約束を遂行することは，回答のもう1つの重要な部分である。回答で約束したことがすべて実際に行われたかどうかを，FDAは照査し確認する。関係者全員が約束を理解し，約束を果たせるように，協調してオープンな体制で行うことが大切である。

品質システム規則の施行は画一的ではなく，結果はそれぞれの状況によって異なるが，Form 483を集めてみると共通する事実がみられる。

- 期限までに回答すること。
- 上級管理職を関与させること。
- 適切にふさわしい行動をとること。
- 直ちに回答作成にとりかかること。
- 指摘事項に挙げられたCAPAすべてを網羅すること。
- 指摘された不適なCAPAの根本原因をリストにすること。
- 各原因に対する是正予防措置をリストにすること。
- システムレベルで指摘された誤りに言及すること。
- CAPAが行われていない品質サブシステムへの影響の可能性を考えること。
- 教育および他の実施措置を述べること。
- 実施日あるいは予定を特定すること。
- 確認する努力を述べること。
- 文書を提出すること。
- 意見を求めること。
- 定期的に実施している更新を提出すること。

（*PTJ, Vol.33, No.1:148, 2017*）

解説：査察の内容整理から調査終了まで

1．査察の内容整理

FDAはGMP査察最終日のクロージングミーティングで気づいたことを口頭で講評するが，指摘事項があれば“Form 483”として企業側に手渡す。日本におけるPMDAや地方庁のGMP調査においても最終日に査察官のみで約1時間，調査内容を吟味し，指摘事項があればそれを整理し，調査責任者が口頭で伝える。このときに大事なことは，企業側は指摘内容を十分に理解し，指摘内容に疑義や質問があった場合はそこで議論し，確認することである。

2．指摘事項への回答

Form 483を受けたら，15営業日以内に指摘事項に対する回答をしなければならない。15営業日以内に指摘事項に答えなければ自動的に「Warning Letter」を受け取ることになる。

またForm 483に対する回答内容が不十分，不適切であると判断された場合は「Warning Letter」が発出され，FDAのウェブサイトから公開される。Form 483は，公開されていないが，情報公開法に基づき，有償で公開請求はできる。PMDAのGMP調査においては，調査後，調査チームから指摘内容がランク分け（重度，中程度，軽度）されて報告され，その妥当性を吟味した上で，正式な「GMP調査における指摘事項について」が，調査終了日から原則として10営業日以内に企業側に送付される。「重度の不備」については，GMP調査指摘事項書の公布日から15日以内に速やかに改善を行った上で詳細な改善結果報告書を提出し，かつ確認を受けないときは，「重度の不備」として確定し，「業の停止」などの行政指導を受けることになる。FDAでは回答内容を精査するのはGMP査察を行ったチームではなく，他の部署であるのに対し，日本のPMDAではGMP調査を行ったチームが精査している。

3. 調査の終了

FDAの査察結果は，“90-Day Letter”として査察後90日以内に，Establishment Inspection Report（EIR：施設査察報告書）として送られてくる。本EIRは，査察記録のようなもので，FDAは次回査察時の参考にしている。一般に，EIRにはForm 483以上に詳しく査察内容が記載されている。PMDAでは，GMP調査後，指摘事項に対する企業からの回答書に示されている改善計画の妥当性等を吟味した上で「GMP調査報告書」が作成され，被査察製造所に送付し，調査は終了する。この「GMP調査報告書」は，FDAのEIRに相当するものである。

FDAから送られてくる各被査察施設に対する査察報告書（90-Day Letter）のカバーページには，NAI，VAI，OAIに関して以下のような記載がある。

NAI：FDAは，この施設の査察分野は「指摘事項なし（NAI）」であると判断した。この査察に基づいて，この施設はCGMPに関して許容できる法令遵守状態にあるとみなす。

VAI：この査察に基づいて，この施設は，GMPに関して，最低限許容できる法令遵守状態にあるとみなす。

OAI：この査察に基づいて，この施設はCGMPに関して，容認できない法令遵守状態にあるとみなす。

2 警告書を受けないために ー武田薬品工業株式会社への警告書発出を受けてー

本書（第2版）の全原稿脱稿後に，武田薬品工業株式会社がFDAから「警告書」を受けたとのショッキングなニュースが流れてきた。「武田でさえも警告書を受けるのだから，…」と思われては困るので，武田薬品工業への警告書発出を踏まえ，FDAのGMP査察で警告書を受けないためにはどうしたらよいか，補足してみたい。

2015年1月以降にFDAから警告書を受けた製薬企業を表3-3に示す。現在は情報化時代であり，特にFDAの情報は入手が容易である。

表3-3｜FDA査察での警告書発出製薬企業（2015年1月以降）

企業名	工場所在地	警告書発行日	査察実施日
佐藤製薬株式会社	東京都八王子	2017年2月2日	2016年2月8日～12日
佐藤薬品工業株式会社	奈良県橿原市	2017年1月6日	2016年6月6日～10日
積水メディカル株式会社	岩手県八幡平	2016年11月8日	2016年6月13日～17日
大東化成工業株式会社	岡山県備前	2018年1月18日	2017年7月18日～21日
協和発酵バイオ株式会社	山口県防府市	2018年8月10日	2017年9月4日～8日
有機合成工業株式会社	福島県いわき市	2018年6月17日	2017年11月13日～17日
武田薬品工業株式会社	山口県光市	2020年6月9日	2019年11月18日～26日

FDAは査察結果を入力・登録する際，eNSpectシステムを用いたEIR（Establishment Inspection Report：施設査察報告書）〔第4章4.1節「図4-2 eNSpect system」（p. 160）参照〕

に，GMP査察を行った施設のGMPレベル（Classification）を入力することになる。**表3-4**に，OAI区分を受けた国内製薬企業を示す。2020年7月1日時点では，武田薬品工業のGMP査察報告書が完了していないので，検索結果に挙がっていない。表3-4からわかるように，OAIに相当する査察所見を受けた企業でもForm 483に対する対応が良ければ，警告書は受けずに済んでいる企業もあるといえる。

本書の目的は，FDAをはじめとする海外規制当局のGMP査察にいかに対応すべきかに主点を置いている。本書「第5章 警告書の代表例」，「第6章 分野別警告書」を読んでいただければForm 483への回答方法がおわかりいただけるかと思っている。重要なのは，警告書の指摘内容は，「パターン化」しているということである。すなわち，「逸脱」の指摘を受けたなら，CAPAと教育訓練については言及しなければならないし，米国にすでに出荷された製品があるなら，当該製品に対する影響評価と，回収（リコール）をかけるかどうかについても言及しなければならない。この「パターン化」しているForm 483への回答方法を第5章および第6章から読み取っていただきたい。

FDAの査察結果検索サイト「Inspection Classification Database Search」〔第1章1.1節「図1-5 FDAの査察結果の検索画面」（p. 15）参照〕に検索情報を入力すると，表3-4のような結果が出る。OAIに区分されたサイトは，通常の監視査察計画（routine surveillance inspection

表3-4｜OAI（重大な指摘あり，行政措置がとられる）区分を受けた製薬企業

検索項目
Classification ：OAI
Project Area ：Project 56 (Drug Quality Assurance)
Country/Area ：Japan
Inspection End Date ：From 01/01/2010 to 08/28/2020（2010年1月1日～2020年8月28日）

企業名	査察最終日	査察機関	分類	警告書の有無※
協和発酵バイオ株式会社	06/25/2010	CDER	OAI	
有機合成工業株式会社	07/21/2010	CDER	OAI	
カネボウ化粧品株式会社	09/06/2012	CDER	OAI	
浅田製粉株式会社	10/12/2012	CDER	OAI	
佐藤製薬株式会社	02/12/2016	CDER	OAI	警告書
佐藤薬品工業株式会社	06/10/2016	CDER	OAI	警告書
協和発酵バイオ株式会社	09/08/2017	CDER	OAI	警告書
大東化成工業株式会社	07/21/2017	CDER	OAI	警告書
協和発酵バイオ株式会社	11/08/2019	CDER	OAI	
岡見化学工業株式会社	09/14/2017	CDER	OAI	
日本精化株式会社	12/17/2015	CDER	OAI	
有機合成工業株式会社	11/17/2017	CDER	OAI	警告書
積水メディカル株式会社	06/17/2016	CDER	OAI	警告書
中外製薬工業株式会社	09/26/2019	CDER	OAI	
武田薬品工業株式会社	11/26/2019	CDER	OAI	警告書

※警告書検索サイトより

表3-5｜武田薬品工業株式会社へのFDAのGMP査察歴

検索項目
Firm Name　：Takeda Pharmaceutical
Country/Area　：Japan
Inspection End Date：From 01/01/2010 to 07/01/2020（2010年1月1日～2020年7月1日）

工場	査察最終日	査察機関	分類
大阪	09/14/2010	CDER	VAI
光	09/29/2011	CDER	VAI
光	09/24/2010	CDER	VAI
光	09/18/2013	CDER	VAI
大阪	09/06/2013	CDER	VAI
大阪	08/09/2019	CDER	VAI
光	07/20/2012	CDER	VAI
光	11/07/2017	CDER	NAI
大阪	08/29/2017	CDER	NAI
大阪	09/18/2015	CDER	VAI
光	10/30/2015	CDER	VAI
大阪	08/02/2012	CDER	VAI
光	11/26/2019	CDER	OAI

表3-6｜武田薬品工業株式会社に警告書を出した際の査察官の日本での査察歴

Form 483発行年月	査察官（氏名）		警告書
	Ileana Barreto-Pettit	Steven Weinman	
2019年11月	武田薬品工業株式会社	武田薬品工業株式会社	警告書
2018年7月		佐藤製薬株式会社	
2012年7月		大塚製薬株式会社 神崎工場	
2012年8月		大塚製薬株式会社 徳島工場	
2012年7月	武田薬品工業株式会社		

planning）から除外される。つまり，OAIサイトの再査察は，当局の取り締まり（法的執行）の一環として決定されることになる。

そこで，「Inspection Classification Database Search」に「Firm Name（施設名）：Takeda Pharmaceutical」を入力すると査察歴とその結果が出る（表3-5）。過去10年間のFDAのGMP査察では，大阪工場および光工場ともに，VAIまたはNAIと問題のない査察結果であった。

武田薬品工業での査察で警告書を発出する査察を行った査察官の，日本での過去10年間の査察歴を表3-6に示す。査察官は，Form 483で査察所見（Observation）を明確かつ特定できるように述べるところまでであり，査察所見がCGMPのどこに違反するかを示す必要はない。Form 483での査察所見に対する回答内容を評価するのは別部門の担当者である。この回答対応が悪ければ，警告書の発出になる。警告書では，CGMPをはじめとする指摘内容の法的根拠を示すことになる。

FDAのGMP査察官の多くは，FDAを退職後，コンサルタントになる人が多い。日本ではGMP関連情報は無料という概念が強く，筆者もいろいろな相談を受けるが，基本的に「無料」である。しかし米国におけるコンサルタントは，人によっては高額所得者である。知名度の高いコンサルタントになるためには，GMP査察における経験度（Form 483における指摘件数や指摘内容，警告書の発出件数など）が評価されるため，「重箱の隅を突っつく」ような指摘を出す人もいることは事実のようである。

また，各査察官の査察歴や査察所見（observation）をビジネスにしている会社もあるので，これらの情報も活用できるものなら活用して，「警告書」だけは受けないように備えることが重要である。米国の「Govzilla」という会社では，各査察官が関与したGMP査察におけるForm 483を1件当たり119ドル，全査察のForm 483を整理したものは995ドルで販売しているようである。来日する査察官の氏名が判明したら，こうしたサービスを活用するなどして，直ちに査察官の査察歴を入手し，各査察官の癖を分析しておくことも必要かと思われる。

筆者は，国内外の製薬企業が警告書を受け，査察官や査察内容を批判する声を直接または間接的に聞いてはきたが，批判や愚痴を発する前に，対応が十分であったかを振り返ってみていただきたいと思う。

参考文献

1） John Lehmann. FDA warning letters and Form 483 – What's the difference? IMARC, Apr 2, 2013.

2） Taylor Burtis. Responding to an FDA Form 483: A five-step approach. Feb 4, 2016.

3） Richard Cooper and John Fleder. Responding to a Form 483 or warning letter: A practical guide. Food and Drug Law Journal, Vol.60 No.4 2005.

4） Begin Form 483 Response by Analyzing Symptoms of Quality System Failure. QMN Weekly Bulletin Nov. 25, 2016.
http://www.FDAnews.com/articles/179423-begin-form-483-response-by-analyzing-symptoms-of-quality-system-failure

3.4 Field Alert Report提出に関する企業向けQ&Aガイダンス

2018年7月18日付で米国FDAは，「Field Alert Report Submission: Questions and Answers」と題する企業向けドラフトガイダンスを発出した。本ガイダンスでは，フィールドアラートレポート（Field Alert Report；FAR）の提出に関する要件や必要情報をQ&A形式で示している。

2013年5月2日にFDAは，Form FDA 3331，NDA − Field Alert Reportを自動化するための自主パイロットプロジェクトについて製薬業界に通知した。パイロットは，CDERとORAとの共同作業で，FAR受領をより自動化するシステムに移行する第一歩となった。2017年6月にパイロットプロジェクトが完了し，パイロットプロジェクト参加者からのフィードバックを組み込んだ自動Form FDA 3331a，NDA/ANDA Field Alertの新バージョンが承認されたことが，本ガイダンスの背景として挙げられている。

NDAまたはANDAの申請者は，流通する製剤について以下の情報を受領してから3営業日以内にFDAにFARを提出しなければならない。

（i）医薬品またはそのラベル表示が他の医薬品と間違えられたり，適用されたりする原因となる，インシデントに関する情報

（ii）細菌学的汚染，または重要な化学的，物理的，または出荷された医薬品のその他の変更または劣化に関する情報，または申請書に示した規格を満たしていない1バッチ以上の出荷医薬品の不良

本ガイダンスでは，FARの提出判断に関すること，その責任者，提出のタイミングなどについて次のようなQ&A形式で示している（表3-7）。

表3-7｜FARに関する企業向けQ&Aガイダンスの内容

Ⅰ．はじめに
Ⅱ．背景
Ⅲ．質問と回答
1. FARとは何か。また，その提出のきっかけは何か？
2. FARを提出する責任は誰にあるのか？
3. FARはいつ提出すればよいのか？
4. FARを提出するにはどうすればよいのか？
5. FARはどこで提出できるのか？
6. フォローアップまたは最終FARを提出する必要があるのか？

Ⅰ．はじめに

本ガイダンスは，新薬承認申請（new drug application；NDA）および簡略新薬承認申請（abbreviated new drug application；ANDA）の申請者によるフィールドアラートレポート（FAR）の提出要件に関するFDAの現在の考え方およびFDAの推奨概要を示し，申請者の一貫性と関連性を高めることにある。本ガイダンスでは，特定のよくある質問も取り上げている。

一般に，FDAのガイダンス文書は法的強制力を持つ責任を求めない。代わりに，ガイダンスはある話題に関するFDAの現在の考え方を説明するものであり，特定の規制または法定要件が引用されていない限り，推奨事項としての見解を述べている。FDAのガイダンスで使われる語は，何かを提案または推奨しているが，必須ではないことを意味している。

Ⅱ．背景

21 CFR 314.81(b)(1)および314.98(b)に記載されているFAR規制は，患者の健康を保護するための早期警告システムを確立している。これらの規制に基づき，NDAおよびANDA申請者は，医薬品評価研究センター（CDER）または生物学的製剤評価研究センター（CBER）によって規制されている流通医薬品に関する特定の情報をFDAに提出する必要がある。具体的には，NDAまたはANDAの申請者は，流通医薬品に関して次の種類の情報を受け取ってから3営業日以内にFDAにFARを提出する必要がある。

（i） 医薬品またはそのラベル表示が他の医薬品と間違えられたり，適用されたりする原因となるインシデントに関する情報

（ii） 細菌学的汚染，または重要な化学的，物理的，または出荷された医薬品のその他の変化または劣化に関する情報，または申請書に示した規格を満たしていない1バッチ以上の出荷医薬品の不良

2013年5月2日にFDAは，Form FDA 3331を用いて，NDA-Field Alert Reportを自動化するための「拡張可能なマークアップ言語」（extensible markup language；XML）機能を使用した自主的なパイロットプロジェクトについて製薬業界に通知するために，連邦官報通知（Federal Register Notice）を発行した。CDERと規制業務部（ORA）の共同取り組みであるパイロットは，FDAの手動データ入力からFAR受領のより自動化されたシステムに移行する最初のステップであった。また，CDERとORAの両方が同時にFAR情報を受信できるようになった。そしてすべての企業の参加が奨励された。

2017年6月に，パイロットプロジェクトは完了し，パイロットプロジェクト参加者からのフィードバックを組み込んだ自動化フォームの新しいバージョン（Form FDA 3331a，NDA/ANDA Field Alert）が米国行政管理予算局（Office of Management and Budget；OMB）によって承認された。Form 3331aは，FDAのField Alert Reportsウェブサイトから入手可能である。CBERはパイロットプログラムに参加していないが，CBERによって規制されているNDAまたはANDAを保持している申請者も新しいForm 3331aを使用できる。

Ⅲ．質問と回答

本セクションでは，FAR提出に関するNDAまたはANDA申請者としての責任の概要を示し，根本原因の調査，是正措置，およびFARに応じてとるべきその他の行動に関して，FDAに提供する情報を示している。

1.　FARとは何か。また，その提出のきっかけは何か？

a.　FARとは何か？

FARは，患者の健康を保護するための早期警告システムの一部である。21 CFR 314.81(b)(1)に従い，次の種類の情報を受け取った場合，出荷した医薬品および品目に対するFARをFDAに提出すること。

- 医薬品またはその表示が他の品目と間違われたり適用されたりする原因となる，インシデントに関する情報
- 細菌学的汚染，または重大な化学的，物理的，または出荷された医薬品のその他の変化や劣化に関する情報，または申請書に示した規格を満たしていない1バッチ以上の出荷医薬品の不良

Form FDA 3331aを使用してFARを送信する必要がある（質問4 aを参照）。その形式およびこのガイダンスでは，“問題”という用語は，FARの対象であるインシデントまたは可能性/実際の品質問題を指す。

b.　初期，フォローアップ，および最終FARとは何か？

本ガイダンスでは，Form FDA 3331aの言語と一致する初期，フォローアップ，および最終FARという用語を使用している。

- 初期FARは，21 CFR 314.81(b)(1)の要件に準拠するために提出するFARを指し，質問1 aで説明されている特定の問題について，FARを提出するのが初めての場合である。
- フォローアップFARとは，初期FARで特定された問題に関して追加情報を提出する後続のFARを指す。追加情報の例には，進行中の調査の重要な発見が含まれる。スコープ内で特定された追加の施設またはロット，サンプル分析，ラボ試験結果，または特定された潜在的な根本原因などがある。
- 最終FARとは，根本原因を特定し，実行された，または実行される是正措置を説明する初期FARを完了するために提出するFARを指す。

フォローアップおよび最終FARは，必須ではないが推奨される。フォローアップおよび最終FARの詳細については，このガイダンスのⅢ.6を参照のこと。

c.　出荷された製品の重要な化学的，物理的，またはその他の変化，劣化とは何か？

出荷された医薬品の化学的，物理的，またはその他の変化，劣化が重要であるかどうかを判断するには，医薬品の同一性，強度，純度，安定性，および有効性に対する変化または劣化の潜在的な影響とその変化，または当該製品を用いる個人への影響を評価する必要がある。このような評価は，出荷された製品に固有の要因に基づいている必要がある。これらの要因には，使用目的，投与経路，投与量，治療期間，患者数などが含まれる。

また，判断には，問題が重大な化学的，物理的，またはその他の変化または劣化を引き起こしたかどうかの判断を，理論的根拠（考慮される要因を含む）を含む，21 CFR 211.192（製造記録の照査）または211.198（苦情ファイル）に従って実施された調査を明確に文書化する必

要がある（消費者の苦情に関する情報については，例えば質問1dを参照のこと）。

d. すべての消費者の苦情には，FARの提出を義務付けているか？

いいえ。すべての消費者の苦情は3営業日以内に評価され，苦情で提供された情報が21 CFR 314.81(b)(1)で概説された基準を満たしているかどうかを判断する必要がある。苦情で特定された情報がFARの基準を満たしていると判断した場合，その期間内にFARを提出する必要がある。

e. 出荷製品の製造に使用されたパッケージまたはコンポーネントのFARを提出する必要があるか？

21 CFR 314.81(b)(1)に記載されている基準を満たすパッケージまたはコンポーネントに関する情報を受け取った場合，その情報を受け取ってから3営業日以内にFARを提出する必要がある。例えば，バイアルに使用されているストッパーによって出荷バッチが汚染される可能性があるという情報を受け取った場合，その情報はFARを提出する必要がある。

f. NDA/ANDAの下で承認された製品が米国外でのみ出荷されている場合，FAR要件が適用されるか？

はい。承認されたNDAまたはANDAに基づいて販売されている医薬品は，国内外で出荷されるかどうかにかかわらず，FAR要件の対象となる。

g. 製品が出荷されておらず，規格外（OOS）の結果が見つかった場合，FARは必要か？

いいえ。FARは流通医薬品にのみ必要である。ただし，OOSの結果と調査を発見した場合，例えば，申請書に示した規格を満たしていない1バッチ以上の出荷医薬品の不良，または21 CFR 314.81(b)(1)に規定しているような情報には，FARを提出する必要がある。

h. 安定性試験中に出荷製剤のOOS結果が発見された場合，しかし結果は3営業日以内に無効になるが，FARを提出する必要があるか？

いいえ。3営業日以内に科学的に無効にされた（例えば，分析ラボのエラーが確認された）出荷された医薬品のOOS結果は，FARを必要としない。OOSの結果が科学的に無効にされていない場合，OOS情報を最初に受領してから3営業日以内にFARを提出する必要がある。

i. 出荷された医薬品の無菌プロセスシミュレーション（培地充填）の逸脱にはFARが必要か？

培地充填検証の逸脱は，最後の成功した培地充填以降に製造された流通医薬品への影響評価を含む，調査を必要とする無菌性保証に関連する潜在的な問題を示す。情報が21 CFR 314.81(b)(1)に定められた基準に適合する場合，そのような障害に関する情報を受け取ってから3営業日以内に，培地充填のスコープ内で出荷された医薬品に対してFARを提出する必要がある。

j.　出荷された医薬品に関連する問題の根本原因が特定され，3営業日以内に是正される場合でも，FARを提出する必要があるか？

はい。21 CFR 314.81(b)(1)に概説されている情報を受け取った場合，調査が根本原因を特定するか，是正措置につながるかどうかにかかわらず，3営業日以内にFARを提出する必要がある。レポートには，特定された根本原因と完了または進行中の是正措置に関する詳細情報を含める必要がある。

k.　リコールが開始された場合，FARは必要か？

リコールがNDA/ANDA製品に関するものであり，リコールにつながる情報が21 CFR 314.81(b)(1)の基準を満たしている場合，FARを提出する必要がある。

また，最寄りのリコールコーディネーターからFDAにリコール通知を送信する必要がある。最初のFARが提出された後にリコールが開始された場合，リコール通知時にフォローアップまたは最終FARを提出することを勧める。

- リコールコーディネーターのウェブサイト
  http://www.fda.gov/Safety/Recalls/IndustryGuidance/ucm129334.htm

2.　FARを提出する責任は誰にあるのか？

NDA/ANDA申請者がFARを提出する必要がある。製品の製造，保管，包装，表示，または流通活動またはサービスを実行するために，他の個人または会社と契約上の協約を締結している場合でも，FARの報告について最終的な責任を負うことになる。製品に関する契約締結会社から報告可能な情報を受け取って対応する手順を確立し，維持し，それに従う必要がある。

3.　FARはいつ提出すればよいのか？

a.　FARの提出に必要な時間枠はどのくらいか？

21 CFR 314.81(b)(1)に記載されている情報を受け取ってから3営業日以内にFARを提出する必要がある。営業日は，米国の祝日を除く月曜日から金曜日までの任意の日と考えている。例えば，FARを必要とする基準を満たす情報が金曜日（0日）に識別された場合，1日目は情報が識別された後の最初の就業日（月曜日）に始まり，水曜日（3日目）までにFARを提出する必要がある。この時間枠は，FARを必要とする基準を満たす情報がどこで識別されるかに関係なく適用される。例えば，契約ラボが無菌試験の逸脱を知る日が0日であり，3日目の営業日までにFARを提出する必要がある。

b.　3日以内にFARを提出しないとどうなるのか？

この期間内に必要なFARを提出しなかった場合，少なくとも21 CFR 314.81(b)(1)に違反することになる。また，連邦食品・医薬品・化粧品法（FDC法）のセクション505(k)に違反することになる。これは，Form 483の査察所見に含めることができる。FARを提出しなかったことをFDAが知った場合，その結果がForm 483で引用されたかどうかにかかわらず，必要に応じて規制措置を講じることがある。

4. FARを提出するにはどうすればよいのか？

a. FARを提出するための書式はあるのか？

はい。Form 3331aを使用して，FARを電子的に送信することを勧める。電子的に提出すると，FDAの審査プロセスが迅速になり，FARを関連する地区事務所に提出する義務が履行される。ただし，21 CFR 314.81(b)(1)に記載されている他の種類の提出は求められる。

Form 3331aおよびその手順は，FARのウェブサイトから入手できる。

- Field Alert Reports
  https://www.fda.gov/drugs/surveillance/field-alert-reports

b. FARが電子的に提出された場合，FARの紙のコピーを提出する必要があるか？

いいえ。Form 3331aの指示に記載されているForm 3331aの電子提出は，21 CFR 314.81(b)(1)のFAR要件を満たしている。

c. Form 3331aの提出は，最初に電子的に提出したFARの書面によるフォローアップ要件を満たしているか？

はい。指示どおりにForm 3331aを使用すると，電子的または21 CFR 314.81(b)(1)に記載されているその他の迅速な手段で，最初に提出されたFARの書面によるフォローアップ要件を満たしている。Form 3331aを使用してFARを電子的に送信すると，入力した情報はCDERまたはCBERおよび関連施設の責任を負うFDA地区事務所にも提供される。

d. 複数のNDA/ANDAに関連付けられたFARを1つのフォームで提出できるのか？

いいえ。複数のNDAまたはANDAが関係している場合，各NDAまたはANDAに対して1つのForm 3331aを提出すること。複数の申請書または申請タイプが対象とする医薬品に影響を及ぼす施設全体の問題について，FARを提出することに関する追加情報については，質問4 eを参照のこと。

e. 複数の申請書または申請タイプでカバーされる医薬品に影響する施設全体の問題を，どのように報告すればよいのか？

問題の影響を受ける申請(NDAまたはANDA)ごとに個別の初期FARを提出する必要がある。施設での問題について，単一の包括的な調査を実施し，フォローアップまたは最終的なFARを提出した場合，NDA/ANDA番号と問題が特定された日付を含む，影響を受けるすべての製品を参照する1つのフォローアップおよび/または最終FARを提出できる。

f. 提出時にForm 3331aで要求された情報がわからない場合はどうするか？

初期FARでは，21 CFR 314.81(b)(1)に記載されている情報を受け取ってから3営業日以内に，問題に関連する情報を提供する。NDA/ANDA番号，医薬品の一般名，商号/ブランド名（存在する場合），製品品質の問題，および連絡先情報を必ず報告すること。初期FARで報告された問題についてさらに知った場合，フォローアップまたは最終FARで新しい情報を提供することを勧める（Ⅲ.6を参照）。

g. Form 3331aは「問題が通告された日付，または問題が最初に申請者に知らされた日付」を求めている。これは，情報が実際の問題として確認された日付なのか？

いいえ。21 CFR 314.81(b)(1)に概説されている種類の情報を受け取った日付である。フォローアップおよび最終FARには，同じ初期日付を含める必要がある。

5. FARはどこで提出できるのか？

Form 3331aの自動化された機能を使用すると，FARはCDERと書式のiiページで選択したFDA地区事務所に同時に送信される。CDERは，必要に応じてFARをCBERに転送する。Form 3331aは，すべての地区事務所の連絡先情報（電子メールアドレスや住所など）を提供している。書式のページiiで選択する地区事務所に関する具体的な情報については，以下の質問と回答を参照のこと。

a. 米国内の国内施設で問題が発生した場合，その施設のFARに関する情報はどこに記載すればよいのか。FARはどこに提出すればよいのか？

Form 331aのボックス1「問題が発生した会社名と住所」に施設情報をリストし，書式のページiiでその施設を担当するFDA地区事務所を選択する必要がある。書式で選択したFDA地区事務所と異なる場合，会社の本社がある地区事務所にもccで送付することを勧める。

b. 問題が外国の施設で発生した場合，その施設の情報をFARのどこに表示し，どこでFARを提出すればよいのか？

Form 3331aのボックス1「問題が発生した会社の名前と住所」に外国施設情報をリストし，iiページに，自社の弁護士，米国の代理人，またはその他の公認の担当者が米国内に居住または勤務しているFDA地区事務所を選択すること。

c. 複数の企業または場所が調査に関係している場合，問題が発生したサイトとして，どの企業またはどの場所をFARに記載する必要があるのか？

Form 3331aのボックス1「問題が発生した会社名と住所」に，NDAまたはANDAの完成品の製造業者の名前と住所を入力する必要がある。

ただし，問題が原薬（API）または原材料に関連している場合は，代わりにボックス1にサプライヤーの施設情報を記載する必要がある。問題が表示および包装会社など，完成品メーカー以外の会社に関係する場合，ボックス1にその会社の情報を記載する必要がある。完成品メーカー以外の会社がボックス1に記載されている場合，ボックス14の「備考」に完成品の製造業者の名前と住所，およびボックス1には含まれていない追加のサイトを含める。

d. 問題が発生した場所が不明な場合は，FARのどこに記載する必要があり，FARはどこに提出すればよいのか？

問題の発生場所が不明な場合は，Form 3331aのボックス1「問題が発生した会社の名前と住所」に，問題が発生した可能性が最も高いサイト（質問5cを参照）を挙げる必要がある。iiページで，その場所を担当するFDA地区事務所を選択する。

例えば，NDA/ANDA製品に間違った錠剤を含む容器が1つ以上あることが判明した場合，問題が錠剤製造施設で発生したのか，バルク容器で契約包装業者に出荷中，契約施設で包装中，その後の出荷と取り扱い，または薬局での調剤中に発生したのか不明な場合，問題が発生した場所を担当する地区事務所と異なる場合には，本社があるFDA地区事務所にccすることを勧める。ボックス14「備考」に記載されている追加のサイトをリストする。

調査中に最初に提出した情報を変更したい場合，または問題が発生した場所を特定した場合，施設名，住所，施設の識別（facility establishment identifier；FEI）番号またはデータユニバーサル番号システム（data universal numbering system；DUNS）で，フォローアップFARで問題が発生した事業所の番号を最新のものとすること。新しい地区事務所がフォローアップFARの受け入れ地区である場合は，最初のFARを受け取った元の地区事務所にもccすること。

6. フォローアップまたは最終FARを提出する必要があるのか？

21 CFR 314.81(b)(1)の下では，フォローアップと最終FARの提出は求められていないが，確認できた場合はできるだけ早くこれらの追加の自主報告書を提出することを勧める。これらのレポートの情報を使用して，公衆衛生へのリスクと企業の対応の妥当性を評価する。

a. フォローアップFARはいつ提出すればよいのか？

提出は必須ではないが，(1) 最初のFARで特定された問題と同じ問題の調査中に重要な発見がある場合（例えば，影響を受ける追加ロット，特定された異なる場所），または (2) 以前のFARで提出された情報が間違っていることがわかった場合に提出する。

b. 公開調査中に，最初のFARで特定されたものと同じ医薬品の追加ロットに同じ問題があることを発見した場合，新しいFARを提出する必要があるか？

フォローアップFARの提出を選択した場合は，追加ロットを識別するフォローアップFARを提出する必要がある。フォローアップFARでは，最初のFARからの発見日を参照し，調査の進行状況についてFDAを更新し，実施した是正措置と実施予定の是正処置を特定し，調査の終了予定日をForm 3331aのボックス14「備考」に記載する。

c.　調査中の同じ問題に対するFARがある間に，追加の消費者苦情を受け取った場合，フォローアップFARを提出する必要があるか？

いいえ。次のすべてに該当する場合は，フォローアップFARを提出しないこと。

- 問題は，最初のFARで特定されたものと同じである。
- 製剤は，当初報告されたものと同じNDA/ANDAの対象である。
- 初期FARの根本原因の調査は現在も進行中である。
- 製剤は，最初に報告されたのと同じロットの一部である。

FAR（つまり，最終的なFARが提出されていないもの）の根本原因調査が進行中の場合，受け取ったすべての消費者の苦情に対してFARを提出するのではなく，最終FARに関連する苦情の累積リストを提供することを勧める。

d.　最終FARはいつ提出すればよいのか？

根本原因の特定，是正措置の実施，または調査の終了時にFDAに通知するために，最終FARを速やかに提出することを勧める。調査はできるだけ早く終了する必要がある。

解説：不良医薬品と違法表示医薬品の違い

1.　不良医薬品（日本）

Field Alert Reportに相当するのが，日本では「注意喚起情報（医薬品）」である。「医薬品，医療機器等の品質，有効性及び安全性の確保等に関する法律（以下，薬機法）」の第56条（販売，製造等の禁止）には，以下に該当するような医薬品については，販売・授与・製造・輸入・貯蔵・陳列などを行うことが禁止されている。

1. 日本薬局方で定める基準に性状・品質が適合しない，日本薬局方に記載されている医薬品
2. 承認された医薬品で，成分・分量又は性状・品質が承認内容と異なる医薬品
3. 厚生労働大臣が基準を定めた指定医薬品で，成分・分量又は性状・品質が基準に適合していない医薬品
4. 第42条第1項の法令で基準が規定された医薬品で，その基準に適合しない医薬品
5. 医薬品の全部か一部が不潔な物質や変質・変敗した物質から成っているもの
6. 医薬品に異物が混入しているか付着しているもの
7. 医薬品が病原微生物や疾病が発生する原因となるもので汚染されている可能性があるか，汚染されているもの
8. 厚生労働省令で規定されているタール色素以外のタール色素を使用し，着色だけを目的とした医薬品

このような医薬品は市場から「不良医薬品」として回収する措置が行われる。市場に不良医薬品が流通していることが発覚した場合は，病院などの医療機関や医薬品販売業者，薬局・薬店などに早急に連絡されて回収措置が行われる。

薬機法第68条の11（回収の報告）では，「医薬品等を回収するときは，厚生労働省令で定めるところにより，回収に着手した旨及び回収の状況を厚生労働大臣に報告しなければならない」とあり，回収情報は，PMDAホームページの「注意喚起情報（医薬品）」の「回収情報」

から入手できる。

2. 不良医薬品と違法表示医薬品（米国）

不良医薬品（Adulterated drugs）は，アメリカ合衆国連邦法律21 USC 351（Adulterated drugs and devices）で，違法表示医薬品（Misbranded drugs）は，21 USC 352（Misbranded drugs and devices）で定義付けられている。以下にその概要を示す。

不良医薬品とは，

(a) 有害物質，不快物質を含む。
(1) 全体的または部分的に不潔，腐敗，または分解された物質で構成されている。
(2) 不衛生な条件下で調製，包装，または保持され，汚物で汚染された可能性がある場合，または健康に有害な影響を及ぼす可能性がある。
(3) 容器の全体または一部が，健康に悪影響を及ぼす可能性のある有毒または有害な物質で構成されている場合。
(4) 着色のみを目的として，安全でない着色添加剤を含んでいる。

(b) 公定書と異なる強度，品質，または純度
公定書（米国薬局方やホメオパシー薬局方）に収載されている薬物の場合，強度（含量）が公定書に示されている基準と異なるか，品質または純度が下回る場合。

(c) 薬が公定書に収載されていない場合，強度などの不当表示

(d) 他の物質との混合または代替：薬物をその品質または強度を低下させるために混合または包装，またはその全体または一部にとって代わっている場合。

違法表示医薬品とは，

- 虚偽（false）または誤解（misleading）を招くラベル表示。
- 製造業者，包装業者，または流通業者の氏名と住所，および内容量が適切に表示されていないパッケージフォーム。
- ラベルへの表記情報（用語，説明，デザイン）が使用者に目立つように配置されていない。
- 薬物に確立された名前（established name）を付与していない。
- ラベル上に使用上の注意と適切な警告（投与量，投与方法，投与期間など）がない。
- 承認された薬物としての表現，包装とラベリングが米国薬局方の要件に適合していない。
- 劣化しやすい薬物の包装方法とラベリング表記が不適切。
- 誤解を招くような容器形態に充填，他の薬物の模倣品，別の薬物の名前での販売申し出。
- 処方されたとおりに使用すると健康を脅かす。
- 使用着色添加剤についてラベリング表記が不適切。
- 処方薬の広告：確立された名前，成分含有量，副作用・禁忌・効果，事前承認，虚偽の広告，ラベリング，向精神薬に関する条約の構築などが不適切。
- 非登録事業所からの薬物。
- 規制に違反する薬物の包装または表示。

3.5 海外規制当局によるGMP査察概要

1 エーザイ株式会社の査察対応事例

1）査察概要

2019年6月24日～28日に，米国における新薬承認申請に伴うFDA査察を受けた。本項では，エーザイ株式会社川島工場におけるFDA査察に関する対応経験を紹介する。

●被査察企業名：エーザイ株式会社

	海外規制当局
規制当局	FDA
国名	米国
被査察工場名	川島工場
査察対象品目	経口固形製剤
査察の種類	新薬承認査察（Pre-Approval Inspection；PAI）
査察実施年月日	2019年6月24日～28日（5日間）
査察実施連絡	約6週前
指摘事項発出	査察最終日
査察官数	1名
査察官の専門領域	分子薬理学とがんに関する博士号を所持 A. がん細胞生物学 B. 創薬 C. 医療画像処理
指摘件数 (observations)	2件 ・製造パラメータ（1項目）の妥当性に関する評価の不足 ・機器のメンテナンス・清浄化に関する記録が一部不十分であったこと
事前要求資料	あり

2）準備段階：査察対応タスク

大項目	中項目
ハードの整備	空調
	精製水
	倉庫
	製造エリア
	品質管理
	保守点検
	コンピュータ関連
	他-----

ソフト類の整備	査察対応体制の設定，役割分担
	SOPの新規発行，見直し改訂
	査察対象に関連するGMP文書（変更，バリデーション，CAPA等）の抽出
	文書の英訳
	査察当日説明資料，オープニングミーティング資料の作成
	他-----
査察対応練習	模擬プラントツアーと管理状況のチェック
	あらかじめ作成した想定問答集を用いた応答訓練
	回答時，査察対応時の留意点（答えを簡潔に述べる，相手の会話を遮らない等）をまとめた資料の一斉配信，読み合わせ
	来日した海外サイトのマネージャー（ネイティブスピーカー）による応答訓練
	他-----
査察当日用の準備/対応	当日の役割分担
	入構管理（警備担当）との連携確認
	会場の設営，レイアウトの確認
	社内連絡網の整備（設備，内容ごとの担当部署，連絡する順番など）
	通訳への事前資料の共有
	庶務的な事項（入室用ガウン，靴の準備，トイレや緊急避難ルート案内の英語版の作成，提示）
	FDAとのコンタクト〔留意点は8項（p. 107）に記載〕
	他-----

3）事前要求資料

記号	資料名
#1	Legal name of the company?
#2	Most responsible person at this location?
#3	Gross sales for this location in USD? This is a rough figure. We use 0.5-1, 1-5, 5-10, 10-25, 25-50 million.
#4	Number of employees at this location?
#5	Do you manufacture sterile products?
#6	A list of all the products you manufacture and intend to sell or have sold in the US market. Please provide a list in the following format:
#7	Do you have another location/buildings close to or adjacent to the one I' ll be visiting?

Product Name (API used)	Dosage Form	Strength	Filing type (NDA, ANDA, etc.) or OTC/no filing	Date of first commercial batch	Date of most recent commercial batch	Clinical Indication

#8	Shipping: How do you ship your product to the US?（i.e. air, boat）
#9	Do you own your own shipping trucks, boats, planes?
#10	What city do you get your water from or does it come from a well?
#11	Do you label other company's product you manufacture? If so, I would like a list of all the other companies you label on the first day of the inspection.
#12	Normal hours of operation for your facility?
#13	How many shifts do your operators work?
#14	We need the name, title, and complete mailing address, telephone, fax number and e-mail address for your U.S. Agent.
#15	Name and title of responsible persons for the plant. Name and position of the following. Please also describe individuals' responsibilities, using general terms, as applicable to the officers of the firm. a. President, CEO, General Manager, or Managing Director. I also need their e-mail address and phone number. b. Directors, Vice-President, or Vice-General Manager, as applicable. c. Plant Manager d. Quality Unit managers e. Production Manager f. Warehouse Manager
#16	If you wouldn't mind providing me with a synopsis on the history of your firm. When the company was founded? When the company moved to this location? Milestones with the year it was accomplished? When the company was sold and bought?
#17	Your web address?
#18	Your fax number?
#19	I' ll need a copy of the firm's organizational chart.
#20	A list of all complaints（open and closed）, and investigations of complaints, for the past two years. Please include: a. Complaint number or identifier b. Batch number c. Date of complaint d. Name and address of complainant, if known e. Reason for the complaint f. Current status of complaint
#21	A schematic of your facility-- top view -- or photos, and layouts within your facility of manufacturing workshop, and warehouse.
#22	A list of all recalls, for any reason, for any country.
#23	Provide a list of all out-of-specification investigations（OOSs）, out of trend results（OOT）, deviations, laboratory errors, or as method related problems that have occurred in the last two years on products that are tested by your lab that are associated with your products intended for the USA market. Please include: a. Batch number b. Date and identifier（such as OOS-2018-0120334） c. Reason d. Status（pending, open, closed, etc）

#24	If you have a laboratory, a list of the types of equipment used in your laboratory. Please don't list every piece of equipment. I just want to know what kind of specialized laboratory equipment you have. If you have 20 different types of HPLC's, listing HPLC will be adequate. If you have ultra high-pressure HPLC please list that separately. Don't worry if this list is not 100% complete, just try and do your best, because I will visit the laboratory during this inspection. If you use an outside laboratory for anything, I would like their address and what laboratory tests they perform for you.
#25	How do you identify organisms in the micro lab? With a API strip, Viatek, Biolog, etc.
#26	Please provide a list of samples tested that have failed stability testing, in the last two years.
#27	Provide a list of batches for products placed on stability studies in the past two years or as applicable. Please include: a. Batch number b. Size c. Production dates（start and finish） d. Expiry date or retest date
#28	Please let me know if you produce or handle any cephalosporins, penicillins, steroids or cytotoxic agents at your facility.
#29	If you manufacture any non-pharmaceutical products, which are regulated by the FDA for the US market, please identify those products. These may include foods, flavorings, cosmetics, dietary supplements, dietary supplement ingredients, or medical devices.
#30	A flowchart/brief description of the manufacturing process for the products you manufacture for the US market.
#31	A list or index of all your SOP's
#32	On the first day of the inspection I would also like a copy of the production schedule for the week. That way I can tell you what day（s） I'd like to go into production site to watch manufacturing operations.
#33	How do you treat pallets?
#34	Do you use glycerin in your US products?

4）査察スケジュール・内容

査察日	査察内容
1日目 6/24（月）	・オープニングミーティング ・プレゼンテーション（工場，組織の概要） ・プラントツアー（製造※，倉庫，QC理化学エリア） ※更衣が必要なエリアは立ち入らず見学エリアから実施 ・前回のForm 483に関する対応状況の説明
2日目 6/25（火）	・前日に受けた確認事項の説明（倉庫の温度マッピングなど） ・ユーティリティ（HVAC，用水）の管理 ・洗浄バリデーション ・プラントツアー（QC微生物エリア）
3日目 6/26（水）	・前日に受けた確認事項の説明 ・プラントツアー（製造，QC理化学エリア） ・API ・キャリブレーション

4日目 6/27（木）	・前日に受けた確認事項の説明 ・プロセスバリデーション ・逸脱 ・苦情 ・分析法バリデーション ・バリデーション（IQ，OQ） ・技術移転 ・教育訓練
5日目 6/28（金）	・長期安定性試験 ・プロセスバリデーション ・サンプリング ・メンテナンス ・クロージング

5）プラントツアーでの確認箇所

①設備の定期的な評価（Re-Qualificationという表現を用いていた）が適切に実施されているか。

②構造設備の維持管理の状態が適切か。

③ユーティリティの管理が適切か。

設備については，稼働期間が長い設備であっても，適切な状態が維持されていることの確認を受けた。

6）書面調査での確認事項

・製品に関する調査とは別に，各GMP責任者の役割責任，各責任者としてこれまでの経験が妥当であるか，教育訓練が適切に実施されているかを確認された。

・資料提出も要望され，各責任者の学歴（学位，専攻），勤続年数，現在の職務での経験年数を一覧化したものを提出した。

7）他の規制当局による査察と比較し注目すべき点

・アセスメントも重要ではあるが，それを根拠付けるために，実際に検証してデータをまとめていることを重視した。

8）その他，読者に役立つ情報提供（査察準備，意見相違，情報提供方法，等）

①通訳はこれまでの実績や同行した英語のわかる社員が適切に通訳されていたかの確認をもとに，依頼する優先順位を決めておく。手配する際は査察日程が確定した際に速やかに行う。

【理由】 良い通訳を確保できれば，査察官とのコミュニケーションが円滑になり，認識のずれなどによる査察の停滞や誤解を生じるリスクを大きく低減できるため。

②査察官に同意の下，ホワイトボードを査察を行う部屋に持ち込み，査察中に出た質問，要望について書き上げるようにする。

【理由】 自分たちの課題の積み残しがないことの確認（積み残しがあるまま査察が終わると，その内容が指摘に入る場合もある）も用途としてあるが，査察官からの質問，要望は認識していますよ，という姿勢をもって，安心感を持ってもらうため。

③食事や飲み物については事前に宗教上，アレルギー，嗜好を確認する。

④宿泊先については英語版のウェブサイトを示し，費用を含めて複数提案する。

外資系ホテルのほうが馴染みがあり，安心して利用できるように外資系ホテルを軸に提案する。

【理由】 初めて日本に来る査察官もおり，非常にナーバスになっている場合があり，安心して査察に集中してもらえるように配慮している。

食事についても，確認が不十分で食せないものを提供した場合，失礼にあたるので配慮している。チキンを用いた料理（日本食であれば唐揚げなど）は宗教上の都合で食べられないケースが少なく，受け入れてもらいやすい。ベジタリアンもいることから，豆を用いた料理もすぐに出せる，手配できるように準備しておくなど，配慮している。

⑤SOPがすべて英語化できている企業，サイトは問題ないが，できていない企業の場合はすべてを英訳するのではなく，概要のみを別途まとめた英語資料を準備しておき，査察官の了解のもとで，説明資料として提示する。

【理由】 日常的に使用しているSOPが日本語で記述されており，また文字数が多い場合，すべてを正確に英語化することは非常に労力を伴う。

そのため，要約して英語化した資料を準備しておくことで，必要最低限の情報は提供することが可能で，情報を把握してもらうことが効果的であるため。

2 小野薬品工業株式会社の査察対応事例

1）査察概要

2018年12月17日～21日に，米国へ輸出している当社原薬を対象とした定期のFDA査察を受けた。前回は2014年に査察を受けており，4年ぶりの査察であった。またFDAからの査察実施の連絡が遅く，査察まで3カ月程度しか準備期間がなかったことから，急遽査察対応チームを結成して査察までのアクションプランを作成し，定期的にミーティングを開催して進捗の確認を行った。さらに，模擬査察と査察当日のアドバイザーとしてコンサルタント2社を活用した。

●被査察企業名：小野薬品工業株式会社

	海外規制当局
規制当局	FDA
国名	米国
被査察工場名	フジヤマ工場
査察対象品目	原薬
査察の種類	定期査察
査察実施年月日	2018年12月17日～21日（5日間）
査察実施連絡	2018年8月25日
指摘事項発出	査察最終日
指摘事項回答期限	15営業日
査察官数	1名
査察官の専門領域	分析化学 スプレッドシートの専門家
指摘件数 FDA Form 483	3件
事前要求資料	あり

（1）査察日程確定

2018年8月25日にFDAから査察実施の旨の連絡があり，8月31日までに2018年12月の候補日を提示するように打診を受けた。8月29日に12月10日の週が都合がよいと回答したが，翌日にFDAから12月17日の週がよいと返答があり，査察の日程は2018年12月17日～21日に確定した。

（2）対応部署

- 小野薬品工業株式会社
  本社（品質保証部門，調達部門），フジヤマ工場〔製造部門，品質管理部門（QC），品質保証部門（QA）〕
- 製造販売業者（他社）
  品質保証部門2名　査察当日　立会い

2）準備段階：査察対応タスク

大項目	中項目
サプライヤー評価	出発物質
	汎用原料
	製剤原料
	資材
	他-----
製造ハードの整備	空調
	精製水
	倉庫
	製造エリア
	品質管理
	保守点検
	コンピュータ関連
	他-----
ソフト類の整備	FDAガイダンスとのGAP分析※1
	SOPの新規発行，見直し改訂
	文書の英訳
	査察当日説明資料作成（英語）
	品質システム関連文書の確認
	CSV，ER/ES対応，DI対応
	他-----
査察対応練習	模擬査察※2
	模擬査察の指摘への回答および対応
	想定した質問に対する対応
	他-----
査察当日用の準備/対応	当日の配置，当日の役割分担
	通訳（2名）
	庶務的な事項
	FDAとのコンタクト
	コンサルタント※2
	他-----
他	-----

※1　GAP分析およびDIの観点から，製造指図・記録書の発行管理を見直した（米国向け製品対応）。スタンプ類の使用を一切禁止し，すべて手書きの対応とした。

※2　模擬査察，当日のコンサルタント対応

コンサルタント①

- 2018年11月7～8日の2日間に，コンサルタント①による模擬査察を実施した。
- 模擬査察の結果，クリティカルな指摘はなかったが，いくつか指摘を受け，総合判定としてはForm 483が発出されるレベルであると通達された。

コンサルタント②

- 2018年12月3〜4日の2日間，コンサルタント②による事前確認を実施した。事前確認においては，査察当日に依頼した通訳2名も同席してもらい，対象製品や当日の流れなどを理解してもらった。
- 査察当日は裏方で控えてもらい，査察官の意図や対応について助言をもらった。さらに，査察中に受けた指摘への対応案についても助言をもらった。

3）事前要求資料

2018年11月6日に査察官からメールで事前提出資料リストが届いた。常に資料として所有している会社情報や工場概要，製品リストやレイアウト図等は事前に査察官へ送付し，残りの資料については査察初日（2018年12月17日）に査察官へ提出した。

番号	資料内容
1	オープニングミーティング　プレゼン資料
2	最近製造された製品リスト（全品目）
3	米国向け製品リスト
4	従業員のリストおよび職務内容説明（責任等含む）
5	製品リスト
6	組織図
7	品質部門の責任
8	QCの従業員と管理者の人数，概要説明
9	場所と住所を含む企業施設概要
10	米国の代理店の情報
11	米国の流通倉庫の情報
12	労働時間，シフト，部門ごとの従業員数
13	FDAへの最終製品の登録の写し
14	施設のレイアウト－各製造エリア/建物，サイト周辺の材料と人員の流れ
15	製品品質の照査サマリー（2015〜2017年）
16	工場で使用している主な自動システム
17	委託先リスト
18	フィールドアラートレポートのリスト
19	行政に提出したフィールドアラートレポート
20	手順書のリスト
21	教育訓練手順，年間計画
22	ロット番号割当の手順
23	回収の手順書，回収リスト
24	返品手順
25	梱包形態
26	変更の手順
27	変更のリスト
28	品質情報（苦情）のフロー
29	品質情報のリスト
30	サプライヤーへの苦情のリスト

番号	資料内容
31	安定性試験不適合のリスト
32	安定性試験不適合時の手順（調査，文書化）
33	廃棄品のリスト
34	品質システムへのソフト使用の有無
35	逸脱のリスト
36	OOSの手順
37	OOSのリスト
38	CAPAの手順，CAPAのリスト（2016年～）
39	洗浄の手順
40	製造設備機器のリスト
41	清掃の手順
42	ラベルの管理手順（発行）
43	サプライヤーのリスト
44	温度管理（原材料，工程，製品）
45	水システムのフロー図
46	水の管理
47	木製パレットの使用の有無
48	前回査察時の観察事項または議論項目に対して実施された修正点
49	環境モニタリングの手順，トレンド

4）査察スケジュール・内容

小野の提案したスケジュールに従って進めることが同意された上で査察がスタートしたが，製造関連のツアーが予定より早く終了し，初日でQCラボツアー（理化学）まで完了した。

査察日	スケジュール（小野案）	実際のスケジュール
1日目 12/17（月）	・オープニングミーティング ・プレゼンテーション ・プラントツアー（倉庫，ユーティリティー，製造棟） ・1日目クローズアウトミーティング	・オープニングミーティング ・プレゼンテーション ・プラントツアー（倉庫，ユーティリティー，製造棟） ・試験棟ツアー（理化学）
2日目 12/18（火）	・試験棟ツアー（理化学，微生物） ・文書レビュー ・2日目クローズアウトミーティング	・試験棟ツアー（微生物） **文書レビュー** ・ツアー時に要求された資料の説明 ・洗浄バリデーション ・監査証跡（SOP含む） ・試験記録
3日目 12/19（水）	・文書レビュー ・3日目クローズアウトミーティング	**文書レビュー** ・試験記録 ・製薬用水の試験記録 ・OOS ・逸脱 ・CAPA

査察日	スケジュール（小野案）	実際のスケジュール
4日目 12/20（木）	・文書レビュー ・4日目クローズアウトミーティング	文書レビュー ・製造指図書，記録書 ・品質情報 ・サプライヤー管理 ・年次照査 ・変更管理 ・洗浄バリデーション
5日目 12/21（金）	・文書レビュー ・最終クローズアウトミーティング	文書レビュー ・教育訓練 ・倉庫管理（温湿度管理，温度マッピング） ・試験機器，設備のクオリフィケーション ・CSV

5）プラントツアーでの確認箇所

①倉庫

- 倉庫管理システム
- 倉庫内の温度管理
- 防虫管理
- サンプリングルーム
- 不合格品置場

倉庫管理システムでは，モニター画面にて管理方法を確認した。

②製造棟

- 原材料の保管場所
- 製造室
- 秤の管理

2次更衣が必要となる製造エリアには入室せず，窓越しで内部を確認した。

査察対象外である別製品の製造機器についても確認した。

③試験棟

- 試験用検体と標準品の保管管理
- 機器のログブック
- 天秤の管理
- 試験機器の監査証跡機能
- 微生物室（生菌数試験，培地の管理）

純度，定量試験において，HPLCにてメソッド，シークエンス，クロマトグラフィーを入念に確認していた。

コロニー数を数える作業を，目の前で実施するよう要求された。

6）書面調査での確認事項

①保管管理

・倉庫の温度記録（自動倉庫，冷凍庫），温度マッピング，定期点検記録
・サンプリングルームの清掃記録

保管管理においては，温湿度のモニタリング状況や温度マッピング，定期点検について入念に確認していた。

②製造関連

・製造記録（時系列で確認する）
・洗浄バリデーション（分析法も含む）

洗浄バリデーションについて，過去の実施状況も踏まえて整理し，翌日の朝までにサマリーを英語でまとめて提出する（説明する）よう求められた。

③試験関連

・原薬の受入試験記録
・標準品の出納記録，標準品のクオリフィケーション結果
・製品の試験手順および試験記録
・監査証跡のSOP
・製薬用水の報告書および試験記録
・OOS手順および記録
・試験機器のクオリフィケーション（HPLC，インキュベータ）
・培地調製記録

HPLCのシステム適合性の記録を入念に確認された。

④品質システム

・逸脱管理手順および記録
・変更管理手順および記録
・CAPAの手順および記録
・品質情報の手順および記録（他製品の記録）
・教育訓練の手順および記録
・年次照査
・照査手順
・サプライヤー管理手順および監査報告書

各品質システムの記録類については，査察官に事前に提出したリストから2～3件選定され，確認された。

その他として，査察中に追加で作成を依頼された文書や英訳していない文書も，査察官が帰るまでに英訳付きで提供することを求められた。また，記録類の確認においては，毎回署

名日の日付まで細かくチェックしていた。

7）FDA Form 483記載事項

3件の観察事項が発出された。

①サンプリング室の清掃記録において，清掃方法，清掃実施者，清掃状態の確認者や実施時間を記載する欄がなく，十分な清掃が実施されたことを保証するために必要な情報が不足していた。

②HPLC分析による不純物試験のシステム適合性で不適合になった場合に，再インジェクトを実施していたが，再インジェクトの際に根本原因の調査が不十分であった。

③観察事項②における再インジェクトにおいて，QCによる根本原因の調査が不十分なことに関してQAが十分な照査を実施していなかった。

上記の3件については，いずれも査察中に改善案を提示しており，内容については査察官から了承を得ていたが，Form 483として挙げられた。査察官について，「指摘を出す傾向であり，指摘を出さない査察官を批判している」という事前情報があったが，そのとおりであった。

8）他の規制当局による査察と比較し注目すべき点

- 実際に実製造が実施される日程で，査察実施を要求された。
- プラントツアーに費やす時間が短かった。
- 記録類において，事細かく署名の日付を確認してメモをとっていた。日付の不整合の有無を確認する目的であったと考える（DIの観点から）。
- システム査察であることから，他製品に関しても確認される場合がある。今回，品質情報の記録類は他製品の案件について確認された。会社の品質システムが適切に機能しているかという観点で確認される。
- 実際の試験作業を査察官の目の前で実施させられたため，作業者は作業内容が手順書と合致しているかどうかを常に意識しておく必要があるとともに，その作業の目的についても理解しておくことが重要である。
- 試験室では電子データを中心とした確認がなされた（未知不純物や未報告のデータが存在しないか入念に確認）ことから，電子データの管理に重点をおいているように思われた。
- 査察官が気になったデータは拡大処理や再印刷を要求し，そのデータと完了している試験データとの整合性を確認していた。
- 査察中にかなりの文書のコピーを求められた。

9）その他，読者に役立つ情報提供（査察準備，意見相違，情報提供方法，等）

- 査察官のバックグラウンドを調査し，専門分野を特定することが有用である。
- 事前資料の提出は電子（USBメモリ）で要求されるが，USBメモリ本体ごと査察官が持ち帰る。「USBメモリにて提供できない場合は査察を拒否したことになり，査察が終わってしまう」と言われたため，注意する必要がある。事前に提供用のUSBメモリを準備しておくことを勧める。

- 要求された文書はファイリングして，リストとともに提出すると喜ばれる。
- コンサルタントの活用が非常に有用であった。短い準備期間を効率化させたこと，査察当日の対応方針の決定，査察後のForm 483回答書作成のため，経験豊富で最新情報に精通しているコンサルタントの役割は非常に大きかった。
- 査察官は1回の来日で複数箇所のサイトを査察するため，日程によっては直前に査察が入った企業から査察官情報を得ることも重要である（コンサルタントを通じて情報を入手することが可能な場合も多い)。
- ツアーや文書レビュー時にすべて査察官と行動を共にするコーディネーター役を配置し，回答者のフォローを行った。回答者は担当ごとに変わることから，会社としての回答がずれるリスクがあるが，コーディネーターを配置することでリスクを低減できたと考える。
- 意見の相違がある場合は，その日のうちに査察官の意図とこちらの対応方針を確認するほうがよい。
- 事前に情報提供したリストから書面調査で確認する記録をピックアップするため，情報提供した記録類についてはすべて査察前に内容を確認し，問題となりそうな箇所があれば対応策を考え，説明用書類を準備しておく必要がある。

3 シオノギファーマ株式会社の査察対応事例

1）査察概要

シオノギファーマ株式会社 摂津工場（査察当時，塩野義製薬株式会社 摂津工場）は，2018年7月に当工場として初めてのFDA査察を受審した。今回，工場のグローバル化の変遷として，2ステップの査察準備から実際の査察対応までの事例を紹介したい。

●被査察企業名：シオノギファーマ株式会社

規制当局	USFDA	MFDS	TMMDA	SID&GP
国名	米国	韓国	トルコ	ロシア
被査察工場名	摂津工場	摂津工場	摂津工場	摂津工場
査察対象品目	非無菌固形製剤 バルク	非無菌固形製剤 バルク	非無菌固形製剤 バルク	非無菌固形製剤 バルク
査察の種類	PAI	PAI	PAI	PAI（書面）
査察実施年月日	2018年7月23日～26日（4日間）	2019年5月13日～15日（3日間）	2019年7月22日～25日（4日間）	2020年4月16日～18日（3日間）
査察実施連絡	2018年5月14日	2019年3月11日	2019年3月11日	2019年9月30日
指摘事項発出	査察最終日	2019年6月19日	2019年8月23日	2020年5月20日
指摘事項回答期限	15営業日	2019年8月14日	15暦日	20暦日
査察官数	2名	2名	2名	2名
査察官の専門領域	化学，薬事，化学工学	不明	不明	バイオテクノロジー工学，化学工学
指摘件数	VAI：2件	Major：1件 Others：3件 Recommendation：3件	Other：3件	Minor：1件
事前要求資料	あり（当日提供）	あり（事前提供）	あり（事前提供）	あり（事前提供）
査察で使用する言語	英語	韓国語（英語）	英語	ロシア語（英語）
特記事項	開発初期のデータも確認された	交叉汚染防止に対して興味大	プラントツアーと文書確認をセットで確認された	微生物管理に対して興味大

2）準備-1：将来のグローバル化に向けた準備

摂津工場では2008年に固形製剤包装の新棟（208棟）が竣工したのを機に，将来グローバルに医薬品を供給していく体制を整備すべく，グローバルGMP対応プロジェクトを立ち上げた。対応期間中にコンサルタントを招き，模擬査察を繰り返し，査察対応の訓練（査察の進め方，要求資料の迅速な提供手順，通訳を介してのコミュニケーション等），各担当者（Subject Matter Expert；SME）の説明能力の向上を図るとともに，CAPAを実行することで品質システム，設備・機器システム，原材料等システム，製造システム，包装・表示システム，試験室管理システムの6つのシステムのレベルアップを図った。また，工場内でワーキングチームを立ち上げ，PIC/S GMPのギャップ分析と対応を進めた。この準備期間中にグローバルに供給する医薬品の追加はなかったが，職員にはグローバル化の意識が醸成され，後の実際の査察の際には，準備から当日の査察対応において大いに助けになった。

3）準備−2：具体的な開発品目を対象とした準備

2016年，念願のグローバル供給の開発品を摂津工場で製造することが決定した。まずは，2018年のFDA査察を目標に具体的な査察対応準備を進めることとなった。前述したグローバル化に向けた準備から数年が経過しており，組織や担当者の変更もあったため，以下のように訓練と体制整備を並行して準備を進めた。

(1) 海外当局査察に対する理解を深める

①事例収集

・FDAのデータベース等から他社の指摘事例を学ぶことにより，最近の査察ポイントの傾向を理解して対策立案に役立てた。

当時のホットトピックであったデータインテグリティについては，特に学習してALCOA＋の原則の理解を深め，ギャップ分析，予算を計上してハード/ソフト整備を行うとともに，職員の教育訓練も実施した。

(2) 査察対応準備：社内体制構築

①査察対応ワーキングチーム

・組織横断的なメンバーで構成し，各々が自組織の問題として取り組めるようにした〔品質保証（QA），品質管理（QC），製造，メンテナンス部門〕。
・若手を中心にメンバーを選抜し，将来も継続的に取り組めるようにした。
・マイルストン目標を設定して進捗管理し，期日までに確実に完了させるようにした。

②ギャップ分析〜CAPA対応

a．規制要件とのギャップ対応

・PIC/S GMP：日本がPIC/Sに加盟する時期に合わせて準備−1にて対応済みであったが，最新の規制要件を再確認した。結果として追加対応が必要な内容はなかった。
・CGMP：規制要件を改めて確認し，改善が必要と判断した場合は，作業標準を見直してSOPを制定・改訂した（in place）。教育訓練を実施し実運用を開始した（in practice）。

b．規制当局の期待とのギャップ対応

・外部コンサルタントによる指導

2017/12：米国コンサルティング会社

−模擬査察を実施し，FDAの期待や最近の査察トレンドを理解し，ギャップを補った。

→QIP（Quality Improvement Plan）※にて進捗管理

※QIP：摂津工場，自社他工場およびグループ会社の査察あるいは監査で受けた観察事

項に対する摂津工場のCAPA活動を示した文書。摂津工場では日常の品質システムのCAPA活動とは別に，FDA査察に向けた取り組みの一環として，GMPコンプライアンスに係るCAPAを一元管理することを目的に期間限定で運用した。

・パートナー会社，グループ会社による模擬査察
2017/04，2017/11：米国グループ会社
2018/02，2018/07：パートナー会社
－いずれも海外に拠点をおき，海外規制当局の査察受審経験も豊富な会社の協力を得て，外国語で進められる査察に対応するスキルを向上させた。

③資料の英訳

・必要に応じて外部翻訳業者も利用して主要なSOP，バリデーション関連資料，マスターバッチレコード等を英訳した。
・実地調査を想定して，資料を提供するのではなく，対面による説明をサポートするための資料として英訳版を準備した。

英語資料を準備しておくことは査察を円滑に進める上で有効であった。英訳にかかるコスト，英訳された資料の検証タスクなど持ち出しも多いが，一度準備しておくと後の海外当局査察でも利用できる。

対応の準備として模擬査察→CAPA→QIPを徹底管理したが，非常に効果的であった。

QIPは毎月更新し，工場内のCAPA会議や品質会議で進捗管理することで，査察本番までに重要な課題はおおむね解決することができた。また，経営層への報告や情報提供に活用できるよいツールであった。

特に，グループ会社がFDA査察で受けた指摘の水平展開として，データインテグリティやQAの責務などの改善が実行できたことは，FDA査察本番でこれらのForm 483を受けなかったことにつながったと考えている。

さらに，パートナー会社やグループ会社の英語による模擬査察を繰り返したことは，海外査察に慣れるという意味でも非常に有効であった。

4）事前・当日・事後対応

（1）FDAによる承認前査察

①査察目的

パートナー会社からバルク製剤を製造受託している製品の米国NDA（新薬承認申請）に伴うPAI（承認前査察）

②対象工場

シオノギファーマ株式会社 摂津工場（査察当時，塩野義製薬株式会社 摂津工場）

③査察に関連する全体のスケジュールと主な対応

2018/04/24：米国NDA申請

2018/05/14：通知（Notice of Inspection（Form FDA 482））

・FDAのORA（Office of Regulatory Affairs）から工場の代表者（工場長）宛てにE-mailにて日程調整の連絡あり（回答期限：5/17）。

2018/05/15：FPI（Factory Profile Information）に必要事項を記入して回答

2018/05/16：査察候補日を回答

・査察候補日を3オプション提案（対象製品の生産スケジュールに合うように配慮した）。

2018/05/24：査察日程確定

・英語資料の準備に着手した。

・通訳を手配した（査察官1名に対して通訳2名を手配）。

✓快適なコミュニケーション体制を構築することにより，査察官が必要とする情報を正確に迅速に提供できるようになり，査察官のストレスを低減させ，結果的に不必要な指摘リスクを低減することができる。

2018/06/13：主任査察官決定

・ORAから査察官決定の連絡あり。フライト情報が提供され，ホテルの予約を依頼された。

・査察官の得意分野や査察傾向，過去の指摘事例等を調査し，対策を強化した。

✓FDAのデータベース〔FDAzilla（現在はGovzilla），Warning Letterなど〕

✓人脈（パートナー会社，グループ会社，業界団体/学術団体，知人友人など）

✓SNS（LinkedIn，Facebookなど）

2018/06/18：大阪府北部地震

・地震の影響で査察予定を変更させることはなかったが，査察時の質疑応答に備えて，復旧状況を整理して英訳資料を準備した。

2018/06/23：主任査察官から資料準備についてE-mailにて連絡あり（29項目）

・要求された資料の作成・英訳に着手した〔後述の「（3）事前要求資料」（p. 122）を参照〕。

✓事前提供は要求されなかったので，パイプファイルに綴じて1日目の査察開始時に提供した。

・通訳にも，準備した資料一式を事前に提供し，予習できるよう配慮した。

2018/07/10：社内向け事前説明会－1

・今回の査察の概要を説明した（査察官からはアジェンダの提供がなかったので，査察対応の一般的な説明のみ）。

✓査察官が報告書を書きやすいように全面的に協力すること

✓査察官が知りたいことを簡潔に過不足なく説明すること

2018/07/11～12：模擬査察

・パートナー会社による模擬ツアーおよびSMEトレーニングを実施した。

・主要な品質システムの概要をまとめた資料を作成した。

✓SOP本文を説明せずとも，本資料を査察官に提供するだけで自発的に読み，理解してもらうことが可能であった（以降の海外当局査察にて大いに活用している）。

2018/07/19：社内向け事前説明会－2

- SME，記録係，ランナー等への意識付けを行った。
  - ✓SMEは担当分野について誰よりも詳しく理解しているので自信を持って説明する。
  - ✓注意点（Do's and Don'ts）を最終確認した。
    - －尋ねられたことに対して簡潔に回答する（査察官の時間を無駄にしない）
    - －Yes/Noで回答する（余計な説明をしない）
    - －沈黙を埋めようとしない，など

2018/07/20：会場設営

- 査察室，資料保管やSMEが準備するためのバックルームレイアウト，複合機設置，資料搬入などを実施した。

2018/07/22：査察官1名追加

- FDA査察官からのE-mailにて，CDERからも調査員が本査察に参加すると連絡を受けた。
- 通訳の追加手配，CDER調査員のバックグラウンド調査，昼食や服装具の追加手配などを実施した。

2018/07/23～26：実地査察〔後述の「（4）査察スケジュール・内容」（p. 123）も参照〕

- 建屋入口にウェルカムボードを設置した（母国語にて表示）。
- 査察対応体制（査察室の情報を記録係やランナーを通じてバックルームに伝達し，タイムリーに的確に対応できる体制）を構築した。
- ツアー中の様子を同行者がチャットシステムに入力し，懸念事項や要求資料などをバックルームがタイムリーに把握して対策を立てられるように工夫した。
- 資料の持ち出しリストを作成し，査察官に提示した資料が紛失しないよう工夫した。
- 査察室にWi-Fiルーターを手配し，査察官がデータベース検索できるよう配慮した。
- 小休止用にドリンクとスナックを完備した。
- 毎朝，宿泊ホテルにて査察官と待ち合わせして，手配済みのタクシーにて製造所までの移動を引率した（グループ会社によるサポート）。
- 査察中に要求された資料は当日中に電子ファイルにて提供し，時間を要するものは遅くとも翌日に提供できるようにした。
- 対応者リストを毎日作成して提供した。
- 質疑応答がうまくかみ合わないと感じたときは，通訳に「こういうことを説明したい」と伝えて理解させた上で，説明するようにした。
- FDA査察官とCDER調査員がお互い干渉されず，しかしながら必要に応じて相談できるように適度なスペースを有する会議室を準備した。

2018/07/26：Inspectional Observations（FDA Form 483）受領（観察事項2件）

- 査察官の控室に呼ばれてUSBメモリを受領し，Form 483を印刷した。クロージングミーティングにて工場の代表者に署名版を手渡された（15営業日以内に回答書を提出すること）。

・クロージングミーティングでは，ホスピタリティ，オープンマインド，タイムリーな文書提出など，査察に対する姿勢に対してよい印象であることが述べられた。

2018/08/15：観察事項に対する回答書提出

・パートナー会社やグループ会社の協力を得て対応策を検討し，より適切な英語表現に仕上げて回答書を提出した。

・CAPAにて進捗管理した。

2018/08/31：EIR（Establishment Inspection Report）受領

2018/10/30，2019/02/14：CAPA対応完了

・根拠資料をFDAに提出した。

（2）査察官への対応で配慮したこと

・日本滞在中のホテル予約や空港からホテルまでの移動サポート
・昼食の手配（特に，アレルギー，菜食主義，ビーガン，宗教等に配慮）
・毎日のホテルと製造所との送迎
・査察官だけで打合せできるよう控室を準備

（3）事前要求資料

FDA査察官から当日までに準備しておくよう要求された資料のリストを以下に挙げる。他にも数カ国の当局査察を受審したが，要求リストには大差ないことがわかった。

番号	資料内容
1	会社の登録名と住所，電話，ファックス，およびウェブサイト
2	企業構造
3	親会社または本社住所および姉妹施設の場所（市および国）
4	査察を受ける施設の職員の最新組織図と本社を含めた組織図，企業構造内での報告方法についての説明
5	サイトの主要職員の名前と役職，および職務の簡単な説明
6	サイトの最高責任者の氏名と住所，社長またはCEOなどの会社の最高責任者（サイトと異なる場合）の名前と住所
7	前回の査察以降の主要人員の変更
8	通常の業務時間（管理および作業）
9	サイトの従業員数
10	製品の顧客リスト（名前，配送先住所，連絡先名）
11	該当するNDA / ANDA / NADA / ANADA / DMF / OTCのモノグラフ番号などを用いて，米国市場向けに製造，包装，または試験されたすべての完成品のリスト
12	前回の査察以降米国に出荷された全ロットのリスト（顧客，製品，力価，ロットNo.）
13	規制担当（米国代理店）：氏名，住所，電話番号，ファックス番号，電子メールアドレス
14	輸入者/ブローカーまたは商用代理店（該当する場合）：氏名，住所，電話番号，ファックス番号，電子メールアドレス
15	FDAの医薬品製造所データベースに登録されていることを示す根拠資料

番号	資料内容
16	GMPコンサルタントのリスト
17	例を用いたロットナンバリングシステムの説明
18	製造設備，倉庫，試験検査室の図，エリアなどを含む記述
19	設備レイアウト（すべての建物/ユニット）
20	製薬用水システムのレイアウト/エンジニアリング図面
21	すべての建物/ユニットのHVAC/AHUのエンジニアリング図面
22	米国市場での総売上高，総売上高からの年間総売上高
23	米国市場向けのX錠に関する以下の情報 a. 苦情，逸脱（計画および計画外），失敗，OOS，OOT，OOC，不適合および調査のログ。基本的に，確立された仕様，手順，計画または記録に遵守しないことの発生率 b. 上記で発生したCAPAのログ c. 前回のFDA査察から3年を超えない変更ログ。製品品質に影響を与えた変更を確認 d. リジェクトされたすべてのバッチと理由のログ e. リジェクトされたすべての原材料と理由のログ f. 品質部門の責任を規定する方針/手順 g. 主な出発原料/API供給者のリスト。それぞれに提供される資料 h. すべての生産設備のリスト（設備ID，設備のタイプ/サイズを含む）。最近設置された機器（前回の査察以降） i. 試験室の機器および設備のリスト。最近設置された設備（過去3年間） j. 再加工/再処理されたバッチのリスト（ある場合） k. 該当する場合は，以前のFDA査察に応答したCAPA書類
24	β-ラクタム，細胞毒性物質，抗がん剤，ホルモン，ステロイドなどのサイトで製造されるハザード品のリスト
25	会社の簡単な歴史
26	査察に参加する個人のリスト（名前，所属，責任，参加日，対象となるものを含める）
27	すべてのSOPのリスト（品質，生産，包装，表示，微生物，分析）
28	製品の生産に関連するすべての製造サイトのリスト
29	各場所でどのような試験が行われるかを含む製品の試験検査室のリスト

（4）査察スケジュール・内容

米国FDAによる承認前査察（4日間）のスケジュールを示す。

査察日	査察内容
1日目 7/23（月）	・FDA査察官，CDER調査員から工場長に身分証明証を呈示 ・査察の目的を紹介（承認前査察） ・製造所紹介（摂津工場） ・対象製品の製造概要 ・製造エリアのプラントツアー
2日目 7/24（火）	・文書確認（バリデーション資料，治験薬製造関連資料を中心に）
3日目 7/25（水）	・文書確認（品質システム等） ・参考品保管室，不適品置き場のツアー ・3日分のラップアップ
4日目 7/26（木）	・クロージングミーティング ・FDA Form 483を受領

- 毎朝，朝礼を実施して当日のスケジュールと準備状況を確認した。
- 毎夕，反省会を実施して指摘につながりそうな案件や十分に説明できていない案件の有無を確認し，担当者を決めて対応策を打ち合わせた。パートナー会社やグループ会社にも参加を要請し，客観的な意見を共有することで最も適切な対応がとれるよう工夫した。
- PAIであることから，処方設計に携わった研究開発部門も参画し，治験薬段階からの製造法や品質の一貫性に関して説明する役割を担った。

(5) 査察対応体制

- コーディネーターは，査察の全体的な進捗を管理する。
- 記録係は，査察室（図3-4）の会話内容や様子をチャットシステムに入力してバックルーム（図3-5）に実況中継する。
- バックルームは，必要な情報を先読みして資料とSMEを準備する。積み残しや十分に説明できていない案件がないかを確認し，コーディネーターにフィードバックする。
- ランナーは，査察官からの要求をバックルームに伝達し，準備された資料を査察室に搬入する。

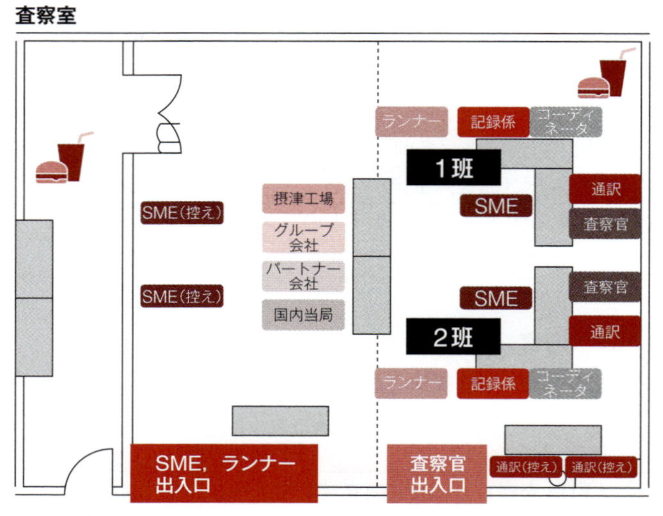

図3-4 | 査察室

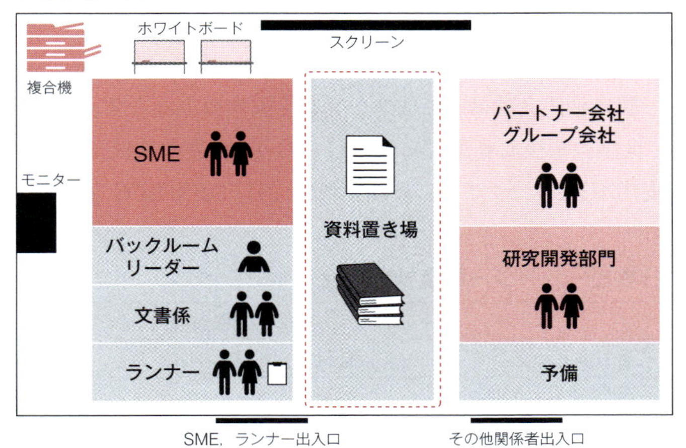

図3-5｜バックルーム

5）雑感

今回紹介したFDA査察の事例では，Form 483受領（観察事項2件）のみという結果を受け，その後問題なく新製品の承認を得ることができた。

査察の成否は事前の準備を十分に実施することはもちろんだが，一番大切なことは，日頃からGMP，品質システムをよく理解して活動し，査察時に自分たちの実施していることを，自信を持って説明することである。査察官は自国の公衆衛生確保のために限られた時間の中で言葉の壁もあるなか，われわれの製造所のシステムを理解しようと努めている。その気持ちに寄り添い，オープンマインドで接することが，最も重要なことだと感じた。

FDA査察対応を皮切りに，その後いくつかの海外当局による査察を経験し，いずれの査察でも適合を得ることができた。国によって特徴はあるものの，基本的に確認されるポイントは大差なく，自分たちのGMPへの取り組みを誠実に正確に伝えることにより十分に対応できることがわかり自信がついた。

4 日本ビーシージー製造株式会社の査察対応事例

1）査察概要

日本ビーシージー製造株式会社は，BCGワクチンを国内のみならず，WHO－UNICEF（以下，ユニセフ）を通じて世界の結核高蔓延国に供給しており，世界の結核予防対策に協力している。ユニセフ向けには皮内用BCGワクチン，日本や韓国では経皮用BCGワクチンを使用している。

●被査察企業名：日本ビーシージー製造株式会社

	海外規制当局		
規制当局	WHO	MFDS	COFEPRIS
国名	国際連合（UN）	韓国	メキシコ
被査察工場名	清瀬工場	清瀬工場	清瀬工場
査察対象品目	無菌バイオ医薬品 乾燥BCGワクチン （皮内用）	無菌バイオ医薬品 乾燥BCGワクチン （経皮用）	無菌バイオ医薬品 乾燥BCGワクチン （皮内用）
査察の種類	更新調査	更新調査	更新調査
査察実施年月日	①2018年12月3日～7日（本査察，5日間） ②2019年5月15日～17日（フォローアップ査察，3日間）	2019年6月17日～21日（5日間）	2019年11月11日～15日（5日間）
査察実施連絡（アジェンダ送付）	①約1週間前 ②約1週間前	約1週間前	約2週間前
指摘事項発出	①約2カ月後 ②約1カ月後	約1カ月後	約2カ月後
指摘事項回答期限	①約2週間 ②1カ月以内	3カ月以内	6カ月以内
査察官数	①3名 ②2名	3名	4名
査察官の専門領域	①GMP調査専門員 CMC品質 ②GMP調査専門員 CMCアセスメント	CMCバイオ医薬品 安全課・許認可	生化学工学 科学薬品生物学者 獣医学
指摘件数 ※項目数	①Critical：1件 Major：6件 Others：14件 ②Critical：0件 Major：2件 Others：8件	Critical：0件 Major：1件 Minor：7件	Critical：0件 Major：12件 Others：6件
事前要求資料	あり	あり	あり

※2018年12月の査察（表中①）においてCriticalの指摘があり，速やかに改善して報告を行った。その結果，2019年5月にフォローアップ査察（表中②）が実施されて改善内容の確認を受け，その対応が完了した後に適合を受けた。

当社は2013年1月にFDAの査察を受け，"VAI" であった。最近はFDAの査察を受けていないので，2018年末から2019年11月にかけて受けた海外規制当局の査察に関して，概要を紹介する。

2）事前準備

（1）WHO査察およびその他海外査察に向けて

- 2018年9月：GMPコンサルタントに「WHOのGMP査察対応」の講演を依頼した。

（2）模擬査察

GMPコンサルタントに模擬査察を依頼した。

- 2018年11月9日：品質管理エリア模擬査察（動物試験エリア）
- 2018年11月12日：製造エリア模擬査察（充填・凍結乾燥エリア，培地調製/器具洗浄エリア）

（3）査察準備

事前提出資料の準備を除き，各査察において約1カ月前から本格的な準備を開始した。

- 各査察では，主に以下の準備を行った。
  - ✓割り当て（説明者・書記等）の確認
  - ✓前回指摘事項への対応状況の確認
  - ✓手順書の確認（改訂作業の進捗や予定を含む）
  - ✓各種リストの準備〔GMP関係のリスト（文書・変更・逸脱・CAPA・バリデーション等）およびGQP関係のリスト〕
- アジェンダを受領（約1～2週間前）してから，以下の準備を行った。
  - ✓施設確認（査察で確認を受ける可能性が高いところ）
  - ✓オープニングミーティングの資料作成
  - ✓アジェンダ確認（関係者との打ち合わせ）
  - ✓準備した各種リストの更新
  - ✓文書類の再確認
    - －記録書（製品品質照査結果等を頭に叩き込んでおく）
    - －文書（プロダクトサマリーファイル，サイトマスターファイル等の確認）
- 査察の日程が確定した時点で，以下を行った。
  - ✓通訳の依頼
  - ✓査察官および通訳の健康診断結果送付等の依頼

（4）更衣について

更衣時の注意として，通訳が女性のみの場合，男性査察官への更衣方法を通訳して説明できる人が立ち会えず，更衣のところで多くの時間を要してしまうことがある。そのため，更衣手順は調査エリアに入る前によく説明しておくことと，更衣室には英語を併記した掲示物を貼ることで対処した。

3）事前要求資料

【WHO】

・Product Summary File：WHOのTRSに規定されている製品の概要や品質システム等を記載した文書

【MFDS】

・Site Master File
・規制機関の査察履歴：最新3年分
・点検対象製品の製品品質照査（Product Quality Review）：最新3年分
・製造所の主な変更管理（Major Change Control）：最新3年間の資料

4）査察スケジュール・内容

WHO（2回），MFDS，COFEPRISによる更新査察のそれぞれのスケジュールを示す。

【WHO】（2018年12月，査察官3名）

査察日	査察内容
1日目 12/3（月）	プラントツアー ・衛生教育 ・製造エリア（無菌作業エリア） AM：オープニングミーティング 会社および製品の紹介ならびに品質システム，製造管理および品質管理の概要についての説明等 PM：文書レビュー ・品質システム（組織・職員，逸脱，品質情報等） ・品質管理（OOS等） ・衛生管理（環境モニタリング） ・製品品質照査
2日目 12/4（火）	AM・PM：文書レビュー ・前回指摘事項のCAPA ・品質システム（逸脱，CAPA，苦情，自己点検，供給者管理等） ・対象外の製品（精製ツベルクリン）について ・添付文書の記載について ・品質管理（OOS等） PM：プラントツアー ・品質管理棟 ・動物試験棟

査察日	査察内容
3日目 12/5（水）	AM・PM：文書レビュー ・品質システム（変更管理，逸脱，自己点検，供給者管理等） ・品質管理（OOS等） ・安全管理 ・製造記録（バッチレコード） ・衛生管理（環境モニタリング） PM：プラントツアー ・製造エリア ・プラントツアーで観察できなかった工程のビデオ映像の視聴
4日目 12/6（木）	AM・PM：文書レビュー ・設備管理（真空検査機，空調等） ・製造管理（目視検査，包装工程） ・品質システム（回収） ・保管管理 ・製造記録（バッチレコード） PM：プラントツアー ・目視検査
5日目 12/7（金）	AM： 文書レビュー ・品質システム（回収） ・滅菌バリデーション ・再適格性評価（点検） プラントツアー ・包装棟 PM：クロージングミーティング

【WHO】（2019年5月のフォローアップ査察，査察官2名）

査察日	査察内容
1日目 5/15（水）	オープニングミーティング 文書レビュー ・CAPA手順について ・2018年12月査察の指摘事項のCAPA ・年次照査
2日目 5/16（木）	文書レビュー ・2018年12月査察の指摘事項のCAPAの続き ・凍結乾燥工程のバリデーション ・品質システム（外部検査機関等） ・出荷（ロットサマリープロトコール，バッチレコード） ・シッピングバリデーション ・教育訓練（QC部門）
3日目 5/17（金）	文書レビュー ・2018年12月査察の指摘事項のCAPAの続き ・凍結乾燥機のバリデーション ・文書管理（バッチレコード作成手順） ・年次照査 ・バリデーション（CSV） クロージングミーティング

【MFDS】（2019年6月，査察官3名）

査察日	査察内容
1日目 6/17（月）	AM：オープニングミーティング ・会社概要 ・衛生教育 PM：プラントツアー ・製造棟〔倉庫，サンプリングエリア，製造エリア（溶剤，製剤），小分製品保管場所等〕
2日目 6/18（火）	AM：プラントツアー ・目視検査エリア ・配送エリア PM：プラントツアー ・包装棟 ・品質管理棟 ・動物試験棟
3日目 6/19（水）	文書レビュー ・品質システム（文書管理，ログブック等） ・品質管理（無菌試験，参考品保管等） ・製造管理（目視検査，真空検査） ・衛生管理（環境モニタリング） ・シッピングバリデーション ・前回査察指摘事項のCAPA ・設備管理（注射用水製造装置） ・製造記録（バッチレコード）
4日目 6/20（木）	文書レビュー ・輸送 ・設備管理（空調） ・衛生管理（防虫防鼠等） ・バリデーション（洗浄バリデーション等） ・製造管理（凍結乾燥，工程管理等） ・品質管理（製品試験）
5日目 6/21（金）	文書レビュー ・衛生管理（清掃，環境モニタリング） ・保管管理（原材料の受入れを含む） ・品質システム（逸脱，変更） ・バリデーション（CSV，スモークテスト，洗浄バリデーション，DHT・CHT・SHT等） ・品質管理（安定性試験，OOS） クロージングミーティング

【COFEPRIS】（2019年11月，査察官4名）

査察日	査察内容
1日目 11/11（月）	AM：オープニングミーティング ・会社概要 ・衛生教育 PM：プラントツアー ・品質管理棟 ・動物試験棟 ・製造棟

2日目 11/12（火）	**文書レビュー** ・品質システム（品質マネジメントシステム，品質マニュアル，職責，経歴，組織図等） ・年次照査 ・プラントツアー時に提出指示のあった資料の確認 ・バリデーション（空調，オートクレーブ，恒温室） ・安定性モニタリング ・製造記録（バッチレコード） ・設備管理（安全キャビネット，培養室，キャリブレーション） ・品質管理（動物試験，添付溶剤の試験） ・製造管理（工程の説明，目視検査） **プラントツアー（午前の一部のみ）** ・原材料倉庫 ・製造棟
3日目 11/13（水）	**文書レビュー** ・品質管理（安定性モニタリング） ・品質システム（変更管理，リスク管理，回収，苦情処理，逸脱，CAPA，自己点検等） ・バリデーション（マスタープラン，プロセスバリデーション，培地充填，バリデーション記録） ・製造記録（バッチレコード） ・品質管理（溶剤・製剤の各試験，分析法バリデーション） ・設備管理（HVAC，空調管理） ・教育訓練（QC部門） ・出荷判定
4日目 11/14（木）	**文書レビュー** ・品質システム（供給者管理等） ・CSV（凍結乾燥機） ・製造管理（製造用株） ・品質管理（OOS，サンプリング等） ・設備管理（注射用水製造装置，圧縮空気） ・シッピングバリデーション ・健康管理，目視検査員の視力検査 ・文書管理（記録の保管）
5日目 11/15（金）	クロージングミーティング

5）プラントツアーでの確認箇所

確認項目	主な確認内容
①製造エリア	製剤製造エリア・添付溶剤製造エリア（無菌エリア含む），目視検査エリア，包装エリア
②QCエリア	試験エリア（理化学試験エリア，微生物試験エリア，動物試験エリア，受入試験エリア）
③保管エリア	原材料保管，中間製品保管，最終製品保管
④全体	動線の図面を渡していたため，動線に関する多くの質問を受けた。 ラベルや表示は細かく見られ，多くの質問を受けた。

・海外の査察官は，実際の作業を目で見ることを希望し，カメラの映像では納得してもらえないことが多い。過去の査察では，カメラおよびモニター越しで実施した場合もあったが，無菌作業区域の最重要エリアの1つ手前のエリアまでは入室を希望する場合が多く，許可した場合もある。プラントツアー時には，査察官が勝手に移動して見学を始めてしまう場合もあるため，流れをコントロールする人が必要である。
・どの査察でも，査察官の質問は洗練されており，特に査察官の専門分野や重要な事項※は掘り下げて質問してくる。
※雑誌「PHARM TECH JAPAN」に載っているFDAのWarning Letterとして挙げられている事例と似たような質問をされることが多い。
・WHOは，ほぼすべての関連するエリアを確認した。目視検査エリアについては細かく確認を受けた。MFDSは，ほぼすべての関連するエリアを確認した。COFEPRISは，希望したエリアのみプラントツアーを実施した。

6）書面での確認事項

・プラントツアーは，複数人のチームにより実施となる場合が多いが，文書レビューは査察官が個別に実施する。近年の海外査察では，文書レビューは査察官ごとに実施する可能性が高いため，その点を踏まえて通訳を手配しておく必要がある。
・文書レビューでは，各テーブルにコーディネーター（誘導者）を配置し，説明者（および補助者）と書記とランナー（書類の搬送等を行う人）を配置して対応した。文書レビューの査察会場には最低限の資料しか置かず，別室に保管した。文字チャットソフト（SkypeやTeams）を利用して逐次連絡し，別室から必要な資料を運んで準備した。

【WHO】

・WHOに限らず，どの海外規制当局の査察でも共通であるが，質問事項に対して，手順や記録におけるエビデンス（証拠）は必ず求められる。WHOでは，基本的にWHO Technical Report Series（以下，TRS）の中に記載されている要件に適合しているかが問われ，査察官の質問に対して，手順書や記録書は日本語での記載であるため細かい記載までは確認していないと思われるが，科学的な観点から合理的かつ妥当な説明を求められる。査察官が高リスクと判断した点に関しては，TRSの中に記載されていないことでも，世界共通のルールとしてTRSの規定以上のことを要求してくる場合があった（例：無菌性保証のリスクの観点を踏まえた環境モニタリング等の管理戦略）。
・また，文書レビューではトレンド分析という言葉が査察期間中に何度か話題に上った。年次の製品品質照査時における「年間の」トレンド分析も必要であるが，日常における異常を察知できるような短い期間でのトレンド分析についても求められた。その他，逸脱やCAPAの進捗管理はよく問われた。当社の説明と査察官が求める要件に違いがある場合には討議することがあった。

【MFDS】

・査察実施前に送付されたアジェンダの項目のほぼすべてについて説明を求められた。文書レビューは一般的な査察実施内容であるが，査察官のレベルは高く，高リスクと判断された項目については，バリデーション結果や基準の根拠等，詳細な部分まで問われた。さらに手順書の記載や記録についても細かい部分まで確認を受けた。

【COFEPRIS】

・事前のアジェンダは曖昧で抽象的であったが，査察当日にはアジェンダ以上の細かな要求が出された。文書レビューの中で，一度説明した内容ついて，別の査察官にも再度説明する場面が何度かあり，査察官ごとにその人の専門分野について深く掘り下げて質疑が行われた。なお，プラントツアー中にリクエストがあり，後の文書レビューで説明または資料の提出を指示されたものも多く，文書レビュー時に改めてその時間が割り当てられた。

7）他の規制当局による査察と比較し注目すべき点

近年，国内規制当局も海外規制当局も直前までアジェンダが送付されないことが多い。アジェンダの送付は査察開始日の1週間前という場合も多々あり，翻訳等の準備時間が足りず，非常に困っている。

以下に，各規制当局について気づいた点を述べる。

・WHOは，かつて製造所の教育を含めた査察が行われていたようであるが，現在は通常の査察のみが行われており，査察官の質問内容等からその査察レベルは，トップレベルであると感じている。WHOには毎年年次報告（PQVAR）を提出しなければならず，また，必要時にProduct Summary Fileも提出しなければならない。査察はこれらの情報も含めて実施されているようである。査察官ごとに専門領域が異なっており，文書レビューを実施した後に，他の査察官がプラントツアーを実施済みのエリアであっても再度プラントツアーの実施を求められる場合もあった。
・WHOでは観察事項の多くが指摘事項として挙げられてくるため，数は膨大となる。したがって，調査時には質問の内容を正確に把握し，まず結論を述べてから説明するなど，懸念事項等が残らないような対応が求められる。
・MFDSに関しては，査察内容はPIC/Sに準拠した内容であると感じられ，プラントツアーについては多くのエリアを視察し，文書レビューではバリデーション記録を含めた詳細な部分まで確認を受けた。最終的な書面での指摘事項はリスクの高い点に絞られた。
・COFEPRISに関して，査察官の中ではそれぞれが確認する項目は決まっていたようである。しかし，査察官各々の専門分野が重複していた場合には複数回の説明を求められた。プラントツアーで気になった点については，文書レビューにおいて細かく調査を受けた。クロージングミーティングの講評事項に挙げられたほとんどの事項が，書面での指摘事項となった。

8）その他，読者に役立つ情報提供（査察準備，意見相違，情報提供方法，等）

(1) ユニセフへのワクチンの出荷について

- ユニセフ向けにワクチンを出荷する場合には，WHOのPrequalificationを受ける必要がある。PrequalificationにはWHOチームの実地査察が必要であり，導入時と定期的な更新調査（おおよそ4～5年に1回）の査察を受ける必要がある。
- ワクチンは乳幼児や出生直後の乳児に接種する場合もあり，特に乾燥BCGワクチンは，製剤自体が生菌であり，ろ過滅菌のできない無菌医薬品であるため，最高レベルの品質を求められていて要求事項がとても多い。WHOの要求事項はTRSにまとめられており，全般的な内容のもの，製剤の種類ごとに専用のものなど多岐にわたっている。WHOから承認が得られた後に，ユニセフ向けの出荷が可能となり，世界各地へ供給される。
- ユニセフを経由せず現地の代理店を通じて特定の国へ出荷する場合には，出荷先の当局からの査察を受けることとなる。生物由来製品でありリスクが高いため，定期的に実地査察が実施される。

海外出荷にあたっては，現地代理店とは良好な関係であることが望まれる。特に査察時は，現地の代理店には工場への査察官の誘導や宿泊先の手配等で大変お世話になっており，感謝に堪えない。特定の国に出荷している場合には，現地代理店とうまく連携しておかないと十分な査察対応ができないと言っても過言ではない。

(2) 査察の実施要領について

- WHOに関しては，WHOのGMPに基づき実施され，WHOのGMPはPIC/S GMP等も含んだ広範な内容になっている。WHOのGMPはTRSとして全世界に発出されており，査察はその多数のTRSに基づいて実施されている。なお，過去のWHOのGMP査察ではWHOのTRSにとどまらず，特定の当局から発出された規制要件も引用されたことがある。査察時に引用された主なTRSは以下のとおりである（内容については省略）。
  - No.929, Annex 4（WHO guidelines for sampling of pharmaceutical products and related materials.）
  - No.937, Annex 4（Supplementary guidelines on good manufacturing practices: validation.）
  - No.943, Annex 3（General guidelines for the establishment maintenance and distribution of chemical reference substances.）
  - No.961, 957, Annex 1（WHO good practices for pharmaceutical quality control laboratories.）
  - No.957, Annex 2（WHO good practices for pharmaceutical products containing hazardous substances.）
  - No.961, Annex 2（WHO good practices for pharmaceutical microbiology laboratories.）
  - No.961, Annex 6（WHO good manufacturing practices for sterile pharmaceutical

products.)
- No.961, Annex 7 (WHO guidelines on transfer of technology in pharmaceutical manufacturing.)
- No.961, Annex 9 (Model guidance for the storage and transport of time-and temperature-sensitive pharmaceutical products.)
- No.961, Annex 14 (WHO guidelines for drafting a site master file.)
- No.970, Annex 2 (WHO good manufacturing practices: water for pharmaceutical use.)
- No.979, Annex 3 (Recommendations to assure the quality, safety and efficacy of BCG vaccines)
- No.981, Annex 2 (WHO guidelines on quality risk management.)
- No.981, Annex 3 (WHO guidelines on variation to a prequalified product.)
- No.986, Annex 2 (WHO good manufacturing practices for pharmaceutical products: main principles.)
- No.992, Annex 4 (General guidance on hold-time studies.)
- No.992, Annex 5 (WHO Technical supplements to Model Guidance for storage and transport of time - and temperature - sensitive pharmaceutical products.)
- No.996, Annex 3 (WHO good manufacturing practices for biological products.)
- No.996, Annex 5 (Guidance on good data and record management practices.)

・MFDSのGMP要件や質問事項はPIC/S GMPを意識した印象を受けるが，韓国国内の規則に準拠して実施されている。
・COFEPRISも査察中に実施要領を受領した。その内容からWHOやPIC/S等のGMP基準をもとに，メキシコ独自に規定されたメキシコGMP要件に準じて実施されるものであった。メキシコのGMP要件が書かれた文書には，一部PDAのTechnical Reportを引用している箇所もある。例えば，PDA Technical Report No.48（湿熱滅菌）に示されている温度センサーの数に適合していないとのことで指摘を受けた。

(3) 通訳

・PIC/S加盟国は，英語で実施されると思われるかもしれないが，実際には実施通知は現地の言語で発出されており，現地の言語の通訳者に通訳を依頼した（WHO：英語，MFDS：韓国語，COFEPRIS：スペイン語）。
・メキシコの査察では，GMP査察経験のあるスペイン語の通訳者はなかなか見つけられず，手配に苦労した。
・前述した内容と重複するが，査察官は個別に文書レビューを行う可能性が高く，通訳者の人数は査察官の人数×2人は手配しておきたい。

(4) 資料の翻訳

- 手順書の全文を翻訳するにはとても労力がかかる。そのため，重要な品質システムのフロー，各種リストと組織図に絞って翻訳した。また，オープニング資料や配布資料は英語で作成する必要がある。調査を受ける可能性が高いと予想される事項は，スムーズな対応を行うためにもなるべく翻訳文書を用意しておくことが推奨される（例：製品品質照査の結果や重要なSOPなど）。
- 今回の査察では，アジェンダの送付が直前であったため，査察前に求められた資料の翻訳が間に合わない場合も多かった。特に文書管理，逸脱，変更，CAPA等のリストは必要となる可能性が高いことから，あらかじめ翻訳しておくことが望まれる。

(5) 指摘事項の傾向

【WHO】

クロージングミーティング時の講評事項（観察事項，不備事項）で挙げられた多くの事項が，書面の指摘事項として記載されてくる。製品リスクへの観点から，重大なものについてはMajor以上の指摘事項となる。指摘事項は文書レビュー時の内容で指摘となったものが多い。特にトレンド分析については指摘事項にも含まれており，査察中にも多く言及されていた。

【MFDS】

クロージングミーティング時の講評事項（観察事項，不備事項）の中で，特に懸念される点や不備事項については指摘事項として挙げられた。実地レビューと文書レビューの指摘の割合は，約半分ずつであった。

【COFEPRIS】

観察事項および懸念事項の多くは，そのまま指摘事項として挙げられた。実地レビューと文書レビューの指摘の割合は，Majorでは文書レビューの内容が多いが，Othersでは実地レビューによる内容が多い。

(6) 全体の所感

- 日本の査察と大きく異なることとして，海外の査察ではGMPとGQPの区分けがないため，GMPを基本として，その中で製造販売業者の役割も含めて説明することが求められる。査察時には製造販売業者と製造業者の両方が待機しているべきである。
- 査察官は規制要件以上のことを要求してくる場合もあり，十分な説明を行うことができない可能性がある。GMPコンサルタントにも待機していただき，必要時にはアドバイスを得た。
- 議事録を残すには労力がかかるが，査察を振り返るためにも必ず保存しておくべきと考える。なお，会話を録音する場合には，事前に確認しておくべきである。

- 4チームに分かれる場合には4名以上の書記が必要となり，事前に社内で調整しておく必要がある。なお，査察中には控室にいる人が査察内容を把握できるように，査察の議事録内容はリアルタイムに共有できる仕組みを作り対応した。

(7) その他

- BCGワクチンは2～8℃保存である。海外査察で低温保管の製品について必ず話題に上る事項がTOR（Time out of Refrigeration：室温曝露可能時間）である。その設定根拠についても，加速試験等の結果に基づく説明を求められる。
- そのほか頻繁に話題に上る事項として，消毒剤の有効期間の根拠である。消毒剤の開封後の使用期限を自社で設定する場合には，そのデータを準備し，説明できるようにしておく必要がある。
- 約1年間に受けた海外規制当局による査察の事例を紹介した。海外規制当局の査察を受ける場合には，質疑対応で苦慮することもあるが，理解を得られないときには，査察官の懸念事項の要点をよく聞いて確認し，手書き資料を作成しながらでも説明および討議するのがよいと思われる。

5 製薬会社A社の査察対応事例

1）査察概要

製薬会社A社では，下記表のとおりB工場およびC工場においてFDA査察を経験した。以下，代表としてB工場の例を記載する。

●被査察企業名：A社

	海外規制当局	
規制当局	FDA（1）	FDA（2）
国名	米国	米国
被査察工場名	製薬会社A社 B工場	製薬会社A社 C工場
査察対象品目	バイオ原薬	無菌バイオ医薬品
査察の種類	新薬承認査察	新薬承認査察
査察実施年月日	2019年11月14日 ～21日（7日間）	2020年2月13日 ～21日（7日間）
査察実施連絡	約5週間前	約5週間前
指摘事項発出	査察最終日	査察最終日
指摘事項回答期限	15営業日	15営業日
査察官数	3名	1名
査察官の専門領域	a. GMP一般 b. 生物学・GMP一般 c. 生物学	a. 無菌製剤・GMP一般
指摘件数	Critical：0件 Major：3件 Minor：0件	Critical：0件 Major：2件 Minor：0件
事前要求資料	あり	あり

2）準備段階：査察対応タスク

大項目	中項目
洗浄バリデーション	マスタープラン/コンセプト
	評価項目および規格設定
	バリデーション結果
	逸脱
	他-----
データインテグリティ	マスタープラン/コンセプト
	製造機器/システム
	QC機器/システム
	共通システム
	他-----

プロセスバリデーション	マスタープラン/コンセプト
	プロセスデザインスタディ
	プロセスパフォーマンスクオリフィケーション
	プロセスモニタリング
	他-----
シングルユース管理	対象設備
	シングルユース選定/評価
	業者管理
	逸脱発生状況・CAPA
	他-----
逸脱/OOS	製造
	QC
	OOS
	コンピュータ
	他-----
バッチレコード	記載内容精査
	評価項目・基準値確認
	変更履歴
	英訳対応
	他-----
査察対応練習	プレゼンテーションおよび質疑応答（製造関連）
	プレゼンテーションおよび質疑応答（QC関連）
	プレゼンテーションおよび質疑応答（コンピュータ関連）
	プレゼンテーションおよび質疑応答（共通/QA関連）
	ウォークスルー（現場確認）
	他-----
査察当日用の準備/対応	当日の役割分担
	通訳
	庶務的な事項
	FDAとのコンタクト
	他-----
他	-----

3）事前要求資料

以下の資料をすべて英語で準備するよう，リクエストがあった。

10月23日（水），査察日の22日前に査察官から電子メールにて「事前提出・準備資料リスト」が届き，資料は査察初日に書面および電子ファイルにて提出した。

記号	資料内容
A01	会社概要
A02	組織図
A03	生産および試験スケジュール
A04	SOPリスト
A05	逸脱，調査等に関するSOP
A06	製造品目リスト
A07	バリデーションマスタープラン
A08	詳細なプロセスフローチャート
A09	製造機器リスト
A10	QC機器リスト
A11	工程内試験，出荷試験，安定性試験，特性試験リスト
A12	コンピュータシステムリスト
A13	委託業者リスト
A14	製造原薬のロットリスト
A15	プロセスバリデーションロットのバッチ記録
A16	逸脱・調査リスト
A17	変更リスト
A18	規格外試験（OOS）リスト
A19	無効とされた試験リスト
A20	キャリブレーション逸脱リスト
A21	環境モニタリングプログラムおよびトレンドレポートの概要
A22	ユーティリティシステムおよびトレンドレポートの概要
A23	機器・設備メンテナンス手順およびメンテナンスのリスト
A24	設備動線図
A25	洗浄バリデーションマスタープランおよび洗浄バリデーション報告書
A26	複数製品製造作業のための製品切り替え手順
A27	再処理または再加工の手順および再処理または再加工に関連する事象
A28	原薬およびQCサンプルの輸送クオリフィケーションおよび輸送データ
A29	申請資料のコピーおよび関連する資料
A30	原材料の規格及び試験方法ならびに原材料の適格性確認の手順
A31	条件付きで使用した原材料および原材料OOSリスト
A32	教育訓練手順のコピー
A33	BPDR，回収，有害事象，製品苦情，返品手順のコピー
A34	年次製品レビュー報告書（ドラフト版を含む）

4）査察スケジュール・内容

査察日	査察内容
1日目 11/14（木）	・オープニングミーティング ・プレゼンテーション ・プラントツアー（倉庫，製造ウォークスルー）
2日目 11/15（金）	・逸脱，変更，CAPA手順 ・プラントツアー（製造：用水設備，ガス設備，空調設備） ・原材料試験 ・品質協定書 ・環境管理 ・OOS手順 ・QC逸脱案件説明 ・原薬分注手順（ビデオ） ・プロセスバリデーション ・製造逸脱説明
3日目 11/16（土）	・プラントツアー（製造：原薬分注）
4日目 11/18（月）	・洗浄バリデーション ・品目切り替え ・用水設備，ガス設備 ・清掃手順 ・環境管理 ・プラントツアー（製造：培養・精製工程） ・製造逸脱案件説明 ・製造管理
5日目 11/19（火）	・QCラボツアー（用水試験，微生物試験，理化学試験，原材料試験，生物活性試験） ・安定性試験 ・洗浄ベリフィケーション ・コンピュータシステム ・標準品管理 ・試験法バリデーション ・製造逸脱案件説明
6日目 11/20（水）	・洗浄ベリフィケーション ・バッチレコードレビュー ・出荷管理 ・環境管理 ・洗浄バリデーション ・メンテナンス/キャリブレーション ・機器クオリフィケーション/バリデーション ・製造管理 ・製造逸脱案件説明 ・原材料試験 ・出荷試験 ・QC逸脱案件説明
7日目 11/21（木）	・標準品管理 ・変更案件説明 ・出荷管理 ・原材料試験 ・原材料管理（品質協定書，不純物評価） ・製造逸脱案件説明 ・クロージングミーティング

5）プラントツアーでの確認箇所

査察期間中に以下の確認が実施された。

①倉庫エリア（11/14）：原材料倉庫，サンプリングルーム，セルバンク倉庫，原薬保管倉庫

②製造エリア（11/14～18）：廊下からの製造エリア確認，用水設備，ガス設備，空調設備，培養工程（生産培養，ハーベスト），精製工程（バッファー調製，精製プロセス，原薬分注）

③QCエリア（11/19）：用水試験，微生物試験，理化学試験，原材料試験，生物活性試験

製造エリアでは実際の製造作業前の準備（セットアップ）が適切に実施されているか，実際の作業がリアルタイムに表示/記録されているかなどを，一定時間継続して実地調査を行うことにより，確認していた。

6）書面調査での確認事項

- 前述の「3）事前要求資料」をもとに確認が実施された。また，ツアー中に気になった点について，数多くのリクエストが出され，それに対しての確認も実施された〔「4）査察スケジュール・内容」（p. 141）参照〕。逸脱案件の確認がリクエスト数としては最も多く，ほかには手順の詳細な確認やレポートの確認などが実施された。
- 申請書を隅から隅まで読んで暗記しているほど理解している査察官がおり，実際の作業手順と齟齬がないかを入念に確認していた。

7）他の規制当局による査察と比較し注目すべき点

①数多くのリクエストが出され，早期に回答することが要求される。
（例：数十ページのSOP/レポートの英訳版を翌日まで提出するようリクエストされた。）

②リクエストに対して2～3日後に回答したり，説明に時間を要したりしてしまうと，最悪の場合は査察を妨害したとみなされ，不適医薬品と判断される可能性がある。
（英語の資料を用いての説明や，通訳を介さず英語で説明することが望ましい。）

③数多くの逸脱案件がレビューされ，その中で原因分析不足や是正/予防措置不足の案件があれば，指摘となるケースがある。
（査察官にレビューされそうな案件を事前にピックアップし，逸脱内容を確認して，概要資料を作成し，英訳しておくとよい。）

④頻繁にツアーに行き，手順と実際の作業に齟齬がないか，その手順がGMP上適切であるかを確認する。
（重要作業の準備工程の確認をリクエストされるケースがあるので，それも含め事前に確認しておくとよい。）

⑤査察官によってはアジェンダが提示されず，当日の朝，確認したい資料をリクエストされることもある。
（リクエストの中ですぐに説明できるものから説明し，その間にその他の案件を準備する。）

⑥データ/証拠があるかを頻繁に質問される。
（推測が多くデータが不足していると，納得してもらえないケースがある。）

8）その他，読者に役立つ情報提供（査察準備，意見相違，情報提供方法，等）

①査察準備

- 査察当日の役割分担（ファシリテーター，議事録など），情報連絡体制をしっかり確認しておく。
- 査察官の情報（過去の指摘など）を入手し，対策を立てる。
- 事前要求資料は十分に内容を精査し，ファシリテーターは内容を把握しておく。
- 英語で資料を作成し，想定した質問を用いた説明トレーニングを十分に実施しておく。
- 査察説明時の注意事項を確認しておく（例：質問に簡潔に回答する，推測で回答しない）。

②査察当日

- 査察官のリクエストや指摘になりそうな項目を即時に把握しておくため,査察ルームでは,質疑内容やリクエスト内容を記録する担当者を準備し，その内容を関係者で共有する（可能であれば，英語で記録するほうが通訳ミスの影響を避け，正確に作成できる。また可能な限り，ツアーでも記録を作成する）。
- うまく説明できない場合は，一度中断し，内容を整理してから後ほど改めて説明する。改めて説明する場合は，図表などを用いたわかりやすい資料で説明する。
- 査察官の質問がよくわからなければ，質問を再度言ってもらう，「○○についての質問ですか？」と聞き返すなど，質問内容を正しく理解してから回答する。
- 査察中に不備や欠陥が見つかった場合は，可能な限り改善策を立案し，査察官に提示する。
- 事前に説明練習もしくは資料レビューを行い，記載不足などがないかを関係者で確認してから，査察官に説明する。
- 査察官に説明する資料は，通訳者やファシリテーターの分も含めて印刷し，説明前に渡しておく。
- 毎日のラップアップ会議をリクエストし，その中で懸念事項（指摘リスク）がないかを査察官に確認し，次の日の予定やリクエスト，未対応項目についても確認する。
- 参加者リストを要求されるため，トピックごとに誰が説明したかをメモしておく。
- 資料をCDやUSBメモリで渡すよう要求されるので，必要数準備しておく。
- 査察官に何の資料を渡したかをメモしておく。

GMP調査よもやま話④

2008年10月，米国にある無菌医薬品製造所（R社）での調査では，3人の作業員がグレードAの充填エリアに常在していることに驚いた。ゴムホッパーは作業員の頭より低い位置にあり，従業員はグレードA内を自由に動き回っていた。初日の講評で「グレードA内に作業員が常在するのは良くない」と言ったところ，「FDAからそのような指摘を受けたこともないし，2000年以降に実施した43回の培地充填試験で汚染が起ったこともない」とのことで，講評内容を受け入れる気配が感じられなかった。2日目の調査が始まる前にも本件について，ISO 13408–1（ヘルスケア製品の無菌操作法）要件等を参考に意見交換したが，同様の姿勢であった。調査最終日に，グレードA区域の床にカラーテープを貼り付け，通常，作業員はテープの外側に置いた椅子に座っており，最小限の介在が必要な場合のみ，テープの内側（充填機側）に入るという妥協案を出してきた。

それから3年後（2011年）の3月に，2008年10月の調査対象製剤とは全く異なる製剤の調査に出かけた際に，「以前，指摘された充填エリアを改造したので見てほしい」と言われて出かけたところ，充填機を取り囲むようにオープンRABSが導入されていた。その担当者は，「あのとき，指摘していただいたので，RABSを導入できた」と誇らしげに話していた。GMP調査で大事なことは，従業員はGMP上問題であることは知っていても，指摘されないと幹部に改善を申し出にくいこともあり得るので，調査員はそのあたりの雰囲気を感じ取ることも重要と思われる。

本製造所での調査最終日（2011年3月11日）は，日本では東日本大震災が発生していた。最初のTV放映では，確か十数人が亡くなったようなことを伝えていた。翌日，飛行機が成田に着くかどうかは不確定なまま帰国の途に着いたが，予定どおり成田空港に到着することができほっとした。帰宅後，TVを観て初めて被害の大きさに唖然としたのを覚えている。

この2週間後，フランス・ストラスブルクにあるEDQM（欧州医薬品品質部門）で欧州薬局方（EP）が注射用水の製法を蒸留法以外の方法（超ろ過法）を認めるかどうかの会議があり，筆者は日本薬局方の見解を述べるために出かけた。ドイツの国営航空会社ルフトハンザで成田→フランクフルト→ストラスブルクと飛ぶ予定であったが，搭乗機は成田から関西空港に飛び，そこで乗務員が交代し，フランクフルトに到着した後は，放射能計測車が飛行機の周りを走り，安全性を確認した後に乗客は降ろされた。1986年にウクライナで発生したチェルノブイリ原発事故を受け，放射能には敏感なことは知ってはいたが，ドイツ人の放射能アレルギーは想像以上であることに驚いたものである。

第 4 章

FDAの査察プログラム

4.1　医薬品製造所へのCDER/ORAの査察プログラム
(Program 7356.002)

4.2　新薬申請における承認前査察プログラム
(Program 7346.832)

4.3　無菌医薬品製造施設に対する
FDAの査察指導手引き
(Program 7356.002A)

4.4　無菌医薬品製造施設に対する
FDAのチェックポイント
(Program 7356.002A，Attachment A)

4.5　生物製剤製造所へのCBERの査察プログラム
(Program 7345.848)

4.6　品質指標データの提出に関する
業界向けガイダンス（ドラフト）
(2016年11月)

第4章

FDAの査察プログラム

FDAコンプライアンスプログラム（FDA compliance programs）は，特定のプログラム領域でのFDAの活動計画に役立つ情報をFDA職員にガイダンスとして提供している（Compliance Program Guidance Manual）。これらのプログラムはFDAの担当者を対象としているが，利用可能になった時点で電子的に公開されており，医薬品製造業者にも役立つ内容であるため一読を勧める。なお，該当する法令や規制の要件を満たしている限り，別の方法を使用することもできるとしている。これらのガイダンスは，以下のウェブサイトから入手可能である。

・Drugs（CDER）：Drug Compliance Programs
https://www.fda.gov/drugs/guidance-compliance-regulatory-information/drug-compliance-programs

・Biologics（CBER）：Compliance Programs
https://www.fda.gov/vaccines-blood-biologics/enforcement-actions-cber/compliance-programs-cber

医薬品（CDER）

プログラム番号	プログラムタイトル
7348.001	*In Vivo*での生物学的同等性　*In Vivo* Bioequivalence
7348.809A	放射性医薬品研究委員会　Radioactive Drug Research Committee
7346.832	**承認前査察／調査　Pre-Approval Inspections/Investigations　【4.2節】**
7346.843	承認後監査査察　Post-Approval Audit Inspections
7352.002	未承認の新薬（上市済みの，ヒト用，処方箋薬のみ） Unapproved New Drugs（Marketed, Human, Prescription Drugs only）
7352.004	ジェネリック医薬品の*In Vitro*試験法の開発とバリデーション *In Vitro* Methods Development and Validation for Generic Drugs
7353.001	市販後医薬品の有害事象（PADE）報告査察 Postmarketing Adverse Drug Experience（PADE）Reporting Inspections
7356.002	**医薬品の製造査察　Drug Manufacturing Inspections　【4.1節】**
7356.002A	**無菌医薬品の製造査察　Sterile Drug Process Inspections【4.3，4.4節】**
7356.002B	医薬品の再包装と再表示　Drug Repackers and Relabelers
7356.002C	放射性医薬品　Radioactive Drugs
7356.002E	圧縮医療用ガス　Compressed Medical Gases
7356.002F	医薬品有効成分，医薬品原薬　Active Pharmaceutical Ingredients
7356.002M	認可された生物学的治療薬の査察 Inspections of Licensed Biological Therapeutic Drug Products

プログラム番号	プログラムタイトル
7356.002P	陽電子放出断層撮影（PET） Positron Emission Tomography
7356.008	医薬品品質のサンプリングと試験−ヒト用医薬品 Drug Quality Sampling and Testing−Human Drugs
7356.014	医薬品リスト Drug Listing（Not available online）
7356.014A	医薬品リスト−表示審査 Drug Listing−Labeling Review（Not available online）
7356.020	公定法モノグラフの評価と開発（CMED） Compendial Monographs Evaluation and Development（Not available online）
7356.020A	公定試験法の評価 Compendial Methods Assessment（Not available online）
7356.021	医薬品品質報告システム（DQRS）新薬承認申請注意喚起報告書（FARs） Drug Quality Reporting System（DQRS）（MedWatch Reports）NDA Field Alert Reporting（FARs）
7356.022	処方箋薬マーケティング法の医薬品サンプル配布要件の施行 Enforcement of the Drug Sample Distribution Requirements of the Prescription Drug Marketing Act（PDMA）
7361.003	OTC医薬品モノグラフの実施 OTC Drug Monograph Implementation
7363.001	不正な薬物 Fraudulent Drugs

生物製剤（CBER）

プログラム番号	プログラムタイトル
7341.002	ヒトの細胞，組織，および細胞および組織ベースの製品（HCT/P）の査察 Inspection of Human Cells, Tissues, and Cellular and Tissue-Based Products（HCT/Ps）
7341.002A	組織施設の査察 Inspection of Tissue Establishments
7342.001	認可および非認可の血液銀行，ブローカー，試験検査所，および請負業者の査察 Inspection of Licensed and Unlicensed Blood Banks, Brokers, Reference Laboratories, and Contractors
7342.002	原料血漿施設，ブローカー，試験所，請負業者の査察 Inspection of Source Plasma Establishments, Brokers, Testing Laboratories, and Contractors
7342.007	輸入されたCBER規制製品 Imported CBER-Regulated Products
7342.007	補遺：輸入されたヒト細胞，組織，および細胞および組織ベースの製品（HCT/P） Addendum: Imported Human Cells, Tissues, and Cellular and Tissue-based Products（HCT/Ps）
7342.008	認可された体外診断（IVD）デバイスの査察 Inspection of Licensed In-Vitro Diagnostic（IVD）Devices
7345.848	**生物製剤の査察 Inspection of Biological Drug Products 【4.5節】**

FDAコンプライアンスプログラムの中から，7356.002と7356.002Aのポイントについて紹介する（全訳ではない）。7356.002と7356.002A（**表4-1**）は，CDERおよびORAを対象としているが，CBERも同様の査察手法を採用している。

表4-1 | Program 7356.002と7356.002A

FDA Compliance Program Guidance Manual, Program 7356.002
施　行　日：2017年10月31日
完全実施日：2020年10月31日
対象製造所：すべてのヒト用医薬品製造所

FDA Compliance Program Guidance Manual, Program 7356.002A
施　行　日：2015年9月11日
完全実施日：2016年9月11日
対象製造所：すべてのヒト用無菌医薬品製造所（CBER規制医薬品と動物医薬品は対象外）

GMP調査よもやま話⑤

2008年11月，インドのムンバイから車で4時間ほど行った，抗精神病薬製造所に出かけた。6段式Vacuum Tray Dryerで6～8時間乾燥させる工程で，乾燥機から白い粉が周りに飛び散っていた。現場で，「作業者の健康に良くないので，頻繁に拭き取るように」と言ったところ，上司が作業者に拭き取ることを命じた。作業員は直ちに拭き取り作業を始め，調査員は部屋を離れた。筆者は，確認したいことを思い出し，直ちにその部屋に引き返したところ，作業員は拭き取り作業を止めており，筆者と目が合った途端に気まずそうな顔をしていたのを思い出す。

いま振り返っても，本製造所はGMPが徹底しておらず，調査員の指摘はどこ吹く風で，上司の顔を立てるためだけの拭き取り作業であったことが思い出される。

4.1 医薬品製造所へのCDER/ORAの査察プログラム (Program 7356.002)

出 典

FDA Compliance Program Guidance Manual : Program 7356.002
施 行 日：2017年10月31日
完全実施日：2020年10月31日

1 パートⅠ－背景

FDAには，2012年まで2年ごとに米国で販売されている医薬品を製造する国内の施設を査察することが義務付けられたが，外国の施設を査察するための同等の要件はなかった。連邦食品・医薬品・化粧品法（Federal Food, Drug, and Cosmetic Act：FDC法）のセクション510(h)を改訂した"FDA安全およびイノベーション法（FDASIA）"は，この区別を排除し，FDAに国内外の製薬施設の査察にリスクベースアプローチをとるよう指示した。現在，日常的な監視査察（surveillance inspections）のため，国内外の施設選択は，リスクベースに基づく選択モデルによって行われている。FDAは2015年にFDC法セクション510(h)に規定されたリスク要因に基づいて査察施設を選定するプロセスを公式化した[注1]。

〔FDAのリスクベースに基づくサイト選択モデル（MAPP 5014.1）の詳細については，本書の第1章1.4節（p. 38）を参照〕。

注1：リスクベースに基づくGMP調査施設の選定

FDAのリスクベースに基づくGMP査察施設の選定とは異なるが，日本でも10年以上前からリスクベースに基づくGMP調査方法を採用してきた。日本のGMP査察（法的には，「GMP調査」と呼んでいる）は，「医薬品，医療機器等の品質，有効性及び安全性の確保等に関する法律」第14条の6項にあるように，医薬品の品質，有効性及び安全性に関する調査は，書面または実地で行うことにしている。GMP適合性調査の申請は，国内で医薬品の製造販売，海外へ医薬品等の輸出，承認内容の一部変更，承認取得後5年ごとの医薬品製造販売業・製造業許可等の更新などの承認を受ける際に提出される。

PMDAでは，年間1,800件程度のGMP適合性調査申請があり，実地での調査は1割ほどである。そこで，実地調査にするか書面調査にするかをリスクベースに基づいて評価し，分けている。GMP適合性調査申請書に記載されている内容から，新規医薬品か既承認医薬品か，投与形態，製造方法，海外当局によるGMP査察経験，PMDAによる過去の調査記録等を参考にリスク評価をしている。筆者が在職していた頃は，医薬品の種類を生物学的製剤や無菌医薬品は9点，液剤や点眼剤，軟膏剤は3点，皮内剤は2点というようにスコアリングし，全スコアリング成績が180点を超えたら実地調査を考えていた。

このコンプライアンスプログラムは，FDC法のセクション501(a)(2)(B)[注2]に従ったCGMP要件の遵守，規制要件の実施のために製薬施設を監視，査察するための手法を提供するものである。監視査察の焦点は，製造プロセスが高品質の医薬品を確実に製造するために，システム全体の管理にある。これらの査察中に調べるシステムには，材料，品質管理，製造，施設および設備，包装・表示，および試験室管理に関連するものが含まれる。

注2：FDC法セクション501(a)(2)(B)

FDC法のセクション501は不良医薬品を定義付けている。501(a)(2)(B)項では，「安全性に関する連邦法の要件に合致し，同一性，力価を有し，品質および純度特性を満たすことを保証するために，いかなる医薬品についても，その製造，加工，包装または保管に使用されている方法，もしくは設備，管理手法が，CGMPに合致して作業，運用されていない」と，その医薬品を不良医薬品と定義付けている。要は，医薬品はCGMPを遵守しなければならないという法的根拠になっている。

FDAは，CGMPを遵守している施設は，管理可能な状態で運営され，受け入れ可能な品質の医薬品を一貫して製造していると考えている。FDAは，監視査察から得られた情報を，とりわけ，申請中の医薬品申請書に記載されている製造施設を評価するために使うであろう。

本査察プログラムガイダンスは，すべての製造所のすべての工程に対してすべてのシステムを徹底的に適用することは実現不可能であることを認識し，日常的な監視活動に専念し，資源の効率的な使用を目指して作成されている。また必要に応じて，原因究明査察（for-cause inspection）実施のためのガイダンスを提供している。

2 パートⅡ－実施

目的

本プログラムの活動目標は，施設が許容可能な品質の医薬品を一貫して製造し，消費者が不良医薬品に接する機会を最小限に抑えることにある。本プログラムの下で，FDAは消費者への危険性を軽減させるための戦略開発を目的に，医薬品製造施設における品質問題と有害傾向を特定するために，査察，調査，検体採取，検体分析，それに規制または行政的フォローアップを行う。本プログラムの目的は次のとおりである。

①被査察企業がCGMP要件に適合しながら操業しているかどうかを判断すること。もしCGMPを遵守していないなら，不良医薬品の市場流入を防ぎ，不良医薬品を市場から適切に取り除き，必要に応じて，責任者に対してとるべき行動の証拠を提示すること。

②FDAが定めたCGMP要件への企業の適合性評価を提供すること。

③企業の規制遵守改善のために，査察中に企業に情報を提供すること。

④CGMP要件，規制方針，ガイダンス文書の更新を目的とし，医薬品製造における現行の実践状況をよく理解すること。

戦略

A. 製造施設の査察（再包装，受託検査機関などを含む）

医薬品を流通させるためには，成分，容器，閉塞具を製品と一緒に組み込むように，多くの物理的操作を用いて製造される。医薬品製造は，“システム”と呼ばれる製造作業と関連活動のセットに体系付けることができる。すべてのシステムを管理することで，当該企業は安全で，同一性および力価を有し，意図した品質と純度特性を満たす医薬品製造を保証することになる。

本プログラムは，医薬品製造施設のすべての製造操作に適用される。

FDAにとって，訪問査察ごとにすべての製造施設についてCGMPのあらゆる面に関して監査することは現実的でない。プロファイルクラス（Profile Classes）[注3]は，少数の特定製品から，そのクラスのすべての製品に至るまでの査察範囲を一般化している。査察ごとにFACTSで定義されているすべてのプロファイルクラスの範囲（カバレッジ）を報告することにより，資源を最も広範に効率よく提供できる。このプログラムでは，リスクベースのシステムアプローチを使用して，少数のプロファイルクラスから企業全体の評価までの査察範囲をさらに一般化している。リスクベースのシステムアプローチでは，すべてのプロファイルクラスを更新できる。

査察は，2つ以上のシステムをカバーする監査と定義され，品質システムを組み入れることは必須である。査察の目的に応じて，査察範囲には異なる数のシステムが含まれることがある。最少のシステム，またはORA部門が必要と考えるより多くのシステムを査察することは，全体的なCGMP分類判定の基礎を提供することになる。

注3：プロファイルクラス

Investigation Operations Manual 2020のCHAPTER 5-Establishment Inspectionsには，FDAのGMPを含む許認可情報が掲載されている。GMP査察を管理するコンピュータ画面（profiles screen）には，製造の業区分，過去の査察年月日，評価内容，担当地区事務所名，他が記載されている。この中で“Profile Class”について，製造の業区分，医療機器，ヒト用および動物用医薬品，雑貨物，動物用特別品，生物製剤ごとに詳述されている。例えば生物製剤のProfile ClassとProfile Class Codeは表4-2のようになっている。

表4-2｜生物製剤のProfile Class Code

Profile Class Code	Profile Class
AEV	Antitoxins and Antivenins（抗毒素および蛇毒抗血清）
AFP	Animal Derived Fractionation Products（動物由来分画製品）
ALP	Allergenic Products（アレルギー誘発性製品）
BBP	Blood and Blood Products Unlicensed（無許可の血液および血液製剤）
BGR	Blood Grouping Reagents（血液型判定試薬）
BMI	Biological Products not Elsewhere Classified（他に区分されていない生物製剤：抗凝固剤入り血液採取バック，LAL試薬キット，等）
CBS	Computer Biological Software（生物学的コンピュータソフト）
CGT	Cell and Gene Therapy Products（細胞および遺伝子治療製品）

（次頁へ続く）

表4-2の続き

Profile Class Code	Profile Class
HFP	Human Derived Fractionation Products（ヒト由来分画製品）
LBI	Laboratory, Biological Testing（試験施設，生物学的試験）
RBD	Recombinant Analogues of Blood Derivative Products（血液由来製品の遺伝子組換え製品）
TIS	Human Tissue Regulated by FDA（FDAが規制するヒト組織）
VBP	Vaccine Bulk Product（ワクチンバルク製品）
VFP	Vaccine Finished Product（ワクチン最終製品）
VIV	In Vivo Diagnostics（体内診断薬）
VTK	Viral Marker Test Kit（ウイルスマーカー試験キット）

B. システム査察

医薬品製造所の査察は，本コンプライアンスプログラムのシステム定義と企業コードを用いて行われ，報告する必要がある。これらのシステムは，しばしば複数のプロファイルクラスに適用されるため，プロファイルクラスよりはシステムに焦点を当てるほうが，査察実施の効率向上につながるであろう。システム査察の範囲（カバレッジ）は，製造施設のすべてのプロファイルクラスを表し，それらの容認性/不合格性を判断することになる。

システムのカバレッジは，選択した特定の例を十分詳細に調査し，システム査察結果がすべてのプロファイルクラスのシステムの管理状態を反映できるようにする必要がある。特定のシステムが適切であれば，企業によって製造されたすべてのプロファイルクラスが適切なはずである。例えば，企業が「材料」を扱う方法（すなわち，材料の受領，サンプリング，試験，受入れ可否など）は，すべてのプロファイルクラスで同じでなければならない。査察には，すべてのタイプの医薬品および操作のための関連した管理が査察範囲に含まれていれば，特定のシステムをカバーする際に，各プロファイルクラスの属性を含める必要はない。同様に，製造システムにおいては，さまざまなプロファイルクラスにおける製品の選択を通じて評価できるSOPの使用や医薬品成分の発注，設備機器の識別，工程中でのサンプリングおよび試験などの一般要件がある。各システム下には，特定のプロファイルクラスに固有の何かはあり得る（例えば，材料システム下では，製造に使用するUSP規格の注射用水の製造など）。システム内での固有の機能選択は，上級査察官の裁量に委ねられる。あらゆる査察において，すべてのシステムをカバーする必要はない（パートIII参照）。

1つのシステムの完全査察では，査察所見を完全に文書化するために，他のシステムの活動項目のいくつかをさらにフォローアップする必要があるかもしれない。しかしこのカバレッジは，他のシステムの完全なカバレッジを構成するものではなく，必要としない。

C. 医薬品/最終製剤製造のためのシステム体系[注4]

特定のシステムに採用されている適切な資格と，トレーニングを含む組織と人員は，そのシステムの運用の一環として評価される。CGMP規則で維持され，照査のために選択されなければならない製造記録，管理記録，および出荷記録は，上記の各システムの状況における査察監査に含めるべきである。受託会社の査察は，製品またはサービスが契約されているシステムと品質システムの中になければならない。

注4：「医薬品」と「最終製剤」

FDAは，drugs（医薬品）とdrug products（最終製剤）を以下のように定義付けている。ただし，本書ではこれらをあわせて「医薬品」としている。

Drug

- 公的な薬局方または医薬品集により認められた物質。
- 病気の診断，治癒，緩和，治療または予防に使用することが意図された物質。
- 体の構造や機能に影響を与えることを意図した物質（食品以外）。
- 医薬品の成分として使用することを意図した物質であって，機器，機器の部品，部品または付属品ではないもの。
- 生物製剤はこの定義に含まれ，一般的に同じ法律や規制の対象となるが，製造工程（化学的工程と生物学的工程）に違いがある。

Drug Product

- 原薬を含む最終剤形。一般に，他の活性成分または不活性成分と関連しているが，必ずしもそうである必要はない。

医薬品および最終製剤の製造を監査するためのシステムの一般的なスキームは，以下に示すとおりである。

1）品質システム

本システムは，CGMPおよび内部手順書と基準の全体的な遵守を保証する。このシステムには，品質管理部門によるレビューおよび承認の任務（例えば，変更管理，再加工，バッチリリース，年次記録レビュー，バリデーションプロトコール，および報告書など）が含まれる。これには，すべての製品の欠陥評価と返品および救済された医薬品の評価が含まれる。CGMP規則，21 CFR 211 Subparts B，E，F，G，I，J，およびKを参照のこと。

2）施設および設備システム

本システムには，医薬品または最終製剤の製造に使用される適切な物理的環境および資源を提供する措置および活動が含まれる。それには以下が含まれる。

a）建物および施設のメンテナンス

b）機器の適格性確認（設置と運用）：機器の校正とメンテナンス。必要に応じて洗浄工程の洗浄とバリデーションの実施。プロセスパフォーマンス適格性（process performance qualification）[注5]は，そのプロセスが採用されているシステム内で行われる，全体的工程バリデーションに関する査察の一部として評価される。

c）HVAC, 圧縮ガス, 蒸気および水システムなど, 製品に組み込むことを意図しないユーティリティ。

CGMP規則, 21 CFR 211 Subpart B, C, D, およびJを参照のこと。

注5：プロセスパフォーマンス適格性

Guidance for Industry : Process Validation: General Principles and Practices（2011）によると，プロセスバリデーションは，Stage 1（プロセス設計），Stage 2（プロセスの適格性評価），Stage 3（継続的プロセスベリフィケーション）の3つの段階から構成され（図4-1），Process Performance Qualification（PPQ）はStage 2で採用される要素である。

PPQは，実際の施設，ユーティリティ，機器および訓練を受けた作業員が商業製造工程，管理手法，および医薬品成分を商業バッチを製造するために組み合わせることである。PPQが成功すると，プロセス設計が確認され，商業的製造プロセスが期待どおりに実行されることが実証されることになる。この段階での成功は，製品ライフサイクルの重要なマイルストーンを示している。製造業者は，医薬品の商業的製造を開始する前に，PPQを首尾よく完了しなければならない。

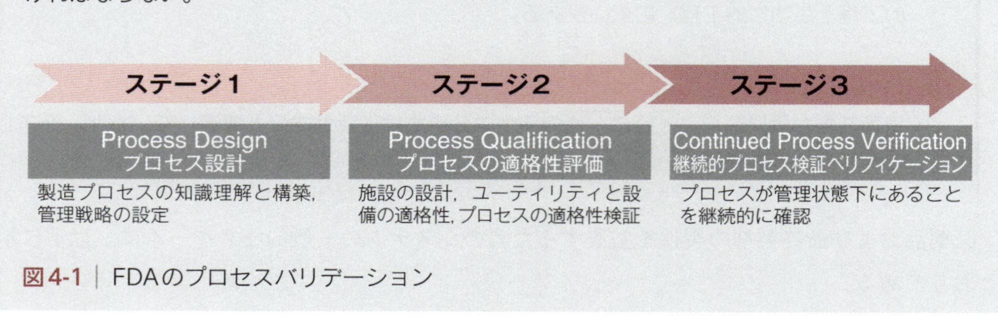

図4-1 | FDAのプロセスバリデーション

3）材料システム

このシステムには，製品や容器，栓に使用される水やガスを含む最終製剤，医薬品成分を管理するための手段および活動が含まれる。これには，コンピュータ化された在庫管理プロセス，医薬品保管，流通管理，記録のバリデーションが含まれる。CGMP規則，21 CFR 211 Subpart B，E，H，およびJを参照のこと。

4）製造システム

このシステムには，バッチ配合，最終製剤の製造，工程内サンプリングと試験，およびバリデーションを含む医薬品および最終製剤の製造を管理するための手段および活動が含まれる。また，承認された製造手順の確立，追従，および成績の文書化も含まれる。CGMP規則，21 CFR 211 Subpart B，F，およびJを参照のこと。

5）包装および表示システム

このシステムには，医薬品および最終製剤の包装および表示を管理するための手段および活動が含まれる。文書化された操作手順，ラベルの検査と使用，ラベルの保管と発行，包装とラベル表示作業の管理，およびこれらの作業のバリデーションが含まれる。CGMP規則，21 CFR 211 Subpart B，G，およびJを参照のこと。

6）試験室管理システム

このシステムには，実験室手順，試験，分析方法の開発とバリデーションまたはベリフィケーション，および安定性プログラムに関連する措置，活動が含まれる。CGMP規則，21 CFR 211 Subpart B，I，J，およびKを参照のこと。

このプログラムアプローチが実施されるにつれて，得られた経験は，必要に応じてシステム定義および組織を変更するために検討される。

解説：CGMP規制のサブチャプター

本システム体系を考案するにあたっての全体的なテーマは，CGMP規制のサブチャプター構造であった。医薬品製造事業の一般的なスキームを組み込んだ6つのシステムの合理的なセットで，サブチャプター全体をグループ化するためにあらゆる努力が払われた。特定のシステムに採用されている適切な資格とトレーニングを含む組織と人員は，そのシステムの運用の一環として評価される[注6]。CGMP規則によって維持され，審査のために選択されなければならない製造記録，管理記録，または出荷記録は，上記の各システムの状況における査察監査に含めるべきである。受託企業の査察は，製品またはサービスが契約されているシステムとその品質システムの中になければならない。

注6：システム査察

システム査察は，2001年にFDAが提案し，2004年にCBERが正式採用し，次いでCDERも採用している。CBERの査察では，前述の6つのシステム（現在は，7つ目のシステムとしてドナー適格性システムもある）と3つの主要要素（手順書，教育訓練，記録）の評価が行われる。CDERではこれら3つの主要要素は，各システムの評価に含めているようである。日本の査察でもこれらの要素は，CDER同様，各システム評価に組み込んでいる。

プログラム管理の手引き

A. 定義

解説

ここでは，表4-3に示すようなGMP査察の種類について述べている。

表4-3 | GMP査察の種類

1. 監視査察（Surveillance Inspection）
   - 完全査察オプション（Full Inspection Option）
   - 簡略査察オプション（Abbreviated Inspection Option）
2. 原因究明査察（For−Cause Inspection）
3. 管理状態（State of Control）
4. 医薬品製造工程（Drug Process）
5. 医薬品製造査察（Drug Manufacturing Inspection）

1. 監視査察（Surveillance Inspection）

1）完全査察オプション

完全査察オプションは，企業がCGMP要件に準拠していることを広範かつ詳細に評価するための監視査察（surveillance inspection）である。完全査察は，ORA部門の同意を得て，簡略査察オプションに変更することができる。完全査察の過程では，品質システム活動の確認が主となり，他のシステムについては限られた範囲になるかもしれない。完全査察オプションには，通常，少なくとも4つのシステム査察を含んでおり，そのうちの1つは品質システムである（品質システムには，製品の年次照査を含む）。

2）簡略査察オプション

簡略査察オプションは，企業のCGMP要件への遵守を効率的に更新評価するための監視査察である。簡略査察では，企業が継続的に満足のいくCGMP遵守状態にあることの文書を発行する。一般にCGMP適合文書は，企業が十分にCGMPを遵守していた記録を有し，重大なリコールや欠陥製品（product defect）や警報事例（alert incidents）もなく，または前回の査察以降，製造プロファイルにほとんど変更がなかった場合に発行される。パートIII，セクションB.2を参照のこと。

ORA部門の同意を得て，1つまたは複数のシステムで好ましくない状態（パートVに記載）が発見された場合，簡略査察は完全査察に変更されることがある。簡略査察オプションには，通常，少なくとも2つのシステムの査察監査が含まれるが，そのうちの1つは品質システムである（品質システムには，製品の年次照査を含む）。

ORA部門の医薬品プログラム管理者は，簡略査察オプションシステムを継続的に確実に回転させる必要がある。簡略査察の過程では，品質システム活動の確認が主となり，他のシステムについては限られた範囲になるかもしれない。一部の企業は，受託試験検査ラボなど医薬品製造の限られた部分に参加している。そのような企業に対する査察は，定義されたシステムのうちの2つだけを採用することができる。これらの場合においては，2つのシステムの査察は当該企業に対する完全査察とみなされる。

3）システムの選択範囲

査察時にカバーすべきシステムの選択は，査察を受ける企業の特殊作業，以前の査察で調査したシステムの履歴，法令遵守の履歴，またはORA部門によって定められたその他の優先順位に基づいて，ORA部門が行う。

2. 原因究明査察（For-Cause Inspection）[注7]

原因究明査察とは，(i)規制措置がとられた後の是正措置を確認するために実施するフォローアップの法令遵守査察（follow-up compliance inspections），(ii) 法令遵守もしくは医薬品の製造方法，施設，工程，または品質に関して問題を引き起こしている特定の出来事または情報〔現場警報報告（Field Alert Reports；FARs），生物製剤の逸脱報告（Biological Product Defect Reports；BPDRs），業界の苦情，リコールおよびその他の欠陥製品の兆候など〕について実施する査察である。

このプログラムで開始され，報告される原因究明査察には，規制措置がとられた後の是正措置を確認するために実施されるフォローアップコンプライアンス査察が含まれる。

フォローアップコンプライアンス査察では，懸念事項，影響を受けた操作への是正措置計画，実施された是正措置，もしくは以前の査察でFDA Form 483に記載された欠陥が含まれる。追加システムの決定は，ケースバイケースで行われる。

FAR欠陥報告に対する原因究明査察は，Program 7356.021に基づいて開始，実行するものとする。FMD（field management directive）-17にあるように，その他の原因究明査察（例えば，業界の苦情，欠陥製品のその他の指標）を開始することはできるが，コンプライアンス全体の状況を更新する目的でCGMPの適用範囲を拡大するかもしれない。

注7：原因究明査察

以前は，法令遵守査察（または適合性査察）(Compliance Inspection) と呼んでいたが，改訂7356.002では“正当な理由による査察”（For-Cause Inspection）と呼び方を変えている。本書では，「原因究明査察」という訳語をあてたが，適切かどうか疑問ではある。

3. 管理状態（State of Control）

医薬品製造所が，FDC法セクション501(a)(2)(B)の意図と，それらのシステムに関連するCGMP規制を遵守することを保証する条件と慣行を採用する場合，管理状態にあるとみなされる。管理状態にある企業は，品質，力価，同一性および純度の十分なレベルの保証された最終製剤を製造できる。

いずれかのシステムが管理できていない場合，製造所は管理状態下にない。1つまたは複数のシステムに起因する製品の品質，同一性，力価および純度が十分に保証されない場合，システムは管理状態下にない。文書化されたCGMPの欠陥は，システムが管理状態で稼働していないと結論付ける証拠を提示することになる。企業で管理できていないシステムを確認できた査察結果に基づく法令遵守行動の議論については，パートV「規制/管理戦略」を参照のこと。

4．医薬品の製造工程（Drug Process）

医薬品の製造工程は，医薬品や最終製剤の調製に帰結する一連の操作である。医薬品製造における主要な操作や工程には，混合，造粒化，カプセル化，錠剤化，化学合成，発酵，無菌充填，滅菌，包装，表示，試験などがある。

5．医薬品製造所の査察（Drug Manufacturing Inspection）

医薬品製造所の査察は，品質システムを含む2つ以上のシステムの評価を行い，製造が管理状態下にあるかどうかを判断する施設査察（establishment inspection）である。

B．査察計画

ORAは，リスクベースアプローチを使用して医薬品製造所の査察を実施し，プロファイルまたはその他の監視システムを維持する。ORA部門は，各医薬品企業に適用される査察範囲の深さを決定する責任がある。査察範囲の深さは，企業の法令遵守履歴，使用している製造技術，および製品の特性によって決める必要がある。CGMP査察範囲は，各企業の管理と法令遵守の状態を評価するのに十分なものでなければならない。

予定されている監視査察に先立って，CDERの医薬品品質部（Office of Pharmaceutical Quality；OPQ）のサーベイランス課（Office of Surveillance；OS）は，査察を行う工場に関する最新の情報文書を作成する。これには，施設の査察履歴に関する品質情報，現場警報報告（FAR）または生物製剤の逸脱報告書（BPDR）に関する情報，利用可能な場合には提出された品質指標データ（quality metrics data）[注8]，および現場で製造されたすべての製品のリストを含むが，これらに限定されるものではない。あるシステムを査察するとき，そのシステムを使用するすべての製品に適用可能であるとみなされる。査察官は，システムの適用範囲を達成するために，適切な数とタイプの製品を選択する必要がある。カバレッジは，CGMP要件内での製造における企業全体の能力を代表するように，製品の選択を行う必要がある。

低用量製剤，狭い治療域製剤，コンビネーション製剤，放出調節製剤，生物学的製剤，最近承認された医薬品製造承認申請書の下で製造された新製品など，特別な挑戦を有する製品を第一選択製品として考慮すること〔IOM 5.5.1.2項-査察アプローチ（Inspectional Approach）を参照〕。

関係する医薬品が健康に主要な影響を与えないか，カラミンローション製品のように投与量の制限がない場合，特定のCGMP逸脱の健康意義は低下する可能性がある。このような製品には適切な優先順位で査察範囲を与える必要がある。

本コンプライアンスプログラムでの査察は，他のコンプライアンスプログラムやその他の調査のために査察が実行されているとき，企業訪問中に行うことができるかもしれない。

注8：品質指標データ

FDAは，“quality metrics：品質指標，品質測定基準”の導入を提案した。本案に対するパブコメ期間は，2015年9月28日であったが，まだ制度化はされていない。FDAは，FDC法セクション704に基づいて，医薬品製造業者等に対し，品質測定のための情報提供を要求する方針である。企業で実施している品質管理の指標をFDAが把握することによって，リスクに基づく査察の効率化を図ろうとしている。

ドラフトでは，21 CFR 211（CGMP）要件に従って集計保持しており，容易にアクセスしやすい下記のようなデータ報告を求めている。

- 商用に製造された製品のロットの数
- 製造中または製造後に不合格となった，規格不合格製品のロットの数
- 30日を超えて廃棄保留となったロットの数
- 安定性試験を含む製品としてのOOSの数
- 製品の出荷判定および安定性試験が実施されたロットの数
- 実験室のエラーにより無効となった製品の出荷判定および安定性試験におけるOOSの数
- 受領した製品品質の苦情の数
- 流通または製造の次の段階へリリースされたロットの数
- 製品の年次照査実施予定日の30日以内に完了したAPRまたはPQRの数
- 製品に関して必要なAPRまたはPQRの数

なお，最新の“quality metrics”情報については，本章4.6節（p. 316）を参照のこと。

C. プロファイル

査察結果は，プロファイル/クラス決定を記録するために，使用されるeNSpect EIRカバーシートのプロファイル画面内のすべてのプロファイルクラスを更新するための基礎として使用される。通常，このリスクベースのシステムアプローチによる査察では，すべてのプロファイルクラスが更新される。

解説：eNSpec システムによるプロファイル

FDAの査察結果は，生物製剤，医療機器，ヒト用医薬品，動物用医薬品，受託試験検査施設，動物由来製品等を問わず，すべてeNSpectシステムを用いたEIR（Establishment Inspection Report：施設査察報告書）に入力・登録される。査察実施マニュアル2020年版（Investigations Operations Manual 2020；IOM 2020）がFDAのウェブサイト※から入手できる。

本マニュアルにある各企業のプロファイル画面を図4-2に示す。

※Investigations Operations Manual
https://www.fda.gov/ICECI/Inspections/IOM/default.htm

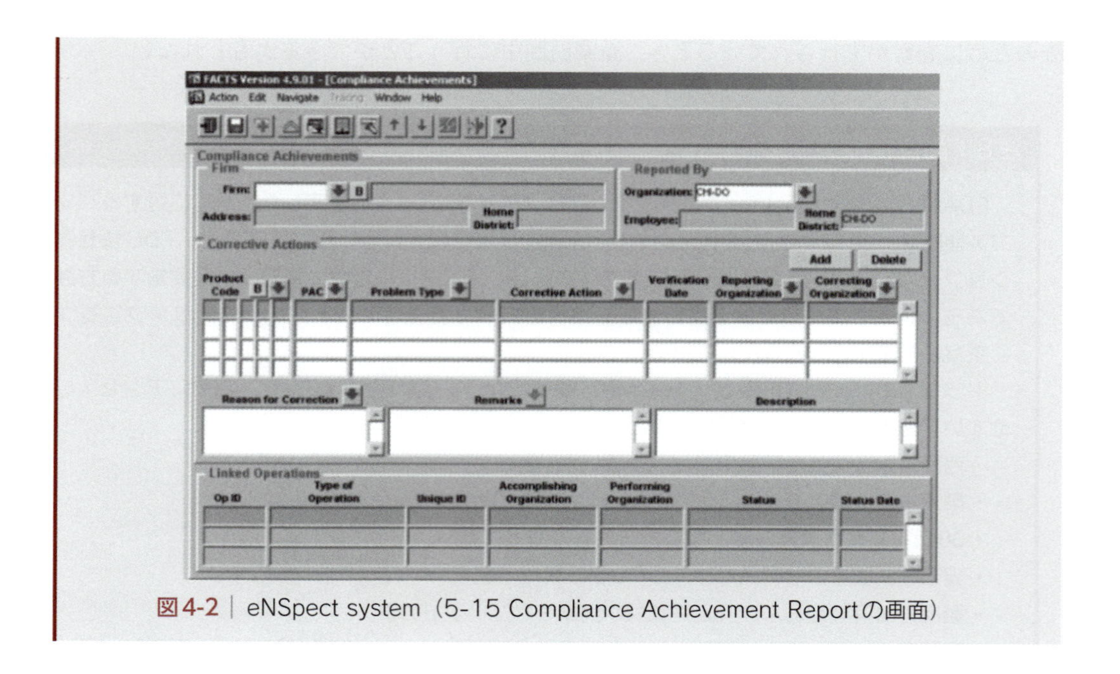

図4-2｜eNSpect system（5-15 Compliance Achievement Reportの画面）

3 パートⅢ－査察

調査業務

A. 一般

最終製剤に対するCGMP規則（21 CFR 210および211）と，製造工程を評価するための業界向け関連ガイダンス（Guidance for Industry）をレビューし，使用すること。

査察官は，このコンプライアンスプログラムのパートIIの「戦略」セクションに従って査察を実施すべきである。製薬企業の規模や範囲は大きく異なり，製造システムは多かれ少なかれ洗練されていると認識しつつ，各施設の査察手法を慎重に計画する必要がある。例えば，企業施設の製造区域に入る前に，品質システムを徹底的にレビューすることがより適切かもしれない。品質システムのレビューは，別のシステムまたはカバレッジのために選択されたシステムの査察と並行して行うべきである。

企業の複雑さと多様性には，柔軟な査察アプローチを必要とする。査察官に，特定の企業に適した査察の焦点と深さを選択するだけでなく，一貫したCGMP評価を提供する枠組み内で査察の実施と報告を指示するものでもある。さらに，この査察アプローチは，査察所見に対する迅速なコミュニケーションと評価を提供している。

CGMPの欠陥を指摘する査察所見は，CGMP要件に関連していなければならない。医薬品（最終製剤）の製造に関するCGMPの要件は，FDC法のセクション501(a)(2)(B)および規制にあり，ガイダンス，ケース判例などによって解釈は拡大される。CGMP要件は，処方箋薬および非処方箋薬，申請中の医薬品，臨床試験に使用される医薬品，承認不要の製品を含むすべてのヒト用医薬品の製造に適用される。

原薬（API）およびポジトロン放出断層撮影（PET）検査薬の査察は，21 CFR 210および211とは異なる品質基準，および独自のコンプライアンスプログラムへの適合性を確認するために実施している。

API査察は，品質基準としてICH Q7ガイドラインを使用するProgram 7356.002Fで実施され，FDC法のセクション501(a)(2)(B)の法的要件への遵守を確認する。ICH Q7に従う企業は，一般的に，法定要件を遵守しているとみなされる。Program 7356.002Pに基づくPET検査薬の査察は，21 CFR Part 212への遵守を確認するために実施される。

ガイダンス文書は，査察観察の正当性として参照しない。正当性は，法律とCGMPの規定にある。現行の査察ガイド（Guides to Inspection）および業界向けガイダンス文書（Guidance to Industry documents）は，CGMPシステムの妥当性評価を支援する要件の解釈として提供しているが，ガイダンス文書は確立した要件を示しているわけではない[注9]。

IOMに記載されている現在の査察所見方針には，FDA Form 483を発行する際には，具体的で重要な項目のみを含めるべきであると述べている。本プログラムで定義されているシステムごとに査察所見をまとめる必要がある。各システム内での査察所見は，重要度の順番に一覧表にする。反復または同様の所見が認められた場合，それらは統一的な所見としてまとめること。

限られた数の査察所見は，複数のシステム（例えば，適切な資格とトレーニングを含む組織や人員）に共通する場合がある。このような場合，FDA Form 483に報告された最初のシステムにおける査察所見をEIRテキストに入力し，適切な場合は他のシステムへの適用性を考慮すること。

査察観察内容に関する詳細なガイダンスについては，IOM 5.2.3項-査察の報告書（Reports of Observations）の方針を参照のこと。このプログラムへの添付書類として，または査察，特別任務などの要求として，専門的な査察指針を提供することになるかもしれない。

注9：Guidance for Industry

FDAが発行する業界向けガイダンス（Guidance for Industry）は，ガイダンス発行時点でFDAが考える最良の推奨事項を示しており，規制要件ではないとの立場をとっている。そのため，ガイダンス文書には“shall”は使わず，“should”で表すことになっている。しかし読者にとっては，“推奨事項”と“要件事項”の区別に悩むことが多い。

B. 査察アプローチ

このプログラムでは，2つのサーベイランス査察オプション，すなわち完全査察オプションと簡略査察オプションを提供する。

1. 完全査察オプションの選択

完全査察オプションは，パートⅡに掲げたシステムのうち，少なくとも4つのシステムに対する査察が含まれ，その1つは品質システムでなければならない。

a) 新規登録した施設へのFDAが初めて行う査察には完全査察オプションを選択する。査察範囲には，製造活動に適切なすべてのシステムを含める必要がある。完全査察は，ORA部門の同意を得て，簡略査察オプションに変更することができる。
ORA部門は，FDAの資源を効率的に使用するために，新規登録された施設の監視範囲を計画する前に，保留中の申請内容や承認前査察事項があるかどうかを判断するために，CDERに相談すること。

b) 企業がGMP遵守逸脱履歴を持っている場合は，完全査察オプションを選択する。ORA部門がこの基準を満たしているかどうかを判断するには，査察結果，検体の分析結果，苦情，DQRS（Drug Quality Reporting System：医薬品品質報告システム）やBPD（Biological Product Deviation：生物製剤の逸脱）報告書，回収など，およびそれらの結果または過去の査察結果における遵守行動などすべての情報を活用すること。

c) 以前の完全査察のEIRに対して現在の操作を比較することによって重要な変更が生じたかどうかを評価する。次のような変更がある場合には，完全査察オプションを選択する。
1) 製造工程や製品ラインの変更によって生じる交叉汚染の新たな可能性
2) 新しい専門知識，重要な新設備，または新しい施設を必要とする新技術の使用

d) 完全査察は，ORA部門の裁量でサーベイランスベースで実施することもできる。

2. 簡略査察オプションの選択

簡略査察オプションには通常，少なくとも2つのシステムの査察監査が含まれるが，そのうちの1つは品質システムでなければならない。簡略査察の過程での品質システム活動の検証は，他のシステムのカバレッジが限定させるかもしれない。

a) このオプションは，企業の活動に対するサーベイランスを維持し，製品品質保証のGMPレベルを維持し，改善すべき情報を企業に提供するための製造業者査察を含む。

b) 完全査察は，査察履歴に基づいて，ORA部門の同意を得て，簡易査察オプションに変更することができる。

c) 簡略査察の範囲は，ORA部門の裁量により，完全査察オプションに変更することができる。

査察範囲（カバレッジ）

毎回，完全査察（4から6システムのカバレッジ）を実行することは期待していない。ORA部門は，企業の製造活動に関する包括的な情報を構築するために，連続した簡略査察の査察範囲に異なるシステムを選択することを検討する必要がある。

警告書またはその他の重要な規制措置に対するフォローアップ査察は，原因究明査察とみなされ，その結果，関連する原因究明作業には，フルシステムまたは個々のシステムのカバレッジのいずれかを要求できる。さらに，査察の前または最中にORA部門の裁量により，ケースバイケースでカバレッジを追加することができる。

C. システム査察の対象範囲（カバレッジ）

品質システム（Quality System）

品質システムの評価は，2つの段階からなる。第1段階は，品質管理部門が生産，品質管理，品質保証に関わるすべての手法を照査し，承認する責任を果たしているかどうかを評価し，その手法が意図された用途に適していることを確認することである。これには，関連する記録保管システムも含まれる。第2段階は，品質問題を特定するために収集されたデータを評価することであり，査察対象範囲のために他の主要システムにリンクさせることができる。

以下のそれぞれについて，企業は文書化され，かつ承認された手順書とそこから生じた書類を提出する必要がある。可能であれば，企業の文書化された手順への遵守は，査察によって確認する必要がある。これらの領域は，最終製品に限定されず，医薬品成分や製造中の材料も組み込むことができる。これらの領域は，品質システムだけでなく，カバレッジの拡大を正当化する他のシステムでの欠陥も示している可能性がある。本システムでは，以下に示すすべての領域をカバーする必要がある。しかし，カバレッジの深さは，査察結果に応じて変化する可能性がある。

- 製品レビュー：少なくとも毎年，必要に応じて以下に列挙した分野の情報を含めるべきである。レビューされたバッチは，各製品に対して，製造されたすべてのバッチの代表である。傾向が特定される。21 CFR 211.180(e)を参照のこと。
- 苦情のレビュー（品質と医療）：文書化されている，評価されている，タイムリーに原因究明されている，適切な場合には是正措置を含む。
- 製造と試験に関連する不整合・不合格の原因調査：文書化されている，評価されている，タイムリーに原因調査がされている，適切な場合には是正措置を含む。
- 変更管理：文書化されている，評価されている，承認されている，評価された再バリデーションの必要性。
- 製品改善プロジェクト：市販製品に対して。
- 再処理/再加工：評価，照査と承認，バリデーションと安定性への影響。
- 返品/救済：評価，必要なら拡大調査，処分。
- 拒否：必要なら拡大調査，適切な場合は是正措置。
- 安定性の失敗：必要な場合は拡大調査，評価された現場警報に対する必要性，傾向。
- 検疫製品。
- バリデーション：必要なバリデーション/再バリデーションの状況（例：コンピュータ，製造プロセス，検査方法など）。
- 品質管理部門機能の従業員のトレーニング/資格認定。

施設および設備システム（Facilities and Equipment System）

以下のそれぞれについて，企業は文書化され，かつ承認された手順書とそこから生じた書類を提出する必要がある。可能であれば，企業の文書化された手順への遵守は，査察によって確認する必要がある。これらの領域は，最終製品に限定されず，医薬品成分や製造中の材料も組み込むことができる。これらの領域は，設備装置システムだけでなく，カバレッジの拡大を正当化する他のシステムでの欠陥も示している可能性がある。このシステムを品質システムに加えてカバレッジ対象として選択した場合は，以下に示すすべての領域をカバーする必要がある。しかし，カバレッジの深さは，査察結果に応じて変化する可能性がある。

1. 施設

- 洗浄とメンテナンス
- 交叉汚染（例えば，ペニシリン，ベータラクタム，ステロイド，ホルモン，細胞傷害剤など）の予防のための施設レイアウトおよび空気処理システム
- 汚染や混同を防止するために企業が実施する，製造作業のために特別に設計された区域
- 一般的なエアハンドリングシステム
- 建物の変更を実施するための管理システム
- 照明，水道水，洗面所およびトイレ施設，汚水およびごみ処理
- ビルの衛生，殺鼠剤，殺真菌剤，殺虫剤，洗浄剤および消毒剤の使用

2. 設備

- 必要に応じて装置の設置と運転適格性確認
- 装置設計，サイズ，および場所の妥当性
- 装置表面は反応性，添加性，または吸収性であってはならない
- 製品・容器等に接触する装置操作物質（潤滑剤，冷却剤，冷媒等）の適切な使用
- 再利用または多品目製造装置の洗浄手順と洗浄バリデーション
- 特に殺虫剤またはその他の有毒物質，または他の薬物もしくは非薬物化学物質による汚染を防止するための管理
- 標準品，原材料，試薬などが適切な温度で保管されることを保証するための，冷蔵庫や冷凍庫などの保存装置の妥当性，校正および保守
- コンピュータの妥当性/バリデーションおよびセキュリティを含む装置の妥当性，校正およびメンテナンス
- 装置の変更を実施するための管理システム
- 装置識別手法（該当する場合）
- 予期しない矛盾についての調査と文書化

材料システム（Materials System）

以下のそれぞれについて，企業は文書化され，かつ承認された手順書とそこから生じた書類を提出する必要がある。可能であれば，企業の文書化された手順への遵守は，査察によって確認する必要がある。これらの領域は，最終製品に限定されず，医薬品成分や製造中の材料も組み込むことができる。これらの領域は，材料システムだけでなく，カバレッジの拡大を正当化する他のシステムでの欠陥も示している可能性がある。このシステムを品質システムに加えて

カバレッジ対象として選択した場合は，以下に示すすべての領域をカバーする必要がある。しかし，カバレッジの深さは，査察結果に応じて変化する可能性がある。

- 従業員の教育/資格認定
- 医薬品成分，容器，閉塞具の識別
- 医薬品成分，容器，閉塞具の在庫管理
- 保管条件
- 試験・検査，出荷までの隔離保管
- 適切な手段を用いて採取，試験または検査された代表サンプル
- 少なくとも1つの特異的確認試験を，各医薬品成分の各ロットについて実施
- 各ロットの容器および閉塞具について視覚的識別を実施
- 医薬品成分，容器，閉塞具のサプライヤーの試験結果について試験または検証
- 受入れ要件を満たさない医薬品成分，容器，閉塞具の拒絶
- 医薬品成分の起源の検証のための企業の手順を十分に調査する
- 医薬品成分，容器，閉塞具の適切な再試験/再検査
- 医薬品成分，容器，閉塞具の先入れ先出し
- 不適合材料の隔離保管
- 水およびプロセスガスの供給，設計，保守，バリデーションおよび稼働
- 容器および閉塞具は，医薬品に付加性，反応性，または吸収性がないこと
- 材料の取り扱い操作に変更を実施する際の管理システム
- コンピュータ化または自動化されたプロセスの妥当性検証/バリデーションおよび安全性
- ロットごとの最終製品の出荷記録
- 予期しない矛盾についての調査と文書化

製造システム(Production System)

以下のそれぞれについて，企業は文書化され，かつ承認された手順書とそこから生じた書類を提出する必要がある。可能であれば，企業の文書化された手順への遵守は，査察によって確認する必要がある。これらの領域は，最終製品に限定されず，医薬品成分や製造中の材料も組み込むことができる。これらの領域は，製造システムだけでなく，カバレッジの拡大を正当化する他のシステムでの欠陥も示している可能性がある。このシステムを品質システムに加えてカバレッジ対象として選択した場合は，以下に示すすべての領域をカバーする必要がある。しかし，カバレッジの深さは，査察結果に応じて変化する可能性がある。

- 従業員の教育/資格認定
- プロセスの変更を実現するための管理システム
- 医薬品成分の仕込みのための適切な手順と実践
- 100%以上の処方/製造
- 製造装置が適切な製造段階または製造状態にあることの識別
- 容器および閉塞具の洗浄/滅菌/発熱物質除去のバリデーションおよびベリフィケーション

- 実際の製造収量と理論的収量との百分率計算と文書化
- 同時かつ完全なバッチ製造記録
- 製造の段階終了までの時間制限の設定
- 工程内管理，試験，および検査（例えば，pH，混合物の妥当性，重量変化，澄明性）の実施および文書化
- 工程内規格値と最終製品規格値の妥当性と均一性
- 非無菌医薬品における排除すべき微生物の予防
- 前処理手順（例えば，セットアップ，ラインクリアランスなど）の遵守
- 装置のクリーニングおよび使用記録
- マスター製造管理記録
- バッチ製造管理記録
- コンピュータ化または自動化プロセスのバリデーションと安全性を含むプロセスバリデーション
- 変更管理：評価された再バリデーションの必要性
- 予期しない矛盾についての調査と文書化

包装・表示システム(Packaging and Labeling System)

以下のそれぞれについて，企業は文書化され，かつ承認された手順書とそこから生じた書類を提出する必要がある。可能であれば，企業の文書化された手順への遵守は，査察によって確認する必要がある。これらの領域は，最終製品に限定されず，医薬品成分や製造中の材料も組み込むことができる。これらの領域は，包装・表示システムだけでなく，カバレッジの拡大を正当化する他のシステムでの欠陥も示している可能性がある。このシステムを品質システムに加えてカバレッジ対象として選択した場合は，以下に示すすべての領域をカバーする必要がある。しかし，カバレッジの深さは，査察結果に応じて変化する可能性がある。

- 従業員の教育/資格認定
- 包装・表示材の受入れ作業
- 包装・表示作業の変更を実施する際の管理システム
- 発行後に承認され，返却されるラベルとラベリングの適切な保管
- 異なる製品に対する似たようなサイズ，形態，色調ラベルの管理
- 全数を電子的または目視確認システム，または専用ラインを使用しないで，外観が似ている直接容器にカットラベル（cut labeling）を貼付した最終製品
- サイズ，形態，色調で区別できない限り，一括印刷されたラベル（gang-printed labeling）を使用できない
- 充填済み未表示（後に複数の社内表示を行う）容器の管理
- 使用されたすべてのラベルの標本を含む適切な包装記録
- ラベルの発行管理，発行したラベルの検査，および使用したラベルの照合
- 表示された最終製品の検査

- 入荷ラベルの適切な検査
- ロット番号の使用，ロットまたは管理番号を付した過剰な表示物の滅却
- 異なるラベリングラインとパッケージングライン間の物理的/空間的分離
- 製造ラインに関連する印刷装置の監視
- ラインクリアランス，検査および文書化
- ラベル上に適切な有効期限表示
- いたずら防止包装（tamper-evident packaging；TEP）を用いた包装要件への適合（21 CFR 211.132および遵守方針ガイド，450.500を参照）
- コンピュータ化されたプロセスのバリデーションとセキュリティを含むパッケージングとラベリングのバリデーション
- 予期しない矛盾についての調査と文書化

試験室管理システム(Laboratory Control System)

以下のそれぞれについて，企業は文書化され，かつ承認された手順書とそこから生じた書類を提出する必要がある。可能であれば，企業の文書化された手順への遵守は，査察によって確認する必要がある。これらの領域は，最終製品に限定されず，医薬品成分や製造中の材料も組み込むことができる。これらの領域は，試験室管理システムだけでなく，カバレッジの拡大を正当化する他のシステムでの欠陥も示している可能性がある。このシステムを品質システムに加えてカバレッジ対象として選択した場合は，以下に示すすべての領域をカバーする必要がある。しかし，カバレッジの深さは，査察結果に応じて変化する可能性がある。

- 従業員の教育/資格認定
- 実験室運営のための人員配置の適切性
- 意図した使用のための装置および施設の適切性
- 分析機器および装置の校正およびメンテナンスプログラム
- コンピュータ化もしくは自動化されたプロセスのバリデーションとセキュリティ
- 参照標準品：供給源，純度およびアッセイ，および必要に応じて現行の公的参照標準品との同等性を確立するための試験
- クロマトグラフィーシステム(例えば, GCまたはHPLC)におけるシステム適合性チェック
- 規格，標準品，および代表的なサンプリング計画
- 文書化された分析方法の遵守
- 分析法のバリデーション/ベリフィケーション
- 実験室操作の変更を実施するための管理システム
- 必要なテストが正しいサンプルで実行される
- 予期しない矛盾についての調査と文書化
- すべての試験からの完全な分析記録および結果の要約
- 生データ（例えば，クロマトグラムおよびスペクトル）の品質および保持
- 生データに対する結果要約の相関：未使用データの存在

- タイムリーな原因究明の完了とともに適切な規格外（OOS）結果手続きの遵守
- 適切な保存サンプル：保存サンプル試験の文書化
- 試験方法の実行性を示す安定性の実証を含む安定性試験計画

D. サンプリング

欠陥製品のサンプルは，重要なCGMP問題が存在するという説得力ある証拠を提供することになる。物質サンプルは，管理不全が観察された場所でのCGMP査察において不可欠な一部になる可能性がある。物質サンプルは，観察された管理不全と関連性があるべきである。採取し，適切なサービスラボに送るサンプル（中間製品または最終製品）の種類と手続きについては，本プログラムの附属書で指定しているORS（Office of Regulatory Science）/OMPTSLO（Office of Medical Products, Tobacco, and Specialty Laboratory Operations）のプログラムコーディネーター（化学，微生物学）に問い合わせること。書類サンプルは，書類のほうが物質サンプルよりも欠陥をよく示す場合には提出させることができる。ORA部門は，CGMP欠陥を記録するために，物質サンプルを収集するか文書サンプルを収集するかを選択することができる。CGMP欠陥を記録するために，物質サンプルの分析は必ずしも必要としない。

不十分な管理下で多数の製品が製造されている場合には，最も大きな治療的意義のあるもの，狭い範囲の毒性，または有効成分を低含量有する製品サンプルまたは書類サンプルを収集する。非常に重要なCGMP欠陥を示した場合にのみ，治療的意義の最も低い製品サンプルを含める。サンプリングのガイダンスについては，IOM（Investigations Operations Manual）[注10]の第4章を参照のこと。

注10：IOM（Investigations Operations Manual）

2020年版IOMは，FDAのウェブサイト※から入手することができる。本IOMは528ページから構成され，FDAの査察官向けの手引きである。

※Investigations Operations Manual
https://www.fda.gov/ICECI/Inspections/IOM/default.htm

E. 査察チーム

所轄のORA部門，他所轄のORA部門，または本部からの専門家で構成される査察チーム〔IOM 5.1.2.5項-査察チーム（Team Inspections）を参照〕は，必要な専門知識と経験が必要な場合には奨励される。技術的援助が必要な場合は，医薬品品質業務部（Office of Pharmaceutical Quality Operations；ORA）に連絡すること（FMD-142も参照）[注11]。ORAは，ORAの要請により，CDERからの参加を得て査察を実施する。特に，試験・検査室の問題が広範囲または複雑な場合には，査察チームにアナリスト（化学者または微生物学者）を参加させることも奨励される。医薬品検査試験室またはORA/規制科学部（Office of Regulatory Science）に問い合わせること。各査察チームメンバーは，決められた期間内に，査察中に対象とした査察事項を記載した施設査察報告書（establishment inspection report）作成を含む査察の準備，実行，記録に責任がある。

注11：FMD-142

Technical Assistanceは6ページからなるORA地区事務所向け手引書の1つである。FDAが規制する業界では，技術革新が積極的に採用されるにつれて，ORAの地区事務所査察官に対する専門的知識と援助が必要になっている。FMD-142は，ORAの地方事務所の査察，調査，教育訓練のための技術的専門知識や支援を得るための手順を示している。FDA本部の責任の下，技術専門家による研修コースは，現地スタッフの知識を向上させ，ナショナルエキスパート（NE），プログラムエキスパート（PE），センターエキスパートなどの専門家が得た専門知識の普及に努めている。

F. 報告

ORAは重大な状態（例えば，健康に有害事象をもたらすかもしれない）を観察した場合，査察を終了する前に，実現可能であれば，ORAとOMQの間で議論するかもしれない。ORAの原因究明部門長（Director of Investigations Branch）または指名された人，研究者，およびOMQは，追加の情報を収集するために査察を続行するか，迅速な規制措置を開始するために査察を終了するかを協力し合って決定する。

査察官は，IOM 5.11節にある査察所見の報告ガイダンス（Reporting）を利用するであろう。査察所見の概略（Summary of Findings）に記載されているシステムを特定する。報告書の本文中で査察対象にしたプロファイルクラスの根拠を説明すること。別々の表題の下にあるシステムによる不都合な所見をすべて報告し，議論すること。必要または要求に応じて追加情報を加える（例えば，前回の査察以降に発生した重大な変更の説明）。

各報告書には，査察後に適切な規制上の意思決定を可能にするために，また将来の査察に情報を提供するために，査察中に観察した操作，製品，および管理の説明を十分詳細に記載しなければならない。

FDAの医薬品CGMP査察プログラムとその結果の査察報告書は，FDAの査察と査察報告書を頼りにしている海外の査察当局と規制当局には関心事である。

特定の専門的な情報を必要とする報告書は，個々の課題/添付書類の中で指示されたとおりに準備する必要がある。

4 パートⅣ－分析

分析ラボラトリー

このプログラムの下で実行される分析の種類には，以下のものが含まれまる（ただし，これらに限定されない）。

- 通常の分析：試験，不純物，溶解性，同一性
- 通常の微生物学的分析：無菌試験，エンドトキシン試験，非無菌検査

- その他の微生物学的検査
- 化学的交叉汚染物質検査
- 抗生物質
- バイオアッセイ
- 注射液中の不溶性微粒子試験

サービスラボラトリー

すべての化学および微生物学的検査のためのサービスラボは，ORAHORS ORS Management＜ORAORSMANAGEMENT@fda.hhs.gov＞にメールにて問い合わせること。ORSにサービスラボを問い合わせるときに，製品の説明，試験するロット，実施する試験，およびサンプル採取の理由を示すこと。試験・検査を行うラボは，ラボの専門性，技術と試験の専門知識，およびラボの能力に基づいて，指定される。

分析

1. 検体は，査察中に観察された欠陥に関連するため，それらが規格に適合しているかどうかを検査する必要がある。すべての分析は，公定法によるか，または公定法が存在しない場合はORS/OMPTSLOによって同意された他の検証された方法で行われる。
2. 交叉汚染物の存在は，質量分析法によって確認すること。
3. 溶出率の分析は，第二の溶出試験ラボで実施する必要がある。
4. 微生物試験法は，USPの適切なチャプターと医薬品微生物マニュアル（Pharmaceutical Microbiological Manual；PMM）に基づくべきである。

解説

FDAのORAラボ所在地（図4-3，表4-4）と，ORAラボで実施している試験を以下に示す。

ORA ラボラトリーの所在地

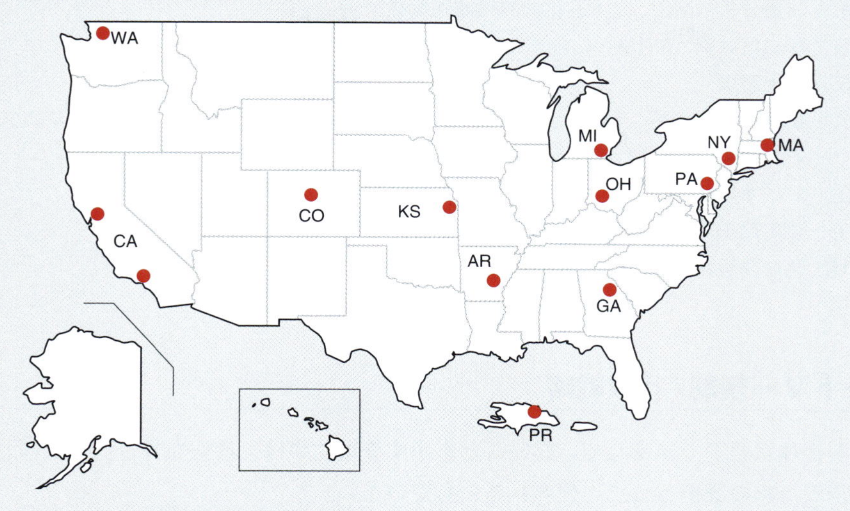

図4-3｜FDAのORAラボ所在地

表4-4｜FDAのORAラボ所在地とラボ名

所在地域	ラボ名
医療製品，タバコ，および専門研究所	
Detroit, MI	Detroit Laboratory（DETL）
Cincinnati, OH	Forensic Chemistry Center（FCC）
Jamaica, NY	Northeast Medical Products Laboratory（NMPL）
Irvine, CA	Pacific Southwest Medical Products Laboratory（PSMPL）
Philadelphia, PA	Philadelphia Laboratory（PHIL）
San Juan, PR	San Juan Laboratory（SJNL）
Atlanta, GA	Southeast Tobacco Laboratory（STL）
Winchester, MA	Winchester Engineering Analytical Center（WEAC）
食品および飼料研究所	
Jefferson, AR	Arkansas Lab（ARKL）
Denver, CO	Denver Laboratory（DENL）
Lenexa, KS	Kansas City Laboratory（KCL）
Jamaica, NY	Northeast Food and Feed Laboratory（NFFL）
Bothell, WA	Pacific Northwest Laboratory（PNL）
Irvine, CA	Pacific Southwest Food and Feed Laboratory（PSFFL）
Alameda, CA	San Francisco Laboratory（SANFL）
Atlanta, GA	Southeast Food and Feed Laboratory（SFFL）

分析ラボラトリーでの実施試験（試験内容は各ラボで異なる）

1. 通常の化学分析
2. 無菌試験
3. 他の微生物試験：サルモネラの血清型別
4. 質量分析（MS）による化学的夾雑物試験
5. 核磁気共鳴（NRM）による化学的夾雑物試験
6. 溶出試験
7. 抗生物質の分析：テトラサイクリン，エリスロマイシン，ペニシリン，セファロスポリン，その他の抗生物質
8. バイオアッセイ
9. 注射剤の不溶性微粒子
10. 発熱試験/LAL試験

5 パートⅤ－規制/行政戦略

企業が管理状態下で操業していないことを示す査察結果は，適切な勧告，行政もしくは司法行為を行うための証拠として，使われるにちがいない。

CGMP問題の深刻さの最初の分類は，ORA部門の評価に基づいて行われるべきである。

査察報告書の裏付けには，企業によってとられた行動，またはいつとられるのかについて明記しなければならない。このプログラムに基づく査察/監査に記載されているすべての欠陥は，査察終了時に経営幹部との協議で確定したそれぞれについて，企業は実施または予測される是正措置を述べることによって対処しなければならない。

企業によって提案されたすべての是正措置は，ORA部門とOQMが互いに協力しあいながら監視および管理する。これらのアプローチは，操業停止，製品回収，試験プログラムの実施，新しい手順の開発，プラントおよび装置の改修から，状態の簡単な即時是正までさまざまである。CDER/OPQ（Office of Pharmaceutical Quality's）の事務所Office of Process and Facilities（OPF）および/またはOffice of Surveillance（OS）は，要請に応じてORA部門を支援する。

当該施設で1つ以上のシステムが管理されていないことを文書化した査察報告書では，当該査察はOAIに分類されるべきである。警告書の発行，または監視査察に従ったその他の規制または勧告の措置を講じることは，すべてのプロファイルクラスを容認できないものとして分類される結果になる。また，査察結果[注12]は，eNSpectのプロファイルクラスを更新するための基礎として使用される。

欠陥のある，または不十分なCGMPの影響を示すFDAラボ試験は，規制措置を支持する強力な証拠となる。このような証拠の開発は，査察の進歩と欠陥の発見につれて考慮されるべきである。しかし，CGMPの欠陥が十分に文書化されていれば，違反する物質サンプルのないことは，規制上もしくは行政上の措置を講じる上で障壁にはならない。同様に，適合していると判明した物質サンプルは，CGMP違反で措置を講じる上で障壁にはならない。

注12：査察結果における評価

査察結果における評価は，以下の3種類がある。
- NAI：No Action Indicated（措置指示なし）：指摘事項なし
- VAI：Voluntary Action Indicated（自主的措置指示）：指摘はあったが，行政的措置はない
- OAI：Official Action Indicated（強制措置指示）：重大な指摘があり，行政措置がとられる

対象システム内での，重大欠陥もしくは欠陥傾向を裏付ける証拠は，システムの不具合を示す可能性があり，OAIはOMQに照会すべきである。推奨する行動タイプを決めるときは，問題の深刻さ，もしくは頻度に基づいて決定されるべきである。

OAI対象としては，以下の事例が含まれる。

品質システム

1）手法（操作）の照査/承認の欠陥パターン
2）実行手法の文書化欠陥パターン
3）文書照査の欠陥パターン
4）原因調査の遂行と，不一致/失敗/逸脱/苦情解決の欠陥パターン
5）GMPおよびSOPの遵守を保証するために，他のシステムを評価しない欠陥パターン

施設および設備システム

1）汚物，排除すべき微生物，毒性化学物質または他の化学薬剤，または合理的汚染の可能性，空気汚染または不潔な装置などを通じての汚染
2）非専用装置の洗浄手法をバリデートすることの欠陥パターン，専用設備の洗浄効果の実証欠如
3）矛盾の調査を文書化することの欠陥パターン
4）装置の変更を実施するための管理システムの確立/遵守の欠陥パターン
5）コンピュータを含む装置の適格性確認の欠陥パターン

材料システム

1）確立された規格に適合しない材料を使用または流通のために出荷
2）医薬品成分に対して1つの特異的識別試験を実施しなかったパターン
3）矛盾の調査を文書化する欠陥パターン
4）材料取扱い業務の変更を実施するための管理システムの確立/遵守の欠陥パターン
5）目的とする水の用途に応じて，必要に応じて水システムの検証不十分
6）コンピュータ化されたプロセスの検証の欠如

製造システム

1) 製造システム運用の変更を実施するための管理システムの確立/遵守の欠陥パターン
2) 矛盾の調査を文書化することの欠陥パターン
3) プロセスバリデーションの欠如
4) コンピュータ化されたプロセスのバリデーションの欠如
5) バッチ製造記録の不完全または紛失パターン
6) 確立された工程内管理，試験，もしくは規格への不適合パターン

包装・表示システム

1) 包装・表示作業の変更を実施するための管理システムの確立/遵守の欠陥パターン
2) 矛盾の調査を文書化することの欠陥パターン
3) コンピュータ化されたプロセスのバリデーションの欠如
4) 誤ったラベリングの可能性をもたらすパッケージングおよびラベリング操作の管理欠如
5) パッケージングバリデーションの欠如

試験室管理システム

1) 試験室操作の変更を実施するための管理システムの確立/遵守の欠陥パターン
2) 矛盾の調査を文書化することの欠陥パターン
3) コンピュータ化もしくは自動化されたプロセスのバリデーションの欠如
4) 慣行的に，不適切なサンプリングパターン
5) バリデートされた分析方法の欠如
6) 承認された分析手順に従わない欠陥パターン
7) 適切なOOS手順に従わない欠陥パターン
8) 生データを保持する欠陥パターン
9) 安定性手法の提示欠如
10) 安定性プログラムの欠陥パターン

簡略査察の結果として，警告書またはその他の重要な規制措置をフォローアップすることは，このプログラムで定義されている完全査察の範囲を保証するものでなければならない。

(※パートⅥ以降は略)。

4.2 新薬申請における承認前査察プログラム (Program 7346.832)

出 典

FDA Compliance Program Guidance Manual, Program：7346.832
施 行 日：2019年9月16日
完全実施日：2022年9月16日

新薬承認申請（NDA）または簡略新薬承認申請（ANDA）における承認前のGMP査察について概説している。

1 パートⅠ－背景

連邦食品・医薬品・化粧品法（FDC法）は，医薬品の製造，加工，包装，および試験で使用される方法，およびそのために使用される施設と管理が，その同一性，強度，品質，および純度を保証および保持するのに適切であると判断した場合，FDAは新薬承認申請（NDA）または簡略新薬承認申請（ANDA）[注1]に承認を与えることを規定している。

注1：簡略新薬承認申請（ANDA）

本書の第8章「8.5 FDA用語：主な定義」(p. 574）にもあるように，簡略新薬承認申請書(ANDA)を，FDAの医薬品評価研究センター(CDER)の後発医薬品部に提出するときには，ジェネリック医薬品の審査と最終承認を提供するためのデータを含む。ジェネリック医薬品の申請には，安全性と有効性を確立するために前臨床（動物）および臨床（ヒト）データを含める必要がないため,「簡略」と呼ばれている。代わりに，ジェネリック医薬品申請者は，その製品の生物学的同等性を科学的に実証する必要がある（つまり，先発医薬品と同じように機能する)。承認されると，申請者はジェネリック医薬品を製造および販売して，安全で効果的，低コストの代替薬をアメリカ国民に提供することができる。

2002年に，FDAは21世紀の医薬品製造および製品品質の規制を強化および近代化するための医薬品の適正製造基準〔Pharmaceutical Current Good Manufacturing Practices (CGMPs) for the 21st Century〕と呼ばれる重要な戦略（イニシアチブ）を発表した。「21世紀の医薬品品質(Pharmaceutical Quality for the 21st Century)」と呼ばれているこのイニシアチブは，規制当局間でより適切に一貫した意思決定を促進するために，重要領域にFDAの注力するリスクベースおよび科学ベースのアプローチを奨励している。イニシアチブに従って，このコンプライアンスプログラムには，製造工程と製品の理解度の評価，企業の製造準備状況の評価，申請内容への準拠，およびサイトで生成されるデータの信頼性の評価など，企業の査察を組み込んだ科学的でリスクベースのアプローチが含まれる。

1992年の処方箋薬ユーザーフィー法（PDUFA）は，2017年にPDUFA VI[注2]として再承認され，FDAの達成目標に基づいてNDAがタイムリーに審査されることを保証するために，申請者の支払い料金を設定している。これらの達成目標は，申請から承認審査期間が満たされるという議会の命令に基づいている。GDUFA IIとして2017年に再承認された2012年のジェネリック医薬品申請料の改定（Genetic Drug User Fee Amendments；GDUFA）は，2017年中に完全に実施されるANDA申請料金を設定した。

注2：処方箋薬ユーザーフィー法（PDUFA）

FDAが，医療用医薬品の承認審査期間短縮を目的として，申請者が審査費用を負担することを規定した法律。PDUFAは5年ごとに改正する必要があり，1997年（PDUFA II），2002年（PDUFA III），2007年（PDUFA IV），2012年（PDUFA V）および2017年（PDUFA VI）に更新された。2017年8月18日，米国大統領は，2022年9月までのPDUFAの再承認を含む，FDAの再認証法（FDA Reauthorization Act；FDARA）に署名した。PDUFA VIは，新薬および生物製剤ライセンス申請の継続的なタイムリーな審査を提供している。

申請料金は細分化されているが，その一部を示す（表4-5）。

表4-5｜申請料金

申請料金の種類	2020年	2019年
申請料金：臨床データ	$2,942,965	$2,588,478
申請料金：非臨床データ	$1,471,483	$1,294,239
プログラム料金	$325,424	$309,915

2017年，CDERとORAは，ヒト用医薬品の製造施設評価および査察（事前承認，事後承認，監視，および原因究明）に対するCDERおよびORAの役割と責任の概要を示している「ヒト用医薬品の製造施設評価および査察プログラムの統合：運用の概念（Facility Evaluation and Inspection Program for Human Drugs: A Concept of Operations）」という協定を締結した。このコンプライアンスプログラムに関与するFDA組織は，CDERのOffices of Pharmaceutical Quality（OPQ）とOffices of Compliance（OC），ORA部門，およびFDAの研究所が，未解決の品質問題を解決し，PDUFAとGDUFAの達成を確保するための取り組みとコミュニケーションの調整に取り組んでいる[注3]。申請内容の評価と承認前査察（PAI）の統合により品質リスクに対処する方法の詳細については，添付書A（本書では略）を参照のこと。

注3：本プログラムに関わっているCDER/ORAの部門

Center for Drug Evaluation and Research（CDER）

Office of Pharmaceutical Quality（OPQ）

- Office of Policy for Pharmaceutical Quality（OPPQ）
- Office of Process and Facilities（OPF）
  - Office of Pharmaceutical Manufacturing Assessment（OPMA）

- Office of Surveillance（OS）
  - Office of Quality Surveillance（OQS）

Office of Compliance（OC）
- Office of Manufacturing Quality（OMQ）

Office of Regulatory Affairs（ORA）
- Office of Operations
- Office of Pharmaceutical Quality Operations
- Office of Medical Products and Tobacco Operations
- Office of Policy and Risk Management

2 パートⅡ－実施

1．範囲

承認前施設の評価と査察は，申請書で指定または参照されている事業所がCGMP要件を遵守して，提案された製造作業を実行できること，および提出されたデータが正確で完全であることを保証することにより，販売承認申請書の評価をサポートすることである。

- **承認前施設の評価**：CDERは，ORAに参加して，販売承認申請書で指定した各施設に関する情報，製造中の医薬品，および申請書内の他の情報を考慮して，申請内容を品質の観点から，承認前査察（PAI）が必要かどうかを判断する。
- **承認前査察**：ORAは，CDERに参加して，商用製造品の品質と申請書，設備，およびCGMP要件への適合性を保証するために，製造プロセスと管理戦略の妥当性を評価する。CDERは，査察情報を他の情報と組み合わせて使用して，申請医薬品を承認するかどうかを決定する。

このプログラムは，査察範囲のリスクベース戦略も提供し，効率的なコミュニケーションを確立するための役割を明確にしている。PAI中に，必要に応じて（例えば，体系的なCGMP欠陥が発見された場合），査察の範囲を拡大して，コンプライアンスプログラム7356.002の対象範囲を追加できる。

2．戦略

A．PAIのリスクベースの決定

この改訂されたコンプライアンスプログラムは，FDAのリスクベースアプローチを強化し，申請書で提供される情報とFDAが施設に関して持つ情報を用いて，査察が必要かどうかを判断する。FDAが，十分な情報が利用可能であると判断した場合，PAIが必要ない場合もある。販売承認申請が提出されると，CDERは統合品質評価（Integrated Quality Assessment；IQA）チーム[注4]を編成して品質評価を実行することにより，承認前施設の評価を開始する。

注4：統合品質評価（Integrated Quality Assessment；IQA）チーム

統合品質評価チーム（IQA）の役割と責任を表4-6に示す。

表4-6｜統合品質評価（IQA）チーム

役割／務め	IQAチームの責任
科学的内容／初期リスク評価	申請技術指導官（ATL）/IQAチーム Application Technical Lead（ATL）/ IQA Team
プロセスとタイムライン	規制ビジネスプロジェクトマネージャー Regulatory Business Project Manager（RBPM）
原薬／ドラッグマスターファイルの評価	原薬審査官　Drug Substance Reviewer
製剤，ラベル，および添付文書の評価	製剤審査官　Drug Product Reviewer
製造プロセス／施設の評価	プロセス／施設審査官 Process/Facility Reviewer
必要な場合，バイオ医薬品の評価	バイオ医薬品審査官 Biopharmaceutics Reviewer
必要な場合，微生物学の評価	微生物学審査官　Microbiology Reviewer
必要な場合，事前承認検査	ORA主任査察官/OPQ審査官が参加 ORA Investigator Leads/OPQ Reviewer(s) Participate

IQAチームは，医薬品に関する患者中心のリスクベースの品質推奨事項を提供する。これには，製剤または原薬を製造，加工，包装，または保管および試験する施設の推奨事項が含まれる。IQAチームは，規制ビジネスプロジェクトマネージャー（regulatory business project manager）が主導し管理する原薬評価者，製剤評価者，OPF製造評価者，およびORA代表者で構成される。必要に応じて，追加の評価者を割り当てることができる。

品質評価を実行する際，IQAチームは，申請書に記載されている施設のPAIの必要性を，以下を評価することによって決定する。

- 製品リスクと製造リスク（プロセスと施設）
- 申請書で提供される情報の正確性と信頼性

製品の知識とリスク評価は，特定の製品の使用状況（例えば，治療指数[注5]，患者数，臨床的利益）における製品の重要な品質特性（CQA）に関連するリスクの理解に重点を置いている。医薬品の設計は，製品が患者のニーズを満たし，その提案された有効期間を通じて意図された性能を維持できることである。

注5：治療指数（therapeutic index）

治療指数とは，ある治療薬における治療効果を示す量と致死量の比較のこと。治療指数は，投与した動物の半数が死亡する用量である「半数致死量（LD_{50}）」を，投与した動物の半数が最小限の効果を示す用量である「半数効果用量（ED_{50}）」で除した値である。

治療指数＝LD_{50}/ED_{50}

ヒト等価用量（HED）に換算していないため，動物種によっては実際とかけ離れた治療指数となってしまうこともある。

製造プロセスのリスク評価は，製品のCQAに対するプロセスの影響を理解することに重点を置いている。プロセスは一般に，(1)変動の重要な原因が特定および説明されている場合，(2)変動がすべてのスケールでプロセスによって管理されている場合，および，(3)プロセスのパフォーマンスと製品品質の特性が適切かつ確実に制御されている場合によく理解され，管理されていると考えられる。

優れた製品とプロセスの理解とは，患者の観点から品質にとって重要な特性が特定され，製品のCQAに変換されていること，およびCQAに影響を与える材料特性とプロセスパラメータが特定され，特徴付けられ，管理されていることを意味する。

製造施設のリスク評価は，製造施設または試験施設の実証された機能と，販売承認申請書との関連性に焦点を当てている。これには，事業所の査察報告書（EIR）と施設の最近の製造履歴の精査，該当するフィールドアラートレポート（FAR），関連するリコール，規制/助言措置，および利用可能な外国の規制レポートが含まれるが，これらに限定されない。FDC法のセクション704(a)(4)(A)に基づくサイト関係書類と要求への回答は，施設のリスク評価を実施する上で必要な情報を提供する場合がある。申請書をサポートするための，サイトからの情報の正確さと完全性の評価も，PAIの必要性を判断する上で重要な要素である。

PAIは，品質データの正確性と信頼性を確認する必要がある場合にトリガーとなる。これは，医薬品の安全性，有効性，および品質を決定する上で重要である。さらに，PAIをトリガーして，施設の運用が申請書で提案されている運用と一致することを確認できる。結論として，IQAチームは，申請書の累積リスク評価に基づいてPAIの必要性を判断する。

B. 目的別査察

PAIには3つの主要な査察目的があり，それぞれはIQAチームの申請書の評価と，施設のリスク評価中に特定された懸念と潜在的なリスクを考慮する戦略が必要である。

- 目的1：商業製造のための準備性
- 目的2：申請書への適合性
- 目的3：データインテグリティ監査

PAIの適用範囲は，事業所で実行された特定の責任と，同じ事業所で製品とプロセス固有のプロファイルクラス，操作，および以前に査察した操作との比較に基づいている。これらの目的に関連する査察および監査手法の詳細については，このコンプライアンスプログラムのパートIII-査察（p. 183）を参照のこと。

PAIでは，少なくとも1つの目的に対処する必要がある。PAI中に重大な問題が観察された場合，このプログラムは査察戦略の調整を可能にしている（例えば，Program 7356.002に基づいてPAIカバレッジを拡張する）。

3. プログラム管理手順

A. NDA/ANDA施設の評価と査察

NDAまたはANDAを受け取ってから60日以内に，Office of Process and Facilities（OPF）は，PAIを派遣するか地区事務所による書類審査（DFR）要請をORAに送信するか，Panorama[注6]を介して推奨された施設に立ち入る。

注6：Panorama（ITシステム）

Panoramaは CDERの業務フローと文書管理に使用されているITシステムである。CDERには約6,000人の従業員がおり，そのうちの約80%が審査担当者である。FDAの各センターは，年間に数千の文書を受け付け，審査とコメントのための厳格なタイムラインに従っている。CDERだけで，年間約150のNDAおよびBLA承認申請書，約1,600のANDA，および約400のINDを受け付けている。Panoramaは，審査官の割り当て，審査状態と結果の追跡，チーム内のコミュニケーションなどの主要機能の管理に使用されている。

PAIリクエストの場合：

- OPFは，OPF決定/要請タスクを介してPAIを要請し，正当な理由を明らかにし，特定されたリスクと懸念に関する査察戦略に関する具体的な情報を提供する。
- ORAは要請を評価し，査察スケジュールをOPFに通知する。可能な限り，ORAとCDERは，申請書の評価と査察活動の計画とタイミングについて協力し合う。ORAの評価によりPAIが保証されていないことが示された場合，最終決定はOPFと共同で行われる。リクエストを受け取ってから10営業日以内に，ORA事前承認プログラムマネージャー（ORA PAM）は，ORAの推奨事項とともに，Panoramaで査察を開始しない理由を入力する。
- ORAが査察を主導し，CDERは適切な同意（CDERおよびORA管理者）を得て参加する。
- 査察チームはその結果を報告し，PAMを介してOPFに推奨を提供する。査察チームのすべての参加者（CDERおよびORA）は，EIRの一部とサポートを主任査察官に提出する責任がある。
- OPFは，申請書のコンテキスト内で査察チームの結果を評価し，関連する観察結果または懸念事項をIQAチームに伝える。
- ORAからのPAIの差し控え，またはOPFによって指摘された重大な不備について，OPFは査察チームの査察結果と企業の対応を評価し，対象のPAIと申請書に対する企業の妥当性について最終的な勧告を行う。OPFは最終的な推奨事項（同意/非同意）をORAに通知する。

DFRリクエストの場合：

- OPFは，OPF決定/要求タスクを通じてDFRを要請する。
- ORAには，承認申請施設に立ち入る，承認を保留する，またはPAIで応答するために10営業日がある。DFRに続いてPAIを開始する決定は，OPFと共同で行われる。PAIが決定されると，上記の「プログラム管理手順」が適用される。

- 保留勧告については，ORAがOPFに勧告の根拠を伝える。OPFは理論的根拠を評価し，対象のPAIと申請書に対する企業の妥当性に関する最終的な推奨を行う。OPFは最終的な推奨事項（同意/非同意）をORAに通知する。

B. スケジュールと準備

PAIは，申請処理タイムライン目標日のかなり早い時期に要請および実行する必要がある。PAIを計画するとき，ORAは，(1)PAI中に観察された懸念を解決する申請内容の評価プロセスへの利点を検討し，(2)PAI後に企業と申請者がそのような懸念に対処するための十分な時間を与える必要がある。

PAIは，効率的な査察範囲のために，他の査察プログラムと一緒に計画される場合がある。ORA管理部門は，次のような特定の状況下で，Program 7356.002に従ってシステムベースのCGMP査察を追加する場合がある。

- 事業所は，リスクベースのサイト選択モデル〔本書の第1章「1.4 リスクベースに基づくサイト選択モデル」(p. 38) を参照〕でCDERのサイト監視査察リストに含まれている。
- 原因究明査察が発行されている。
- PAIの査察結果は，販売されている製品をカバーする必要があることを示している。

ORAは，PAIが実施される前に事業所に連絡する場合がある。査察計画が開始され，事業所が査察の準備ができていない場合，事業所は，文書による説明と査察が可能になる日付を提示する必要がある。

事業所または申請者による計画された査察の延期は，FDAが申請を評価する時間枠に影響を与える可能性のある記録または情報へのアクセス遅延がある場合と同様に，OPFに迅速に報告する必要がある。

CDERは，次の活動を実行してPAIの準備をする必要がある。

- IQAプロジェクトマネージャーは，ORA PAM，査察官，または部門指名者を招待して，申請に関するIQAミーティングに参加させる。
- OPF製造評価者は，IQAチームから査察上の懸念を収集し，これらの懸念をORA PAMおよび査察官に書面で通知する。OPF製造評価者は，現場でこれらの懸念事項をカバーするための洞察とアドバイスを提供する。査察官はこれを使用して，査察計画書を作成できる。

査察官は，以下の活動を実施することにより，PAIの準備をする必要がある。

- 申請書の化学，製造，および管理（CMC）部門と，査察対象事業所に関連するドラッグマスターファイル（DMF）に精通するため，可能であれば，査察を開始する前に医薬品開発セクションを精査すること。
- 必要に応じてIQAミーティングに参加して，申請に関する情報や意見提供を求める。また，必要に応じて，適切なIQAチームメンバーと，データの信頼性に関連する質問/懸念（試験方法，成績表，原材料の特性，最終製品の規格の妥当性など）について話し合うこと。

査察中に他のIQAチームメンバーが特定の領域のデータ監査範囲を必要とするかどうかを決定すること。
- 査察範囲を計画するときは，提出申請書に関する質問についてOPF製造評価者に連絡すること（この活動は，ORA PAM，査察官，または指定者が実行できる）。
- 他の査察チームメンバーと一緒に，査察対象の事業所と製品に固有で，このプログラムの目的と査察およびデータ監査手法に沿った査察計画を作成する。企業の履歴と以前の査察からのForm 483の指摘内容を確認する。

多くの場合，申請書には企業秘密や機密の商業情報が含まれており，FDAの外部への流出を防ぐために，情報は慎重に保護することが不可欠である。査察担当部門は，申請情報の不正使用または流出を防止するために，アクセス制御ファイリングシステム（controlled access filing system）を確立することが期待されている。

C. 査察チーム

ORAはNDAおよびANDAのPAIをリードし，CDERはCDERおよびORAの適切な同意の上で参加する。ORA部門は，必要に応じて，経験豊富な査察官と分析官をPAIの実施に割り当てる。また，他のオフィス，国の専門査察官（医薬品），または医薬品査察官に直接サポートを要請することもできる。そのような追加資源からのサポートは，地域事務所の人材確保に限界がある場合，PAIの実行能力に影響を与える場合に特に価値がある。PAIを実施するチームメンバーは，適切なトレーニングと経験を持っている必要がある。

4. 申請書評価統合の重要性

医薬品の品質の観点から各申請書に関する科学に基づく承認決定を達成するには，申請書と関連施設の統合評価が必要である。これにはFDAの複数の分野からの入力が必要なため，意見の相違が生じる可能性がある。PAIプログラムに関与するFDAのオフィスは，「平等な意見哲学」でカバーされている。この哲学の下では，申請に関する重要な決定ではすべての適切な専門知識を考慮する必要があり，医薬品承認申請書の審査と評価において役割を割り当てられた各FDA事務所からの視点は価値がある。この同等の意見環境は，実際には，各組織部門が以下の場合に実現される。
- 各貢献を統合して，学際的なチームの決定を強化する。
- すべてのチームメンバーが，責任が認められている分野についての見解を表明できる環境を提供する。
- 迅速な解決のための管理チェーンを通じて，未解決の意見の相違を迅速に提起するための手段を確保する。
- 大幅に異なる見解を含む，決定を文書化した完全かつ適切な記録で，透明性を維持する。

3 パートⅢ－査察（CDER）

1．NDA / ANDA査察/監査の対象範囲，目的，および手法

本セクションでは，各PAIに対処するために必要な査察/監査カバレッジのタイプと深さについて，適切な規制の引用とともに説明する。

A．目的のまとめ

（1）目的1：商業製造の準備

当該事業所は，施設および商業製造業務を十分に管理できるように設計された品質システムを備えているかどうかを判断する。

- **目的1a**：原薬の開発および最終製剤の製造に関連する製造および試験室の変更，逸脱，傾向が適切に評価されている。
- **目的1b**：堅牢なサプライヤーの認定プログラムを含む，成分〔医薬品有効成分（API）を含む〕，中間生成物，最終製品，容器，および材料または製品の出荷を目的とした閉塞具をサンプリング，試験，および評価するための適切なプログラムを確立している。
- **目的1c**：応用製品（またはAPI）の汚染を防ぐために，施設と設備の十分な管理が行われている。
- **目的1d**：バッチ出荷，変更管理，不適合，逸脱，苦情，および有害事象の調査，およびこの情報をFDAに（FARなどを通じて）報告するための適切な手順が存在する。
- **目的1e**：提案された商業的製造プロセスおよび製造バッチの記録（指示，製造パラメータ，工程管理手段を含む）は，実現可能で，科学的かつ客観的に正当化される。この目標は，製品のライフサイクル全体にわたる企業のプロセスバリデーションプログラムにリンクされている。

（2）目的2：申請書への適合

調製，製造，または加工方法を確認する。分析（または試験）方法：バッチレコードは，申請書のCMC部門[注7]に含まれる説明と一致している。これには，見本バッチ（exhibit batches）[注8]，バイオバッチ，その他の重要な臨床バッチ，および提案された商業規模の製造工程に関連するCMC情報が含まれる場合がある。

注7：CMCとは

CMCとは，原薬や製剤の承認審査に必要な申請書類に記載されるChemistry（化学）・Manufacturing（製造）・Control（品質管理）の情報のことである。広義には医薬品の開発から製造および品質管理までを一貫して行う概念自体を指すことが多い。例えば，製剤処方の開発，製造法研究，品質規格の設定，試験法の開発なども，CMCに含まれる。

注8：見本バッチ

見本バッチとは，FDAに届け出る製品登録取得のための製造バッチで，商業バッチサイズの少なくとも1/10量のサイズである。このバッチは，必要に応じて生物学的同等性試験の実施に使用できる。

(3) 目的3：データインテグリティ監査

製品に関連付けられている施設の生データを監査および確認する。この情報は，特に，申請書のCMC部門で提出されたデータを，CDERでの評価に関連し，正確で，完全で，信頼できるものとして認証するのに役立つ。

B. 目的の詳細な記述

(1) 目的1：商業製造の準備

事業所が，施設および商業製造業務を十分に管理できるように設計された品質システムを備えているかどうかを判断する。

(a) 目的1a：原薬の開発および最終製剤の製造に関連する製造および試験室の変更，逸脱，傾向が適切に評価されている。

関連する試験室，設備のメンテナンス，製造（開発バッチなど）の調査など，提案された商業的製造プロセスに関連する調査が適切に評価されているかどうかを評価する。開発の問題に関する調査報告書または結果として生じる変更管理報告書は，市販医薬品に必要なほど包括的ではない場合がある。

それにもかかわらず，企業は，すべての開発データと情報を適切に文書化し，記録し，客観的に評価する必要がある。申請書に関連する逸脱の例には，次のものを含む。

- メソッドバリデーション（method validation）の実施中または実施後に発生した，以下のような試験室の問題。
  - 見本バッチ，バイオバッチ，またはプロセスバリデーションバッチの安定性，工程管理試験，および出荷試験中に特定された予期しない試験室イベント（規格または許容基準の範囲外の結果を含む）。
  - メソッドバリデーション（特に最終段階で発生した可能性のある問題）または技術移転の実施中に発見された矛盾。
  - 記載された方法を使用できないために，メソッドバリデーションまたは技術移転を完了した後の分析方法の変更。
- 次のような提案された商用製造工程に影響を与える可能性のある，関連する設備の保守点検と性能の問題。
  - 提案された商用バッチ記録での使用が計画されている，商用設備に関連する校正の失敗。

－提案された商業バッチ記録での使用が計画されている商業設備の性能と能力に関連するCGMP調査と傾向。
－事業所で同様に製造された上市済み最終製剤に関連するCGMP製造調査（例えば，重大な逸脱，拒否，苦情/返品）および傾向。
－重大な設備の故障。

これらの調査を評価して，事業所が商業規模で提案された商業的製造プロセスの準備ができているかどうかを判断する。これには，最も可能性が高く重大な問題を検出して軽減するための適切な管理があることも含まれる。

最終製剤の関連規制：21 CFR 211.67(a)は，設備の保守点検，清浄，および消毒に対応している。分析方法のバリデーション/ベリフィケーションについては，21 CFR 211.160～211.167および211.194を参照のこと。製品の逸脱と原因調査に関する規制については，21 CFR 211.100，211.192，および211.198を参照のこと。

APIの関連ガイダンス：設備の予防保全，清浄，および消毒については，ICH Q7（原薬GMP）ガイドラインのセクションXII.H 分析法のバリデーションを参照のこと。製品調査に関するガイダンスについては，ICH Q7のセクションVI.E バッチ製造記録，VI.G バッチ製造記録レビュー，VIII.A 製造業務，およびXV 苦情と回収を参照のこと。

(b) 目的1b：材料または製品を出荷するための，堅牢なサプライヤーの認定プログラムを含む，医薬品原料（APIを含む），中間製品，最終製品，容器および閉塞具のサンプリング，試験，および評価するための健全で適切なプログラムが確立されている。

バッチ記録に記載されているものを含むサンプリング計画と手順を確認し，事業所の医薬品原料，中間製品，最終製品へのサンプリング手法を評価する。サンプリング計画では，代表的なサンプルが収集され，製品品質の検証として試験/検査されることを確認する必要がある。サンプルの選択方法，採取したサンプルの数，採取したサンプル数の統計的基準，許容できる品質と許容できない品質の限界は，科学に基づいた適切なものでなければならない。

サンプリング計画の妥当性を判断するときは，提案された商業的製造プロセスの経験の範囲を考慮すること。また，プロセス内のこれらのポイントは一般により広範なサンプリングを必要とするため，クリティカルまたはプロセスの脆弱性のある領域には特別な注意が必要である。例えば，企業はプロセス解析工学（process analytical technology；PAT）[注9]の使用を検討する場合がある。

注9：PAT(プロセス解析工学)

リアルタイム測定または迅速測定を行うツールおよびシステムである。医薬品の開発中または製造中におけるプロセスパラメータのモニタリングや管理に用いられる。最終製品の品質保証を目標として，原材料や中間製品の重要な品質や性能特性および工程を適時に（すなわち製造中に）計測することによって，製造の設計，解析，管理を行うシステムのこと。

外部供給業者から複数ロットの医薬品原料を購入する最終製剤の事業所では，供給業者の変動性と仕様基準を評価すること。最終製剤とAPI事業所については，当該企業は，医薬品原料，中間製品，および最終製品のバラツキに関する統計的基準を，仕様基準と比較して確立する必要がある。それが正当であると部門が信じる場合，医薬品原料の原因究明サンプルを収集できる。採取前に，FDAラボに指示を求めること。

最終医薬品の関連規制：21 CFR 211.160では，サンプリング計画（および基準）が科学的に正しく，適切である必要がある。21 CFR 211.165では，バッチ出荷の前に，最終製剤のサンプリング計画を書面で作成し，適切な統計学的品質管理基準を満たす必要がある。21 CFR 211.110，211.134，および211.166は，それぞれ，製造中の材料，ラベル，および安定性試験との関連においてのサンプリングに対応している。また21 CFR 211.84は，医薬品原料，医薬品容器，および閉塞具のサンプリングが代表的であることを要求している。

APIの関連ガイダンス：ICH Q7のセクションXI.A 一般管理を参照のこと。これは，サンプリング計画が科学的に適切であること，およびサンプリング手順を文書化することを推奨している。このセクションでは，原材料，中間製品，API，ラベル，包装材に関連するサンプリングについても説明している。ICH Q7のセクションVII.C，新たに入荷した製造原材料等の検体採取および試験では，サンプルは，それらが取得される材料のバッチを代表するものであることを推奨している。ICH Q7のセクションXI.F 使用期限および再試験日では，再試験を実行する上でのサンプリングを扱っている。

(c) 目的1c：申請製品（またはAPI）の汚染を防ぐために，施設と設備の十分な管理が実施されている。

この要素の適用範囲は，新しい建物または施設の設計，潜在的なリスクをもたらす既存の設備の新しい使用（高活性製品の追加など），または審査中の申請書に固有の設備の操作に対してである。施設を査察するときは，ユーティリティシステム（精製水システムの配管や空気処理システムなど）の設計図，間取り図，または完成図を確認した後，企業の業務を観察する。

施設が，特定の申請製品に有害となる可能性のある汚染を防ぐように設計された施設，設備の清浄化，保全，およびユーティリティシステムの管理が整っている（または計画されている）ことを確認し，交叉汚染を防ぐための管理が整っていることを確認する。申請製品を対象とした新しい建物，新しい設備の設置，および資材/人員の流れに関連する既存の施設または慣行に対するその他の重要な変更を査察する。

事業所の申請提案に関連するCGMP要件への準拠を評価する。製品が施設内での既存製品を汚染する可能性がないことを確認するために，人間に非常に強力または潜在的に感作性のある新製品または市販製品に特に注意を払うこと。

最終製剤に関する関連規制：21 CFR 211.42～211.67では，汚染を防止し，組織化された運用を確保するために施設と設備の管理が必要である。

APIの関連ガイダンス：ICH Q7のセクションIV.A（設計と建設）からV.B（装置の保守および清掃）を参照のこと。これらは，汚染を防ぎ，組織化された運用を確保するための施設と装置の管理を推奨している。

(d) 目的1d：バッチの出荷，変更管理，不適合，逸脱，苦情，および有害事象の調査，およびこの情報をFDAに（例えば，FARを通じて）報告するための適切な手順が存在する。

事業所の品質と変更手順を確認し，必要に応じて，事業所のすでに販売されている医薬品のコンプライアンス手順を監査する（例えば，実際の欠陥，逸脱，苦情調査，必要に応じてFDAへの提出を含む関連する薬物有害事象報告（adverse drug experience reports)。薬物有害事象（ADE）の報告に関する規制は，処方箋薬および申請製品のみを対象としている。事業所の既存の苦情処理および報告手順に重大な問題が見つかった場合，査察部門はProgram 7353.001「市販後医薬品の有害事象（PADE）報告査察」に基づくADE報告システムの直接査察を推奨することを検討する必要がある。

最終製剤の関連規制：21 CFR 211.192および211.198は，失敗と苦情の調査に対応している。21 CFR 211.100は，書面による製造手順からの逸脱に対処している。21 CFR 314.81 (b) (1) は，FARをFDAに提出するための要件である。21 CFR 314.80は，申請製品のADEレポート要件に対応している。また21 CFR 310.305は，承認されたNDAなしでのヒト用の市販処方箋薬のADE報告要件に対応している。

APIの関連ガイダンス：欠陥と苦情の調査および文書化された製造手順からの逸脱に関するガイダンスについては，ICH Q7のセクションVI.E バッチ製造記録，VI.G バッチ製造記録レビュー，VIII.A 製造業務，およびXV 苦情と回収を参照のこと。

(e) 目的1e：提案された商業的製造プロセスおよび製造バッチの記録（指示，製造パラメータ，およびプロセス管理手段を含む）は，実現可能であり，科学的かつ客観的に正当化できる。この目的は，製品のライフサイクル全体にわたる企業のプロセス検証プログラムにリンクしている。

査察の本質的な部分は，提案された商業的製造プロセスと製造バッチ記録の正当性を評価することである。申請提出時に完了したプロセスバリデーション活動の範囲はさまざまであるが，少なくとも，ステージ1プロセスバリデーションのデータが利用可能である必要がある。プロセスの実現可能性を確立するには，ステージ1のプロセスバリデーション開発研究と，製造工程の脆弱性（原料の変動性の影響を含む）について得られた知識を評価し，企業が実施した各バリデーション研究の目的を決定すること。

例えば，申請書での最終製剤のCQAに直接関連するプロセス制御またはプロセスパラメータを確立するために実施されたバリデーション研究を精査する。これらには，ワーストケースまたは境界条件の研究が含まれ，実証済みの許容範囲を確立するか，または実験計画，または多変量解析モデリングを含むより洗練された研究を含むかもしれない。

プロトコールとその実行，およびデータと結論の信頼性を評価する。書類提出された製造手法をサポートするための不十分なデータ，または査察中に提供されるマスターバッチ記録をForm 483に含めること。この評価には，企業のスケールアップ研究の精査が含まれる〔例えば，バイオバッチまたは重要なバッチから，より大きな（中間またはフル）スケールのバッチに〕。

スケールアップ研究が完了し，知識が得られると，企業には提案された商業的製造プロセスを変更する必要があるかもしれない。このような変更だけでは違反ではなく，欠陥として挙げるべきではない。ただし，可能であれば，これらの調査結果をOPF製造評価者と話し合って，このような変更がこのコンプライアンスプログラムの目的に与える影響を判断すること。

追加のプロセスバリデーション活動，および追加の計画された研究とその目的を完了するための企業の計画されたタイムラインを決定して報告すること。PAIの時点では必須ではないが，プロセスバリデーションのステージ2を含む特定の計画された研究の完了により，製品が商業規模で確実に製造できることが示される場合がある。完成した最終製剤を出荷するために必要なプロセスバリデーション活動（ステージ2，プロセスパフォーマンス適格性の完了）を完了したと企業が述べた場合，これらの研究と結論を完全に監査および評価すること[注10]。

注10：プロセスバリデーション活動

FDAが2011年1月に公表したガイダンス「プロセスバリデーション：一般原則と実践（Process Validation : General Principles and Practices)」では，プロセスバリデーションの定義を「プロセスの設計段階から商業生産まで，プロセスが一貫して高品質の製品を提供できるという科学的根拠を確立するためのデータ収集と評価」とし，Stage 1 : Process Design（プロセスの設計），Stage 2 : Process Qualification（プロセスの適格性），Stage 3 : Continued Process Verification（継続的プロセスベリフィケーション）と進む（図4-4）。

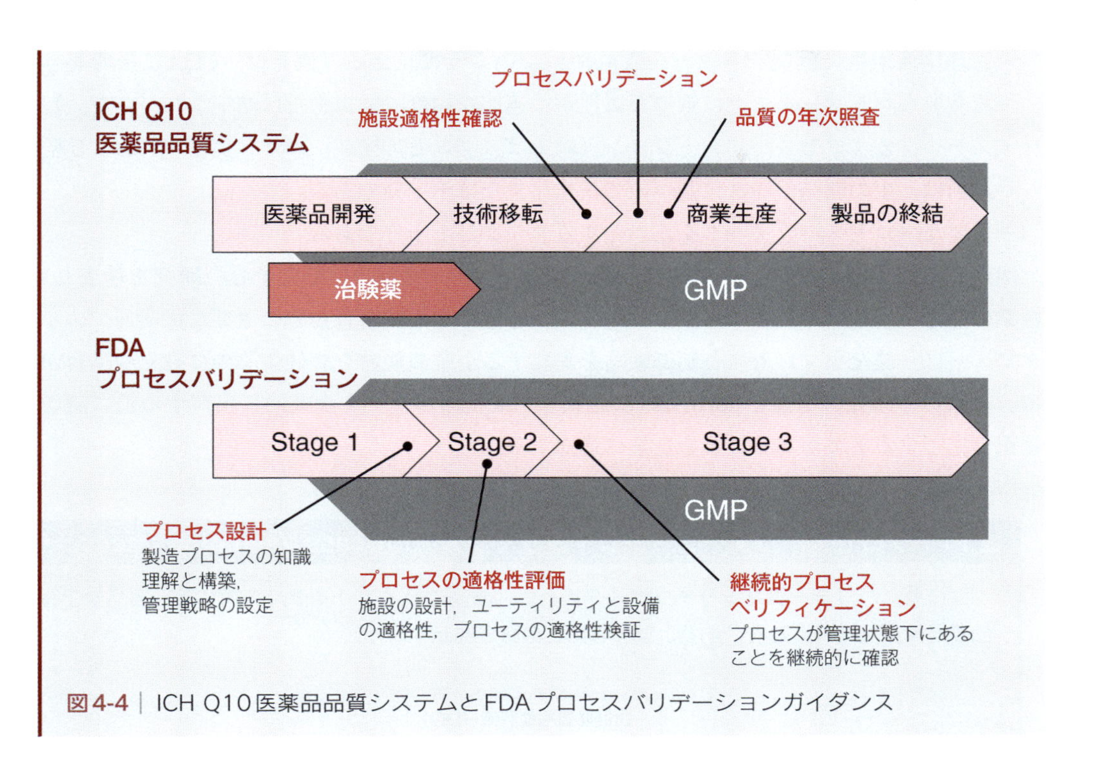

図4-4｜ICH Q10医薬品品質システムとFDAプロセスバリデーションガイダンス

これらには，重要な製造ステップのための製造パラメータと他の製造指示を科学的に最適化するための研究と実験が含まれる。追加の研究には，通常，検証された商業規模の設備とユーティリティ，および訓練を受けた製造作業員を使用して，マスターバッチと製造管理記録に従って現場で製造される商業規模のバッチ（適合バッチ）が含まれる。

これらの商業規模研究は，通常，正式なプロトコールに従って実施され，商業発売前にプロセス設計を確認することを目的としている。また，公称製造条件での再現性と一貫性のレベルも確立する。これらのステージ2 プロセス検証研究からの企業の結論の1つは，商業的製造プロセスがCQAを満たす高品質の製品を一貫して提供できるという点で高水準の保証が達成されることである。

PAIの時点では必須ではないが，CDERによる製造承認が得られたら，製造業者には製造プロセスの十分な継続的評価（ステージ3，継続的プロセスベリフィケーション）を計画することが期待される。

製造されたバッチの結果とデータを徹底的に調べて，商業管理戦略に未解決の問題が存在するかどうかを判断する。以下は，フォローアップが必要な状況の例である。

- 医薬品またはAPIがCQAを満たしていないため，根本的な原因が特定されていない。
- バッチレコード，工程管理試験データ，またはプロセスモニタリング記録が，予期しない非常に変動性のあるプロセスを示しているが，その理由が不明である。
- バッチ記録と製造指示の一貫性のない実行，または作業員の回避策（不十分なプロセス設計またはトレーニングの可能性を示す）。

・管理措置が生の開発データと一致していないように見える（例えば，CQAに影響を与える重要なパラメータまたは重要な属性が，適切な頻度で監視または測定されていない)。
・ステージ2 プロセスバリデーション（例えば，プロセス検証）のサンプリングおよび監視計画は，生の開発データに基づいて正当化または不十分である。
・重要なプロセスパラメータを正当化するデータが不十分である。

関連する医薬品のプロセスバリデーションライフサイクル[注11]で完了した研究を精査して，企業の能力と手順を評価する。バリデーションを指導する技術者などの主要な従業員へのインタビューは，健全なプロセスと制御戦略を実装する企業の能力を評価するのに役立つ場合がある。これらの研究の不備をForm 483に記載し，最初のバッチを商業的に出荷する前に適切な是正を完了する必要があることを企業に通知する。

注11：プロセスバリデーションライフサイクル（Process Validation Lifecycle）

プロセスバリデーションライフサイクルとは，製品のライフサイクルを通じて，製品や工程の妥当性検証を行うことである。図4-5にこの概念を示す。

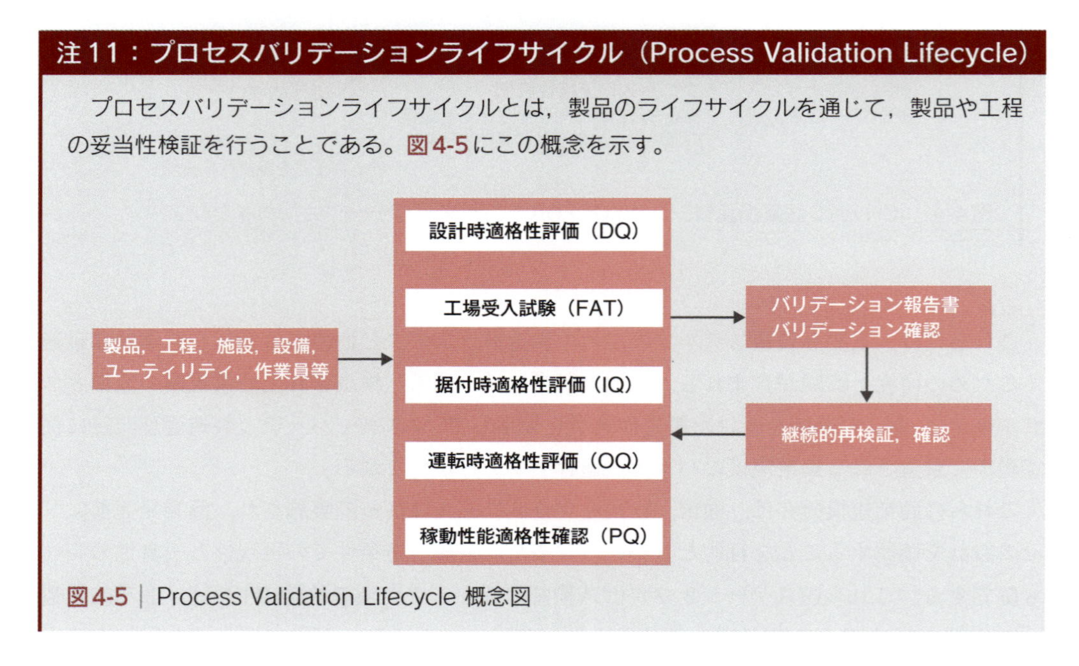

図4-5 | Process Validation Lifecycle 概念図

十分なプロセスバリデーションライフサイクルカバレッジを提供できない場合は，査察報告書にその旨を明記すること。査察部門は，次の監視または承認後の査察時にこれらのプロセスをカバーする必要がある。

申請者はFDAのガイダンスに従って，CDERとより多くの製品およびプロセス開発情報を共有することが推奨されているため，ORAとCDERによる情報の精査は重複する場合がある。

査察官は，提案された商業的製造プロセスの査察評価にCDERの洞察を組み込み，施設のステージ2 プロセスバリデーション計画（つまり，プロセスパフォーマンス適格性計画）の妥当性に関する査察結果をOPFと話し合う必要がある。査察官は，企業とプロセスパフォーマンス適格性計画の問題について話し合い，その議論をCDER審査のためにEIRに文書化し，該当する場合はForm 483に関する適切な所見を文書化する必要がある。

OPQでは，承認が付与される前に無菌充填および滅菌工程がバリデートされていることを示すために，特定データの提出を要求する場合がある。OPFによるこの要約情報の審査は，これらの業務に対するFDAの実地査察によって補完される。施設でのプロセスバリデーションの妥当性を評価することは，再現可能なプロセスを確実に実装するために重要である。

査察官は，査察した事業所がプロセス開発活動および研究の一部を実行する責任を負わず，また，開発研究の報告書が査察に利用できないことに気付く場合がある。査察官は，プロセス開発に関係する各事業所に関する情報（名称，住所，責任者，実行した作業など）を収集する必要がある。この情報はEIRに含める必要がある。次に，OPF製造評価者は，追加の施設を評価または査察する必要があるかどうかを判断する。

最終製剤の関連規制：21 CFR 211.100(a)および211.110は，適切に設計された再現可能なプロセスを開発する必要があり，21 CFR 211.22は品質部門の責任をカバーしている。無菌および滅菌プロセスは，21 CFR 211.113(b)および211.42による検証が必要である。

APIの関連ガイダンス：プロセス検証に関するガイダンスについては，ICH Q7のセクションXII.A（バリデーションポリシー）からXII.E（プロセスバリデーションプログラム）を参照のこと。

(2) 目的2：申請内容への適合

調製，製造，または加工方法を確認する。分析（または試験）方法; バッチレコードは，申請書のCMC部門に含まれる説明と一致している。これには，見本バッチ，バイオバッチ，その他の重要な臨床バッチ，および提案された商業規模のプロセスに関連するCMC情報が含まれる場合がある。

この目的に対処するには，次の活動を実行する。

- 製造ライン，単位操作－スケールとタイプの両方（無菌操作または滅菌工程を含む），および試験室の手法を観察し，申請書（またはDMF）のCMC部門で提出された記載やバッチレコードと比較する。
- 詳細な製造記録を監査し，申請書で説明されている製造方法の一般的な説明との整合性を確認する。バイオバッチと他の重要なバッチを確認し，それらを商業規模の製造プロセスと比較する。実際の製造記録（重要な臨床ロット，バイオバッチ，見本バッチなど）を申請書に記載されている製造方法と比較し，有意差が見られる場合はOPFに連絡のこと。また，有効期限（または再試験日）の決定のために安定性試験バッチが，提案された市販製品を代表するものであることを確認することも重要である。
- バイオバッチ，登録/見本バッチ，および安定性バッチのサイズがCMC部門で報告されているとおりであることを確認する。バイオバッチ，または重要な臨床バッチの場合，FDAは必ずしも製造施設を訪れるとは限らない。ただし，バッチに関連する記録を評価し，それらの製造内容を理解するためにあらゆる努力を払うことが重要である。
- 申請書に記載されている試験の分析バリデーションの査察範囲には，医薬品原料，中間製品，および最終製品の試験方法が含まれている必要がある。提出された方法と施設で使用されている方法を比較する。各試験方法のバリデーションデータと報告書を確認して，提出された方法と規格に大きな違いがないことを確認する。

- 試験室での逸脱，傾向，および方法の信頼性の欠如の他の兆候を含む，PAI中の方法の実際のパフォーマンスを査察する。PAI中に，すべての方法をカバーする必要があるわけではない。カバレッジは，査察中の製品申請に固有の，実行が技術的に複雑な，またはリスクの高いCQAを測定する方法/試験に特に与えられる必要がある。IQAチームとの協議は，そのような方法を特定するのに役立つ。
- 査察対象の事業所が分析のためにFDAにサンプルを送付した場合は，サンプルに関連するすべての記録を監査する〔以下および本コンプライアンスプログラムのパートIV（p. 197）で説明している〕。
- バイオバッチの信頼性に疑問を呈した知見，またはFDAに提供されたバイオバッチからのサンプルが，実際には申請書で指定されたバイオバッチ（CMC部門に提出されたもの）からのものではないかどうかをできるだけ早く報告すること。監査に適した候補と考えられる記録には，出荷記録，機器使用ログ，在庫記録，分析試験結果，および関連する調査/スケールアップバッチ記録が含まれる。
- 生データと試験記録を調べて，バイオバッチと最終製品で使用される医薬品成分の提出済みデータ，およびバイオバッチ製造に関連する記録とを比較する。査察の前にCDERの申請書審査官と協議することは，バイオバッチと提案された商業的製造プロセスの同等性を確立するために，重要成分の特性，完成品の規格，および製造方法を知ることが不可欠である。
- 試験室の手法を査察し，研究開発ノートを監査する。APIやその他の医薬品成分の在庫目録または受領記録の照査は，申請書で提出されたバッチ情報の内容との整合性を検証および評価する方法の1つである。
- API製造元がCMC部門で報告されたものと同じであることを確認し，他の記録が申請書で説明されているものとは異なるAPI製造元またはAPI品質を示さないことを確認する。提出申請書では，以前のサプライヤー以外のAPI製造業者である場合は，新しいAPI製造業者と以前の製造業者の品質を含む，同等性（不純物プロファイル，物理的特性など）を示すデータを監査する。

この目的に基づく申請書への適合性は，目的3のデータインテグリティ監査に関連している可能性がある。これには通常，申請書に提出された情報の事実上の完全性と，その提出された情報をサポートする情報内容の完全性の検証が含まれる。

最終製剤の関連規制：21 CFR 314.50（D）（1）（ii）（b）は，バイオバッチの提出，安定性バッチ情報，および完成品の試験結果に対応している。21 CFR 211.165，211.166，および211.188で関連するCGMP規制を参照のこと。医薬品成分の品質は，21 CFR 211.80および211.84で対処されている。製造および工程管理記録は，21 CFR 211.188に従って作成および処理される。記録は，21 CFR 211.180，特に(a)および(b)に従って維持する必要がある。方法は科学的に健全であり，21 CFR 211.160〜211.167に従って検証される。

APIの関連ガイダンス：APIの試験，バッチレコード，安定性モニタリングの結果については，ICH Q7のセクションXI.A 一般的なコントロール，XI.B 中間体とAPIの試験，XI.E APIの安定性モニタリング，およびVI.E バッチ製造レコードを参照のこと。医薬品成分の品質については，ICH Q7 セクションVI.C 原材料，中間体，API表示，および包装材料の記録で説明されている。記録の保全については，ICH Q7のセクションVI.A 文書化システムおよび規格で説明されている。また，分析方法が科学的に適切で検証されている必要性については，ICH Q7のセクションXII.H 分析手法のバリデーション，およびXI.A 一般的な管理で説明されている。

(3) 目的3：データインテグリティ監査

製品に関連付けられている施設の生データを監査および確認する。この情報は，特に，申請書のCMC部門で提出されたデータを，CDER評価に関連し，正確で，完全で，信頼できるものとして認証するのに役立つ。

製品の施設から報告されたデータの正確性と完全性を監査する。この目的を達成するために，すべてのCMCデータの要約を監査する必要があるわけではない。査察戦略は，医薬品開発（例えば，製剤開発，プロセスバリデーションのステージ1）から主要なデータセットを選択するか，または申請書で提出されたデータをランダムに選択する。一般に，最終製剤の安定性，溶解，含有量の均一性，およびAPIの不純物に関するデータは，この監査に適した候補である。

申請者は通常，要約表に加えて，最終製剤の性能と物理化学的特性について追加の試験を提出する。査察中に，クロマトグラム，スペクトログラム，ラボ分析ノート，およびラボからの追加情報などの生データ（ハードコピーまたは電子データ）をCMC部門に提出された要約データと比較する。生データファイルは，サイトから報告されたデータ/情報が完全で正確であるという結論を裏付けるものでなければならない。データの完全性に関する懸念の例には，異常な試験結果や提出されたクロマトグラフィーシーケンスの不在など，関連データを報告しないことを科学的に正当化できないことなどがある。

データの不一致が観察された場合は，関係する企業の担当者を特定すること。データの整合性の問題の原因となった活動または不活動を特定し，是正措置を実行または実行するかどうかを見極める。また，申請書で報告されているはずのデータが報告されていないかどうかも確認する。例えば，企業が行った確認は，以下のとおりである。

- 矛盾結果の十分な調査と解決なしに，不合格データ（つまり，規格外または好ましくない）を合格データ（つまり，規格内または別の方法で好ましい）に置き換えているか？
- 規格外の結果を不適切に無効にしているか？

以下は，データインテグリティの問題が考えられる兆候である。

- 生の元のデータと記録の変更（例：修正液の使用）
- 失敗したバイオスタディに関する記録，レポート，または情報。
- バイオスタディで使用される材料と保管サンプルで使用される材料間の不一致（例：色，形状，エンボス）。
- 提出書類に含まれる製造文書（実際に使用された装置の識別など）とその他の情報の不一致。
- 十分な根拠のない同じサンプルを使用したアッセイの複数の分析。
- 失敗した結果の提出を避けるために，安定性プログラムから特定のロットを除外する。
- 十分に正当化されていない，または適切に報告されていない再加工またはプロセスの変更。
- 十分に定義されていない分析手順および関連するデータ分析を操作して合格結果を取得する。
- 必要なコミットメントを満たすために，安定性試験結果をバックデートする。
- 試験を実行せずに許容可能な試験結果を作成する。
- 以前のバッチの試験結果を使用して，試験を別のバッチに置き換える。
- サイトでは，医薬品申請書またはそこで参照されているDMFに記載されている医薬品を実際には製造していない。

査察官は，査察結果が提出されたデータの信頼性に疑問を投げかけるかどうかをEIRで明確に示す必要がある。申請書に提出された特定のデータ/情報は，可能であれば参照する必要がある。申請書への影響を即座に評価するには，ORA部門がOPFにデータの信頼性の問題を迅速に通知することが不可欠である。そのような状況が観察された場合は，信頼できないデータを完全に文書化すること〔III.2.B 事業所査察報告書の完成（p. 196）を参照〕。

PAI中にデータの信頼性の問題に関するパターンが特定された場合，査察官は，Program 7356.002を使用して，施設で製造された市販製品の監視範囲を拡大することを検討する必要がある。拡大査察中に他の製品のデータの信頼性問題が文書化されている場合，これは，施設で製造されたすべての製品に関係するより広いパターンを示唆している。その場合，ORAはCDERがApplication Integrity Policy（AIP）の起動を検討するか，原因調査を計画してデータ信頼性問題の範囲をさらに定義するように推奨することを検討する必要がある。OCの製造品質局（OC/OMQ）の連絡先情報と手順は，AIPウェブサイトにある。

最終製剤の関連規制：21 CFR 314.50(d)では，CMC部門に「当局が申請を承認するかどうかについて知識豊富な判断を下せるように十分詳細なデータと情報」を含めることを要求している。21 CFR 211.160（一般的な要件），211.165（流通のための試験と出荷），211.166（安定性テスト），および211.167（特別なテスト要件）を含む，いくつかのCGMP規制では，ラボデータを収集して維持する必要がある。

APIの関連ガイダンス：XI.A（一般的な制御）からXI.E（APIの安定性監視）を含む，いくつかのICH Q7セクションでは，ラボデータを収集して維持する必要がある。

C. 査察中の査察官の質問と懸念

ICH Q7，Q8，Q9，Q10，およびQ11の原則に従って，FDAは査察の準備と実施に向けてより統合されたアプローチを実装している。CDERとORAは協力して，査察リソースを効率的かつ効果的に使用できるようにしている。CDERの査察参加者によって特定されたそれぞれの不備について，主任査察官と話し合って，フォローアップ活動と責任を明確にする必要がある。

査察中に発生する質問は通常，割り当てられたOPF製造査定者およびORA PAMに送信する必要がある。質問や懸念事項は，例えば，設備管理，プロセス管理，バッチリリース，品質保証，製造手順，製品開発の概要，製品属性，または試験方法に関連する場合がある。特定のアプリケーションに割り当てられたOPF製造評価者は，Panoramaに一覧表示される。

2. NDA / ANDA査察報告書

A. フォームFDA 483の発行

査察からの報告可能な観察結果は，FDA Form 483として事業所に発行される。これは，Investigations Operations Manual（IOM）の指示と一致している。PAI製品に関連する重大なCGMPの不備および申請との不適合の重要な事例は，Form 483に引用する必要がある。CGMP査察とPAI査察が同時である場合は，Program 7356.002およびIOMに従ってForm 483を整理すること。以下に示すのは，製品の品質に影響を与える可能性があり，Form 483に表示されるPAIの結果の例である。

- バイオバッチまたは安定性バッチのプロセスについて提出されたCMCの説明とは異なるPAIの知見，再現可能な製造作業を提供するための適切または十分かつ具体的に提案された商業バッチ記録の欠如，または商業操作をサポートすることを目的としたプロセスまたは装置を制御するための不十分な手順または指示。
- 提出されたCMCの処方，製造原理，使用した装置，または原材料ロット調製の不一致（企業の受領，在庫，または製造に使用の記録の不一致）。
- データの欠落または信頼性の低いデータ。
  - 申請書で提出された，信頼性または誤解を招く可能性のあるデータ / 情報，およびこれらのデータ / 情報の関連性。
  - クロマトグラフィーまたは分析シーケンスにおける説明のできないまたは不適切なギャップ。
- 試験結果を不適切に無視するパターン。
- データ / 情報を報告しないことの正当性の不十分または欠如。
- 分析方法のバリデーションプログラムの不十分，不一致，または失敗。
- 商業用APIまたは最終剤型をCGMP規則に準拠させることを目的とした施設，設備，または製造工程の適合性の欠如。
- CGMP規制に対するその他の特定の不適合（条件，慣行，手順など）。

B. 事業所査察報告書の完成

査察チームは，IOM（第5章）の指示に従って説明的なEIRを準備する。EIRは次のように完了する必要がある。

- EIRの製造/設計運用部門をPAIの目的別に整理する〔このコンプライアンスプログラムのパートII（p. 177）で説明〕。
- 割り当てられた申請書に関連して，査察した企業の責任を簡潔に説明すること。
- このコンプライアンスプログラムに記載されているように，製造工程を説明し，査察中に提供された領域を要約する。
- IQAチームから伝えられた特定のデータ，対象となる領域，引用，経営陣との話し合いによって，アプリケーション関連の査察上の懸念に対処する。

CGMP査察とPAI査察が同時である場合，EIRはProgram 7356.002に従って編成する必要がある。

3. サンプル収集またはサンプル提出依頼

CDERからの査察任務の一部として要求された場合，または原因に基づいて要求された場合を除き，査察官はPAI査察中にサンプルを収集しないこと。査察官は，ORA PAMまたは上司から承認を得て，OPFおよび関連するIQAチームの評価者に通知した後にのみ，サンプルを収集できる。OPFは他のプログラムコーディネーターに問い合わせて，サンプルがまだ収集されておらず，分析できることを確認する。

OPQの「試験および研究オフィス（Office of Testing and Research）」（OPQ/OTR/DPA）の医薬品分析部門とORA研究所は，試験法検証またはプロファイリングのために収集されたサンプルの試験を実施する。公式のサンプルが施設で収集された場合，査察官は試験法の確認（method verification）またはプロファイル分析（profile analyses）に適切な製品/割り当てコード（PAC）を使用する必要がある。

試験法の確認サンプルは，FDAラボでNDA/ANDA試験法を確認するために使用される。プロファイルサンプルは，以前はフォレンジック（forensic）サンプルまたはフィンガープリント（fingerprinting）サンプルと呼ばれていた。これらのサンプルは，生物学的同等性研究の完全性をサポートするために使用され，ジェネリック製品とイノベーター製品を認証し，市販後調査サンプルのリファレンスを提供する。それらは通常，製造現場で採取された保存サンプル（reserve samples）である。

API施設のサンプルの場合，査察官はOffice of Medical Products and Tobacco Operations（OMPTO）からの特定の要求がある場合にのみサンプルを採取する必要がある。このプロセスは，Program 7356.002Fの第IV部-医薬品有効成分（API）プロセス査察で説明されている。米国以外の場所からのサンプルの場合，査察のスケジュールを調整するため，査察官はOMPTOに採取のリクエストを送信する必要がある。

米国以外の場所からのAPIのサンプル採取は，Program 7356.002F，パートIVで説明されている。米国に発送されるサンプルには，別紙Bの米国税関のレターが添付される。動物由来材料に由来するサンプルに関する許可情報については，IOMの3.2.1.6項を参照のこと。麻薬および規制処方薬の採取については，IOMの4.2.5.3項を参照のこと。

4 パートⅣ－分析

規制上の決定が保留されているNDAおよびANDAの場合，製剤サンプルと試験方法を次の目的で収集できる。

- 企業の試験方法が規制上の使用に適しているかどうか，および製剤が公定書または企業の規格を満たしているかどうかの確認
- 生物学的同等性研究の整合性の検証
- 提案された製剤（例えば，新規，ジェネリック）の認証
- 市販後調査の参照標準の提供

添付書C〔後述の6（p. 199）参照〕は，固体経口投与量の最終製品メーカー向けのサンプルおよび記録収集指示の例を提供している。

OPQ/OTR/DPAとORAラボは，収集されたサンプルの分析を実行する。分析ラボ（OPQ/OTR/DPAまたはORA/ORS）は，完全な分析ワークシートを保持している。OPQ/OTR/DPAは，NDAまたはANDAのメソッドベリフィケーションサンプルの分析結果をPanoramaに入力する。分析ラボは，要求または収集したサンプルの分析結果のコピーをCDERまたはORAオフィスに転送する。

分析ラボは，ワークシートのコピーを次の受信者に電子メールで送信することにより，有害な結果を報告する。

- 該当する場合，製造業者の所轄するORA部門
- 申請書に記載された原薬評価者または医薬品評価者

正当な理由がある場合，ORA部門は適切な規制措置をCDERに推奨する場合がある。

5 パートⅤ－規制/管理戦略

1．ORAの推奨事項

ORA部門は，申請書で指定された事業所を査察するか，書面審査を実行して，施設の受容性に関する推奨事項を提示する。PAIの結果に基づいて，ORA PAMはPanoramaを使用して承認または保留の推奨を行う。

A．承認を推奨

申請書で説明されている機能を実行する事業所の能力に，悪影響を与える重大な問題がない場合，ORA PAMは承認を推奨する。

B．保留を推奨

申請書に記載されている機能を実行する事業所の能力に，悪影響を与える重大な問題がある場合，ORA PAMは保留を推奨する。例えば，以下のケースが挙げられる。

1) データの不正確な表示や提出バッチに関連するその他の条件を含む，重大なデータインテグリティの問題。
2) 処方や加工変更など，バイオバッチまたは重要な臨床，見本，またはバリデーションバッチの製造に関する深刻なCGMPの懸念。
3) 重要な臨床バッチまたはバイオバッチに使用される製造工程と申請用見本バッチとの間の大きな違い。
4) マスター製造記録に完全な製造および管理指示がない，またはそれらの指示をサポートするデータがない。
5) 医薬品またはAPIを製造する能力の欠如（事業所に査察準備ができていない場合，部門は事業所に手紙を要求する必要がある）。
6) 申請書での誓約を満たしていない（例：企業が申請書にリストアップまたは説明している機能を実行していない）。
7) PAIの前に試みて失敗したフルスケールのプロセス性能適格性研究は，プロセスが管理されておらず，事業所が適切な変更を行っていないことを示している。
8) 申請書でフルスケールの要約情報が提供される製品の場合，製品が（1）商業規模で確実に製造できるか，または（2）CQAを満たすことができるかについての実証がない。
9) 不完全または失敗した分析方法のバリデーションまたはベリフィケーション。
10) バイオバッチ，重要な臨床バッチ，または見本バッチの記録には，設備または製造パラメータが明確に記述されていない。
11) 製剤またはAPIの安定性について疑問を呈する，安定性研究に関連する重大な欠陥。
12) 適切な正当化なしに，不利な結果を報告しない，または試験データの欠陥。
13) 医薬品査察の遅延，否定，制限，または拒否。

2. その他の考慮事項

Program 7356.002に基づく査察カバレッジの欠陥と所見のために，ORA部門が申請の差し控えを推奨する場合，部門はPanoramaに公式アクション表示（pOAI）アラートを入力し，助言または執行アクションの推奨を検討する。Office of Complianceは，必要に応じて，ORAの適切な対応策を検討する。

OPFは，PAIの結果（EIR，Form 483，企業の回答，企業回答のORA部門の評価）を精査し，ORA部門が保留を推奨し，Panoramaに推奨を入力する。OPFはeNSpectの最終決定とプロファイル（必要に応じて）を更新し，EIR，施設の推奨事項，規制措置への影響の評価をIQAチームと共有する。さらに，OPFは，コンプライアンス管理システム（CMS）を審査に関連する情報で更新する。

OPQの申請書事務処理期限前の妥当な時間内に追加情報（例えば，ORA部門による企業の回答またはその評価）が利用可能になった場合，OPFはその評価と施設の推奨を更新する場合がある。または，OPFは，対象申請書の次の評価サイクルの評価をさらに延期する場合がある。施設の承認を推奨するOPFの決定は，最初の保留推奨につながった所見の満足のいく是正結果に依存する。OPFとORAは，フォローアップ査察を使用して満足のいく是正措置を確認する場合がある。

ORA部門がFDA規制製品を販売していない事業所のPAIを差し控えることを推奨している場合，通常，警告書は適切な規制措置ではない。ただし，好ましくない結果が観察され，その結果が上市された医薬品に影響を与える場合は，医薬品製造査察のProgram 7356.002を参照のこと。

保留推奨の例外：ORA部門は，PAIの時点で完全な商業規模のプロセスバリデーションがないためにのみNDAおよびANDAの承認を差し控えることを推奨しない（Guidance for industry：Process Validation: General Principles and Practices and CPG Sec. 490.100 Process Validation Requirements for Drug Products and Active Pharmaceutical Ingredients Subject to Pre-Market Approvalも参照のこと）。PAIの時点では，製品を流通出荷するのに十分なプロセスバリデーション研究が完了していない可能性はあるが，企業は，製造プロセスが流通前に品質特性を満たす製品を一貫して製造していることを高度に保証する必要がある。

（※パートⅥ，Ⅶ，添付書A，Bは略。）

6 添付書C－固形経口剤の最終製品メーカーへのサンプル収集指示の例

以下のチェックリストは，サンプルの収集と，CDERの医薬品品質部門（Office of Pharmaceutical Quality：OPQ）の試験・研究オフィス（Office of Testing and Research：OTR）の医薬品分析部（Division of Pharmaceutical Analysis）への提出のためのものである。

1．以下を組み立てて提供する。
- a.　完成品：20ユニット
- b.　医薬品有効成分（API）：2～5グラム
- c.　賦形剤：2グラム（例えば，ラクトース，デンプン，微結晶セルロース）
- d.　収集されたロットの製造指示（バイオバッチのバッチ記録）
- e.　APIおよび賦形剤の分析証明書
  - i．プラスチック製の薬さじの使用を勧める。未使用のプラスチック製の薬さじをサンプルとともに提出する。
  - ii．人間の手，ほこりなどによる汚染からサンプルを保護するために必要な予防策を使用のこと。サンプル容器として適切なのは，不透明，非反応性，小さいプラスチック，またはガラス容器だけである。ビニール袋は漏れがあるため勧めない。琥珀色のガラス瓶を輸送するときは，破損しないように注意する必要がある。
  - iii．各容器には，成分の名前，有効期限，ロット番号，事業所の完全な名称，申請番号と製品の名称をラベル付けする必要がある。

iv. 米国の税関を通じてサンプルを発送している国際的な事業所の場合，サンプルには米国税関のレターが添付されている必要がある。

2. 各成分，特に危険成分については製品安全データシート（material safety data sheet）を提出すること。
3. バイオバッチのバッチ記録のコピー，フローチャート，および製造プロセスの簡単な説明を提出すること。各APIの不純物試験方法と不純物の限度規格も含めること。FDAの要件に従い，この情報は機密情報として扱われる。
4. 完全な企業名，連絡先情報（電話番号とFAX番号，電子メール），および製造事業所の連絡担当者の名前を含める。

サンプルは試験室での試験用であり，商品価値のないことを出荷書類に明記すること。

解説：CDER/ORAの施設査察フロー

2017年6月6日，CDERとORAは，「ヒト用医薬品製造施設の評価と査察プログラムの統合：運用概念（Integration of FDA Facility Evaluation and Inspection Program for Human Drugs: A Concept of Operations)」と称する協定書を発表した。本運用概念（Concept of operations；ConOps）では，国内および海外施設での承認前，承認後，監視，および原因究明査察の責任とワークフローについて概説している。CDERとORAはますます複雑化する製薬業界の状況をより効果的に管理し，次のような新しい課題に対応できるとしている。

- FDA全体で製造販売承認申請（marketing applications）の施設の評価，査察，規制に関する意思決定の一貫性，効率性，透明性を確保する。
- 明確な役割と責任を創出することにより，ORAとCDERの機能ユニット全体で戦略的連携を推進する。
- さまざまなCDERとORAのオフィス間の協力関係を強化することにより，FDAの運用能力を向上させる。
- FDA全体の施設および規制に関する決定情報の質を高め，アクセスを向上させる。
- 公衆衛生を保護し，医薬品の品質，安全性，および有効性を促進するために，申請料金の約束を満たし，規制，助言，および執行措置のタイムラインを改善する。

本ConOpsの中からCDER/ORAが共同で実施する以下の4種類の施設に対する査察フローを示す。

1. 施設の承認前査察（Pre-Approval Facility Inspection）(図4-6)
2. 施設の承認後査察（Post-Approval Facility Inspection）(図4-7)
3. 施設の監視査察（Surveillance Facility Inspection）(図4-8)
4. 施設の原因究明査察（For-Cause Facility Inspection）(図4-9)

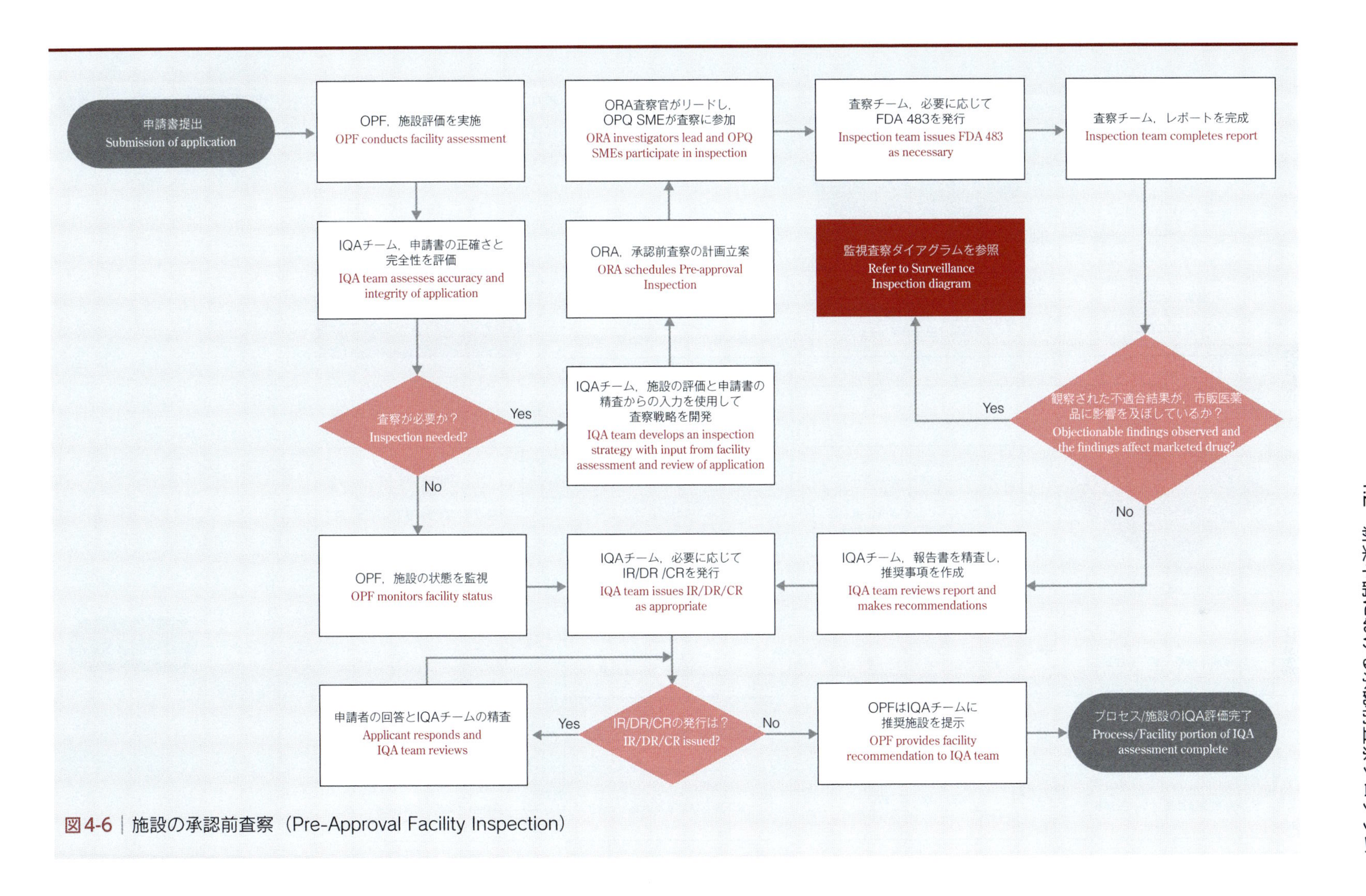

図4-6　施設の承認前査察（Pre-Approval Facility Inspection）

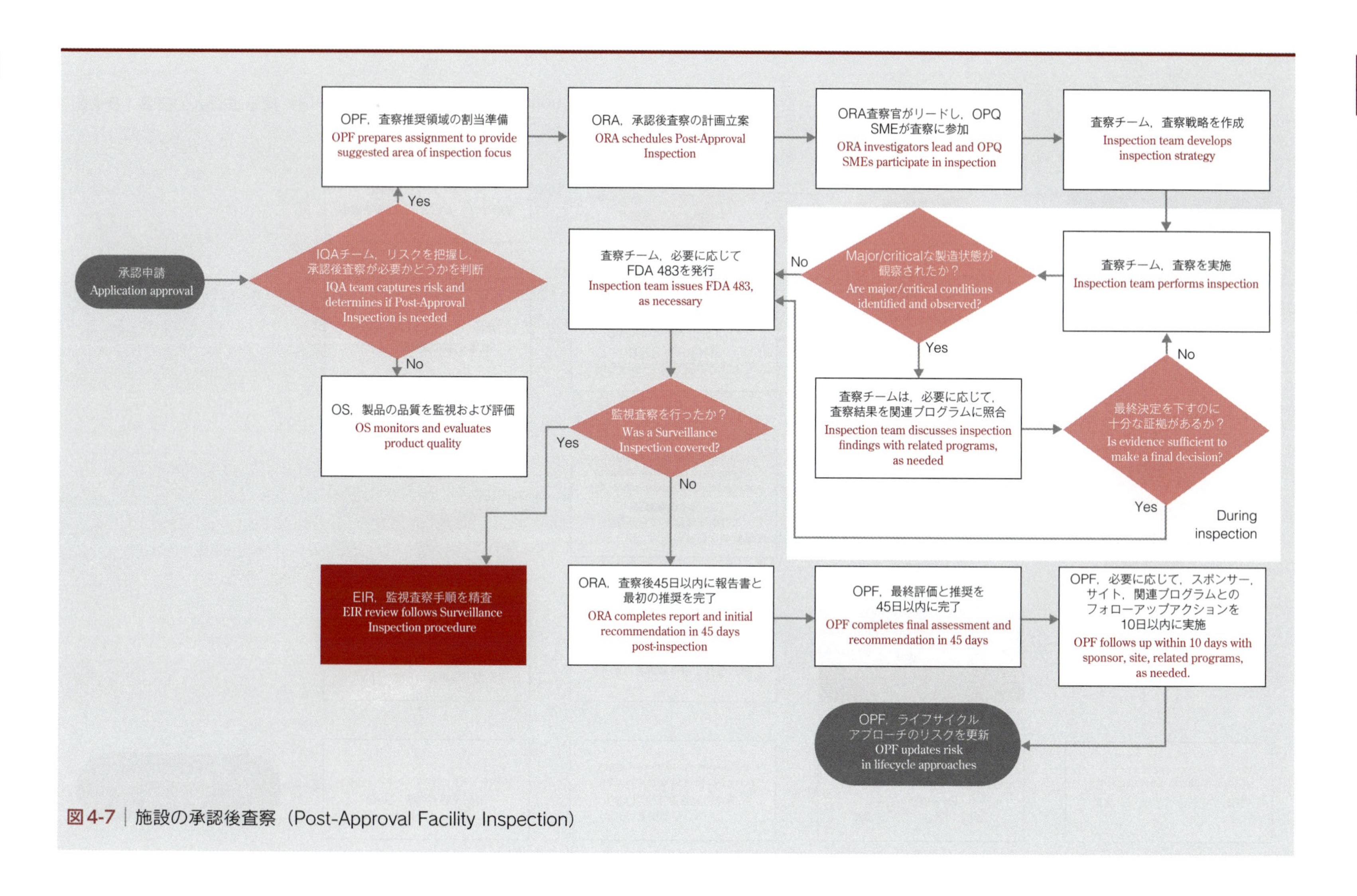

図4-7 施設の承認後査察（Post-Approval Facility Inspection）

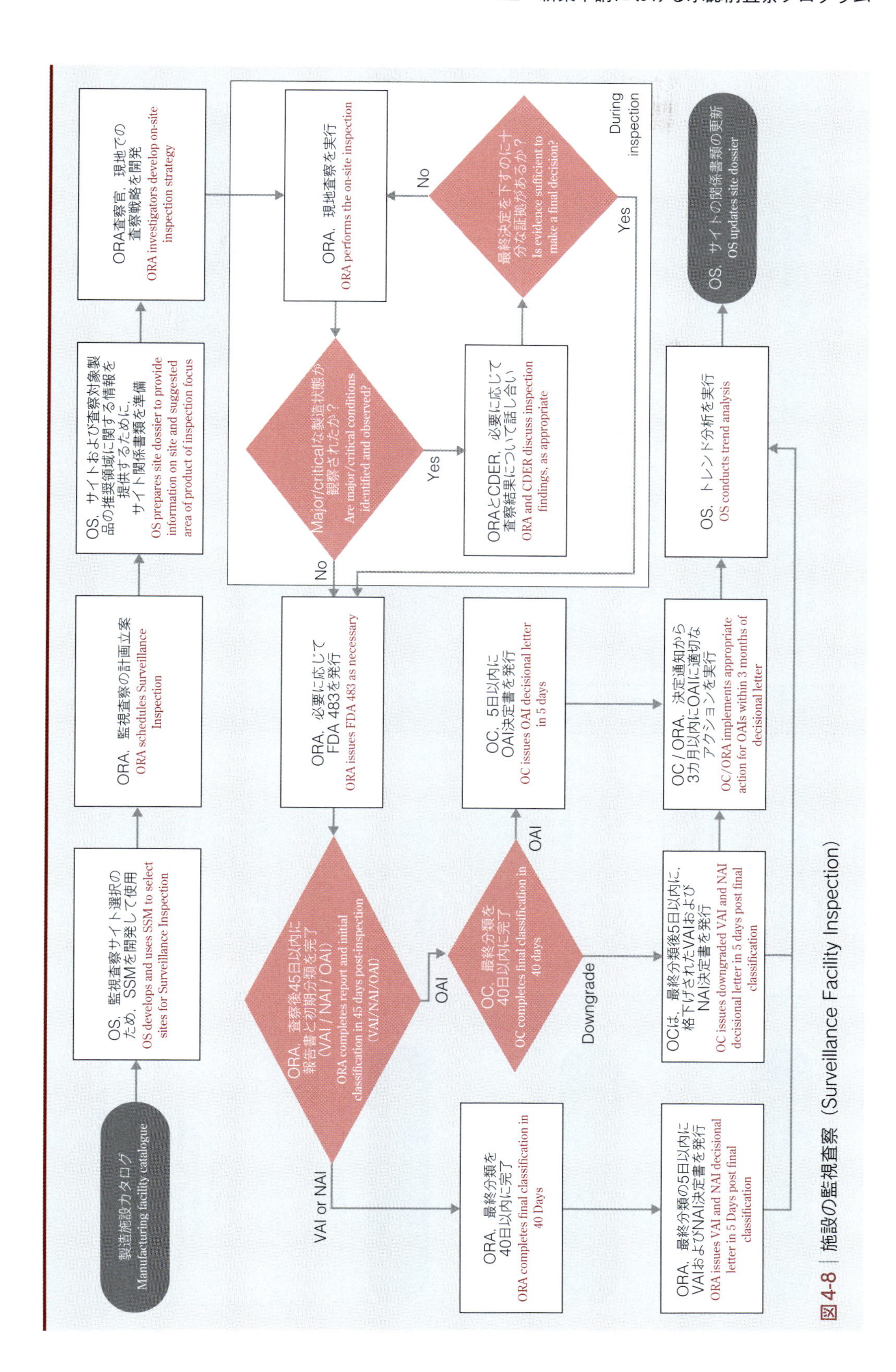

図4-8｜施設の監視査察（Surveillance Facility Inspection）

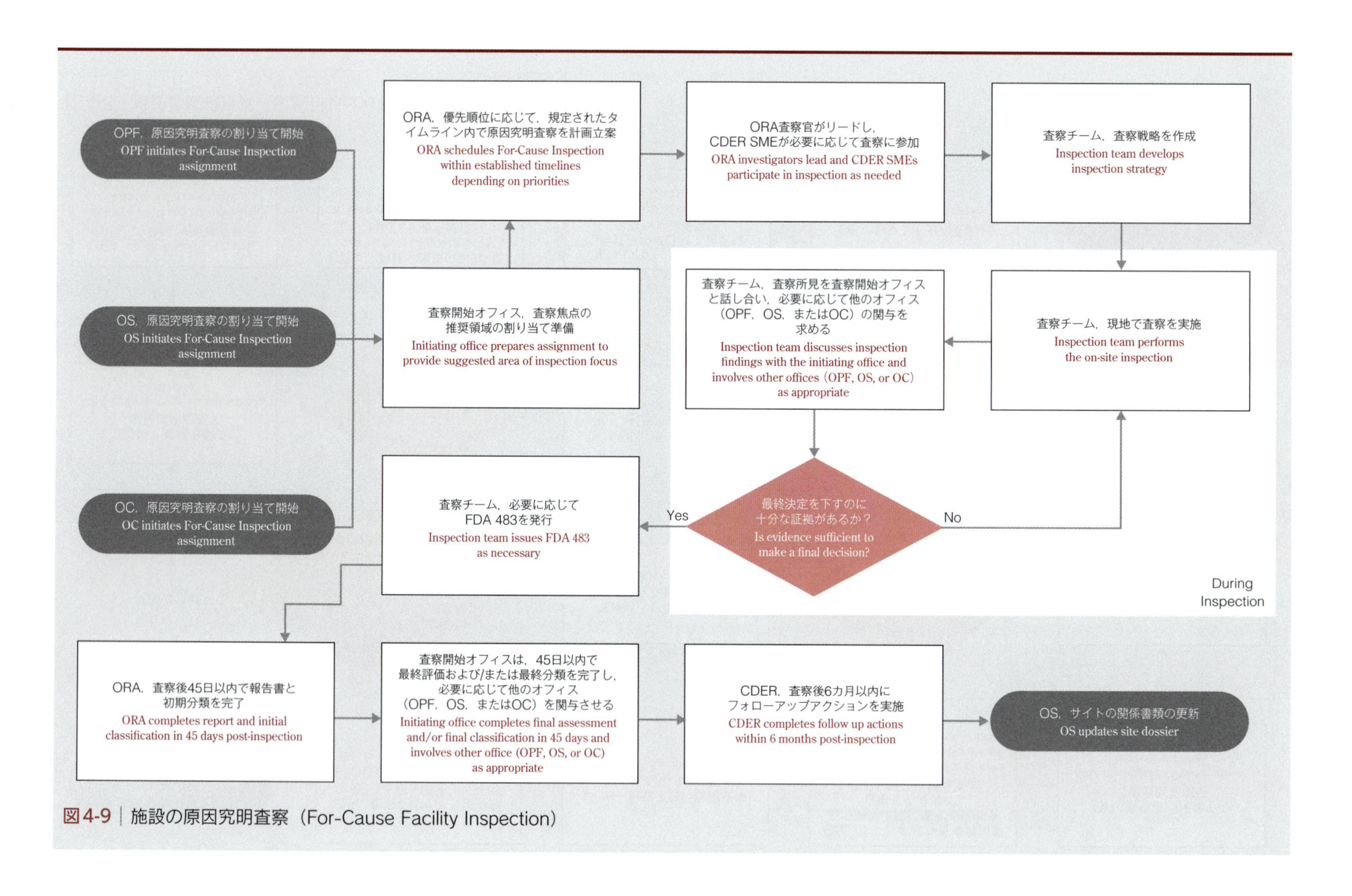

図4-9 ｜ 施設の原因究明査察（For-Cause Facility Inspection）

4.3 無菌医薬品製造施設に対するFDAの査察指導手引き (Program 7356.002A)

出　典

FDA Compliance Program Guidance Manual: Program 7356.002A
施　行　日：2015年9月11日
完全実施日：2016年9月11日

本プログラムは，ろ過またはその他の手段によって滅菌，無菌操作法および最終滅菌法で製造されたすべての無菌医薬品の製造および試験を対象としている。このプログラムの対象となる製品の種類には，無菌バルク薬，点眼薬，耳用剤，低分子および認可された生物学的治療薬の小容量非経口薬（SVS），大容量非経口薬（LVP），およびその他の無菌または無菌と表示すべきすべての医薬品が含まれる。

CBER（Center for Biologics Evaluation and Research）の規制対象製品および動物用医薬品は，本プログラムの対象から除外される。

このプログラムのガイダンス情報は，医薬品製造査察のコンプライアンスプログラム（Compliance Program for Drug Manufacturing Inspections；Program 7356.002）と組み合わせて使用する必要がある。

注：以下，本プログラムを抜粋して紹介するため，原文の項目番号を括弧【　】内に記載する。

1 パートⅢ－査察

1．滅菌の種類【3.1　Types of Sterilization】

無菌製剤を製造するには，2つの方法がある。

・最終滅菌法

・滅菌した容器/施栓系を用いた無菌操作法

無菌操作法を使用しての無菌医薬品の製造と，最終滅菌法を使用しての製造との間には基本的な違いがある。製品および容器/施栓系が最終滅菌工程に耐えられる場合は，最終滅菌法を使用する必要がある。

A．最終滅菌法

通常，最終滅菌工程では，製品の微生物や微粒子による汚染を最小限に抑えるように設計された高品質の環境条件下で，製品容器に充填し，密封する。この上流でバイオバーデンを最小にすることは，その後の滅菌工程の滅菌緩和になる。ほとんどの場合，製品，容器，栓のバイオバーデンは低いが，充填時には無菌でない。その後，製品は最終容器で滅菌処理される。

最終滅菌には，以下を含むさまざまな方法がある。

・湿熱滅菌

・照射滅菌
・酸化エチレン（通常，組み立てられたコンポーネント/キット用）

滅菌サイクルには次のタイプがある。

1. オーバーキル法
   - 一般に熱に安定な材料に使用される。
   - 載荷物内の実際のバイオバーデンの数と滅菌耐性に関係なく，有意なレベルの無菌性保証を提供できるように設計されている。
   - 結果として，被滅菌製品または物品への大きな熱/曝露をもたらす。
2. バイオバーデンベースの滅菌サイクル
   - 製品に含まれる微生物の数と滅菌耐性，および入荷する医薬品原料と容器/閉塞具のバイオバーデン負荷量を決定するための調査が必要。
   - 負荷バイオバーデンを破壊するが，製品を分解しないような滅菌サイクルの開発。
   - バッチの定期的なバイオバーデンモニタリングと，製品のバイオバーデン，容器/閉塞具のバイオバーデン，および環境モニタリングサンプルで検出される微生物の耐熱性/曝露耐性に関する継続的な知識。

参考資料：*PDA Technical Report No. 1 (Revised 2007) Validation of Moist Heat Sterilization Processes: Cycle Design, Development, Qualification and Ongoing Control.*

B. 無菌操作法

無菌操作法は，最終滅菌法よりも製品の微生物汚染のリスクが高くなる。無菌充填工程では，医薬品，容器，および閉塞具は個別に滅菌され，非無菌容器の可能性を減らすように設計された非常に高品質の環境条件下で一体化される。

ある種の無菌操作法には，重要区域での日常的な作業員の介入に加えて，無菌原料成分，容器，閉塞具の手動操作が含まれる。従来の無菌操作，特に作業員が充填ラインの重要区域（クラス100，ISO 5，またはグレードA）に日常的に入る必要がある製造ラインにおいて，人は重大な汚染源となる。アクセス制限バリアシステム（RABS）やブローフィルシールシステム（BFS）など，より高度な制御技術に基づく無菌操作システムは，アイソレータシステムが無菌充填ラインを外部環境から完全に分離し，作業員と重要区域との相互作用を最小限に抑えながら，重要区域での充填ラインの作業員の介入を減らすように設計されている。

注意：アイソレータテクノロジーとブローフィルシールシステムの詳細については，FDAの2004年版「無菌操作法ガイダンス」を参照のこと。

無菌医薬品製造業者の査察を実施する場合，製品汚染のリスクが最大であるシステムおよびシステム内のエリアをカバーすること，および/または工程パラメータの厳密な制御を必要とすることが重要である。例えば，企業に複数の無菌操作ラインがある場合には，クラス100（ISO 5）の領域で最も手動の操作が必要なラインをカバーすること。企業がいくつかの製品を最終的に滅菌する場合は，熱に敏感で，製品固有の（バイオバーデンベースの）滅菌サイクルを必要とする製品を照査すること。

注意：最終滅菌前に無菌的に充填される最終滅菌製品の場合，厳密性の低い無菌管理を検討できる。

しばしば海外査察に関連する時間制限のため，注意深い査察計画が特に重要である。製品品質への潜在的な影響に基づいて，査察範囲（カバレッジ）に優先順位を付けること。

2. 報告書【3.2　Reporting】

査察報告書の作成は，IOM（Investigations Operations Manual）および国際査察と旅行ガイド（Guide to International Inspection and Travel）の最新版の指示に従うこと。

FDA Form 483が発行されていない場合やTurbo EIRを用いないで発行された場合でも，国内および国外のすべての査察報告書にはTurbo EIRを使用すること。報告書の「製造/設計作業」部門は，査察中にカバーされた，このプログラムに記載されているシステムによって構成されている必要がある。このコンプライアンスプログラムで概説されている主要な要素に従って，各対象システムの確認内容を簡単に要約する。欠陥があると判明したシステムの詳細と裏付けとなる証拠を追加すること。

3. 査察アプローチ【3.3　Inspection Approaches】

査察対象の無菌医薬品が放射性医薬品である場合，補足ガイダンスとしてProgram 7356.002C「放射性医薬品（Radioactive Drugs）」に従う必要がある。このプログラムは，陽電子放出断層撮影（Positron Emission Tomography；PET）薬品の査察には使用しないこと。Program 7356.002Pが，PET薬に適用される。

このプログラム（Program 7356.002A）は，無菌の認可された生物学的製品の査察のために，Program 7356.002M「認可された生物学的治療薬の査察（Inspections of Licensed Biological Therapeutic Drug Products）」と一緒に使用する必要がある。

CGMP Program 7356.002は，製薬企業の査察を実施するためのシステムベースのアプローチに関する一般情報を提供している。6つのシステム（品質，施設と設備，材料，製造，包装・表示，および試験室）と2つの査察オプション（完全査察と簡略査察）について説明している。また，各オプションをいつ選択すべきかについてのガイダンスを提供し，査察されたシステムに関連して「制御の状態」が何を意味するかについて説明している。無菌医薬品製造業者の査察は，以下に概説するシステム戦略を使用して，完全査察または簡略査察のいずれかで実行される。

完全査察には，監視またはコンプライアンス査察が含まれ，企業のCGMP要件への法令遵守の包括的な評価を提供する。完全査察には通常，少なくとも4つのシステムの査察が含まれる。そのうちの1つは品質システムでなければならない。このプログラムでは，完成品の無菌性保証においてこれらのシステムが果たす重要な役割のため，完全査察には施設と設備，および製造システムを含める必要がある。

完全査察（PAC 56002A）が実施されるのは，以下の場合である。

- 製薬企業に最初の査察を行うとき
- 警告書，規制措置，または重要なFDA Form 483指摘結果のフォローアップとして行われた最初の査察である場合
- 簡略査察中に入手した情報により，1つまたは複数のシステム領域において企業の慣行と手順に重大な欠陥があることが明らかになった場合
- 前回の査察以降，企業の業務に大きな変化があったとき
- 企業には継続的な違反の履歴，法令遵守内外での変動，または他の情報（サンプル，苦情，フィールドアラート，回収など）が，企業の品質を生み出す能力に疑問を投げかけたため，地区事務所の裁量での監視目的のため

次の2つの条件が満たされている場合は，簡略査察（PAC 56002I）が適切な場合がある。

1. 企業は，効果的な設計と管理（メンテナンスを含む）を保証する正式なリスク管理プログラムを実施している。これには，最新の分離技術および自動化手法（アイソレータ，クローズドRABSなど）を組み込んだ製造ラインのリスク軽減設計，および上流のバイオバーデン制御が含まれる。潜在的な危険に対する企業の品質システムへの応答性も評価の一部である。これには，企業のプログラムが，ICH Q9に従って問題を事前に発見して，修正する正式な品質リスク管理のライフサイクルプログラムを通じて，堅牢な毎日の保証と効果的な消費者保護を提供しているかどうかが含まれる。
2. 企業は，受け入れ可能なコンプライアンスの歴史と強力なリスク管理プログラムの記録を持っている。
   - 企業は，堅牢な滅菌方法を用いて，最終滅菌された最終製剤を製造している（注意：最終滅菌は，無菌性を確保するために，はるかに堅牢なプロセスを提供する）。
   - 企業は，全体的な設計および管理プログラムを通じて毎日の保証を提供する堅牢なリスク管理を実施している。
   - 査察の開始時に，前回の完全査察以降の無菌性保証データについて広範な照査を実施する。培地充填試験，無菌試験データ，回収，欠陥/有害事象の苦情，および報告書の照査により，出荷バッチの無菌性欠陥の所見が見つからず，そして，
   - 企業は満足のいくCGMPコンプライアンスの記録を持っている（例えば，2つの連続したNAIまたは 複数のVAI査察），クラス1のリコールなし。

微生物管理と無菌性保証は，簡略化された無菌医薬品製造所査察の主な焦点である。各システムに示す以下の重要要素（品質システムを除く）は，このプログラムの簡略査察でカバーする必要がある。

- **施設と設備**
  - 洗浄および消毒
  - 実行可能および実行不可能な汚染を防止するための施設/設備レイアウトおよび空調システム
  - 材料の流れ
  - 気圧バランスおよびHEPAろ過を含む，分類された区域の品質管理
  - クリーンルームの品質の妥当性を支持するトレンド分析データ
  - 矛盾点の文書化された調査

- **材料**
  - 入荷材料および医薬品原料の微生物および細菌性エンドトキシンの制御
  - 供給水の品質，維持，規格
  - 必要な水とプロセスガスを提供するシステムの運用
  - OOS，逸脱，および矛盾点に関する文書化された調査

- **製造**
  - 製造中の作業者の行動と無菌技術の妥当性の観察
  - 製造ラインの操作と介入
  - 無菌技術の要員トレーニング
  - 主要な製造ラインの修理またはメンテナンス事項
  - 重要なステップの保持時間を含む，微生物および細菌性エンドトキシンの管理に関するリスク評価
  - 機器の滅菌，容器－栓および供給の検証
  - 培地充填試験のデザインと結果
  - 文書化された調査，逸脱，矛盾点，およびOOS結果

- **試験室**
  - OOS，逸脱，矛盾点の調査
  - 検証済み方法への準拠を含む，試験方法と管理
  - 試験室担当者のトレーニングと適格性
  - 水システムの試験結果の傾向
  - 環境モニタリング分離株の回収，同定，トレンド分析に使用されるシステム

4．システム査察範囲【3.4　System Inspection Coverage】

Program 7356.002「医薬品の製造査察（Drug Manufacturing Inspections）」には，6つのシステムのそれぞれを査察するときにカバーする必要のある領域が列挙されている。このプログラムは，無菌製剤の特定の懸念事項について，システム別に追加のガイダンスを提供している。

別紙A（パートV－規制/行政戦略）は，企業の業務を評価するために必要な査察を実施し，情報を取得するための質問リストである。回答は，関連がない限り，EIRで報告する必要はない。質問のリストは以下をカバーする。湿熱滅菌，乾熱滅菌/脱発熱物質，無菌充填，凍結乾燥，アイソレータ，環境モニタリング，生物学的指標体（バイオロジカルインジケーター）。

5. 品質システム【3.5 Quality System】

Program 7356.002に記載されているように，品質システムの査察は2段階である。最初の段階では，品質部門（Quality Unit）が手順の確認と承認に関する責任を果たし，それらの使用への適合性を保証したかどうかを評価することである。第二段階は，企業が収集したデータを評価して，潜在的な品質問題を特定することである。無菌製造操作の場合，この後者の目的には，他の査察システムにリンクする大量のデータが含まれる。企業によるそのようなデータの包括的な照査は，製品が高度な無菌性保証で製造されていることを保証するための重要な要素である。したがって，データを使用して製造業務と設備の管理状態を評価するために，企業のシステムを精査することが重要である。品質部門が管理するデータの要約とトレンドレポートは，すべての査察の際に精査する必要がある。この精査は，定期的なCGMP査察中に，選択するオプション（完全または簡略）を決定するのに役立つ。

品質システムの査察には，Program 7356.002にリストされている領域を含める必要がある。このプログラムの場合，査察には，製品の汚染と無菌性保証を示す可能性のあるすべてのデータとレポートの精査を含める必要がある。

品質に関する記録は，次のもので構成される。

1. 定期的な製品評価，苦情，有害事象，調査，フィールドアラートレポート，保管製品評価，苦情，不合格ロット，安定性，および製品汚染の可能性または患者へのリスクを示す返品（例：濁ったまたは曇った製品，注射剤中の外来性異物/微粒子，ひび割れ，漏れのある容器）。
2. 次のような矛盾点と逸脱の調査
    - 最終的な処分に関係なく，初回無菌試験での陽性結果，エンドトキシンおよび培地充填試験での逸脱結果のすべて
    - 予期しない結果または傾向
    - 滅菌/脱パイロジェンプロセスの検証または再検証中に発生したすべての逸脱
    - 培地充填試験/プロセスシミュレーションを含むすべての調査
    - 警報基準値または処置基準値を超える環境（微生物および微粒子）および作業員のモニタリング結果
    - 滅菌器や凍結乾燥機などの重要な装置に関係するプロセスの逸脱または装置の誤作動
    - 該当する場合，試験，不純物，粒子状物質，または再調製時間の規格外（OOS）結果
    - 製品の不合格（製造および品質管理試験中に決定された不合格）
3. トレンドレポート/品質指標の要約
    - 無菌操作法の場合，最後の査察以降に実行されたすべての培地充填試験の要約

- 環境モニタリングのトレンドデータ（微生物および粒子数）
- 作業員のモニタリングトレンドデータ
- 水システムの試験結果の要約

4. 前回の査察以降に実施された，重要なユーティリティおよび機器の変更管理の要約。例えば，以下のようなものが挙げられる。
   - 滅菌装置，凍結乾燥装置，発熱物質除去装置
   - 無菌操作ライン
   - クリーンスチーム発生器，プロセスガスシステム
   - WFIおよび/または精製水システム
   - 空調システム
   - 自動ビルディング管理システム

無菌医薬品製造所のすべての査察には，上記に示した情報の精査と，重要な領域で発生する製造工程の観察を含める必要がある。情報は，査察中にカバーされる他のシステムを選択するために使用できる。

さらに，要約データの精査と操作の観察により，潜在的な問題領域に査察を集中させることができ，品質システムの有効性の概要を提供する。品質システムの査察では，別のシステム内でのフォローアップが必要になる場合がある。ただし，このカバレッジは，これらのシステムの完全なカバレッジを構成または要求するものではない。

6. 施設および設備システム【3.6　Facilities and Equipment System】

Program 7356.002は，施設および設備システムを査察するときにカバーする一般的な領域を示している。この領域は無菌製剤に適用可能であり，このシステムが選択されている場合はカバーする必要がある。施設と設備の観点からの効果的な無菌医薬品製造作業の主な目的は，製品の適切な保護を提供することである。この目的の査察評価も，2つの部分で構成されている。

- 施設と設備の設計に対する企業の論理的根拠と妥当性を確認および評価する（参考資料：FDAの2004年版「無菌操作法ガイダンス」のセクションⅣ）。
- 施設と設備の制御状態に関連する情報を提供するデータを評価する。

設計要素とデータの評価に加えて，査察官は，清潔さ，設備の劣化（例えば，反り，腐食），クリーンな表面にアクセスできないか清浄が難しい表面，製品の品質に影響を与える可能性のある検証されていない設備またはシステムの変更など，施設や設備の目に見える欠陥を探すこと。査察官は，施設の劣化，繰り返し発生する未修正の維持管理問題のパターン，および施設や設備の能力を超える製造量の増加または変化による異常な出来事を探す必要がある。

A. 施設

施設の設計とレイアウトを評価する（例：人員/物品のフロー，クリーンルーム設計）。

クリーンルームエリアの仕様（レイアウト，空気ろ過，適切な空気分類，部屋とエリア間の圧力差，温度，および湿度）は，粒子状物質や微生物による製品汚染のリスクに基づいて適切

であること。クリーンルームエリアの認証と適格性を照査して，エリアが設計基準と仕様を満たしていることを確認すること。認証と適格性には通常，以下をサポートするデータが含まれる。気流パターン研究，HEPAフィルターの完全性試験，風速測定，微粒子，および適切な室間差圧，温度と湿度の設定値の検証。動的な条件下で行われる気流パターン（スモークテスト）を評価して，滅菌済み医薬品，容器，および閉塞具が環境条件にさらされている重要区域内の一方向気流と乱気流を検証すること。

- 参考資料：*Section IV of FDA' s 2004 Aseptic Processing Guidance.*
- 空調システムが設定されたパラメータ内で稼働し続けることを保証するために，定期的なモニタリングとメンテナンス(微生物学的モニタリングについては，"試験室管理システム"で説明している)。
  - ✓清浄区域，またはクリーンルームの近くで建設を行っている施設に特別な注意を払うこと。微生物（真菌胞子など）が壁の動きやその他の建設活動から放出される可能性があるため，製造を再開する前に，適切な対策（環境モニタリング，培地充填試験）を通じて施設が許容可能な環境管理に戻っているかどうかを確認する。
  - ✓微粒子の環境モニタリングは，製品，容器，および閉塞具がさらされるリスクが最も高いサイトを含む稼働中に行われていることを確認する。
  - ✓日常的な製造中に，差圧，温度，湿度が継続的に監視されているかどうかを確認する。
  - ✓継続的な監視システムが警報を出して，作業員に逸脱（excursions）を警告するかどうかを見極める。
  - ✓製品への影響を判断するために，許容範囲からの逸脱が調査され，必要な是正措置が講じられているかどうかをチェックする。
  - ✓適切な空気の流れを維持するために，重要区域のHEPAフィルターの定期的な試験/再検証のプログラムを評価する。試験には通常，HEPAフィルターの完全性試験と風速チェックが含まれる。
- クリーンルーム区域，製造ライン，およびオートクレーブできない装置，材料，コンポーネントの殺菌/消毒を評価すること。無菌製品が密封作業を含む環境に曝露されている区域に焦点を合わせること。これらの重要区域は，製品に対する最高のリスクを表している。
- 消毒剤の適合性，有効性，制限，および手順の妥当性は，消毒液の有効期限を確定するデータを含めて，評価する必要がある（参考資料：FDAの2004年版「無菌操作法ガイダンス」のセクションX.A.3)。
- 多目的施設および非専用設備については，製品間の交叉汚染を防ぐために，切り替え手順と洗浄の妥当性を評価すること。

B. 設備

無菌医薬品の製造に使用される設備には，次のものがある。

- 製造設備
- 容器/閉塞具処理設備（例：栓の洗浄機，ガラス製品の脱パイロジェン設備)

- サポートシステム/材料システム関連機器（例：WFIシステムと関連設備，プロセスガス関連設備）

具体的な考慮事項に含まれるのは，以下のとおりである。

（1）製造設備

（a）無菌操作設備

製品と直接接触するすべての機器（フィルター，トランスファーライン，ホールディングタンク，ストッパーボウル，充填ライン設備など）および無菌コンポーネント（ストッパーなど）が滅菌され，使用前および使用中に汚染から保護されていることを確認する。設備のログまたはその他の関連情報は，バッチの汚染リスクへの曝露を増加させる可能性がある重要な維持管理，またはその他の問題への洞察を提供する場合がある。

（b）栓の洗浄機（Stopper washer）

査察上の考慮事項には，装置の検証，サイクルの検証とサポートデータ，装置の予防保全（メンテナンス要件と頻度），洗浄に使用される水の品質，および関連する水のサンプリング/検証データが含まれる。乾燥操作で使用される空気供給の適切性も確認する必要がある。

（c）キャッピング装置（バイアル）

バイアルキャップは，密閉されたバイアルの最終的な閉塞要素を提供する。打栓したバイアルの首の上にあるキャップ（アルミ製）を折りたたみ圧着する。バイアルのキャップは，ゴム栓を外部の損傷から保護し，ゴム栓を完全に装着された密閉位置にしっかりと保持する。キャッピングマシンの確立された操作設定（クリンプ角度，圧力），および予防保守スケジュールを評価する。キャッピングユニットへ供給される空気の品質も評価する必要がある。

（d）充填後の目視検査/自動検査装置

最終的に充填および密封された製品の全数検査は，手動，自動，または半自動の検査プロセスで行われる場合がある。手動および半自動の検査プロセスには，特定の視野と校正された光源が含まれる。半自動プロセスでは，コンベヤベルトと回転ユニットを使用して，充填製品を目視検査のために作業員に搬送する。すべてのコンベヤと回転速度の設定値は，設定したパラメータに対して検証する必要がある。自動検査システムは，所定の充填済み製品の欠陥の1つまたはすべての欠陥タイプを検査する。関連するアクションレベルを持つ欠陥カテゴリーを定義する必要がある。装置の検証と，日常的な使用の前に装置の機能を検証するために実行する限度見本での検査，および手動の目視検査を行う作業員のトレーニングプログラムを評価する必要がある。

（e）滅菌装置

査察は，装置の設置と運転時適格性確認，工程の稼働性能適格性確認（IQ，OQ，PQ），および最終剤形や，充填機器，容器，閉塞具などの滅菌に使用される代表的な種類の装置の操作，校正，予防保守を対象とする必要がある。このような装置には，オートクレーブ，乾熱オーブン，乾熱トンネル，定置蒸気滅菌（SIP）装置，化学滅菌システム（過酸化水素，過酢酸など）が含まれる。滅菌器の査察には，装置の物理的な査察が含まれている必要がある。装置のDQ（設計時適格性評価）に記載されている可能性のあるエンジニアリング仕様を確認すること。DQは，IQ（据付時適格性評価）およびOQ（運転時適格性評価）の前に実行され，滅菌器が適切に維持，校正，および排出されていること，および適切な測定機器（温度センサー，圧力ゲージなど）のあることを確認する。

計画外の保全と予防保全の記録を見直して，すべての重要な変更が適切に評価および認定されていることを確認する必要がある。装置のログも確認する必要がある。例えば，サイクルの障害のために負荷の滅菌を繰り返すと，滅菌器に深刻な問題が発生する可能性がある。再滅菌の製品品質への影響を評価する必要がある（性能適格性確認は製造システムでカバーされる）。

装置はコンピュータ制御または手動モードで操作できる。コンピュータ制御システムの場合，プログラマブルロジックコントローラー（programmable logic controller；PLC）またはより複雑な監視制御およびデータ収集管理システム（Supervisory Controlled and Data Acquisition Management System；SCADA）では，コンピュータ制御および/または監視システムがパート11に準拠しているかどうかを判断するための評価が必要になる場合がある。

参考資料

- *PDA Technical Report No. 1 Revised 2007 Validation of Moist Heat Sterilization Processes: Cycle Design, Development, Qualification and Ongoing Control.*
- *ISO 17665 Moist Heat Sterilization.*

（f）凍結乾燥装置

凍結乾燥プロセスでは部分的に密閉されたバイアルが使用されるため，充填時点からサイクルの終わりに，バイアルが凍結乾燥チャンバー内で完全打栓されるまで，無菌製品が環境にさらされる。査察では，部分的に密封されたバイアルが搬送され，クラス100（ISO 5）保護の下で凍結乾燥器に積載されていることを確認する必要がある。査察官は，凍結乾燥装置へのバイアルの搬送と積載を観察する必要がある。

カバーする他の重要な装置領域には，使用ごとの凍結乾燥チャンバーの滅菌の検証，現在の滅菌制御，チャンバーのリーク試験，空気/ガスフィルターの完全性試験，温度および圧力コントローラーのキャリブレーションが含まれる。

参考資料：*FDA's Guide to Inspections of Lyophilization of Parenterals.*

(g) アイソレータ

製品の分離または分離を維持する設計および制御要素を評価する。圧力差，手袋の完全性，およびトランスファーポート（つまり，入口，出口）の保護は，アイソレータの重要な要素である。容器，閉塞具，および備品（環境モニタリング備品を含む）のアイソレータ内への搬入は注意深く制御する必要がある。これらのシステムのもう1つの重要な要素は，チャンバーの除染プログラムの有効性である。アイソレータバリアの除染に使用される現在の方法（例えば，過酸化水素ガス，過酸化水素蒸気，過酢酸）は，表面滅菌は可能だが，蒸気滅菌のような浸透能力はない。査察官は，これらの表面滅菌剤の限界に注意する必要がある。これには，妨げられた表面や保護された表面への浸透の非効率性も含まれる。アイソレータの内部（表面）の除染の検証は，バイオロジカルインジケーター（BI）の6－log減少を実証する必要がある。定量的測定デバイス（例えば，近赤外線）またはケミカルインジケーター（定性試験）を用いて，BIを使用した除染検証のワーストケースの場所を特定できる。除染の検証で考慮すべき要素には，BIの設置場所と，BIの接種表面のタイプが含まれる。

無菌製品およびコンポーネントと直接接触するアイソレータ内の用具および装置表面は，微生物が存在しないように滅菌する必要がある。滅菌検証は，BIの最小6－log減少を達成する必要がある。

参考資料

- *Appendix 1 of FDA's 2004 Aseptic Processing Guidance.*
- *PDA Technical Report 51 (2010) Biological Indicators for Gas and Vapor Phase Decontamination Processes: Specifications, Manufacture, Control and Use provides general principles to be considered in decontamination by BI.*

(h) アクセス制限バリアシステム（RABS）

一般に，RABSは作業員から充填ラインを物理的に完全に分離する，堅牢な壁の囲いの充填ラインである。RABSの内面は殺芽胞剤で消毒されていることに注意することは重要だが，これはアイソレータに採用されている自動化除染サイクルではない。これには，企業が消毒手順を注意深く監視し，消毒プログラムの継続的な有効性を保証する必要がある。作業員は，グローブポート，ハーフスーツ，または自動化装置を用いて，充填中に封じ込めエリアにアクセスする。RABSには，「オープン」と「クローズド」の2つのタイプがある。クローズドRABSへのドアは，操作中に決して開かれない。オープンRABSは，ドアは常に閉じた状態で動作するように設計されているが，まれに事前に定義された状況では，封じ込めのドアを開いて特定の介入を実行できる。充填作業中にドアが日常的に開かれる場合，システムは重要区域へのアクセスを制限しないため，RABSとはみなされない。通常，RABSを囲むクリーンルームはクラス10,000（ISO 7）エリアとして制御され，作業員は完全な更衣をしている。

参考資料：*Restricted Access Barrier Systems (RABS) for Aseptic Processing; ISPE; August 16 2005.*

RABSを査察する場合

- 取り付け時に，グローブポートに取り付けられているグローブとガントレットが無菌であることを確認する。取り付け後は，汚染のリスクを最小限に抑えるために，グローブを適切な間隔で消毒または交換する必要がある。
- ドアを開いて介入が行われたときに，何を行うのかを説明する明確に定義された手順書があることを確認する。ドアを開いての介入作業は，すべて文書化され，バッチレコードに記述され，その後に消毒が必要である。
- ドアを開いてのRABS介入には，適切なラインクリアランスを伴うことがよくある。これは，バッチレコードに明確に文書化する必要がある。
- 各バッチの充填前に，ストッパーボウル，供給システム，配置システムなどのすべての流体通路と製品接触部品が滅菌されていることを確認する。
- 無菌のコンポーネントとサプライ品がRABSに搬送される方法を観察する。搬送システムが，無菌表面があまりクリーンでない環境にさらされるのを防ぐことを確認する。
- 各バッチの前に，RABS内の非製品接触面が殺芽胞剤で徹底的に消毒されていることを確認する。全体的な消毒プログラムの有効性は，環境モニタリングプログラムによって検証され，定期的に評価されるべきである。

(i) ブローフィルシール (BFS) テクノロジー

BFSは自動化された無菌充填プロセスであり，連続操作で容器が形成，充填，密封される。BFSシステムは，作業員の介入を減らすことにより，製品汚染のリスクを減らすことができる。システムは通常，無菌点眼剤および呼吸管理製品の充填に使用される。BFSシステムについては，FDAの2004年版「無菌操作法ガイダンス」の付録2を参照のこと。容器の内面は，充填前の成形および成形工程中に周囲環境にさらされる可能性があることに注意すべきである。無菌製品は，BFSプロセスの充填および密封ステップ中に環境にさらされることもある。したがって，空気の品質は，クラス100 (ISO 5) の微生物レベルを満たし，BFSプロセス中に無菌製品またはその容器が露出している場所に供給される必要がある。無菌製品の操作に対する強化された保護を提供するより高度なBFS機器のいくつかは，クラス100,000 (ISO 8) 区域に配置できる。それ以外の場合は，クラス10,000 (ISO 7) 区域が適切である。研究により，汚染容器数と機械周囲の空気中微生物汚染レベルとの間に直接的な関係のあることが示された (ISO 14698 Cleanrooms and Associated Controlled Environment-sBiocontamination Control)。通常，製品供給ラインと滅菌製品フィルターは，定置蒸気滅菌 (SIP) である。

BFSを査察する場合

- HEPAフィルターまたは無菌空気が，無菌製品または材料が露出している手順 (パリソン成形，容器成形，充填手順など) で使用されていることを確認する。
- モニタリングおよび予防保全プログラムを評価して，BFS装置に関連するユーティリティ (冷却水，暖房など) の完全性を定期的にチェックする。金型の漏れや金型でのユーティリティ接続により，無菌製品や容器が汚染される可能性がある。
- 製品ラインの滅菌に使用されるSIPシステムを確認する。滅菌サイクルが検証され，凝縮水がラインから適切に排出されることを確認する。ラインは，滅菌と使用の間でも保護する必要がある。
- BFS装置を取り巻く清浄度環境に入る担当者が適切に更衣し，訓練されていることを確認する。
- 可能であれば，装置の設定と，汚染リスクにつながる可能性のある問題を観察する。

その他の制御手順（培地充填試験，環境モニタリング，表面の消毒など）は，従来の無菌操作ラインで説明したものと同じである。

（j）反応器，遠心分離機，乾燥機，ミル

このタイプの装置は，無菌で無菌バルク有効成分（API）を製造するために使用できる。装置とすべての配管は，操作前に滅菌する必要がある。これは通常，クリーンスチームまたは化学滅菌剤を使用する定置蒸気滅菌（SIP）システムで行われる。SIPシステムの検証，サイクル制御，および定期的なモニタリングを確認する。装置とすべての配管は，製造工程全体を通じて完全で（流体または空気の漏れがない）無菌である必要がある。企業のプロセス全体を通じて連結された装置の完全性の検証方法を確認する。プロセスで装置の1つが開かれた場合（種結晶の追加など），慎重に設計された無菌操作を実施するだけでなく，開放操作を実施する周辺区域は，クラス100（ISO 5）の空気システムを使用して，汚染リスクからしっかりと保護されていることを確認すること。

参考資料：*FDA' s Guide to Inspections of Sterile Drug Substance Manufacturers.*

（2）容器/閉塞具装置

容器/閉塞具の発熱性物質除去装置には，乾熱滅菌機および/またはトンネル型乾熱滅菌機が含まれる場合がある。ゴム栓の発熱物質除去は，洗浄プロセスによる希釈によっても達成できる。洗浄プロセスの最後のすすぎには，注射用水（WFI）を使用する。詳細については，FDAの“Aseptic Processing Guidance, Section VI.B, Containers/Closures”を参照のこと。

（3）支援ユーティリティ

（a）水システム

具体的には，タンク，配管，立体図面，ベントフィルター，予防保全スケジュールなどを含む，WFI製造装置と配管ループを確認する（材料システムも参照）。製薬用水システムに関連する監視機器も評価する必要がある。

（b）HVAC

HVACシステムの検証とメンテナンスに関するFDAの2004年版「無菌操作法ガイダンス」のセクションⅣを参照のこと。

(c) プロセスガス

医薬品製造作業で医薬品またはコンポーネントと接触するガスは，プロセスガスと呼ばれる。無菌操作または滅菌の下流で使用されるガスは，無菌状態を維持するために滅菌グレードのフィルターでろ過する必要がある。これらのフィルター（通常は疎水性）の完全性試験を評価する必要がある。プロセスガスの生成に使用されるシステムは，予防保全（PM）スケジュール，監視（温度，圧力，湿度を含む），およびサンプリングも含めて評価する必要がある。材料システムの項も参照のこと。

7. 材料システム【3.7 Materials System】

Program 7356.002は，材料システムの査察時にカバーする領域を示している。この領域は無菌製剤に適用可能であり，このシステムが選択されている場合はカバーする必要がある。無菌操作では，各材料（成分，WFI，容器，閉塞具）の品質属性が，完成品の重要特性に影響を与える。製造資材の受領，取り扱い，サンプリング，試験，承認，および保管に関する企業の手順を照査して，使用の適合性を確認する。無菌および/またはパイロジェンフリーであると記載されて入荷される材料に重点を置く必要がある。

無菌製剤に関して特に懸念される領域に含まれるのは，以下のとおりである。

(1) 水システム

注射用水（WFI）は，注射剤や無菌眼剤など，多くの無菌医薬品の成分である。また，機器やゴム栓の発熱性物質除去（またはエンドトキシン除去）や洗浄操作にも使用される。上流のプロセスで使用される水質，およびそのエンドトキシンレベルと管理手法も，下流で適切なレベルまで細菌性エンドトキシンを除去するために評価する必要がある。精製水は，一部の無菌の非注射剤に使用できる。

- 製薬用水の製造および配水システムの要素を観察して理解する。
- 製薬用水システムの「立体図面」を評価し，漏出，パイプの勾配（立体図と勾配の程度の確認による），いわゆる「デッドレッグ」，および配水システムの非サニタリー取り付けを査察する。
- 微生物学的アラートレベルとアクションレベルが，どのように確立されているかを評価する。
- サンプリング場所，手順，頻度，実行した試験を評価する。
- スケジュールや機器の更新手順など，重要な機器の予防的なメンテナンスと校正の手順を照査する。
- 生データを確認して，上記のすべてが確立された手順に従って完了していることを照査する。
- 水システムの定期的なモニタリング（インラインでのTOCおよび導電率）を照査および観察する。
- 化学，微生物学，エンドトキシン試験のトレンドデータを照査する。

・アラートレベルとアクションレベル以上の結果の調査を照査する。
参考資料：*FDA' s Guide to Inspections of High Purity Water Systems.*

(2) プロセスガス

プロセスガスおよび関連機器の制御は，施設および設備システムと関連してカバーされる場合がある。特定の考慮事項には，プロセスガスの最終ろ過の制御とフィルターの完全性試験が含まれる。最終製品のコンポーネントとして使用されるガスには，酸素に敏感な製品用の窒素ガス充填が含まれる場合がある。

(3) 洗浄済み/即滅菌クロージャー

CGMP規制（21 CFR 211.94(c)）は，指示された場合，発熱物質を除去するために容器とクロージャーを処理する必要があると述べている。小容量非経口剤の製造業者の多くは，すぐに滅菌できるストッパーを購入する（つまり，パイロジェンフリー）。この場合，製造業者では，洗浄や発熱物質除去を行っていないが，それでもこれらの企業は，ストッパーが製造での使用に許容できる品質であることを保証する責任がある。パイロジェンの要件を，ストッパーの規格に含める必要がある。製造元が各入荷ロットに対してパイロジェン/エンドトキシン試験を行わない場合は，ベンダーの資格とその後の定期的な試験によって，サプライヤーの試験結果の信頼性を確立する必要がある。

(4) 原料成分，容器，および閉塞具の微生物学的およびエンドトキシン試験

21 CFR 211.84(d)は，使用目的の観点から好ましくない微生物汚染の影響を受けやすい原料成分，容器，または閉塞具の各ロットは，使用前に微生物学的試験を受けることを規定している。微生物学的試験またはエンドトキシン試験が必要かどうかを判断するための企業のシステムと，設定している受け入れ基準根拠を評価する。試験データを照査して，材料が試験基準を満たしていることを確認し，満たされていない場合は，原因を特定するための調査が行われ，是正措置が実施されたことを確認する。

(5) 容器と閉塞具の検証

容器と閉塞具の物理的および化学的特性は，最終製剤の無菌性と安定性にとって重要である。多くの容器と閉塞具は似ている（色や寸法）が，材質が異なるか，ストッパーのシリコンやタイプⅠガラスの硫酸アンモニウムなど，表面処理が異なる。容器と閉塞具が一貫して適切な仕様を満たしていることを確認するために，企業の手順を評価する。容器と閉塞具が適切な材料で適切な寸法で作られ（容器と閉塞具の継続的完全性を確保するために重要），重大な欠陥がないことを確認するために，どのような試験と検査を行うかを見極めること。

(6) 容器/閉塞具の完全性

容器/閉塞具システムの完全性は，医薬品のすべての容器の出荷，保管，および使用を通じ

て無菌のままであることを保証するために重要である。容器や栓が漏れると，製品が汚染される。

参考資料：*FDA Guidance for Industry for the Submission of Sterilization Process Validation in Applications for Human and Veterinary Drug Products (1994).*

以下を含むすべての無菌医薬品の容器/閉塞具システムの完全性を実証するために実行された試験と研究を評価すること。

- 入荷するすべての容器–閉塞具コンポーネントは，適切な寸法を含むすべての仕様を満たしていることを確認する。
- 滅菌工程，取り扱い，保管のストレス条件を適切にシミュレートする研究を見極める。
- バリデーションで試験された容器が適切であることを確認する（例えば，最終的に滅菌された医薬品の場合，選択された容器は，当該製造工程を使用して最大の滅菌サイクルにさらされている必要がある）。
- 試験の感度を規定している。
- バリデーション中および安定性プログラムの一部として（無菌試験の代わりに），製品の保存期間にわたって，容器と閉塞具の完全性を実証する。

8. 製造システム【3.8 Production System】

Program 7356.002には，製造システムを査察するときにカバーする一般的な領域を示している。リストされた領域は無菌製剤に適用可能であり，査察中にカバーする必要がある。

製造の慣行と条件は，医薬品の無菌性保証に直接かつ重大な悪影響を与える可能性がある。製造システムと品質システムはすべての完全査察に含めるべきである。製造システムの査察を行う企業の重要要素のカバレッジは，無菌的に処理された無菌医薬品製造所のすべての査察（完全および簡略）の一部である必要がある。

作業による汚染リスクは，製造作業全体の設計に大きく依存する。製造作業の観察は，無菌操作法の妥当性を評価する上で重要である。以下の点を注意深く観察すること。

- 無菌技術の妥当性［FDAの「無菌操作法ガイダンス」セクションVを参照］
- クリーンルームにおける職員の行動と慣行［FDAの「無菌操作法ガイダンス」セクションVを参照］
- 無菌操作の作業前と作業中の人と物の動き
- 製造工程設計の堅牢性（例：プロセス性能，バリデーション，無菌操作の労働効率に対する設備構成の影響）［FDAの「無菌操作法ガイダンス」セクションIVを参照］
- 消毒方法［FDAの「無菌操作法ガイダンス」セクションX.A.3を参照］

より具体的には，査察にはより高いリスクの操作のリアルタイムの観察が含まれるが，これらに限定されない（これらは例であり，包括的なリストではない）。

- 充填ライン，特に組み立てが困難なライン（例：粉末充填ライン），および複数の無菌アセンブリを必要とする，または製品の移動部にSIPを使用しないラインのセットアップ。
- ラインと部屋の清掃と消毒により，アクセスが困難なすべての表面を一貫して適切に清掃および消毒する。
- 重要な接触面を保護し，操作中および滅菌後の無菌性を確保する。
- 装置の詰まりや停止の処理を含む，運用中の無菌技術とクリーンルームでの動作。
- 環境の微生物管理に関する作業員の動線。
- 無菌充填室での作業員の数とその活動を含む材料の流れ（例：材料が管理されていない場所から消毒していない清潔な場所に移動するかどうか）。
- 充填作業，特に作業員の更衣技術，ガウンの完全性，SOPの厳守，介入の性質と頻度（介入は培地充填シミュレーション中にも実行される），および重要な充填区域の全体的な状態。
- 計画外のイベントに関連する不規則な介入（例：作業員が操作中に充填ポンプを交換）。
- SIP滅菌されていない滅菌ろ過装置の組み立てのため，充填作業中の特別な操作。
- 凍結乾燥工程での半打栓したバイアルの取り扱い（搬入，保管，積載）。凍結乾燥製品の場合，無菌製品のバイアルに栓は付いているが，凍結乾燥工程が完了するまで完全に密閉されていない。無菌製品は，充填，半打栓，搬入，凍結乾燥機への積載，および凍結乾燥サイクル中に環境にさらされる。ゴム栓の完全な打栓は，通常，サイクルが完了した後にチャンバー内で行われる。これらの操作はすべて，クラス100の条件下で実行する必要がある。
- 滅菌のための装置の準備（洗浄，定義された積載パターンで検証された滅菌サイクルの一部として，熱浸透を可能にしつつ製品の保護を確実にするための包装形態）。
- 環境モニタリング（モニタリング計画は試験室管理システムとみなされるが，査察では，実際のモニタリング操作の観察とサンプリングサイトの妥当性根拠を含める必要がある）。
- 必要に応じてバイアル上のゴム栓の適切な位置と密閉，およびキャッピング（アルミニウムクリンプ）は，一方向気流下で保護された区域で実行される。
- 最終バルクの無菌ろ過が不可能な無菌懸濁液および滅菌バルク粉末（抗生物質など）の製造。これらは通常，無菌条件下で調合および製造される。これには，製造設備の大部分（例：タンク，反応器，乾燥機，関連するラインなど）の滅菌と，これらの設備が完全性を維持して無菌状態を維持することの保証が必要である。

製造システムの査察中にカバーする必要がある重要な操作に含まれるものとしては，次のものがある。

(1) 培地充填試験またはプロセスシミュレーション

培地充填試験は，アイソレータ，BFS，RABSシステムなどの新しい技術を使用するものを含む，無菌操作法を検証するために使用される。手動での集中的な無菌操作を検証する培地充填試験は，商業製造のロットサイズと製造時間に等しいか，それに近い必要がある。対照的に，アイソレータで行われる製造は，作業員の直接的な介入がないため，微生物汚染のリスクが低くなるように設計されており，全体の操作の割合として少ない容器数でシミュレーションができる。すべての培地充填試験は，製造工程を厳密にシミュレートし，必要に応じて，ワーストケースの作業と条件，および作業者の介入を組み込む。培地充填試験に対するFDAの現在の期待は，

2004年版「無菌操作法ガイダンス」のセクションIX.Aで説明されている。

- 培地充填試験バッチレコードに記録された操作と比較することにより，培地充填試験が実際の製造操作を表していることを確認する。
- 培地充填試験が，各製造ラインで半年ごとに行われているかどうかを確認する。各シフトを代表する活動と介入を，半年ごとの培地充填試験プログラムに含める必要がある。複数のシフトで無菌製造が行われる場合，6カ月ごとに各製造ラインに複数の培地充填試験を実施する必要がある。アイソレータ操作を除いて，シフトごとに少なくとも半年ごとの培地充填試験が実行される。すべてのタイプの容器の無菌充填が，実行された培地充填試験によってサポートされているかどうかを確認する。マトリックスアプローチを使用する場合は，各ラインのワーストケースの容器/閉塞具の構成を選択するにあたっての企業の正当性を評価する。
- すべての充填容器の結果を見極める（充填容器 対 培養容器）。
- 充填中および充填後に廃棄されたすべての容器に，合理的で妥当な拒否理由のあることを確認する（例えば，ゴム栓の欠落，アルミニウムキャップの欠落）。
- 培養後に発見されたひび割れおよび漏れのある容器を調査し，カウントし，拒否されたすべての容器が適切に正当化されていることを確認する（例えば，合理的で妥当な拒否理由があるかどうか）。
- 培養後に誰がどのように容器を検査するかを見極める。検査が微生物担当者によって行われていない場合は，検査が品質部門によって監督されているかどうか，および検査を行う作業者が微生物担当者によって適切に訓練されているかどうかを見極めること。

参考資料

- *FDA' s 2004 Aseptic Processing Guidance, Section IX A.*
- *PDA Technical Report No. 28, revised 2006, Process Simulation Testing for Sterile Bulk Pharmaceutical Chemicals.*
- *PDA Technical Report No. 22, revised 2011, Process Simulation for Aseptically Filled Products.*

(2) 無菌ろ過（無菌処理）

- 製造で使用されるフィルターが，バリデーション研究で使用されたフィルターと同じであることを確認する（つまり，医薬品承認申請書に提示したフィルター）。
- 実際の操作パラメータと許容される極限値がバリデーション研究でカバーされていることを確認する。
- すべての製品に対して行われたろ過滅菌の検証を確認する。従来の製品には特に注意すること。これには，古い製品と，申請されていない製品が含まれる。
- フィルターの完全性試験を観察して，手順が守られていることを確認する。
- 完全性試験失敗の調査内容を照査する。

参考資料

- *FDA's 2004 Aseptic Processing Guidance, Section IX.B.*
- *PDA Technical Report #26, 2008, Sterilizing Filtration of Liquids.*

(3) 容器，閉塞具，および製造装置の滅菌および脱パイロジェン

- 容器，閉塞具，および無菌操作法の場合は無菌製品または無菌コンポーネントと接触する装置の滅菌，および発熱性物質除去工程のバリデーションまたは再バリデーションを確認する。
- 検証済みのパラメータ（負荷パターン，サイクルパラメータ）が各負荷で満たされていることを確認したかどうかをチェックする。
- 事前に滅菌またはシリコン処理をしていないゴム栓を購入した場合は，使用前に発熱性物質除去およびシリコン処理が必要になる場合がある。前述のように，発熱性物質除去は，WFI洗浄ステップを繰り返す洗浄希釈プロセスによって達成できる。バリデーションにより，細菌性エンドトキシンの3-log減少の成功が実証されていること。企業が独自にゴム栓にシリコン処理を行う場合，洗浄後のシリコンレベルは，所定の許容基準を満たすように検証する必要がある。
- ゴム栓は蒸気滅菌される。滅菌に使用するクリーンスチームが許容範囲内であり，エンドトキシン試験が行われていることを確認する。
- 実作業と手順を確認して，企業が滅菌と脱パイロジェン工程を再検証する必要があるかどうかを照査する。
- 変更管理手順を確認する。
- 再処理を行っているかどうかを見極める。
- バイオバーデンレベルの評価：工程のバイオバーデンに対する企業の理解を評価し（例えば，入荷する医薬品原料/容器/閉塞具），企業が重要工程の保持時間を適切に検証しているかどうかを判断する。バイオバーデンの増加は，医薬品の分解や，医薬品への不純物（エンドトキシンを含む）の原因となる可能性があることに注意することが重要である。サンプリングポイント（工程フロー内の場所）と方法は，製品の品質リスクに基づいて評価する必要がある。

(4) 凍結乾燥

- 選択した製品に対して確立された凍結乾燥サイクルのバリデーションを照査する。
- 企業が，各ロットがすべての重要なサイクルパラメータに適合していることを確認していることを確かめる。
- 環境モニタリングが，凍結乾燥機からの製品の積み下ろしエリアで日常的に行われていることを確認する。さらに，積み込みおよび積み降ろし操作を実行する作業員のモニタリングが行われていることを確認する。
- 半打栓したバイアルの搬入と凍結乾燥チャンバーへの積載を観察し，適切な環境条件（ク

ラス100）で行われたことを確認し，適切な無菌技術が使用されていることを確認する。
参考資料：*FDA's Guide to Inspections of Lyophilization of Parenterals.*

（5）バイアルの密封

- バイアルは，アルミニウムのオーバーシールがゴム栓の上に配置され，定置で圧着されるまで密封されない。
- 密栓したバイアルがキャッピングの前に無菌操作ゾーンを出る場合は，HEPAフィルターによる空気保護や，栓が正しく取り付けられていないバイアルを排出する検証されたインライン検出器など，適切な安全対策が講じられていることを確認する。

（6）最終滅菌

- 採用する滅菌サイクルのタイプを決定する（バイオバーデンベースまたはオーバーキル）。
- 製品の代表的なタイプの最終滅菌サイクルのバリデーション/再バリデーション/定期的評価を確認する。
- 選択した製品について，製造で使用されるパラメータと積載パターンがバリデーション研究で使用されるものと同じであることを確認する。
- SOPで許容される最小許容サイクルを決定し（名目または通常のサイクルとは対照的），それをバリデーション済みサイクル（BIを使用）と比較して，それが適切に検証されていることを確認する。
- 滅菌サイクルがどのように文書化され，モニターされ，レビューされるかを確認する。
- プロセス性能の不整合を示す滅菌操作からの逸脱または異常なデータを照査する。

（7）最終滅菌された製剤のパラメトリックリリース

これは，滅菌プロセスの実証された制御に基づく無菌性保証リリースとして定義される。これにより，企業は，21 CFR 211.167(a)の意図を満たすために，無菌試験の代わりに，定義された重要なプロセス制御データを使用できる。これは，加熱処理で最終滅菌される製品にのみ許可され，適切な規制申請での出荷方法として識別されなければならない。パラメトリックリリース製品には，承認された申請書が必要である。

- 査察中にパラメトリックリリースに遭遇した場合，パラメトリックリリースが適切な医薬品申請で承認されていることを確認する。医薬品が承認申請の対象ではない場合，センターによる評価のために関連情報と検証データを収集する。
- FDAのコンプライアンスポリシーガイドのセクション490.200，「パラメトリックリリース—加熱法により最終滅菌された医薬品」に記載されている条件が満たされていることを確認する。

（8）注射剤の全数検査

全数検査には，亀裂，目視できる粒子，その他の重大な欠陥の検査を含む。

- 企業が，当該ロットから欠陥品を取り除く手順，および重大な欠陥品の数が所定のレベルを超えた場合に，とるべき行動を記載している手順書を確認する。
- 重要な欠陥のカテゴリーを特定する必要がある。各バッチの検査結果は，設定されたアクションレベルと比較する必要がある。
- 所定の行動レベルの妥当性とその根拠または正当性を評価する。
- 亀裂や目視できる粒子（異物など）のために除去された容器を含む，除去の原因に対する企業の調査を評価する。
- 検査プロセスを観察する。
- 観察を通じて目視/手動検査率に臨む。
- 目視検査のための手順書が適切かどうかを評価する。
- 確立された手順に従って，担当者の資格と再資格，および装置の認定を評価する。作業員の資格認定のため，参照サンプルを使用して評価を行う。
  - ✓手動システムを使用している場合，従業員が実際の，またはシミュレートされた製造条件下で，欠陥を認識および除去できることを確認するためのトレーニングと資格があるかどうかを判断する。
  - ✓自動化または半自動化システムが使用されている場合は，装置が認定済みであり，ソフトウェアプログラムまたは装置設定が検査対象のすべての種類の製品（透明なバイアル，琥珀色のバイアル，着色溶液，懸濁液など）に対して検証されていることを確認する。装置が自動的に制御されるコンピュータベースのシステムである場合，システムの評価とバリデーションが必要である。
- 検査済みバイアルのサンプリングと検査に関する企業のプログラムを評価し，検査の有効性と，不合格レベルに達した場合の対策を評価する。
- 充填作業（全数検査前の個別検査）中に拒否された容器に対する評価，設定された警報/処置基準値，および適切である場合の調査を評価する。

(9) 人員（更衣，訓練，無菌技術）

従業員が着用するガウンおよび個人用保護具（personal protective equipment；PPE）の種類は，彼らが働く区域に適したものでなければならない。各製造区域での更衣要件を説明する詳細な手順書があるはずである。以下について評価する。

- 無菌操作の場合，ガウン（通常，フェイスマスク，フード，保護メガネ，グローブ，ブーツが含まれる）が滅菌されており，微粒子を放出しない材料でできていることを確認する。ガウンは肌，毛髪，あごひげ，口ひげを完全に覆うようになっている。
- 滅菌ガウン/ガーブが，使用のためにどのように受け入れられるか，または拒否されるかを確認する。
- 管理区域で働く従業員，特に無菌製造ラインを設置して操作する従業員のトレーニング，試験，資格認定，資格再認定のための企業のプログラムを評価する。
- 無菌製造操作を観察することにより，従業員の無菌技術を評価する。

- 選択した従業員について，トレーニング，試験，資格認定，および再認定が手順で規定されたとおりに行われたことを確認する。
- トレーニングが継続的に行われていることを確認する。

参考資料：*FDA' s 2004 Aseptic Processing Guidance, Section V.*

（10）バッチ製造記録

- 環境および作業員のモニタリングデータ，およびサポートシステム（HEPA / HVAC, WFI，蒸気発生器など）や製造設備の許容性に関するデータの精査。この精査は，バッチの出荷決定に不可欠であると考えられている。バッチ製造記録にはこの種の証拠書類を含め，流通用ロットの出荷前に，全体的な精査を行う必要がある。
- 無菌操作の場合，重要区域（クラス100 / ISO 5）への介入が文書化されていることを確認する。これにより，品質部門による精査と評価が可能になる。
- バッチ記録を精査して，すべての滅菌工程に関して完全な情報が含まれていることを確認する。

参考資料：*FDA Aseptic Processing Guidance, Section XII.*

（11）環境および作業員のモニタリング

- 後述の「試験室管理システム」の項（3.10 Laboratory Control System）を参照のこと。

9. 包装および表示システム【3.9 Packaging and Labeling System】

Program 7356.002は,「包装および表示管理システム」の査察時にカバーする領域を示している。無菌医薬品に適用できるすべての領域であり，このシステムが対象として選択されている場合はカバーする必要がある。無菌製品の特別な懸念事項に含まれることは，以下のとおりである。

- 包装と表示操作によって製品の完全性にリスクが生じないことを確認する（例えば，容器の完全性に影響を与える可能性のある容器または閉塞具の損傷）。
- 容器，閉塞具，包装/梱包システムが，保管，輸送，および汚染または劣化の原因となる可能性のある外部要因を確認する（例えば，適切に保護されていない場合，輸送中にバイアルが割れる，バッグのピンホールリーク，冷凍製剤，抗生物質や大容量の非経口剤の無菌バルクのオーバーラップの破れや穴，および輸送中の空気の圧力変化による無菌バルクAPIを含むアルミ缶ストッパーの外れ）。
- 無菌製品の充填容器がラベルなしで一定期間保管されることは珍しいことではない。企業は，ラベルの付いていない製品を常に適切に識別するための適切な管理を行う必要がある。
- 冷蔵または温度制御容器の室温での曝露時間に対する追跡（例：ラベル貼付前の冷蔵容器のウォームアップ）。
- 包装およびラベル付け作業中に拒否された容器の追跡と調査。

10. 試験室管理システム【3.10　Laboratory Control System】

Program 7356.002は，試験室の査察時にカバーする一般的な領域を示している。無菌医薬品製造所の査察は，微生物試験室もカバーする必要がある。品質管理試験〔無菌試験およびLimulus Amebocyte Lysate（LAL）試験〕と環境および作業員のモニタリングサンプルの収集を観察して，許容可能な技術が使用され，手順書に従っていることを確認する必要がある。微生物試験室の査察では，以下について評価する必要がある。

- ロット全体と製造条件を代表するサンプルの収集を含む無菌試験，試験環境の適切な制御とモニタリング，特定製品に対する試験法のバリデーション，培地の発育促進試験，培養時間と温度。サンプル数または試験の回数を増やしても，ロットの汚染レベルが非常に低い場合，汚染を検出する確率はそれほど大きくならないことに留意することが重要である。

  参考資料：*FDA's Guide to Inspections of Microbiology Pharmaceutical Quality Control Laboratories and FDA's 2004 Aseptic Processing Guidance, Section XI.*

- 製品に特異的なバリデーションを含むLAL試験，必要に応じて原材料・コンポーネント/容器・中間製品・最終製品の代表的なサンプルの収集，試験を実施するための適切な試験施設。

  参考資料：*Bacterial endotoxins – Test methodologies, routine monitoring, and alternatives to batch testing. ANSI/AAMI ST 72:2002/ (R) 2010, Association for the Advancement of Medical Instrumentation.*

- 以下を含む環境モニタリング：すべての製造シフトをカバーし，空気，床，壁，装置の表面，および無菌製造操作では，無菌製品，容器，閉塞具と接触する重要な表面を含む明確に定義された文書化されたプログラム，適切な警報と処置基準の設定，サンプリング方法（コンタクトプレート，スワブ，アクティブエアサンプラー）および環境分離株を検出するために設計された試験方法（培地，プレートの曝露時間，培養時間と温度）。サンプリング場所とサンプリング方法の妥当性の評価。

  参考資料：*FDA 2004 Aseptic Processing Guidance, Section X.*

  注意：環境モニタリングは，最終滅菌製品の適切なプログラムを含む，すべてのタイプの無菌医薬品の製造中に実行される。

- 以下を含む作業員のモニタリング：作業員のグローブの毎日/シフトモニタリングのための日常プログラムとガウンをモニタリングするための適切なスケジュール，製品への汚染リスクに基づく基準値の設定，そして設定した基準値を超えるか，悪影響の傾向を示す結果の調査。作業員のモニタリングはすべての無菌製品の操作で重要であるが，無菌操作では特に重要であり，査察の重点は，従業員が製造ラインの重要な区域に入ることを要求する操作に焦点を当てたリスクベースでなければならない。

  参考資料：*FDA's 2004 Aseptic Processing Guidance, Section V.C.*

- 管理区域，製造設備，および試験室で使用される消毒剤の適合性，有効性，および使用限界の評価を含む，消毒剤の有効性。企業の評価には通常，さまざまな表面材料に対する薬剤の有効性を試験する試験室研究が含まれる。マテリアルクーポンは，一般に，製造現場を構成する表面材料を使用する。調査は，同じ消毒剤，接触時間（文書化された手順で明確に定義されている必要がある）を使用して行う必要がある。また，消毒剤には限界があり，ほとんどの微生物がすべての種類の微生物に対して効果的ではないことを理解することも重要である。このため，企業は通常，複数の種類の消毒剤を使用する必要がある。

参考資料：*FDA's 2004 Aseptic Processing Guidance, Section X.A.3.*

- 微生物の同定。陽性無菌性試験，培地充填，および企業が指定した環境モニタリング（環境および作業員）検体で検出された微生物の同定を必要とする手順を含む。このプログラムは，重要区域，周辺区域，および製造区域での作業者から採取した検体中で検出された微生物の日常的同定を保証する必要がある。汚染微生物の同定活動に使用される手順，機器，管理を照査する。
- 無菌試験，原材料の試験，ろ過前バイオバーデン，環境モニタリング，培地充填試験などの試験実施に使用される培地の準備，滅菌，および発育促進試験を含む微生物用培地。必要に応じて，汚染微生物の検出を可能にするために，消毒剤または製品の残留物に対する不活化剤を加える必要がある。
- 滅菌バリデーション試験で使用されるBIおよび生物学的培養物は，適切な条件下で使用および保管する必要がある。通常，ベンダーから提供される場合，諸条件は受け取ったBIの添付資料に記載されている。微生物数は，ロットごとに確認する必要がある。胞子数は，バリデーション試験での使用前に検証する必要がある。D値は，ベンダーによって説明されている方法以外で使用する場合，BIのロットごとに決定する必要がある。指示どおりに使用した場合，分析証明書の信頼性が確立されていれば，ベンダーから提供されたD値を受け入れることができるが，受入れバッチのD値は定期的に検証する必要がある。

参考資料：*2004 FDA Aseptic Guidance.*

- 微生物（ATCCなど）は，培地の発育促進試験に使用される。環境モニタリング検体から分離された微生物は，発育促進試験の実施にも使用できる。
- インキュベータなどの微生物試験装置の監視，校正，装置保全プログラム。
- 微生物試験責任者のトレーニングと，無菌性，LAL，および環境モニタリング試験を実施する微生物試験責任者または担当者の評価。
- 規格外結果（out-of-specification；OOS）に対する文書化された調査。陽性無菌試験，培地充填，LAL試験の不適合調査を評価する。また，環境/作業員のモニタリング結果の警報基準値と処置基準値を確認して，重大なインシデントまたは傾向に対する企業の対応を確認および判断する。バッチ汚染を検出するための無菌試験の感度は限られているため，陽性は深刻な問題であり，品質部門の監督と承認を得て，企業が徹底的に調査する必要がある。調査とそれに続くことは，意思決定プロセスを評価するために査察中に照査すべきである。微生物の増殖が明らかに実験室のエラーであったという明確な文書化された証拠がある場合にのみ，最初の陽性が無効であると見出すことができる。

参考資料：*Section XI.C of FDA' s 2004 Aseptic Processing Guidance.*

21 CFR 211.180(e)では，データを使用して品質基準の遵守を評価できるような方法で記録を維持する必要がある。微生物試験室で得られたデータの評価は，最終製品の無菌性保証を確認する上で不可欠な役割を果たす。査察では，企業が試験データと製品品質関連データ（トレンドレポートなど）を作成して精査し，継続的な制御状態を保証するために，タイムリーな情報と科学的根拠に基づく決定を行っているかどうかを判断する必要がある。

11．サンプリング【3.11　Sampling】

査察中に遭遇した汚染の疑い，不良品，または不当表示を文書化するために，無菌医薬品のサンプルを収集する必要がある。サンプルは，見本または記録である。工程中のサンプルを要求する原因究明事象では，そのような汚染発生の可能性があるポイントで無菌的にサンプルを収集する。これらのサンプルは，査察官の監視の下で企業が収集する必要がある。原材料のすべての見本，工程中のサンプル，または完成した医薬品の汚染の可能性および/またはサンプルの完全性を損なう可能性を防ぐために，細心の注意を払う必要がある。サンプルサイズとサンプリング手法に関するガイダンスについては，地区事務所，CDER，またはサービスラボに相談すること。企業によって無効になった初回無菌試験での不適合結果の製造ロットが，サンプリングのよい候補とみなされる場合がある。

CGMPの欠陥を文書化するために，見本サンプルの分析は必要ない。書類が欠陥を明らかにし，州間輸送の証拠を入手するために，書類サンプルが提出される場合がある。FDC法のセクション702(b)に対応するために，適切な数のサンプルユニットを収集するように注意すること。

無菌試験を必要とする最終製品の場合，48容器の製品を収集する。エンドトキシン試験を必要とする最終製品の場合，20容器の製品を収集する。

追加のサンプリングガイダンスについては，Investigations Operations Manual（IOM）の第4章を参照のこと。

GMP調査よもやま話⑥

GMPの世界に長く身を置いた者として，規制当局（厚生労働省，PMDA，国立医薬品食品衛生研究所）のGMP関係者とは何かとお付き合いがあった。なかでも思い出すのは山本史氏（現，厚労省大臣官房審議官）である。彼女が監視指導・麻薬対策課に所属していた当時，2004年5月29日に発効したEUとの医薬品GMP分野のMRA対象品目は固形剤に限定され，無菌製剤（生物由来バイオ製剤，血液分画製剤，ワクチン等）や原薬は対象外になった（図）。また2005年4月21日，EMEAのGMP査察官が，ISPE年次大会で「短期的，中期的な目標として，無菌製剤をMRAに組み込んでいきたい。そのためには，無菌製剤の基準を日欧で互いに受け入れられるようにすることが大切」と述べた。当時，日本にはEU-GMP Guide Annex 1やFDA Aseptic Processing Guidanceのように，国際的に通用する無菌医薬品製造指針がないため，MRA対象外になったというのが山本氏からの説明であった。そこで，筆者は山本氏から日比谷公園内にあるレストラン「松本楼」でビールを飲みながら無菌医薬品の製造指針作成を依頼され，酔った勢いで承諾し，以下の指針作成に関わった。

- 2006.07.04：**無菌操作法指針**
  （無菌操作法による無菌医薬品の製造に関する指針）
- 2007.06.04：**最終滅菌法指針**
  （最終滅菌法による無菌医薬品の製造に関する指針）

The European Agency for the Evaluation of Medicinal Products
Inspections

MRA EC-*Japan*

London, 30 June 2003
Doc. Ref.: EMEA/MRA/JP/85/03

EC - Japan Mutual Recognition Agreement
Sectoral Annex on Good Manufacturing Practice for Medicinal Products

Second Sub-Committee Meeting, 30 June 2003
Joint Common Statement

図　EC-日本のMRA締結（2003年）

4.4 無菌医薬品製造施設に対するFDAのチェックポイント (Program 7356.002A, Attachment A)

出　典

FDA Compliance Program Guidance Manual: Program 7356.002A
告　示　日：2015年9月11日
施　行　日：2016年9月11日

無菌医薬品製造に関して，査察時の質問リストと評価が必要な情報に関する留意事項（Points to Consider）を以下に列記する。なお，項目番号はFDAが発出した文書に記載された番号に従っているため，順番どおりになっていない箇所がいくつかある。

付録A

1 湿熱滅菌

参考資料：*PDA Technical Report No. 1*（2007年改訂）*Validation of Moist Heat Sterilization Processes : Cycle Design, Development, Qualification and Ongoing Control.*

一般

1. 湿熱滅菌機（オートクレーブ）の製造企業はどこか？
2. オートクレーブの型式番号，製造年，内部容量は？
3. 滅菌剤は何か（例：蒸気，加圧空気，過熱水，γ線照射）？
4. ジャケットを使用する場合，チャンバーに対してどんな温度/圧力が維持されているか？
5. どんなタイプのベントフィルターが使用され，完全性試験はどのくらいの頻度で実施されるのか？
6. ベントフィルターは疎水性か？　ベントフィルターのハウジングは，凝縮防止のために過熱されているか？
7. 滅菌サイクルは手動または自動で制御されるのか？
8. モニタリングやコントロールのセンサーにはどのようなタイプのものが使用されているのか（例；水銀温度計，サーモカップル，測温抵抗体，圧力ゲージ）？
9. これらのセンサーはどのようにして校正されているのか？　標準器は米国国立標準技術研究所（NIST）または適切な海外の国立標準との間でトレーサビリティはあるのか？
10. オートクレーブには蒸気拡散器（1本以上のスチーム導入ラインの配置）が設置されているか？
11. 工場が1台以上のオートクレーブを使用している場合，それらのオートクレーブすべてを同時に稼働させるのに必要な蒸気製造のシステム能力は？
12. 滅菌サイクルのパラメータは何か？　（マスターバッチレコード/SOPにおける規格を選

択された医薬品の完全な製造記録書と比較し，検証すること。)

13. 下記事項に関する企業の規格と観察されているパラメータは何か？
    - 時間
    - 温度
    - 圧力（psi, in. Hg）
14. 滅菌サイクルをコントロールするセンサーの設置位置はどこか？
15. 個々の滅菌機のパラメータは，どのようにモニターされているか？　滅菌中のチャンバー内部の到達時間は，バリデーション時の到達時間と比較して再現性はあるか？
16. 各オートクレーブサイクルにおいて，すべての積載において加熱が最も遅い場所（コールドスポット）があるか？
17. 前回査察以降，スチーム滅菌システムにおいて何か変更されているか？　またこれらの変更に関して再バリデーションの必要性について適切に評価されているか？
18. クリーンな蒸気が使用されているか（バクテリアエンドトキシンの管理）？

バリデーション

19. 企業は，下記事項を含むバリデーションの手順書を持っているか？
    - 目的とするデザイン
    - 設備機器の据付時クオリフィケーション
    - 設備機器の稼働時クオリフィケーション
    - 製品を用いた稼働性能クオリフィケーション（申請書に記載された最大および最小負荷条件，およびその後のすべての変更）
    - システムの再バリデーションを必要とする状態の記述
    - 再バリデーション方法
20. バリデーション書類は以下のものを含んでいるか？
    A. 空のチャンバー/負荷されたチャンバーを用いた熱分布試験
       - 運転回数は？
       - コールドスポットは決定されているか？
       - 許容変動幅は？
       - 実際に見出された変動幅は？
       - ワーストケースの負荷条件は何か？
    B. 熱浸透試験
       - 各タイプの負荷パターン/使用されるすべての容器サイズに対して実施されているか？
       - 各パターンでの運転回数は？
       - 各パターンにおけるコールドスポットは決定されているか？
       - 申請書に記載されたローディングパターンに従って実施されているか，もしくは報告すべき変更は適切に提出されているか？

21. 温度測定システムとしては，どんなタイプが使用されているか？　個々のサーモカップルの温度に対して別々に印字記録しているか？
22. どんなタイプの温度センサーが使用されているか，またそれらは各運転の前後で校正されているか？
23. バリデーション運転の際，バイオロジカルインジケーターが使用されていたら，
   - BIのタイプ（芽胞菌のストリップ片，移植菌の製品，アンプル）
   - BIの起源
   - 使用された微生物，濃度，D値
   - BIは全菌死滅（end point）モードで使用されたのか，もしくは菌数減少（count reduction）モードであったのか？　もし期待していなかった陽性のBIがあった場合，企業の対応はどのような内容となるのか？
23. もし熱分布試験や熱浸透試験の結果，変動が見出されていた場合，企業はどのように変動を修正または許容したのか？
24. 企業はすべての容器サイズ/容量，製品粘性等に対して変動する時間の遅れを検討し，それらに対応したサイクルに調整したのか？

2 乾熱滅菌（脱パイロジェン）

一般

25. どんなタイプの乾熱滅菌機を使用しているのか（オーブンタイプ，トンネルタイプ）？
26. 熱源の位置を確認せよ。脱パイロジェン温度を提供する加熱要素/装置はHEPAフィルターの要求する微粒子ろ過能力に影響を与えるので注意すること。例えば，高温はHEPAフィルターやハウジングを拡張したり縮小したりするのでHEPAフィルターの完全性や機能に悪影響を与える。
27. オーブンもしくはトンネル内でどのように熱が分散していくのか（ファン，対流）？
28. HEPAフィルターは，オーブンまたはトンネル内のどこに配置されているか？　HEPAを通した空気は，トンネル内のどのゾーンに供給されるか（供給，加熱，冷却ゾーン）？トンネルの冷却ゾーンには，容器の無菌性を保証するためにクラス100の条件が維持されているか？　クラス100エリアとして管理されているのはどのゾーンか？
29. 熱力学的（360℃以上の高温ではフィルターハウジングの拡張や縮小を引き起こす）な影響のため，HEPAフィルターは通常6カ月ごとに完全性試験を実施する必要がある。しかしながら脱パイロジェンの使用程度やトンネルの加熱領域の外側付近の微粒子モニタリングのデータ次第では，完全性試験をより頻繁に実施する必要がある。企業は，HEPAフィルターの完全性をどのように保証しているか？　またどのくらいの頻度でHEPAフィルターは交換されているか？
30. トンネル内のホットエアー領域で微粒子測定が行われているか？　脱パイロジェントンネルのクラス100/ISO 5ゾーンでの微粒子測定は，高温のため定常の生産時には行われない。しかし，定期的にISO 5エリアの微粒子を測定して保証しなければならないので，通常は

バッチ/キャンペーン生産前もしくは生産後に室温で測定している。

31. 滅菌/脱パイロジェンサイクルは手動で，または自動で制御されるのか？
32 モニタリングやコントロールのためにどんなタイプのセンサーを使用しているか（例えば，サーモカップル，RTD（Resistance Temperature Detector：測温抵抗体），圧力ゲージ，ベルトスピード指示計か）？　それらの校正頻度は？

パラメータ

33. 滅菌/脱パイロジェンサイクルのパラメータもしくは設置されている機器は何か？　製造記録書マスター/SOPでの規格と製品を代表する特定バッチの実際の製造記録での数値とを比較せよ。
34. 適用している時間，温度，ベルトスピードおよび圧力に対する企業の規格は何か？
35. 重要パラメータは何か？　それらはどのようにして設定されたのか？　重要パラメータは，各ロットもしくはサイクルに合致していることを企業はどのように保証しているのか？
36. サイクルをコントロールするセンサーはどこに設置されているのか？
37. 上記パラメータの各々はどのようにモニタリングされているのか？　モニタリングされていないパラメータは何か？　重要パラメータに対しては継続的なシステム（例えば，トンネル滅菌の使用中等）でも警報が発せられるのか？　警報が鳴った場合には何をするのか？
38. 重要パラメータのすべてがオーブンでの各サイクルあるいはトンネル滅菌器の継続的運転中に満足していることをどのように保証しているか？
39. 重要パラメータ（加熱，ベルトスピード，圧力）が適合しない場合，作業者に知らせる警報が乾熱滅菌トンネルに装着されているか？　警報は記録されるか？　警報を引き起こす条件の変更には，変更管理の実施とバリデートされたプロセスへの影響の評価を実施することが要求されているか？
40. 前回の査察から乾熱滅菌/脱パイロジェンシステムに対する変更がなされているか？　これらの変更に関して再バリデーションの必要性を評価しているか？

バリデーション

41. 企業は乾熱滅菌の稼働適合性確認の書類に以下の項目を含んでいるか？
    - 目的とするデザイン
    - 設備機器の据付時クオリフィケーション
    - 設備機器の運転時クオリフィケーション
    - 製品を用いた稼働能力のクオリフィケーション
    - 再バリデーションやそのプロセスが必要な場合の状況に関する記述
42. バリデーション書類には，熱分布試験もしくは熱浸透試験が含まれているか？
    - 企業が許容している温度変動幅は？　また製造中に見出された実際の変動幅は？

- 温度測定システムとしては，どんなタイプが使用されているか？
- バリデーションの前後で校正が実施されているか？
- 乾熱滅菌がオーブンで行われる場合，加熱が最も遅い箇所が特定されているか？

43. 脱パイロジェンサイクルはどのようにしてバリデートされたのか？
    - バイアルに対して既知量のエンドトキシンが添加されたか？
    - バイアルに添加されたエンドトキシンは乾燥されたか？
    - スパイクしたエンドトキシンが回収されることを保証するための回収試験がバリデーションと同時に実施されているか？
    - 3 log減少の計算が可能となるような十分量のエンドトキシンでチャレンジ試験がなされているか？
        - ✓バリデーション時に用いられたサイクルもしくは設置機器は何か？
        - ✓エンドトキシンの3 log減少は達成されているか？
44. すべてのバイアルに対する脱パイロジェンサイクルがバリデートされているか？　もしマトリックスアプローチ（バイアルサイズ/容量）を採用している場合，システムに対するチャレンジ試験のワーストケース選定にはどんな基準が採用されているか？　すべてのバイアルタイプやサイズが検証されているか？
45. バリデーション完了後，乾熱滅菌のサイクルもしくは設置機器に対して変更がなされていないか？　バリデーション試験，現状のSOPと最近のバッチ製造記録を比較せよ。

3 無菌充填

46. 製造現場で作業者を観察する場合，作業者の行動は該当するクリーンルームでの行動として制定されたSOPに記載された適切な行動と一致しているか？
47. クリーンルーム内に入室することなく無菌充填プロセスを観察できるか（例えば，窓越しにもしくはTVモニターにて）？

    A. 観察可能であれば，液体バルク製品の調製から充填，閉塞（シーリング）までの無菌充填プロセスと，実際の製造中に重要区域内で実施されている環境モニタリングを観察せよ。

    B. 観察できないのであれば，隣接のクリーンルーム内（例えば，クラス10,000/ISO 7のエリアから）から無菌充填プロセスを観察することを検討せよ。入室前に地方査察局に相談せよ。

    - 充填ラインのクラス100（ISO 5）エリア内に作業者が立ち入って介在作業を行っているか？　もしそうであれば，どのように記録に残しているか？
    - 介在はどのようになされているか（全身か，手の部分のみか）？
    - なぜ介在が行われているか？
    - 介在は常態化しているか，頻繁ではないのか？
    - 適切な無菌操作が行われているか（FDA無菌操作法ガイダンス2004年版のV.A.章を参照）？

・手，もしくは腕による介在が行われる場合，無菌製品の入った打栓されていないバイアルの上をかざしていないか？　もしかざしていたならば，当該バイアルは廃棄されたか？

48. 企業は，医薬品の無菌充填の手順書を持っているか？　その中には適切な無菌技術やクラス100エリア内で介在作業を行うために許容される技術について記載があるか？
49. 微粒子，微生物，ヒト（付着菌）のモニタリングデータのトレンド報告書を照査せよ。
    - 企業は何かのトレンドを感知していたか？　もし，感知していたならば（対策として）何をしたか？
    - 許容値を超えた結果に対して調査が行われたか？

無菌充填バリデーション

参考資料：*FDA's 2004 Aseptic Processing Guidance, Section IX.*

50. 培地充填試験に用いられたプロセスは，実際の市販医薬品の生産に用いられた無菌充填プロセスと同じか？　企業は，定期的に（シフト変更に合わせて）培地充填試験のデザインが製造作業に正確に合致していることを評価しているか？　企業は，培地充填試験の方法（実施頻度，チャレンジ条件，参加すべき職員，容器/閉塞具，介在作業，充填時間，バイアル数の確認，許容基準，培養，培養後の検査，陽性のバイアルが見出された場合の措置）について詳細な手順書を持っているか？
51. 前回の査察以降に実施されたすべての培地充填試験のサマリーと，ロット番号，試験実施日，製造ライン，充填本数，培養バイアル数，菌生育が見られなかった本数，陽性を示した本数，同定された陽性バイアルの菌，廃棄された試験バイアル等の情報を要求せよ。
    - 培地充填試験は，手順書に規定された頻度で実施されているか？
    - 陽性の生育を示したバイアルがあったか？
    - 許容基準に合格しなかったバイアルがあったか？
52. 培地充填試験で陽性を示すバイアルが見出された場合，手順に従っているか？　陽性バイアルのすべてに対して調査が実施されたか？　培地充填試験が許容基準に満たなかった場合は何をするのか？　陽性バイアルに関する調査報告書を精査せよ。
53. すべてのシフトに対して培地充填試験が実施されているか（例えば，キャンペーン製造時の代表的なシフト作業）？　培地充填試験は，通常の製造時に起こるシフト変更や休憩を含んでいるか？
54. 培地充填試験を中止したり，充填バイアルを培養しないのはどんな場合か？　もし同様の条件が実充填中に起きたら製造ロットは拒否されるか？
55. すべての作業員が培地充填試験に参加しているか？　その中には設備等の準備をする人や無菌充填ラインで作業する技術部門の人も含んでいるか？　すべての関係者が培地充填試験に参加していることを保証するために，企業はどのようなシステムを持っているか？
56. もし実際の製造においてエンドラインフィルターを使用するのであれば，培地充填試験にも使用しているか？

57. 培地充填試験に使用されるバイアルもしくはアンプルのサイズは何か？　もし企業が製造ラインで充填するすべての容器/閉塞具を培地充填試験で使用していないのであれば，ワーストケースチャレンジでの選択根拠を評価せよ。
58. バイアルを培養する前に，培地がバイアル内部表面のすべてに接触していることを保証するために倒置しているか？
59. 褐色や不透明な容器に充填された製品に対する培地充填試験は，どのようになされているか？
60. すべての完全なバイアルを培養していることを企業はどのように保証しているか？　介在作業のために運転中に除去された充填バイアルについて，企業はどのように取り扱っているか？
61. 企業は，培地充填試験に通常の製造中に起こる介在作業を含めているか？　培地充填品の除去について，通常の生産時に実施される作業と同等の手順（介在作業の対応や除去する充填品の数）を記載した書類を持っているか？　通常の生産時に培地充填試験に含まれていない介在作業を観察したか？
62. 培地充填試験の時間は，通常の生産時の時間と同等であるか？　もし異なるのであれば，培地充填時での時間が短いことの合理的根拠について評価せよ。
63. 培地充填試験に使用した菌生育用の培地は何か？
64. 使用する培地のすべてのタイプについて，発育性能試験が実施されているか？
65. 培地充填試験を実施するたびに，発育性能試験を実施しているか？
66. 発育性能試験はいつ実施されるか（充填の前後，培養後，等）？
67. 発育性能試験に用いられる菌は何か？　環境菌は使用されるのか？
68. 培地充填品の培養温度と培養期間はどのくらいか？
69. 陽性を示したバイアルからの菌は属と種が特定されているか？　そのような菌は環境モニタリング中に見出された菌と関連性があるか？
70. 培養が始まった後に，亀裂が起ったバイアルに対して調査がなされたか？
71. 培地充填容器を検査する時期と場所はどこか？
72. 培地充填品の検査を行うのは誰か？　もし製造部門の職員が検査を行う場合，その検査員は菌増殖のすべてのタイプを認識できるように訓練されているか？　検査が実施される際，微生物専門家が立ち会っているか？
73. 培地充填品の培養に使用されるインキュベータはどのようなものか？　そのインキュベータ内部の温度が均一であることを確認するための試験がなされているか？

4 凍結乾燥

参考資料：*Guide to Inspections of Lyophilization of Parenterals, FDA, July 1993.*

一般

74. 凍結乾燥機のメーカーはどこか？
75. 凍結乾燥機で用いられている加熱と冷却のシステムを述べよ。すなわち，真空のシステム，真空を解除するために使用されるガスおよびそれが無菌か否か，温度管理システムである。
76. バイアルを充填ラインから凍結乾燥へ移動させる手段は何か？ 移送，積載，取り出し中にクラス100（ISO 5）の環境はどのように維持されているか？
77. バイアルの積載もしくは取り出しは自動か手動か？
78. バイアルの密封（ストッパーの最終設置）はどのように実施しているか？
79. もし打栓がサイクルの最後に凍結乾燥機内で自動的に実施される場合，真空下で行われるのか？ そうでない場合には，どんなガスが用いられ，どのように無菌化されているのか？
80. 打栓が凍結乾燥機外で自動的になされる場合，打栓の位置まで移送される間，および打栓作業の間，凍結乾燥品はどのように汚染から保護されるのか？
81. 同一製品のバッチ間および異なる品目間（使用している滅菌剤/洗浄剤，適切な場合，滅菌剤の残渣のモニタリング，曝露サイクルを含む）の凍結乾燥機内の清浄手順を述べよ。
82. 過去に凍結乾燥機のコンデンサーが汚染源となった経験がある場合，凍結乾燥プロセスの評価にはコンデンサーの検査も含めるべきである。凍結乾燥サイクルは，どのようにモニタリングされ，記録され，照査されるのか？

凍結乾燥バリデーション：チャンバーの滅菌

81. 凍結乾燥チャンバー内は，どのように滅菌されるのか？ 移動棚を含むすべての表面が，いかに蒸気に曝露されるか？
82. 凍結乾燥チャンバーが滅菌されるのはいつか？ 各バッチ間で実施されないならば，その合理的理由についてどう説明しているか？
83. 滅菌サイクルは，どのようにコントロールされているのか（手動，自動）？ 製造中に滅菌サイクルは，どのようにモニタリングされているのか？
84. 凍結乾燥チャンバーの滅菌法は，バリデートされているか？ チャンバー内面を加熱するのが最も遅い場所が特定され，バリデーション時にチャレンジされているか？
85. 現在の滅菌手順を照査し，生産されたロットにおける滅菌の記録と比較せよ。サイクルのパラメータは，バリデーション時に用いたパラメータと同じか？ 生産時のサイクルは，バリデーション時のサイクルのパラメータと同じか？

凍結乾燥バリデーション：無菌操作

86. 凍結乾燥品の無菌操作は，培地充填試験においてバリデートされているか？
87. 培地充填試験にて，凍結乾燥工程の無菌操作をシミュレートしているか？
88. 凍結乾燥工程前でのバイアルの保管時間の最大時間は，培地充填試験にてシミュレートされているか？ もし凍結乾燥チャンバーにてバイアルがシールされないのであれば，打栓されるまでの最大保管時間は，培地充填試験にてシミュレートされているか？

89. バリデーションにおいて，凍結乾燥チャンバー内の真空度はどのくらいであったか？
90. 培地充填品は，真空状態の凍結乾燥チャンバー内でどのくらいの時間保持されるのか？ また市販ロット品と比べてどうか？
91. プロセスシミュレーションにおいて，培地は凍結されるのか？　プロセスシミュレーションでは，培地の凍結工程を含むべきではない。
92. 実生産において，凍結乾燥チャンバーに積載しているときは，バリデーション時と同様に環境モニタリングを実施しているか？
93. 企業は，培地の発育性能試験データを持っているか？　発育性能試験は，培養が完了したバイアルに対して行われているか？
94. 培地充填試験時同様，実生産時に凍結乾燥チャンバーから製品を取り出すとき，環境モニタリングを実施しているか？
95. 培地充填試験において，真空状態を解除するときに用いられているものは何か（窒素ガス，圧縮空気，もしくはその他のガス）？

凍結乾燥バリデーション：プロセス

98. 企業は各製品に対する凍結乾燥サイクルをバリデート（時間，加熱速度，温度，共融点）しているか？ 異なる物理化学的性質を有する製品を選択して，バリデーション記録を精査せよ。
99. 同一の凍結乾燥製品の製造記録を精査せよ。サイクルパラメータとその結果はバリデートされたサイクルの範囲内か？
100. 企業において製造された凍結乾燥製品の，全般的な外観，ケーキ外観，メルトバック，再溶解時間，含湿度を含む許容基準対非許容基準は何か？
101. 企業は設備機器の適格性確認，予防的メンテナンス，重要装置の校正や洗浄バリデーションを実施してきたか？

無菌原薬の凍結乾燥：無菌操作には，手動もしくは自動での輸送プロセス，あるいはそのコンビネーションによる凍結乾燥チャンバーからの原薬の取り出し，SIPされた保管容器もしくは輸送タンクへの輸送が含まれている。手動による無菌的な凍結乾燥プロセスの観察と評価，および原薬に関する培地充填試験において，同様の作業・操作が行われていることを保証することが重要である。

5　アイソレータバリア技術

参考資料：*Appendix 1 of FDA's 2004 Aseptic Processing Guidance.*

注意：アイソレータの除染に用いられる方法（過酸化水素，過酢酸）は，表面を微生物フリーの状態にすることが可能であるが，蒸気滅菌ほどの能力はない。これらの薬剤は保護され，遮られている表面を効果的に貫通することはできないが，バリデートされたシステムにより汚染フリーのアイソレータ内の表面を保証することができる。

102. 以下のことを確認せよ。
- アイソレータもしくはバリアの型と構成材料
- アイソレータのタイプ（オープン型，閉鎖型）
- 空気の流れ（乱流，単一層流）
- 周囲の部屋環境の清浄度区分
- グローブもしくはハーフスーツの数と位置
- 作業者が着衣している衣装（アイソレータ用グローブの下に無菌グローブを装着しているのか？）
- 工程パラメータ（圧力，風速，温度，湿度）

103. グローブ，ハーフスーツ，ドアシール等の完全性の定期的なチェックもしくは試験の実施時に，企業は書類化を要求するメンテナンスプログラムの手順書を持っているか？　どのようなタイプの試験/チェック方法がなされ，その実施頻度は？

104. 手順書には，グローブの交換頻度を特定しているか？　そうであればその頻度はどれだけであり，SOPの記載はそれに準拠しているか？

105. アイソレータの陽圧を継続的に，そして十分なレベルで維持しているか？

106. アイソレータへの製品の搬出入をどのように行っているか？　移送方法の堅牢性はどうであるか？

107. 無菌製品や医薬品成分が直接接触する機器や設備表面は，熱により滅菌されているか？　それはBI芽胞菌を少なくとも6 log減少が達成できているか？

108. アイソレータの内部除染に用いられている方法は何か（過酸化水素蒸気，過酸化水素水蒸気，二酸化塩化等）？　また除染のパラメータについて検証せよ。

109. アイソレータ内部表面の除染バリデーションは，滅菌剤がアイソレータ内に分散し，すべての表面に達する能力を有することを十分に反映しているか？　除染方法は，作業表面，あるいは除染のワーストケースの位置に，過酸化水素蒸気（VHP）が残留していないことを判定するためにCIを使用しているか？　CIは有用な定性的データを提供することで評価プロセスを補完することができる。アイソレータ内，特に除染剤が最も届きにくい位置（除染作業中にアイソレータ内に残存しているすべての物品の下等）に，複数のBIを設置しているか？　除染が最も難しい原材料は，評価されているか？

110. アイソレータの除染の頻度はどのくらいか，そしてそれはバリデーションデータで正当化されているか？

111. 電力喪失や圧力逆転，またはその他の予期せぬシステムの完全性の欠陥があった後に，除染サイクルを実施しているか？

112. アイソレータの除染サイクルの再評価の頻度はどの程度か？

113. 環境モニタリングプログラムの手順書には，各キャンペーン中での微粒子の定期的試験，および適切な回数の微生物試験（浮遊菌，表面付着菌，グローブサンプル）が含まれているか？　実施された試験および試験頻度について評価せよ。

試験用アイソレータ（無菌試験）

114. これまでにアイソレータ内部で偽陽性と判定された経験があるか（このことは非常にまれに起こることではあるが）？　偽陽性になった原因について調査され，改善がなされたか？

6 環境モニタリング：微粒子

参考資料：*FDA's 2004 Aseptic Processing Guidance, Section IV.*

115. 重要区域（製品が曝露/充填エリア）に供給される空気は，HEPAフィルターでろ過され陽圧下で供給されるのか？
116. 重要機器での空気の流れは，ユースポイントに到着した時点でも単一方向流となっているか？　風速はどのくらいか？　風速は重要な作業を行う高さと（HEPA）フィルター面の両方で測定されているか？　指定した区域/部屋（すなわち，クラス100（ISO 5）やクラス10,000（ISO 7）における単一方向流の可視化や証明のために，動的条件にて気流パターンの評価（スモークスタディ）が実施されているか？　スモークスタディは，重要な製造区域における微生物や微粒子による汚染の拡大を助長する要因である乱流や渦巻きの存在を明らかにすることもある。
117. 重要区域（非滅菌製品，中間製品，容器/閉塞具が準備される場所）に供給される空気は，どのようにろ過されるのか？
118. 下記区域における空気品質のクラス分類は？
    - 調製
    - 設備機器準備
    - 製品や医薬品成分が曝露されるすべての区域
    - 無菌接続が行われる区域
    - 充填ライン
    - 充填ラインの周辺の部屋
    - 巻締め区域
119. HEPAフィルターの完全性試験の頻度はどれくらいか？　どんな試験方法が使用されているのか？　リークが見つかった場合，何がなされるのか？　もし外部業者が実施した場合，その結果について品質部門を含む製造所内の職員により精査されるのか？
120. 各HEPAフィルターに対する気流速度のチェック頻度はどれくらいか？　気流速度の規格はどれくらいか？　風速が規格外になった場合，何をするのか？
121. クラス分類された区域におけるモニタリングプログラムに関して，サンプリング計画およびその科学的根拠を含めた手順書があるか（サンプリング位置の説明，サンプリング頻度，サンプリング位置はどのようにして選択されたのか）？
122. クラス分類された区域での微粒子数の測定に使用されている装置は何か？　エアーサンプルは，連続的に収集できるのか？　もしそうであれば，微粒子数があらかじめ規定していた限度値を超えた場合やクリーンルームのドアが規定時間以上開放されていた場合，アラームが鳴るのか？　アラームが出たらどのような対応をするのか？　アラームに関する記録はあるのか？　エアーサンプリングセンサーは固定据付タイプか？　それとも重要区域に持ち込み，その後，持ち出すポータブルタイプか？　微粒子数が警報基準や措置基準を超えたらどんな対応をするのか？

123. 無菌のコアエリアにおける差圧の要求レベルはどれくらいか？　そのレベルは気流が最もクリーンなエリアから少々劣るエリアへと（空気品質の分類に従って）流れることを保証しているのか？

124. 差圧はどのようにモニターされているのか？　連続的なモニタリングシステムが使用されているのか？　もしそうであるのならば，逸脱が起きた際に作業員が認識できるようなアラームの設定が含まれているのか？　アラームの状況は記録化（アラームログ）されているか？　アラームが鳴った場合，どのような措置がとられるのか？　逸脱が起こってからアラームが鳴るまでの時間の設定があるか？

125. 温度と湿度は，どのようにモニターされるのか？　許容幅はどの程度か？　もし測定値が許容幅を超えた場合には，どのような措置がとられるのか？

126. 環境モニタリングで逸脱（警報基準もしくは措置基準を超えたとき）が起きた場合，どのように処理されるのか？　逸脱が起きた場合，製品への影響，原因，必要な是正措置の決定のために調査が行われるのか？

7 環境モニタリングおよび作業者モニタリング：微生物

参考資料：*FDA's 2004 Aseptic Processing Guidance, Sections V and X.A*

空気

127. 企業は，現場にて有効な環境モニタリング（EM）プログラムを持っているか？　EMプログラムの目的と範囲は何か？　EMのサンプリングの位置は，製品に対するプロセスや作業からの汚染リスクに基づいて戦略的に決められているか？　微生物に対する警報基準や措置基準は，製造作業，支援ユーティリティ，製造場所で行われる作業者の挙動から得られた過去のEMデータに基づいているか？　下記の種々の地点で，アクティブサンプラー（既知の空気量を採取できるシステム）を用いて，微生物サンプリングの実施頻度はどのくらいか？
    - 製品もしくは医薬品成分が環境に曝露されるエリア
    - 充填エリア
    - 凍結乾燥機への積載エリア
    - 周囲のエリア

128. 微生物の警報基準や措置基準もしくは定量エアーサンプルに対する設定値はどのようなものか？　サンプリング時間はどれくらいか？　製造時もしくは非製造時に，サンプリングは実施されるのか？

129. どのようなタイプのアクティブエアーサンプラー（遠心分離型，インパクション型，膜型）を使用しているか？　サンプリング装置は校正されているか？　アクティブエアーサンプラーの効率性はどうか？
130. 企業は，これらのサンプラーが培地へ与える影響や培地の乾燥等，菌の生存性に有害な影響を与えることなく，微生物を回収できる能力を有することに関するデータを持っているか？
131. サンプリング地点あたり，採取した空気の容量はいくらか？
132. 落下菌を測定するのか？　曝露時間はどのくらいか？　サンプリング頻度は？　サンプリング位置は（重要作業近傍も含む）？　微生物の限度値は？

表面

133. クリーンルームの表面のモニタリングについて述べた手順書があるか？　その手順書には，サンプリングの位置，頻度，サンプリング方法について記述があるか？
134. 重要区域（クラス100/ISO 5）のどのような表面がサンプリングされるのか？　重要作業の表面（無菌製品もしくは医薬品成分が接触するエリア）も含まれているのか？
135. 表面サンプルはいつ採取されるのか？　製造作業の最後に重要な表面のみサンプリングされるのか？
136. 表面に対するサンプリング頻度は？
137. 各位置にて収集されるサンプリングのタイプは何か（RODACプレート，スワブサンプル）？
138. 重要な表面，クラス100エリアにおける表面，その他のクラス分類されたエリアの表面の微生物サンプルの警報基準および措置基準は何か？　またその基準値はどのようにして決定されたか？　警報基準や措置基準を超過した場合，何がなされるのか？

作業員

139. クラス分類されたエリアや無菌操作エリアで作業する職員に対する特殊な訓練プログラムはあるか？　そのプログラムはこれらのエリアで業務を行う前に，職員の資格認定や微生物試験の実施を規定しているか？　プログラムは事前の資格認定要件について規定しているか？
140. 充填室に従事する職員に対するモニタリング頻度はどのくらいか？　モニタリングは，少なくとも存在するクリーンルームに対して，（例えば，シフトごとに）実施されているか？　グローブのサンプリング頻度は？　着衣のサンプリング頻度は？　介在作業を行った後はサンプリングが行われるか？
141. 作業者のサンプリングは誰が実施するのか？　自己採取か？　サンプリングは他の製造部門の職員が実施するのか，微生物専門家，技術者，もしくは他の品質管理部門の担当者が実施するのか？
142. 作業者モニタリングの警報基準もしくは措置基準は何か？　それらの基準はどのように

して決定されたのか？　もしサンプリング結果が，警報基準値もしくは措置基準値を超えたら何がなされるのか？

143. サンプルを収集する前に作業者は，手に消毒剤もしくは除染剤をスプレーするのか？

一般

144. 環境モニタリングや作業者モニタリングに使用される微生物の検出培地は何か？
145. 微生物モニタリングプログラムに使用される培地は，発育性能試験により細菌のみならずカビや酵母も検出できる能力があることが確認されているか？
146. これまでに嫌気性菌のモニタリングを実施したことがあるか？　いつ実施したのか？
147. 抗生物質，もしくは殺菌作用/静菌作用がある物質に対しては不活化剤を使用しているのか？　それらの不活化剤が有効であることを企業は確認しているか？　その記録は検証できるか？
148. 回収された微生物はいつ同定されるのか？　またどのレベルまで（属，種）？
149. 培養時間と温度はどのように設定されているか？
150. 環境モニタリングや作業者モニタリングデータのトレンドはどうか？　トレンドの報告書の作成頻度は？　精査される頻度は？　トレンドの報告書を精査するのは誰か？　トレンド報告書の精査結果に基づき，どのようなアクションがとられるのか？
151. 環境モニタリングや作業者モニタリングが措置基準値を超えた場合には，製品への影響，原因，必要な是正措置を決定するための調査が行われるのか？　警報基準値を超えた際には何をするのか？

環境モニタリングのトレンドデータを検証し，評価せよ。このデータは生菌や微粒子が確立したレベル内にあるのか，管理できていない方向にあるのかを示す良い指標となる。異常・逸脱の原因は何か？　生菌や微粒子の異常の再発を防止するために是正措置や防止措置が実施されたか？

8 バイオロジカルインジケーター（BI）

無菌医薬品の製造においてBIは最終滅菌，設備機器や構成材料（コンポーネント）の滅菌のサイクルのバリデーションに一般的に使用されている。BIはまた凍結乾燥機，プロセスタンク，無菌フィルター，アイソレータ表面の除染に用いられる製品ラインやシステムの滅菌をバリデートするために用いられる。

152. どんなタイプのインジケーターが使用されているのか（例：担体接種型，製品接種型，擬似製品接種型，等）？　BIは可能な限り使用されるコンポーネント（ゴム栓等）の中に挿入されているか？　相当するD値はどの程度か？　滅菌サイクルはBIのD値に適切に相当するものであるか？
153. インジケーターが市販品の場合，その製品名と製造者名は何か？　BIと一緒にどんなラベルが受領されているか？　BIを自家調製している場合，微生物の供給者や，BI菌をどのように増殖させ保存しているか，その調製法を検証せよ。

154. 使用されている微生物は何か(属, 種)？　それらは滅菌に使用する微生物として適切か？
155. 滅菌剤に曝露する前のBIのチャレンジ菌数はいくつか？
156. 企業では，バリデーションに使用する前に，各BIロット中の生菌芽胞数を検証しているか？
157. 企業またはBIメーカーの表示ラベルには，蒸気滅菌もしくはエチレンオキサイド滅菌用のBIの規格としてUSPに適合していることを述べているか？
158. 企業は，各BIロットを受領するごとにUSP試験を実施しているか？
159. BIの概算D値は？　それはバリデーションに使用する前に検証しているか？
160. 1回の滅菌器への積載時に何個のBIを使用するのか？
161. 曝露後のインジケーターの測定には，どのような方法が使用されているのか？　生育用の培地は何か？　BIの至適ならびに実使用時の培養時間と培養温度は（BI受領時の試験成績書と比較せよ）？
162. 滅菌のためにBIはどのように調製されているのか？
163. BIは，製品を滅菌するのに最も困難な場所に設置されているのか（説明させよ）？　またそれらの位置はどのようにして決定されたのか？
164. 実生産時に実施される積載パターン中におけるBIの設置位置を示す図はあるか？
165. 滅菌後からBIを試験するまでの所要時間はどのくらいか？　この所要時間に関し，時間制限が設定されているか？　もし超過した場合，どのような措置がとられるのか？
166. 滅菌後に陽性のBIが見出された場合には，どのような措置がとられるのか？
167. BIの保管条件について調査せよ。
    A. 部屋，棚のタイプ（冷凍庫，冷蔵庫に保管されるならば凍結防止されるのか否か）
    B. 温度
    C. 相対湿度（もしわかるなら）
    D. BIとともに受領した文献資料もしくは手順書と比較
168. 企業は，滅菌サイクルへの曝露状態を示すために，もしくは1つ以上の滅菌パラメータを測定するために，ケミカルインジケーター（CI）を使用しているか？

解説：本査察指導手引きの活用

筆者が関わってきた無菌医薬品製造所の現場担当者には，本要件を以下のような表形式にし（表4-7），実際の対応について整理していただき，回答のできない（対応のできていない）項目については，議論し，必要に応じて対応策について指導してきた。

表4-7｜無菌充填バリデーションの対応例

FDA査察官向けチェックポイント	対応
50. 培地充填試験に用いられたプロセスは，実際の市販医薬品の生産に用いられた無菌充填プロセスと同等か？ 企業は，定期的に（シフト変更に合わせて）培地充填試験のデザインが製造作業に正確に合致していることを評価しているか？ 企業は，培地充填試験の方法（実施頻度，チャレンジ条件，参加すべき職員，容器/閉塞具，介在作業，充填時間，バイアル数の確認，許容基準，培養，培養後の検査，陽性のバイアルが見出された場合の措置）について詳細な手順書を持っているか？	
51. 前回の査察以降に実施されたすべての培地充填試験のサマリーと，ロット番号，試験実施日，製造ライン，充填本数，培養バイアル数，菌生育が見られなかった本数，陽性を示した本数，同定された陽性バイアルの菌，廃棄された試験バイアル等の情報を要求せよ。 • 培地充填試験は，手順書に規定された頻度で実施されているか？ • 陽性の生育を示したバイアルがあったか？ • 許容基準に合格しなかったバイアルがあったか？	
52. 培地充填試験で陽性を示すバイアルが見出された場合，手順に従っているか？ 陽性バイアルのすべてに対して調査が実施されたか？ 培地充填試験が許容基準に満たなかった場合は何をするのか？ 陽性バイアルに関する調査報告書を精査せよ。	
53. すべてのシフトに対して培地充填試験が実施されているか（例えば，キャンペーン製造時の代表的なシフト作業）？ 培地充填試験は，通常の製造時に起こるシフト変更や休憩を含んでいるか？	
54. 培地充填試験を中止したり，充填バイアルを培養しないのはどんな場合か？ もし同様の条件が充填中に起きたら製造ロットは拒否されるか？	

4.5 生物製剤製造所へのCBERの査察プログラム (Program 7345.848)

出　典
Compliance Program Guidance Manual Chapter – 45 Biological Drug Products Inspection of Biological Drug Products (CBER) 7345.848
施　行　日：2010年10月1日
完全実施日：進行中

1 パートⅠ－背景

CBERが規制する生物製剤（biological drug products）には，分画血液製剤およびそれらの遺伝子組換え体，抗毒素，アレルギー誘発性製品，ワクチン，遺伝子操作または拡大培養したヒト細胞製品，異常または欠損している遺伝子物質を置換するために体内に遺伝子発現物質を導入する遺伝子治療製品が含まれる。

CBERには,生物製剤が安全で有効であり,FDAやその他適用される法律・規制を遵守していることを保証する責任がある。生物製剤は，公衆衛生サービス法（PHS法）のセクション351に基づいて認可されており，連邦食品・医薬品・化粧品法（FDC法）のセクション201(g)(1)に示されている「医薬品」の定義に入り，PHS法とFDC法の両方の規定に基づいて査察される。

解説：「医薬品」の定義

FDC法のセクション201(g)(1)で定義している「医薬品」とは，以下を指す。
(A) 米国薬局方，米国ホメオパシー薬局方，国民医薬品集，またはそれらの追補で認識された品目
(B) ヒトまたは他の動物における疾患の診断，治癒，緩和，治療または予防に使用するための品目
(C) ヒトまたは他の動物の体の構造または機能に影響を及ぼすことが意図された品目(食品以外)
(D) (A)，(B) または (C) に規定された品目の構成成分としての使用を意図した品目

生物製剤は，21 CFR Part 210とPart 211，および21 CFR Part 600～680にあるCGMP要件を含むこれらの規制に従う。上記に加えて，生物製剤として規制されているヒト細胞，組織，および細胞および組織由来製品は,21 CFR Part 1271の加工施設登録(Registration and Listing)と,ドナー適格性（Donor Eligibility），およびCurrent Good Tissue Practice（CGTP）の規制を受ける。FDC法のセクション501(a)(2)(B)は，生物製剤がCGMPに準拠して製造されることを要求している。CGMP規則は生物製剤の製造に適用され，CGMP規則の原則はFDC法セクション501(a)(2)(B)および21 CFR Part 600に基づく生物製剤の中間体および原薬の製造にも適用される。

解説：CGTP規制医薬品とは

- ヒト細胞・組織利用製品をHCT/Ps（Human Cells, Tissues and Cellular/Tissue-based Products）と称し，公衆衛生サービス法（Public Health Service Act；PHS法）セクション351が適用されるヒト細胞治療薬と遺伝子治療薬，PHS法セクション361が適用されるヒト組織がある。
- FDAのPHS法セクション361が適用されるヒト組織には，骨，軟骨，角膜，筋膜，靭帯，心膜，強膜，皮膚，腱，人工血管，心臓弁，硬膜，羊膜，生殖細胞および組織，末梢血または臍帯血幹細胞などがある。

施設は，FDAが承認した生物製剤ライセンス申請書（biologics license application；BLA）への記載内容および適用される基準にも準拠しなければならない。生物製剤は，広範な適応症，剤形，製造プロセスが含まれ，公衆衛生を促進し保護するために非常に重要である。業界がこれら重要な生物製剤を，一貫して安全性，純度，効能，有効性を有する製造を確実にできるよう，FDAは各施設のCGMP査察を少なくとも2年ごとに実施している。新しい生物学的製剤のライセンス取得前査察（pre-license inspections；PLI）およびライセンス内容に大幅な変更を実施する前に行う承認前査察（pre-approval inspections；PAI）が，規制への遵守を確実にするために行われる。

解説：生物製剤ライセンス申請書（BLA）

BLAは，米国で生物製剤を販売するためのライセンスを得るために必要な申請書である。遺伝子組換えインスリンやヒト成長ホルモンなど，構造が単純で十分に特性解析されている一部の生物製剤は，NDAにより承認されるが，ほとんどのバイオ由来医薬品は，NDAではなくBLAを通じて承認される。

製造承認後に製造方法等に重大な変更が生じた場合には，事前変更申請（prior approval supplement；PAS）を提出して，承認前査察（PAI）を受け，PAIに適合してから変更が可能となる。表4-8に日米欧における製造方法に関する変更承認申請をまとめた。

表4-8｜日米欧における製造方法に関する変更承認申請

変更分類	日本	FDA	EMA
major change（重大な変更）	一部変更申請	prior approval supplement（PAS）	type II variation（重要な一変）
moderate change（中程度の変更）	軽微変更届（軽微な変更をした後30日以内に変更の届出を厚生労働大臣，もしくは都道府県知事に提出）	moderate change（CBE）：changes being effected in 30 Days（30日間：事前審査）	type 1B variation（30 days）（30日待ち：事前審査）
minor change（軽微な変更）		minor change AR：annual report（年次報告書/事後審査）	type IA variation（14 days）（14日待ち：形式的書類審査）

表4-9｜参考資料

変更分類	日本	FDA	EMA
事前審査および承認を要する重大な変更（major changes）	一部変更承認申請	PAS（prior approval supplement: major changes）	major variations of type II
照会等なければ受理から30日後に変更可	—	CBE-30（changes being effected in 30 days: moderate changes）	minor variations of type IB
届出受理後に変更可	—	CBE-0（changes being effected: moderate changes）	—
変更後速やかに届出	軽微変更届出（30日以内）	—	minor variations of type IA_{IN}（immediate notification）
年次報告	—	annual report（minor changes）	minor variations of type IA（12カ月以内）
変更の対象文書	医薬品製造販売承認申請書	CTD module 3/ established conditions	CTD module 3

生物製剤のより効果的かつ効率的な規制を提供するために，ORA（Office of Regulatory Affairs）とCBERは1997年にチームバイオロジックス（Team Biologics）を設立し，血液施設を含む生物製剤製造業者のCGMP査察を定期的に実施してきた。チームバイオロジックスは，生物製剤製造業者の法令遵守状況を調査し，総合的に評価することにより，公衆衛生を促進し，保護するために，ORAの査察スキルとCBERの医学/科学および製品専門知識を活用している。CBERは，CGMP要件とCBER審査員の科学的専門知識を用いながらPLIとPAIを実施している。

このコンプライアンスプログラムは，生物製剤および細胞加工業者でのFDA査察で得られた知識に基づいて作成されている。これは，リスクを低減させながら，生物製剤の製造，加工，流通段階で高品質で費用対効果の高い査察を提供するために，資源効率のよいリスクベースアプローチを用いた新しい査察手法の開発と実施のため，FDAの戦略的行動計画（Strategic Action Plan）で特定された目標を反映している。

このシステムベースのリスク管理アプローチは，主要なシステムと，生物製剤を製造する施設に共通する3つの重要な要素から構成されている。このコンプライアンスプログラムでカバーされているほとんどの生物製剤は，公衆衛生上重要であり（例えば，唯一の供給源，重要な医学的ニーズ，小児用ワクチンなど），またほとんどの生物製剤は無菌操作法で製造されている。これらの要因は，このリスクベースプログラムの下で，適切なレベルの査察範囲を確立するために役立つ。

このプログラムはまた，CGMP規制への施設の適合性を評価するために2つのレベルの査察範囲を設定している。レベルⅠ（完全査察）：少なくとも4つのシステムの包括的な評価，およびレベルⅡ（簡略査察）：1つの必須システムの評価，および1つの追加システムを順番に行う。このアプローチは，CBERのコンプライアンスポリシーガイド（CPG）7342.001で示している各システム内でカバーされるべき重要な要素を含むシステムベースアプローチを組み込んだ，認可および無認可の血液銀行，ブローカー，リファレンスラボラトリー，および受託業者への査察 レベルⅠ/Ⅱ査察オプションと概念は同じである。

このリスクベースでの品質管理アプローチは，施設内の主要なオペレーティングシステムに重点を置いており，2段階査察オプションは，査察ごとに適切な査察範囲とリソースを集中させ，必要に応じて適切な勧告，行政的，または規制行動を実施する方法を提供している。

このコンプライアンスプログラムの下で，2年ごとに継続的に実施する査察によって，

- 市場に不良または誤表示生物製剤が届くリスクを軽減させることによって，公衆衛生を保護する。
- 業界とFDAとの間のコミュニケーションを拡大する。
- 査察中にタイムリーなフィードバックを提供し，CGMPのコンプライアンスを向上させる。

査察実施後，CBERは，CBER製品査察プラムの品質を評価し改善するために，このシステムベースのプログラムの実績を毎年評価している。

2 パートⅡ－実施

A. 目的

このコンプライアンスプログラムは，2004年12月から始まり，アレルギー誘発性製品（7345.001），ワクチン（7345.002），血漿分画製剤（7342.006）および治療薬（7341.001）のコンプライアンスプログラムを組み合わせて置き換えたものである。この最新版には，最小限に操作された同種異系胎盤/臍帯血（造血前駆細胞，コード［HPC-C］）が初めて追加された。このプログラムは，CBERによって規制されているヒト用生物製剤が安全性，純度，効能，有効性を有し，適切にラベル付けされていることを確実にするために行われている，コンプライアンスおよびサーベイランスの継続的な活動を表している。施設の査察は，製造業者が以下のような生物製剤を製造することを確実にするために実施される。

- 該当する規制条項に記載されている基準を満たす。これには，21 CFR Part 600, 601, 610, 640, 660, 680，および21 CFR Part 1271の規制，21 CFR Part 200, 201, 210，および211のCGMP規制が含まれている。
- 認可された“生物製剤ライセンス申請書（biologics license application；BLA）”もしくは“事前変更申請（prior approval supplement；PAS）”およびその他の適用可能な基準で，ライセンスの追加条件を満たすこと。

このコンプライアンスプログラムは，CBER規制の生物製剤製造業者への2年ごとの査察，または原因究明，PLI，およびPAI査察を実施するように指名された調査官，査察官，および製品スペシャリストに査察指導を提供し，そしてコンプライアンス担当官（CO）または査察

官に行政的/規制的ガイダンスを提供している。

適用される法律や規制を遵守していない重要な情報が含まれており，査察された施設の品質保証および品質管理プログラムを含む全体的なオペレーションを評価するために必要な情報を提供している。

このコンプライアンスプログラムの対象となる企業には，以下のものが含まれる。原材料供給業者およびバルクメーカーを含むワクチンおよび関連するすべての生物製剤製造業者，アレルギー誘発製品製造業者（アレルギー性パッチテスト製造業者は含まれない），医薬品もしくは生物製剤として規制されるすべての分画製品，遺伝子組換え製品，およびヒト細胞・組織利用製品（HCT/Ps）製造業者。

B. 戦略

このコンプライアンスプログラムでは，査察実施にシステムベースのリスク管理手法を組み込み，7つの主要システムと各システムに共通な3つの重要要素を示している。

主要システム（the key systems）	重要要素（the three critical elements）
1．品質システム（Quality System） 2．施設および設備システム（Facilities and Equipment System） 3．材料システム（Materials System） 4．製造システム（Production System） 5．包装・表示システム（Packaging and Labeling System） 6．試験管理システム（Laboratory Control System） 7．ドナー適格性システム（Donor Eligibility System）	1．標準作業手順書（SOPs） 2．教育訓練（Training） 3．記録（Records）

解説：CBERのシステム査察

システム査察（systems-based inspection）は，2001年にFDAが提案し，日本も2004年にCBERが発行した“FDA Compliance Program Guidance Manual Inspection of Biological Drug Products”を参考に6つのシステムに分けてGMP調査を行っている。CBERは2010年10月に本Compliance Programを改訂し，新たに7つ目の主要システムとして，“ドナー適格性システム”を追加した。このシステムベース査察はCDERも活用しているが，CDERでは3つの重要要素を各システム評価の中で確認している。

CDERのシステム査察は，品質システムに主眼を置いているのに対し，CBERは品質システムと製造システムに力点を置いている。CDERおよびCBERともに2つの査察オプションを有するが，CBERでは完全査察のことをレベルⅠ査察，簡略査察のことをレベルⅡ査察ともいう。

生物製剤製造業者への査察は，レベルⅠ(完全)またはレベルⅡ(簡略)査察オプションのいずれかで実施される。このコンプライアンスプログラムは，手順が適切に行われない場合，またはシステム管理が不十分であったり，正しく機能していない場合，生物製剤の安全性，純度，効力，同一性および有効性に影響を与える可能性のある各主要システムの重要な要素を詳細に査察することに向けられる。

- レベルⅠ査察は，少なくとも4つの主要システムと3つの重要要素の詳細な監査であり，そのうちの1つは品質システムでなければならず，施設のCGMPへの遵守性に関する包括的な評価を行うことになる。品質システムの監査に加えて，
  - ✓HPC-C製造所のレベルⅠ査察には，製造システムとドナー適格性システムの監査も含める必要がある。
  - ✓その他すべての生物製剤製造所のレベルⅠ査察には，製造システムの監査も含める必要がある。
- レベルⅡ査察は，施設のCGMP遵守状況についての能率的な評価である。このオプションは，必須である1つの主要システム（品質システム）に3つの重要要素を加え，2年ごとの査察で少なくとも1つの主要システムを入れ替えて回転ベースで評価する方法である。

C. プログラム管理手順

1. 予防措置/個人の安全性

特定の生物製剤を製造するために使用される材料の性質上，査察官は，査察を開始する前に，特定の病気に対する予防接種の証明書を提出するか，または特定の医学的評価を受ける必要がある。査察官は，査察計画が中断されないことを確実にするために，査察開始前にこれらのために十分な時間が確保されていることを確認する必要がある。

さらに，多くの場合，生物製剤を製造するために使われる活性物質は，潜在的に健康有害物質である。このため，査察官はこれらの材料と直接接触せず，普遍的な予防措置をとるようにし，製造区域の査察を行う際には，徹底した注意を払わなければならない。

解説：予防接種証明書

筆者の経験でもワクチンメーカーA（フランス）に出かけた際に，A社で製造しているワクチンすべてを接種していることが証明できないとのことで，QCラボに入れなかったことがある。ワクチンメーカーB（米国）では，出発前にポリオワクチンを接種し，接種証明書を提出する必要があった。海外のワクチンメーカーは，被査察工場で製造しているワクチンの接種もしくは接種歴の証明を求めるのが一般的である。

2. CGMP 査察の実施頻度

CGMP査察は，2年ごとに実施する法的義務がある。しかし，企業のコンプライアンス履歴状況において正当な理由がある場合には，より頻繁に査察を実施することができる。

解説：日本のGMP実地調査

日本では，医薬品を業として製造販売するためには，医薬品医療機器等法での許可・登録が必要であり，許可・登録は5年ごとに更新する必要がある。一般医薬品は，一部変更届け等がない限り，5年ごとにGMP調査が行われるが，生物製剤の場合は，ほぼ毎年，PMDAによる実地調査が行われている。また，最近は，「無通告調査」になっている。

例外：

この査察頻度は，以下の条件を満たす企業には適用されない。これらの企業には，レベルⅠ査察オプションを使用して査察する必要がある。

- 終局的差し止め命令の同意判決下にある企業：同意判決もしくは同意判決作業委員会が設定したさまざまな査察スケジュールを有する。
- 失効する旨の通知を受けた企業もしくはその他の行政処分下にある企業
- 規制措置が講じられた後の企業の，是正措置の実施を検証するコンプライアンスフォローアップ査察
- 新たにライセンスを受けた施設または登録施設

解説：FDAの同意判決と差し止め命令

同意判決（consent decree）

FDAが法律に違反している企業等に対してとる法的処置で，判決は連邦裁判所によって行われる。同意判決の本来の意味は双方の合意の下に裁判所によって下される判決であり，和解的な意味合いがあるが，FDAにおける同意判決はFDAが一方的に提示し，企業がそれに応じる形式であるので，半強制的である。通常，重大な法律違反や警告書発行後に改善がされない場合に，同意判決が出される。

終局的差し止め命令（permanent injunction）

同意判決の後に裁判所により出される命令。この命令は，命令が取り消されるまで有効である。具体的には，製品回収命令，罰金の支払いなどが該当する。

3. 査察スケジュールと査察官の割り当て

チームバイオロジックス（Team Biologics）の下で，チームバイオロジックスの責任者（または指名された者）は，CBERのOffice of Compliance and Biologics Quality（OCBQ）のDivision of Inspections & Surveillance（DIS）と協力して査察の作業計画スケジュールを作成し，CGMP査察において査察対象製品の専門家（product specialist：製品スペシャリスト）を現地同行またはコンサルタントとしての参加調整を行う。当事者のすべてが査察の再スケジュールを最小限に抑えるよう努めるが，ときには変更が必要となる場合がある。スケジュール変更の必要性が生じた際には，責任者はCBERに速やかに通知し，相談すること。

施設の査察歴およびその他の関連情報をレビューした後，生物製剤製造業者に対するレベル

ⅠまたはレベルⅡ査察のいずれかのスケジュールを立てる。

査察は，チームバイオロジックスの査察官と製品スペシャリストが参加するチームアプローチとして実施される。査察チームには，査察対象施設の適切なカバレッジを確保するため，必要に応じて他のORAまたはCBERのメンバーを含めることもできる。製品スペシャリストの現地参加が不可能な場合，製品スペシャリストとは電話などで連絡を取り合い，チームメンバーだけで査察を実施する。

他の査察

CBERは，CBER規制にある生物製剤のすべてのPLIおよびPAI査察の実施を担当している。これらの査察は，BLAまたは変更申請事項のレビューの一部である。CBERは査察の範囲と内容を特定し，査察にORAを参加させる。CBER/OCBQの“製造および製品品質課（DMPQ）”は，保留中のすべてのpre-licenseまたはpre-approval査察を地区事務所とチームバイオロジックスの責任者に通知する。

3 パートⅢ－査察

A. 査察手法

査察実施マニュアル（Investigations Operations Manual；IOM）の第5章の該当するセクション，医薬品の製造査察（Compliance Program 7356.002：Drug Manufacturing Inspections），無菌医薬品の製造査察（Compliance Program 7356.002A：Sterile Drug Process Inspections），およびCBERが提供するその他の関連文書を照査して使用すること。これらの文書と本プログラムでの指示との間に相違がある場合，査察官は本プログラムの指示に従って査察を行うこと。

ワクチン，アレルギー誘発製品，および分画製品の原料供給者は，21 CFR Parts 600-680の要件に従うこと。HPC-C製品の原料供給者は21 CFR Part 1271の対象となる。彼らは最終製品の製造者ではないので，Part 210および211の医薬品CGMP規制を直接適用することはできない。しかし，彼らは，製品がその品質，純度，および同一性を有することを保証するために，FDC法のセクション501（a）(2)（B）においてCGMPsを遵守することが求められる。動物由来製品（例えば，抗毒素およびブタ第VIII因子）のための動物原料の供給者など，原料供給業者に対して1つまたは複数の査察観察の妥当性に関して疑問がある場合，チームバイオロジックスのコンプライアンス責任者は，Form 483（Form FDA 483）に含める前に，査察での観察事項をレビューすること。

ライセンス申請書または一部変更申請書の内容を確認する必要がある場合，または承認されたライセンスとFDAガイダンス文書，または規則との間に明らかな矛盾がある場合は，CBER/OCBQ/DISおよび関連製品事務所に連絡すること。

チームバイオロジックスは，査察チームメンバー，製品スペシャリスト，CBER/OCBQ/DIS，および該当する場合は所轄の地区事務所と一緒に，個々のCGMP査察の全体的な査察アプローチを設定することになる。特別なカバレッジを必要とする製品には，特定の査察アプローチの一部が向けられる。同様のアプローチが，CBER/OCBQ/DMPQのPLIとPAI，および提出物に対する製品スペシャリストの審査官にも適用される。

B. システムの定義

生物製剤製造業者の査察は，このコンプライアンスプログラムで定義されたシステムおよび組織を使用して実施し，報告する。システムごとに以下に示す査察点検領域に加え，システム評価には可能な限り，施設の現場検証が含まれている必要がある。

【※各システムの説明は，本章4.1節（p. 149）のCDERでの説明を参照のこと。】

C. 査察の対象範囲（カバレッジ）

上記で定義した各システムについて，査察には，(1) 手順書，(2) 従業員の教育訓練，および (3) 記録の3つの重要要素が含まれていなければならない。可能であれば，各システムが適用されるプロセスを実際に観察する必要がある。本プログラムでカバーされている生物製剤のほとんどが無菌操作法で製造されるため，施設のカバレッジ，機器の校正やメンテナンスに関する査察ガイダンスが適宜，システムに組み込まれてきた。

1. 標準作業手順書（SOP）

各システムについて，企業は文書化された手順書および関連する記録（例えば，試験，メンテナンス，清掃など）を承認しておく必要がある。査察官は，可能であれば，企業が承認された手順書に従っているかどうかを実際の観察を通じて確認すべきである。

- 生物製剤の製造，試験，表示，および出荷に関するすべての工程がSOPに含まれているかどうかを確認すること。
- 承認されたSOPの最新版が，当該作業を実施している区域の責任者が容易に使用できることを確認すること。

2. 従業員の教育訓練

所定のシステムに採用されている従業員の適切な資格と訓練を含む組織と人材は，そのシステムの運用の一部として評価されるべきである。

- 各システムについて，割り当てられたすべての機能および操作に対して，監督者を含む適切な数の訓練された人員がいるかどうかを判断する。
- 生物製剤の管理，製造，試験，包装，および出荷を担当するすべての従業員が，適切な学歴を有し，割り当てられた職務を実行するために，必要に応じて専門的訓練，またはそれらの任意の組み合わせを含む訓練および経験を有していることを確認すること。最終製品が安全性，純度，力価，同一性および有効性を有することを確実にするために，必要に応じて，訓練にはCGMP規制も含める必要がある。
- 施設の不具合事項報告書（facility's discrepancy report）のレビューにおいて特定の従業員または複数の従業員に関連する問題が再発している場合は，関連する訓練記録を確認すること。

3. 記録

生物製剤の製造，試験，および出荷における各重要工程の実行と同時に記録が維持され，すべての工程が明確に追跡できるように文書化されていること。規制によって要求されるあらゆる記録が紙形式の代わりに電子形式で保管されている場合，記録保持システムは21 CFR Part 11（Guidance for Industry, Part 11, Electronic Records; Electronic Signatures – Scope and Application, August 2003）に適合していること。

- すべての記録は読みやすく，消えないものでなければならず，さまざまな記載日付を含め，作業を行った人物を特定できなければならず，試験結果と結果の解釈を表示し，特定の製品に割り当てられた有効期限を表示し，実行された作業の完全な履歴を提供するために，必要に応じて詳細に記述されなければならない。
- 各システムで実行された操作記録の抽出資料をレビューし，必要に応じて記録が完全であり，維持されていることを確認し，製造され出荷されたすべての製品の履歴と処分に関する記録をレビューすること。企業が，出荷または流通に先立ち，ロットまたはユニットの製造に関連する記録を日常的にレビューしていることを確認すること。
- 製品回収，製品逸脱，苦情，規格外試験結果，不合格，および原因究明不良に関連する記録をレビューする。

D. 査察アプローチ

このコンプライアンスプログラムは，レベルⅠとレベルⅡの2つのサーベイランス査察オプションを提供する。レベルⅠとレベルⅡオプション査察は，どちらも2年ごとの査察を要する。

レベルⅠ（完全）査察オプション

レベルⅠ（完全）オプションは，適切なCGMP要件に対する施設の全体的な遵守に関する包括的な評価を提供するためのサーベイランスまたはコンプライアンスの査察である。

レベルⅠ査察は，次の1つまたは複数の条件に適用される。

- 企業での初めてのGMP査察
- コンプライアンス上の問題履歴を持つ企業
- コンプライアンスフォローアップ査察
- 終局的差し止め命令の同意判決下にある企業
- 失効する旨の通知を受けた企業もしくはその他の行政処分下にある企業
- 先の査察以降，大幅な変更を実施した企業
- 先の査察で2回，レベルⅡオプション査察を実施した企業

レベルⅠオプションには，少なくとも4つのシステム（そのうちの1つは品質システム）に，3つの重要要素の詳細な監査が含まれる。品質システムの監査に加えて，生物製剤製造業者のレベルⅠ査察には，HPC-Cの製造者を除き，製造システムの監査も含めるべきである。HPC-Cの製造者のレベルⅠ査察には製造システムとドナー適格性システムの査察を含まなければならない。レベルⅠ査察中に1つ以上のシステムに重大な欠陥を観察した場合には，ORA/OEコ

ンプライアンス責任者に相談した後，最低2つのシステムが完全であれば，レベルⅡの査察オプションに替えることができる。この執行措置を可能にするためには，必要な文書の論議も含めるべきである。

レベルⅡ（簡略）査察オプション

レベルⅡ（簡略）オプションは，2つの主要なシステムをカバーすることに焦点を当てたCGMP査察であり，施設がCGMPを継続的に遵守しているかどうかを確認する。このオプションには，前回の査察以降，施設，製造工程，機器，またはその他のライセンス内容に重大な変更があった場合の査察対象範囲も含まれる。

レベルⅡオプションには，品質システムについての3つの重要要素の詳細な監査が含まれる。もう1つのシステムを査察対象として選択する必要があり，これは作業計画中に決定される。現行または前回の査察中に別途指示されていない限り，品質システム以外の追加システムは，継続するレベルⅡ査察で変更する必要がある。さらに，レベルⅡ査察の過程で，QA活動の検証は，他のシステムのカバレッジが限定される場合がある。

以下のいずれかの状況には，レベルⅡオプションを選択する。ただし，HPC-C施設にはレベルⅡ査察オプションを適用すべきではない。

- 施設は，満足のいくコンプライアンス歴を有する，例えば少なくとも2回続けてNAI（No Action Indicated）またはVAI（Voluntary Action Indicated）査察結果
- 2年ごとに実施された前回2回の査察の1回はレベルⅠ査察であった。

  注意：システム査察に基づかない本プログラム（7345.848）施行以前の査察プログラムで実施された包括的な査察は，レベルⅠ査察とみなすことができる。
- 査察準備手順書では，査察準備中に製品の安全性や品質に重大な影響を及ぼす特定の傾向はなかった（生物製剤逸脱報告書のレビュー，製品回収など）。

E.　査察ガイダンス

1．協同製造協定（Cooperative Manufacturing Arrangements）

詳細なガイダンスについては，「業界向けガイダンス：既承認生物製剤に対する協同製造協定（Guidance for Industry: Cooperative Manufacturing Arrangements for Licensed Biologics）」を参照のこと。

ⅰ．分担製造（Shared Manufacturing）

分担製造の取り決めでは，各製造業者は製品の製造の一部を行うための許可を得ているが，製造工程全体に対しての許可は得ていない。分担製造を行う各製造所は，別々の許可申請書を提出し，製品の承認は各申請情報に基づいている。

最終剤形製品を製造する製造者は，他の製造者の同意および承認された申請書に別段の定めがない限り，生物製剤の逸脱や有害事象の報告など，承認後の義務について責任を負うものである。査察官は，申請書中の合意事項が，とりわけ製品の完全性に関係することを満たしてい

るかどうかを判断する必要がある。

ii. 分割製造（Divided Manufacturing）

分割製造の取り決めでは，各製造業者は製品の全製造工程のライセンスを受けているが，それぞれが一部の製造工程のみを実行する。この取り決めは，各製造業者の許可申請に提出された変更申請書（supplements）に記載されている。分割製造の取り決めに関する記録要件は，21 CFR 600.12(e)に記載されている。各製造業者は，製品の製造に対する責任を文書化しておく必要がある。

最終剤形製品を製造する製造業者は，他の施設で行われた操作を含む，製品に関連するすべての操作の製造記録の完全なセットを保持しなければならない。査察官は，分割された製造取り決めを徹底的にレビューし，分割製造申請書の変更申請書に記載されているように，製造工程が行われていることを確認する必要がある。製品の完全性を保証するために，中間製品の施設間での出荷条件には特に注意を払う必要がある。

iii. 委託製造（Contract Manufacturing）

ライセンス保有者（license holder）は，製品および施設の基準を遵守する責任はあるが，製造の一部または全部を別の施設に委託することがある。受託施設は，検体試験，製品の充填および保管など，多くの製造作業を行うために委託業者と契約することになる。委託業者と受託業者の両方は，製品の品質に対する責任を負うが，最終的責任は委託業者が負う。受託業者は，CGMPを遵守する責任がある。

21 CFR Part 1271（例えば，HPC-C製造業者）のCGTP規制の対象となる施設では，製造におけるあらゆる工程を実行するための契約，合意，または他の施設との契約の前に，施設は適用されるCGTP要件に適合していることを確認しなければならない。契約，合意またはその他の取り決めの過程で，施設がもはやそのような要件に準拠していないことを示唆する情報を知った場合，施設はこれらの要件に適合することを確実とするために，適切な措置を講じなければならない。契約，合意，またはその他の取り決めに基づく施設がそれらの要件に準拠していないと判断された場合，施設との契約，合意書またはその他の契約を終了する必要がある。

査察中に，最新の契約コピーをレビューし，以下を判断する。(1)提供されたサービスの範囲，(2)実行された製品または操作に対する各当事者の責任，(3)受託業者が使用するSOPを作成した者，(4)製品の品質管理試験を行った者。

受託製造業者を査察する場合は，ライセンス保有者が既承認製品に対するあらゆる製造逸脱および製造変更を届け出ていることを確認すること。

ライセンス保有者を査察する場合は，誰がバッチの最終出荷責任者なのか，受託製造業者が作成したすべての記録と出荷に関連する記録が有効で，承認されていることを確認すること。

解説：業界向けガイダンスー既承認生物製剤に対する協同製造協定

日本では，分担製造（shared manufacturing），分割製造（divided manufacturing），委託製造（contract manufacturing）のようには分けてなく，これらは一般に"委託製造"と称されている。生物製剤製造における複雑かつ高度に専門化された技術および装置の開発は，製造工程の限られた側面のみを行うことができる多くの企業の出現を助長してきた。その結果，多くの企業が製品開発を容易にするために，製造の一部を分担または契約することに関心を示してきた。そのため，製造工程のすべてを実行できる企業にのみ生物製剤の製造ライセンスを与えることは，新製品の開発を妨げる可能性がある。そこで，FDAは，米国公衆衛生法（PHS法）セクション351に基づき，既承認生物製剤の協同製造に関して「業界向けガイダンス：既承認生物製剤に対する協同製造協定」を発行した。

分担製造とは，2つ以上の製造業者が異なる製造工程について製造許可を受け，責任を負うが，製品製造のすべての工程については許可を受けていない。製品の安全性，純度，効力に影響を及ぼし，FDAが別途ライセンスを与えると考えている重要な製造工程には，以下のものが含まれるが，これらに限定されない。(1) 製造のために容器（細胞や培地）や動物への接種，(2) 細胞培養物での製造，(3) 発酵およびハーベスト，(4) 分離，(5) 精製，(6) 物理的および化学的修飾，(7) 血液および血液成分を用いての感染症検査，(8) 献血者の募集および登録維持。また，FDAは別個のライセンス許与資格を，最終調製，無菌充填，凍結乾燥，表示，包装や最終出荷試験など，いくつかの最終製造工程を実行する企業にも考慮したいと考えている。

2. 変更の報告（Change Reporting）

詳細なガイダンスについては,「業界向けガイダンス：既承認申請書の変更−生物製剤（Guidance for Industry；Changes to an Approved Application−Biological Products)」を参照のこと。

製造業者が，製品，製造工程，品質管理，設備，施設，責任者または表示など，承認された許可申請書からの変更についてはFDAに通知する要件が，21 CFR 601.12に記載されている。許可申請書の承認が適切に報告されてから工程の変更が行われたかどうかを判断する。

生物製剤が再処理または再加工された場合，再処理または再加工がCBERによって事前に承認された手順に従って行われていない限り，出荷前にCBERに変更申請書（supplement）として報告する必要がある。通知のタイプは，製品の安全性または有効性に関連する可能性のある，製品の同一性，力価，品質，純度，または有効性に悪影響を与える変更の潜在的リスクに基づいている。

CBERに報告する前に，製品の安全性または有効性に最小限の影響を与える変更を実施することができる。ただし製造業者には，その変更をFDAへの年次報告書に含めることが義務付けられている。

年次報告書（例えば，バリデーションデータ）に報告された変更に関連するデータは，FDAの査察中に利用可能にしなければならない。製品の安全性や有効性に関連する可能性のある製品の同一性，力価，品質，純度，効力に悪影響を及ぼす可能性のある変更がある場合，製造業者は変更を説明するライセンス変更申請書（license supplement）を提出する必要がある。

FDAが，製品の出荷前に承認が必要な変更申請書（すなわち，事前承認申請書）を提出してから30日以内にFDAが製造元に通知しない場合，製造元は製品を出荷することができる。これらの変更申請書はCBE-30と呼ばれ，変更は変更申請書提出30日後に有効になる。

製造される製品の安全性または有効性に関連する製品の同一性，力価，品質，純度，または有効性に実質的な悪影響を与える可能性がある変更は，その変更を記述している事前承認変更申請書（prior approval supplement；PAS）についてFDAが承認するまで，出荷はできない。

企業が特定の変更または一連の変更のためにFDAが承認した同等性検証実施要領（comparability protocol）を有しており，変更を実践するときその実施要領に従うなら，承認された同等性検証実施要領の変更申請書に記載される，より低い報告カテゴリーに変更を報告することができる。

例えば，企業が低い報告カテゴリーに記述された変更に対し，FDAが承認した同等性検証実施要領を有し，変更を作成，評価する際に実施要領に従っているなら，変更は通常，事前承認変更申請書として，CBE-30変更資料に報告することができる。

承認された申請書の変更を評価する場合

- 最後の査察以降，変更申請書または年次報告書のいずれかでCBERに提出されていない製品，製造プロセス，品質管理，設備，施設，品質システム，もしくは責任者に加えられた変更または修正に関する完全なリストを要求する。
- 製造業者がCBERへの変更申請書提出が必要なく，年次報告書にも含めなかったと判断したあらゆる変更について精査する。
- 必要に応じて，変更がバリデートされているかどうかを判断する。変更が報告されるべきかどうか，または変更が年次報告書の代わりに変更申請書で提出されるべきかどうかに関して疑問がある場合には，OCBQ/DISまたは適切な製品事務所に連絡すること。

注意：製造業者の年次報告書は，21 CFR 601.12（d）に示されている特定の製品承認日に基づいて提出される。したがって，年間の報告時期は，特定の製品または企業によって異なる。

解説：変更申請書（supplement）とは

米国市場で生物製剤を流通使用するためには，21 CFR 600～680の規制により，CBERに「生物製剤ライセンス申請書（biologics license application；BLA）」を提出し，提出書類の審査ならびに承認前査察（pre-approval inspection）を受ける。問題がなければライセンス承認（approval and license）を受ける。承認後，BLA内容に変更が生じた場合には，製造販売業者（licensed marketing approval holder）が，製品品質に与える影響の程度により，以下の3通りの変更申請または変更届けを出す。

1. 重大な変更：事前変更申請（prior approval supplement；PAS）
2. 中程度の変更：30日以内変更届け出
(changes being effected in 30 days supplement；CBE-30)

> 3. 軽微な変更：年次報告書（annual report）
>
> 21 CFR 601.12 Changes to an approved applicationには，「変更申請書」の提出が必要な重大な変更例として，以下の事例を挙げている。
>
> （i）不活性成分を含む定性的または定量的処方の変更，または承認された申請書（BLA）に記載されている規格の変更
>
> （ii）製品の安全性または有効性に関連する可能性のある製品の同一性，力価，品質，純度，または有効性の同等性を実証するための適切な臨床試験の実現を必要とする変更
>
> （iii）ウイルスまたは外来性病原体の除去または不活化方法の変更
>
> （iv）原材料または細胞株の変更
>
> （v）新しいマスター細胞バンクまたはシードバンクの確立
>
> （vi）製品または成分の滅菌方法の変更，または無菌操作法における工程の追加，削除，または置換など，製品の無菌性保証に影響する可能性がある変更

3. 医薬品成分（Components）

外部から医薬品成分を購入する製造業者は，そのような医薬品成分に対して適切な規格を設定する必要がある。ライセンスを受けた製造業者は，使用する医薬品成分が規格に適合し，使用に容認できることを保証する最終的な責任を負う。これは，検査，サンプリングおよび試験，もしくは供給業者からの分析証明書（certificates of analysis；COA）を通じて行うことができる。製造業者は，供給業者の経験，履歴データ，試験，もしくは監査を通じて証明書の有効性を保証すべきである。

外部から購入またはそれ以外の方法で入手した医薬品成分については，次のことを確認すること。(1)企業は医薬品成分に対して規格書を作成し承認している，(2)企業は特定の要件を満たす能力に基づいて供給業者を評価し，選定している，(3)供給業者に対する製造業者の評価に基づいて，医薬品成分および供給業者に必要な管理のタイプと範囲が定義されている。動物由来原料は，21 CFR 600.11の該当する要件を満たさなければならない。査察官は外因性病原体（例えば，マイコプラズマ，ウシ由来製品等に対する牛海綿状脳症など）で汚染されている可能性のある動物由来原料について，許可申請書に記載されているように，規格試験を行っているかどうかを判断すること。

受領活動を文書化すること。製造業者は医薬品成分を製造に使用するために出荷する前にすべての規格に適合し，受領活動をバッチ記録に記載することを確実とするために，明確な手順（例えば，検査，試験，および分析証明書もしくは供給業者監査など他の確認手段）があることを確認すること。製造SOPと代表的なロット数のバッチ記録を照査して，すべての医薬品成分が許容基準を満たしていることを確認すること。

- 培地／緩衝液（Media/Buffers）

　企業は，すべての材料について十分に確立された許容基準を有すること。緩衝液または培地が使用前に準備されている場合，企業はバリデートされた保管時間（holding times）およ

び保管条件（holding conditions）を確立し検証しているかどうか，条件が満たされていることを示す記録があるかどうかを確認すること。

・容器（Containers）/閉塞具（Closures）

企業は，容器や閉塞具の受領，取り扱い，サンプリング，および保管条件について，特に無菌もしくは発熱物資を含まないものについて，適切に文書化した規格および手順書を有しているかどうかを判断すること。容器・閉塞具は，製品劣化を促進するものではなく，表面から汚染物質や浸出物のない材料から作られていること。

4．バリデーション

・プロセス（Process）

製造プロセスのバリデーションデータは，一般に申請書の照査中に精査され，重大な変更申請書（prior approval supplements；PAS）で報告された変更を支援するためのバリデーションデータもある。申請書の承認以降に，変更申請書の必要ないプロセス変更がなされたなら，プロトコールに従ってバリデートし，バリデーションプロセスが適切に文書化されていることを確認すること。

・コンピュータ

企業がコンピュータシステムを使用してプロセスの一部を制御している場合は，コンピュータ用ソフトウェアと自動データ処理システムが有効であるかどうかを確認すること。企業がコンピュータ化された記録保管システムを使用している場合は，記録の完全性が維持されていることを確認する。失敗結果を隠すために記録の上書きができるシステムはよくない。企業が製造プロセスの管理に使用しているあらゆるコンピュータシステムを記録する。

・出荷

容器や輸送方法を含む輸送条件がバリデートされているかどうかを確認する。製造工程の一部または全部を行う受託業者がある場合は，部分的に加工された材料の出荷条件がバリデートされており，バリデートされたプロセスに従って出荷され，文書化されていることを確認する。荷送人は，出荷時に製品が適切な温度に保たれていることを確認し，これを証明する記録が必要である。

5．ロットリリース

21 CFR 610.2（a）には，ライセンスを受けた生物製剤のロットサンプルを，それに適用される試験結果を示すプロトコールとともにCBERに送付する必要がある。さらに，21 CFR 610.2（a）にはCBERセンター長から出荷承認通知を得るまで，製品ロットを出荷してはならないと記されている。

解説：CBERで実施する国家検定

公衆衛生上，重要な役割を果たしているワクチンをはじめとする生物製剤の出荷にあたっては，各国の規制当局（National Regulatory Authorities）による国家管理試験（国家検定）がなされる。国家検定に提出する品目ごとの検体数，実施試験，料金，サマリープロトコール（summary protocol）は，日本やEUでは公表されているが，FDA/CBERで実施する試験内容は公表されておらず，検定料金も不要である。CBERでは，BLA（biologics license application）の審査段階で製造ロットごとにCBERに提出すべきプロトコールフォーマット（protocol format）と，実施すべき試験項目ならびに規格について話し合うことになっている。

審査段階で決まった試験項目についても柔軟に考えているようで，上市後，品質上の問題が発生した場合には試験項目を増やし，また逆に問題がない場合にはロットごとに，または製品クラスごとに試験項目を減らすこともある。CBERに提出するロット製品も製品の種類によって，最終製品やバルク製品と異なる。インフルエンザワクチンの場合は，同じ最終バルクでも最終剤形が異なることがあるので，バルク製品を提出することになっている。CBERに提出されたロット製品については，必ずしもすべてのロットについて試験が実施されるわけではないが，ロットプロトコールについてはすべて審査がなされる。

十分に確立された生物製剤の製造業者には，承認許可変更申請を通じて，ロットリリースの代替案が認められ，“サーベイランスプログラム”が適用される。サーベイランスプログラム対象の製造業者は，一定の間隔でCBERに検体もしくはプロトコールを提出する必要はあるが，CBERからあらかじめロットリリース承認を受けずに適用製品を出荷することが可能である。このような製造業者は，CBERロットリリースでも，サーベイランスプログラムでも，社内のロットリリースプロセスが完全でなければならない。

CBERセンター長は，コンプライアンス履歴または規制措置の結果を含めて，いつでも製品をサーベイランスプログラムから除外し，CBERロットリリースに戻すことができる。

解説：サーベイランスプログラム出荷

製造者が製品ロットごとにCBERの承認を得て出荷するのではなく，自社による出荷試験成績をもってサーベイランス出荷するには，以下の2つの方法がある。

① 出荷方法の変更に関する申請を行い，CBERが認めたらサーベイランス出荷が可能。

② 製品クラスによるサーベイランス出荷。

①の場合：サーベイランス出荷可能なロットのリリース履歴（例えば，問題を抱えていない数百ロットの実績）があり，製造プロセスおよび設備の継続的な維持管理を実証する必要がある。大きなプロセス変更が計画されている場合，CBERはこれらの変更が製品品質にどのような影響を及ぼすかを評価することになる。これまで多くの製造業者がサーベイランス出荷を申請してきたが，承認されるのは難しく，サーベイランス出荷を実施しているのは少数の製造業者のみである。

②の場合：CBERは1995年12月，すべてのバイオテクノロジー製品に対してCBERによる出荷承認を基本的に免除したFederal Register Noticeを公表した。そのため，組換えDNA由

> 来タンパク質およびモノクローナル抗体は，製品クラスとしてロット出荷要件（lot release requirements）から免除された。

すべての規格が満たされていることを確認するために，代表的なロットリリースの試験記録を確認すること。生の試験成績とCBERに提出したプロトコールに提示されている試験結果とを比較して，それらが相関するかどうかを判断する。出荷できなかったロットがあるのかどうか，もしあれば出荷に失敗した理由と，失敗したロットすべての処分方法を確認すること。

6. 生物製剤逸脱（BPDs）

さらなるガイダンスは，「生物製剤逸脱ガイダンスおよびルール（Biological Product Deviation Guidance & Rules）」を参照のこと。

21 CFR 600.14に基づき，製造業者は，出荷した既承認製品（licensed product）の安全性，純度，有効性に影響を与える可能性のある既承認生物製剤（licensed biological product）の試験，製造，包装，表示，保管，または出荷を含む製造に関連したあらゆる事象を報告しなければならない。

解説：生物製剤逸脱ガイダンスおよびルール

FDAから生物製剤の逸脱に関するガイダンスやルールとして，以下の4種類が発出されている。

- Guidance for Industry: Biological Product Deviation Reporting for Blood and Plasma Establishments 10/2006
- Guidance for Industry: Biological Product Deviation Reporting for Licensed Manufacturers of Biological Products Other than Blood and Blood Components 10/2006
- Current Good Tissue Practice for Human Cell, Tissue, and Cellular and Tissue-Based Product Establishments ; Inspection and Enforcement ; Final Rule 11/24/2004
- Biological Products: Reporting of Biological Product Deviations in Manufacturing (Final Rule) 11/7/2000

生物製剤の逸脱（biologic product deviations ; BPD）は，要報告事象が発生したことを合理的に示唆する発見日から45日以内に，できるだけ早くCBER/OCBQ/DISに報告することが要求される。21 CFR 600.14の下で，生物学的ライセンスを保有し，製品を管理している製造業者は，逸脱または予期しない事象が発生したときには，生物製剤の逸脱（BPD）報告をしなければならない。

製造業者が何らかの製造工程を契約している場合，その製造工程は規制上，製造業者の管理の下で実施される。したがって，製造業者は，21 CFR 600.14（a）に基づき，製品に影響を与える可能性のあるすべての逸脱，苦情，および有害事象について，その契約製造施設から情報を受け取る手順を確立していなければならない。

受託製造業者（例えば，契約の上，他の施設の製造ステップを実行する）は，適用されるすべての規制に従って製造を行う必要がある。CBERは，ORAにCEARS（FDA食品安全・応用栄養センターの有害事象報告システム）を通じてBPD情報に直接アクセスする。CEARSは，報告可能なイベントのみを捉える。システムにアクセスするための手順は，CEARSイントラネットのウェブページにある。BPDの業界レポート作成を容易にするため，CBERは，ハードコピーと電子報告の両方を標準化した報告書様式（FDA Form 3486）を作成した。CBERは電子報告を奨励している。

査察を実施する前に，査察担当者はCEARSに提出した製造元のBPDを確認する必要がある。逸脱コードの評価は，査察するシステムオプションを決定するのに役立つ。それ以外の場合は，代表的なレポートのサンプルを選択して，企業の是正処置の妥当性を検証する。

- 報告可能な逸脱と報告不能な事故または問題報告の両方を評価し，製造業者によって実施された是正措置の妥当性を検証する。
- 製造業者がすべての報告可能な生物学的製品の逸脱を提出したかどうかを判断する。

施設の調査または是正措置が不十分であった場合には，以前に報告されたBPDに関連する欠陥のみをForm 483に引用するのがFDAの方針である。

7.　有害事象の報告

21 CFR 600.80の下で，生命を脅かすような有害事象，重大な有害事象，およびヒトへの生物製剤の使用に関連する予期しない有害事象は，製品関連であるか否かにかかわらず，できるだけ早くCBERに報告しなければならない。情報の最初の受領日から15日以内に，また副作用の重大性に応じて定期的に報告を行わなければならない。血漿製剤を含む血液製剤の製造業者は，感染症の伝播を含む有害事象に関する報告書を毎月提出する必要がある。製造業者は受領した有害事象の記録をレビューし，必要に応じて報告書をCBERに提出するかどうかを判断する。有害事象の報告義務に関する質問または懸念がある場合は，OCBQ/DISに連絡すること。

F.　報告

注意：査察中に重大な健康障害が存在する可能性があると判断された場合，査察官と法令遵守担当官は，直ちにCBERのOffice of Compliance and Biologics Quality（OCBQ）のDivision of Case Management（DCM）に連絡しなければならない。

1. 21 CFR Part 210～211，Parts 600～680，またはPart 1271からの逸脱（許可および変更申請要件を遵守しなかったことを含む）をForm 483に記録する。査察実施マニュアル（Investigations Operations Manual；IOM）によれば，Form 483に記載される状態は重要であり，施設，設備，プロセス，管理，製品，従業員の慣行または記録に伴う観察された問題，または潜在的な問題に関連するものでなければならない。
「潜在的な問題」とは，観察された条件，記録または事象に基づいて発生する可能性が合理的であること。ドラフトまたは提案された規制，またはガイダンス文書からForm 483の逸脱を引用してはならない。観察されたCGMPs不適合の結論については，証明可能な証拠を提示すること。査察官は，なぜ，どのようにそれが不十分であるかを説明することなく,「不十分」という用語を使うべきではない。査察所見（Inspectional Observations）の内容に関するさらに詳細なガイダンスについては，IOM第5章 5.2.3.1.4項および現場管理指令（Field Management Directive）120に示されている方針を参照のこと。
最も重大な査察所見を最初に挙げるべきである。以前の査察中に記録され，修正されていない欠陥は，繰り返し欠陥としてForm 483に含めること。以前に観察され，是正されていない欠陥を製造元と話し合うこと。
Form 483に記入する可能性のある所見に関して疑問があったら，必要に応じてORA / OE COに連絡して，議論し解決すること。特定の時間と場所で，他の条件や管理との関係を考慮して条件が好ましくないかどうかを決定するには，適切な判断が必要である。1つ以上の所見の重要性に関して不確実性が継続する場合は，Form 483に記載すべきではない。しかし，それらは企業の経営陣と協議し，EIRに報告すべきである。

解説：Form 483への記載制限

日本では，Form 483のような査察所見を査察（調査）終了時に口頭で述べ，約2週間後に文書で発行する。日本では，重度の指摘事項（レベルD）の場合のみ法的根拠を示すが，レベルBやCについては指摘根拠を示さない。米国FDAでは,「ドラフトまたは提案された規制，またはガイダンス文書からForm 483の逸脱を引用してはならない」とあるが，日本ではガイダンス（指針）文書なども指摘根拠に使う場合がある。

2. 所見の有無にかかわらず，このプログラムのパートⅢ,“査察”で概説されたすべてのシステムについて簡単に報告する。査察が違反査察のフォローアップである場合，企業が約束した是正措置の実施状況について報告する。
3. 輸入製品に関する偽造輸入品，輸入返品・拒絶品，苦情ファイルを調査，報告，追跡する。
4. チームバイオロジックスの主任査察官は，報告書の準備を調整する。
報告書は査察官によって是認され，分類される。ORA/OE COは，OAI報告書を審査する最初の責任を負い，規制措置の検討のためにどのような報告書をCBER/OCBQに提出すべきかを決める。ORA/OE COには，OAIからVAIまたはNAIへの査察結論を独立して再分類する権限がある。CBER/OCBQに規制措置の検討のために送付された報告については，CBER/OCBQの事例管理部門（DCM）が最終的な分類決定を行う。報告書は，定められた期間の時間枠内に提出しなければならない。
OCBQ：Office of Compliance and Biologics Quality（コンプライアンス・生物製剤品質部）
OE：Office of Enforcement（施行事務局）
CO：Compliance Officer（法令遵守担当官）
DCM：Division of Case Management（案件管理部）
OAI：Official Action Indicated（強制措置がとられ，BLAの承認が阻止される可能性あり）
VAI：Voluntary Action Indicated（Form 483が発行され，申請者はForm 483指摘事項に

回答しなければならない）

NAI：No Action Indicated（Form 483は発行されないが，EIRには入力する）

解説：査察チームとForm 483評価チームは別組織

日本では，GMP査察（調査）チームが査察最終日に口頭で指摘事項を述べ，職場に戻ってから専門家を加えて指摘事項を評価し，ランク分け（A～D）して，調査終了後から原則として10業務日以内を目途に文書で申請者に送付している。本指摘事項への回答内容（是正措置，改善計画等を含む）の吟味やフォローアップも査察チームが担当するが，FDAでは指摘事項（From 483）に対する対応は別部門である。

4 パートⅣ－分析

このプログラムでは，物理的サンプルのルーチン的な収集と分析は想定されていない。CBERがサンプル採取を要求する際には，具体的な指示がある。州間取引のドキュメンタリーサンプル（規制/管理措置をサポートするためのIOM 4.4.6.2.1項に従ってドキュメンタリーサンプルを収集する）を除き，FDAでの分析のためにサンプルを収集する前に，パートVIに指定されたCBERプログラム連絡先に相談する。サンプルをCBERに送付する前に，CBERサンプル保管庫（301-594-6517）に問い合わせること。週末にはサンプルを受け取ることができない。このプログラムの下で収集されたすべてのサンプルは，以下に送付する。

Center for Biologics Evaluation and Research
Attention: Sample Custodian, HFM-672
5516 Nicholson Lane, Building B, Room 113
Kensington, MD 20895

潜在的にバイオハザード特性を有するサンプルは，査察実施マニュアル（IOM）1.5節に従って採取すること。

分析のオリジナル結果は，関連施設の地区事務所へのコピーとともにORA/OE COに転送される。査察官は，CBERがサンプルの結果を送付すべきである者へのFACTSを文書化すること。FACTSで文書化できない場合は，Form FDA 464a，C/R Continuation Sheet（別紙）を使用すること。

物理的サンプルの回収報告書のコピーは，CBER/OCBQ/DCM，HFM-610に提出する必要がある。

5 パートⅤ－規制/行政戦略

査察所見の評価とその結果としての強制措置の勧告は，既存の手順と規制手続きマニュアル（Regulatory Procedures Manual；RPM）に従って実施される。チームバイオロジックスの主任査察官（lead investigator）は，地区内にある施設に関連する査察およびコンプライアンス活動については，地区事務所に確実に連絡すること。

推奨される行動のタイプ決定には，文書化された欠陥の深刻さと公衆衛生を保護する最も効果的な方法に基づいて行うべきである。生物製剤（ワクチン，アレルゲンなど）の製造業者数は一般に少なく，適切な勧告，行政的または司法措置を決定する際には，最終製品に対するCGMP欠陥の潜在的な有害作用とともに，製品の医学的ニーズおよび有用性を考慮すべきである。

Form 483に対応しての企業の書面による是正措置は，勧告，行政，または司法行為の検討を妨げてはならない。好ましくない所見，例えば非遵守の継続パターンを示す場合，前回の査察で指摘された重大な欠陥を訂正できなかった場合，または欠陥が公衆衛生に深刻な脅威をもたらす場合，および自主行動が適切ではなく，容易に達成することができない場合，適切な勧告，行政，または司法措置を推奨すべきである。

解説：主任査察官（lead investigator）

日本では，査察（調査）チームは，調査員，リーダー調査員，シニア調査員から構成され，これらの適格性基準として，“調査員”は調査員として必要な知識が習得できていること，“リーダー調査員”は，①品目の特性に応じた調査計画の立案，指摘事項の評価，報告書の作成等が可能であること，②観察事項に応じて柔軟に調査計画の変更ができること，“シニア調査員”は，①品目の特性に応じた知識およびその調査手法が習得できていること，②リーダー調査員を含めた調査員に対し，指導・教育訓練ができることとある〔本書「第8章 付属資料」の8.1節（p. 524）を参照〕。FDAの主任査察官（lead investigator）は，日本のシニア調査員に相当するのかもしれない。

管理状態

企業がFDC法セクション501(a)(2)(B)を遵守し，CGMP規制に適合するシステムを確実とする条件と実践を採用している場合，管理状態にあるとみなされる。管理状態にある企業は，品質，力価，同一性，純度，有効性が十分なレベルにある生物製剤の最終製品を製造していることになる。

十分に文書化されたCGMP欠陥は，企業が管理状態下で活動していないと結論付ける証拠になりえる。システム内での重大な欠陥の証拠は，当該システムの全体的欠陥をなすことになり，企業は管理状態にないとみなされる可能性がある。査察結果で，企業が管理状態にないことを示す場合，もしくは当該事業所の経営陣が，時宜を得た方法で完全な是正措置を実行することを望まない，または実行できない場合，行政または司法行為を考慮する必要がある。

規制上の勧告は，証拠を裏付ける十分に文書化された，重大な欠陥に基づくべきである。あらゆる行動の質は，観察された好ましくない状態をサポートするために，査察時点で収集した証拠の質から始まる。証拠の認識，収集，効果的な提示は，勧告，行政，または司法上の措置を成功裏に収めるために不可欠である。個人の責任を立証し，違反行為に責任を持つ者，誰が継続的な是正措置もしくは執行措置事項をFDAに連絡するのかを特定すること。

査察結果に基づいて適切な勧告，行政または司法上の措置を決定するには，規制手続きマニュアル（RPM）を参照すること。許可停止，一時的拘束命令（temporary restraining order：TRO）などの即時措置が指示されている場合，CBER/OCBQ/DCMとの早期相談が非常に重要である。公衆衛生を守るための差し止め命令についてはRPM第6章を参照のこと。

偽造薬（falsification，counterfeiting），違法輸入，薬物流用などの詐欺の可能性を示す査察結果が得られた場合，査察官は生物製剤の上級査察官（Team Biologics Supervisor），法令遵守担当者（Compliance Officer），OCBQ / DCM（HFM-610），適切なOCI事務所に警告する者に通知する必要がある。査察官は，CBER/OCBQと協力し合いながら，公衆衛生上の問題を引き続き追求すべきである。

解説：偽造薬とは

日本での“偽薬”はネット販売されているED治療薬程度であったが，2017年1月，奈良県に本社をおく薬局チェーンでC型肝炎治療薬“ハーボニー®”の偽薬が出回ってから関心が持たれるようになってきた。海外では偽薬が蔓延しており，その対策に苦慮しているのが現実である。日本では法的「偽薬」の定義はないが，医薬品医療機器等法第50条（直接の容器等の記載事項）や第56条（販売，製造等の禁止）等に適合しない薬を販売したら，すべて「偽薬」とみなされる。「偽薬」の英語名として，“falsified medicines”や“counterfeit medicines”をあてるが，前者は主にEUで，後者はFDAで使用されてきた。最近はWHOやIFPMA（国際製薬団体連合会）でも“falsified medicines”を用いており，「偽薬」の英語名は“falsified medicines”に統一されつつある。

なお，臨床試験で使用する治療効果を持たない（有効成分を含んでいない）薬を「プラセボ（偽薬）」と呼ぶが，ここでいう「偽薬」には含まれない。

EUでは，Directive 2011/62/EUでfalsified medicinesとは，例えば以下のような医薬品を指すとしている。

1）包装・表示，名称，添加物を含む全成分の組成・濃度（力価）等の虚偽表示
2）製造者，製造国，起源国，販売承認保持者等の虚偽表示
3）使用した流通経路に関する記録や文書等の履歴についての虚偽表示

そこで，Directive 2011/62/EUではfalsified medicines防止のため，以下の強化策を打ち出している。

- 医薬品の外包に正規品であることの表示の義務付け
- 医薬成分の製造業者に対する査察要件の強化
- 偽造薬の疑いがある場合の製造業者や流通業者による報告の義務付け
- 原薬製造業者に対するより厳格なコントロールと査察に関するルールの策定
- 卸売業者の記録保管義務の強化
- EU内で適法に運営されているオンライン販売のウェブサイト上への共通のロゴ表示と公的な国内登録へのリンクの義務付け

2018年2月28日付で米国FDAは，「Definitions of Suspect Product and Illegitimate Product for Verification Obligations Under the Drug Supply Chain Security（医薬品サプライチェーンセキュリティ下での検証義務のための“疑わしい製品”と“違法な製品”の定義）」に関する業界向けガイダンスを発出した。

本ガイダンスで「疑わしい製品（suspect product）」とは，以下であると信じる理由がある製品を指す。
- 潜在的に，偽造（counterfeit），転用（diverted），または盗難されている
- 潜在的に，混入されて重大な健康上の有害な影響をもたらし，死に至らしめる
- 潜在的に，詐欺的な取引（fraudulent transaction）の対象，または
- 製品がヒトに重大な健康上の悪影響または死をもたらす可能性があるため，流通に不適当（unfit for distribution）である製品

本ガイダンスで「違法な製品（illegitimate product）」とは，以下であることを信憑性のある証拠として示す製品を指す。
- 偽造，転用，または盗難されている
- 製品が重大な健康への悪影響や死亡をもたらすように意図的に混入されている
- 詐欺的な取引の対象，または
- 製品がヒトに重大な健康上の悪影響または死亡をもたらすことが当然考えられるため，流通には不適当と思われる製品

2012年，米国で抗がん剤（Avastin®）の偽薬問題が浮上した際に，当時のFDA長官が出した以下のコメントが偽薬問題の深刻さをよく示している。

> がん患者にとっては，がんと戦うことだけでも十分に苦しく辛いものですが，生きるため（あるいは延命のため）に服用している薬が実は偽薬だったと知ったときの苦しみは計り知れないものです。
>
> 偽造業者との戦いは100年以上前のFDAの最も初期の課題でした。しかしこの戦いは現在も続いており，今日ではより対応が困難になってきています。現在FDAで規制している品目の原産地は150カ国以上にわたり，およそ30万の海外施設が関与しているのです。
>
> 昨年，米国内の港に搬入されたFDA規制製品の出荷件数は2,400万件にも上りました。ほんの10年前まではたった600万件でした。FDAの承認医薬品に使用されているAPIの製造工場のうち約80%は米国外にあり，米国内で消費されている医薬品の40%は海外で製造されています。
>
> 正規のチャネルで流通している医薬品は安全かつ有効であり，高品質であるということについて，消費者が十分に信頼できるようにならなければなりません。
>
> （*Margaret A. Hamburg, M.D.　2013.Feb.22 by FDA Voice*）

推奨される行動タイプについての最初の決定は，RPMと一致し，欠陥の深刻さと頻度，および企業の全体的な法令遵守歴に基づいているべきである。例えば，OAI（Official Action Indicated：強制措置がとられ，BLAの承認が阻止される可能性あり）のような管理状態にない1つ以上のシステムを文書化した査察報告書を分類し，警告書の提言やその他，適切な措置をとることを検討する。

認可された生物製剤に対する，勧告，行政および司法措置の選択肢には以下が含まれる（表4-10）。

表4-10 | 生物製剤に対する勧告，行政・司法措置

行動	内容
警告書	1つ以上のシステムが管理状態にないとみなされる規制上の重大な違反
ライセンス取り消し（21 CFR 601.5）	**是正の機会をもってのライセンス取消通知** ・査察のために製造施設へのアクセスができない。 ・既承認製品（Licensed products）が，意図された使用に対して安全または有効ではないか，またはそのような使用に対して誤表示されている。 ・製造者は，21 CFR 601.12に従って変更を報告しない。製造者は，適用する規格に準拠していないため，製品の安全性，有効性および純度を保証できない。既承認製品をもはや製造していない。 **是正の機会のない直接執行** 上記に加えて故意に無視の実証。
ライセンス停止（21 CFR 601.6）	取り消しと，健康への危険のための合理的な根拠がある。これは，生物製剤の州間取引において，出荷許可を即座に取り下げるものである。
差し押さえ（Seizure）	製造者は違反製品を回収したがらないかできない，または販売目的で保有している製品を安全に使用することができない。米国連邦軍は，連邦食品・医薬品・化粧品法（FDC法）のセクション304に従って裁判所命令を通じて製品を所有する。
差し止め命令（Injunction）	現に健康上の危険が存在し，以前の警告にもかかわらず，施設は是正されていない違反履歴を有しており，企業のライセンス停止は，許容できない製品不足をもたらし，違反状態下で製造された製品の州内出荷を停止することになる。
告発（Prosecution）	詐欺，甚だしい悪意のある意図的な違反，健康被害，または是正されていない深刻な違反。

欠陥

査察官は，可能な限り，企業が適用される規制と法律を遵守しているかどうかを実際の観察を通じて確認する必要がある。以下は，すべてを含んでいるわけではないが，企業の管理状態の欠陥を示す例である。

企業が管理状態にないことを示す査察所見（inspectional findings）は，適切な勧告，行政または司法措置を行うための証拠として使われる。

欠陥の例はシステムによって整理される。1つのシステムに記載されている欠陥は，他のシステムにも適用される可能性がある。例えば，従業員の訓練と資格に関する欠陥や，不一致や逸脱調査（failure investigations）に関わる欠陥は，品質システムにのみ記載されているが，両方の欠陥は複数のシステムに適用可能である。さらに，CGMP規則は生物製剤の製造に適用されるが，同じCGMPの原則がFDC法セクション501(a)(2)(b)および21 CFR Part 600に基づく生物製剤の規制の下，生物学的中間体および原薬の製造にも適用される。

解説：システム査察

次の「品質システム」以降の項目では，システム査察における各システムのチェックポイントを示している。

- 記載表現を"現在形"にしたが，原文は［is/was］［are/were］［do/did］［fail（ed）］となっているので，"現在および過去"の事象を示している。
- "and/or"を"もしくは"と訳した。
- "products"は，最終製品，中間製品，製品評価等を除き，"医薬品"と訳した。

品質システム

企業は，効果的な品質保証プログラムを有していなければならない。製品の規格への適合性の確認は，最終製品の試験だけでは不十分である。品質管理部門の責務と機能が明確に定義されていなければならない。品質保証（QA）には，製造工程や最終製品に限らず，すべての主要なシステム，例えば，原料成分，工程内原料，施設および設備，苦情処理，逸脱原因調査，変更管理等が組み入れられる。

• 従業員の教育・資格認定

- 職員が実施する特定の作業もしくは職員の業務機能に関係したCGMPに関して教育訓練を受けていない。211.25(a)
- 医薬品の製造，加工，包装に従事する職員は，割り当てられた職務を遂行するための教育，訓練，経験またはそれらの組み合わせを受けていない。211.25(b), 600.10(b)
- 医薬品ごとに製造，加工，包装，または保管を実行し，監督するため，適格性が評価されている者が，適切な人数存在しない。211.25(c)

• 少なくとも年ごとに，品質管理部門による製品評価，監査

- 品質管理部門は，製造中に過誤がなかったことを，あるいは過誤があった場合に，それらが十分に調査されたことを保証するために，製造記録を照査していない。211.22 (a)
- 品質管理部門は，製品規格，製造もしくは管理手順の変更の必要性を決定するために，各製品の品質基準を評価する上で製造記録に記載されているデータを使用して，年次照査の実施もしくは記録をしていない。211.180(e)
- 適切な組織部門，もしくは品質管理部門によって，製造および工程管理の手順書の草案，審査，承認が行われていない。211.100(a)
- 重要なCGTP要件に関連した，定期的な品質監査が実施されていない。1271.160(c)

• 苦情のレビュー：記録，評価と，必要な場合は是正措置，追跡調査を含めた調査

- 苦情および原因究明の年次照査および評価のための手順書の制定，もしくはこれを遵守していない。211.180(e)(2)
- 医薬品が何らかの規格に適合しなかった疑いなどの苦情内容を品質管理部門が照査し，原因を調査する必要性を決定する規定を手順書に記載していない。211.198 (a)
- 苦情原因調査での知見もしくは追跡調査結果の記録を行っていない。211.198(b)(2)

- **製造，試験に関連する齟齬，不適合の原因調査：記録，評価と，必要な場合は是正措置，追跡調査を含めた詳細な原因調査**
  - 予想していなかった齟齬の原因究明実施の欠陥。
  - あるいは，当該バッチの出荷有無にかかわらず，バッチまたはその原料成分がそれぞれの規格に適合していない。
    - ✓ 記録漏れがある。
    - ✓ 結論，もしくは追跡調査を含んでいない場合がある。
    - ✓ 他の医薬品バッチについての拡大調査を行っていない。
    - ✓ 齟齬に関連して他の医薬品へ拡大調査を行っていない。211.192

- **適切なOOS手順の遵守**
  - 手順書からの逸脱を記録し，もしくは正当化していない。211.160(a)
  - 予想していなかった齟齬，あるいはバッチまたはその原料成分がそれぞれの規格に適合していない場合の原因究明が不十分である。211.192

- **変更管理手順：記録，評価，承認および，品質管理部門による再バリデーションの必要性**
  - 品質管理部門が以下の項目を十分に行っていない。
    - ✓医薬品の同一性，力価，品質，純度に影響を与えるあらゆる手順，もしくは規格の承認または拒否。211.22(c)
    - ✓あらゆる変更を含む手順書の起案，照査，もしくは承認。211.100(a)
    - ✓製造記録の年次照査の実施もしくは記録。211.180(e)

- **再加工もしくは再処理手順：品質管理部門による評価，照査，承認，ならびにバリデーションおよび安定性への影響評価**
  - 再加工したバッチが所定の基準，規格，および特性のすべてに適合することを保証するために，講ずべきステップを記載した手順書を含む医薬品バッチを再加工する手順書の制定，もしくはこれを遵守していない。211.115(a)
  - 再加工手順書が品質管理部門の審査および承認を得て実施されていない。211.115(b)，601.12

- **返品および救済製品：実施した，あるいは正当な理由付けがされた場合に拡大した（破棄を含む）評価および調査**
  - 製造所の責任ある役員に，返品，もしくは救済医薬品について理解させること，また実施したあらゆる原因調査について書面で知らせることを保証する手順書を確立していない。211.180(f)

- **適切に是正措置を伴う調査を実施していない製品**
  - 原料成分，医薬品容器および閉塞具の受入れ，確認，保管，取扱い，サンプリング，試験，および適否判定についての手順書の制定，もしくはこれを遵守していない。211.80 (a)
  - 所定の基準，規格，その他の該当する品質管理基準に適合しない医薬品を不適合としていない。211.165(f)
  - 予想していなかった齟齬，またはバッチもしくは原料成分がそれぞれの規格に適合していない場合に，原因調査を行っていない。211.192

- **安定性試験の逸脱における原因調査**
  - 予想していなかった齟齬，もしくはバッチまたは原料成分がそれぞれの規格に適合していない場合に，原因調査を行っていない。211.192
  - 品質管理部門は，製造中に過誤がなかったことを，あるいは過誤があった場合，それらが十分に調査されたことを保証するために，製造記録を照査していない。211.22(a)

- **隔離保管製品**
  - 以下の逸脱がある。
    - ✓不適と判定された原料成分，医薬品容器および閉塞具は，識別確認できるようにし，かつ不適切な製造作業または加工作業での使用が防止できるような隔離保管システムで管理されていない。211.89
    - ✓出荷前の医薬品の隔離保管を含む製品倉庫に関する手順書の制定，もしくはこれを遵守していない。211.42(a)
    - ✓施設内または施設間で有効な出荷基準に適合していない出荷前のヒト細胞・組織利用製品（HCT/P）を隔離保管室に出荷している。21 CFR 1271.265(b)

- **最終製剤のロットごとの配送記録**
  - 医薬品のロットごとに配送したことが容易に確定でき，必要な場合に回収しやすくするシステムの確立，もしくはこれを実行していない。211.150(b)
  - 配送記録に，製品の名称と力価および剤形の説明がされていない。211.196

- **医薬品副作用報告：AER（Adverse Experience Reporting）**
  - AERがCBERに提出されていないか，もしくは21 CFR 600.80で定められているように照査していない。

- **ライセンス**
  - 重大な製造の変更が報告，実施されていない，また必要なCBERの承認を得る前に医薬品を流通させている。601.12(b)
  - 医薬品を承認された許可申請書に記載されたとおりに製造していない。601.2(d)

注意：生物製剤許可申請書への記載事項との不適合については，Form 483での指摘事項を含む，FDA勧告の強制行動に入る前にCBER/DIS（Division of Inspections and Surveillance）に相談すること。

- 生物製剤逸脱（BPDs）の報告
  - 報告すべき生物製剤の逸脱がCBERに提出されていない，あるいは要求されている時間内に提出されていない。600.14

- 製造取り決め
  - 他の製造施設に製造工程のあるステップを委託するために，契約，合意，取り決めを行う前に，その施設がCGTP（Current Good Tissue Practice）要件に適合していることを確認する段階で，当該施設がもはや該当するCGTP要件に適合していないことを示唆させる情報確認を怠っている。1271.150(c)(1)(iii)
  - 製造工程を実施する施設の契約，合意，取り決めについて，施設が該当するCGTP要件に適合していないことが判明した後も，終結していない。1271.150(c)(1)(iii)
  - 製造委託先の施設の名前，住所，責任者のリストが維持されていない。あるいは，それを査察中にFDAに提出できない。1271.270(e)

- 除外と代替法
  - 適用要件とは異なる操作，および操作の除外または代替法が要求される場合，除外または代替法の許可が下りる前に実施している。1271.155(e)
  - 除外や代替法条項の下，FDAの除外あるいは代替法の許可を得て，製造を開始した日付付きの記録を維持していない。1271.155(f)

施設および設備システム

本システムの欠陥には，（これらに限定されないが）空調および水システム，照明，衛生を含む施設および設備の設計，維持管理および清浄化に関連した違反状態を含むであろう。

施設

- 保全
  - 医薬品の製造，加工，包装または保管に使用されるいかなる建物も，十分に修理された状態に維持管理されていない。211.58

- 交叉汚染防止のための施設の設計と空気処理システム（例：細胞毒性物質，生ウイルス，芽胞形成菌）
  - 医薬品の製造，加工，包装または保管に用いる建物は，清掃，保全および適切な作業を遂行するのに適したサイズ，構造，もしくは立地条件ではない。211.42(a)

- 作業は，具体的に明示され適切なサイズの作業区域内で実施されていない。211.42(c)
- 無菌作業区域の床，壁，および天井が，容易に清浄化できる平滑で硬質な表面になっていない。211.42(c)(10)

• 一般的空気処理システム

- 適切な換気装置が設置されていない。211.46(a)
- 気圧，微生物，塵埃，湿度，および温度を適切に管理する設備がない。211.46(b)，600.11(a)
- 製造作業区域へ空気を供給する際に，適切な空気ろ過システムが使用されていない。211.46(c)

• 汚染または混同防止のため，製造作業用に特別に設計された区域

- 建物には，設備と原材料を整然と配置するための適切なスペースがなく，異なる原料成分，医薬品容器，閉塞具，表示材料，中間製品または医薬品の混同，もしくは汚染が防止できるようになっていない。211.42(b)
- 医薬品製造所として，以下の作業を実施する際に，汚染や混同を防止するために，分離もしくは明確に区分された作業区域あるいは管理システムがない。
  - ✓製造作業または包装作業への出荷解除に先立ち，品質管理部門による適切なサンプリング，試験または検査が終了するまで原料成分，医薬品容器，閉塞具，および表示材料の受領，確認，保管を留保する作業
  - ✓不適の原料成分，医薬品容器，閉塞具，および表示材料を処分するまでの一時保管作業
  - ✓中間製品の保管作業
  - ✓製造作業および加工作業
  - ✓医薬品の出荷解除までの隔離保管作業
  - ✓管理および試験室作業
  - ✓以下を含む無菌操作作業：
    - ›環境モニタリングシステム
    - ›部屋と設備の洗浄化/消毒システム
    - ›無菌条件を維持するための設備の維持管理システム。211.42(c)
    - ›医薬品の製造に用いられる動物試験室や飼育室の効率的な防虫対策がなされていない。部屋が塵埃，煙，その他の有害物質が発生しないよう，また徹底的な洗浄化と消毒を行うことができるように建築されていない。600.11(c)

• 建物の衛生管理，防鼠剤，抗真菌剤，防虫剤，洗浄および消毒剤の使用

- 医薬品製造に使用される建物が，
  - ✓清潔で衛生的な状態に維持されていない。211.56(a)
  - ✓げっ歯類，鳥類，昆虫類，その他の害虫の侵入がない。211.56(a)

- 衛生管理手順書に，
  - ✓ 適切な防鼠剤，防虫剤，抗真菌剤，燻蒸剤の使用について設定されていない。211.56(c)
  - ✓ 設備，原料成分，医薬品容器，閉塞具，包装資材，表示材料，医薬品の汚染を防止できるように設計されていない。211.56(c)

- **清浄化，衛生記録の保持**
  - 施設の清浄化と衛生作業に関する記録を実施後3年間保持していない。1271.190(d)(2)

設備

- **設備設計，サイズ，設置場所の適切性**
  - 医薬品の製造に使用する設備が適切に設計され，適度なサイズ，もしくはその使用目的や，洗浄，もしくは維持管理に適した場所に設置されていない。211.63

- **設備の表面に反応性，付着性，吸着性があってはならない**
  - 原料成分，中間製品または医薬品と接触する設備表面は，反応性，付着性もしくは吸着性があり，医薬品の安全性，同一性，力価，品質または純度に影響を与える可能性がある。211.65(a)
  - 医薬品との接触面が清潔でなく，固形物や溶出汚染物の付着，その他，医薬品の品質劣化の促進，あるいは使用目的に適さなくさせるような成分が存在する。600.11(b)

- **医薬品/容器等と接触する設備操作に要求される物質（潤滑剤，冷却剤，冷媒等）の適正使用**
  - 設備の設計は，潤滑剤，冷却剤等の操作に必要な物質が，原料成分，医薬品容器，栓，中間製品，または医薬品に接触し，医薬品の安全性，同一性，力価，品質，純度に影響する可能性がある。211.65(b)

- **設備の清浄化と使用記録**
  - 主要設備の洗浄と保全および使用の記録が，個々の設備使用記録簿（ログブック）に，加工したバッチごとに日付，時間，製品，もしくはバッチのロット番号が含まれていない。211.182

- **洗浄方法と洗浄バリデーション**
  - 医薬品の製造に使用する器具を含む設備を洗浄し，維持管理するための手順書の制定，もしくはこれを遵守していない。211.67(b)
  - 医薬品の安全性，同一性，力価，品質，純度が変化するような機能不全または汚染を防止するために，適切な間隔で設備および装置を清浄化し，維持管理していない。211.67(a)
  - 設備の維持管理，洗浄化，消毒，調査の記録が保管されていない。211.67(c)

- 製造および保存容器，フィルター，充填器具，またその他の器具や付属設備（パイプ，チューブ等）について，洗浄および（可能な場合には）洗浄度が観察しやすいように，設計されていない。600.11(b)

• コンピュータの適格性評価/バリデーションおよびセキュリティ等，設備の適格性，校正，および保全

- 設備を，適切な性能を保証するために計画され，文書化されたプログラムに従って日常的に校正し，検査し，またはチェックしていない。校正チェックと検査の記録が，保管されていない。211.68(a)
- コンピュータまたは関連システムについて，認証された者だけが基本製造管理記録（master production and control records）またはその他の記録を変更するのを保証するように，適切な管理が行われていない。211.68(b)
- コンピュータまたは関連システムに入出力した処方，またはその他の記録やデータの正確性がチェックされていない。211.68(b)
- バックアップデータが正確で完全なこと，ならびに変更，不注意による消去，または紛失に対して安全なことがそれぞれ保証できるように設計されている複写物，テープ，またはマイクロフィルムなどのハードコピーまたは代替システムを維持管理していない。211.68(b)

• 各設備の識別確認

- 製造に使用する主要設備が正しく識別されていない　211.105(a)

材料システム

本システムの欠陥には，中間製品や最終製品の検査，サンプリング，試験，検疫，保管，容器・施栓系を含む材料の供給を含む材料の取扱い，ならびに逸脱調査と適切な追跡調査に関する違反を含む。

• 原料，医薬品容器および閉塞具の識別，出納，保管

- 原料成分，医薬品容器および閉塞具の受入れ，確認，保管，取扱い，サンプリング，試験および適否判定について，手順書の制定，もしくはこれを遵守していない。211.80(a)
- 医薬品容器の各ロットを，区別できるコードや状況（すなわち隔離保管中，試験適合または試験不適合）によって識別していない。211.80(d)
- 原料成分，医薬品容器および閉塞具は，汚染が防止できる方法で取扱い，保管していない。211.80(b)

• 試験または検査され出荷されるまでの隔離保管

- 原料成分，医薬品容器，もしくは閉塞具は，出庫解除されるまで，隔離保管されていな

い。211.82(b)

・医薬品容器もしくは閉塞具は，品質管理部門によって，ロットごとにサンプリング，試験が行われ，使用許可が出るまで保管せず，もしくは出荷している。211.84(a)

- **適切な手法を用いて採取した代表サンプルの試験または検査**
  - 各原料成分ロットの出荷試験または検査のために，代表サンプルを採取していない。211.84(b)

- **各原料成分の各ロットに対して，少なくとも1つの特定の識別試験を実施**
  - 医薬品の原料成分ごとに，同一性を確認するための試験が実施されていない。211.84(d)(1)

- **各医薬品容器および閉塞具の各ロットについて，視覚的な識別実施**
  - 受領時，または承認前に，医薬品容器もしくは閉塞具の損傷または破損の目視検査を実施していない。211.82(a)

- **原料成分，容器および閉塞具に対して供給者が行った試験結果に対する試験またはバリデーション**
  - 各原料成分の規格に以下の事項が定められていない。
    - ✓適切な規格すべてへの適合性試験
    - ✓試験を行う代わりに，当該原料成分の供給者からの分析報告書を受領して差し支えない。ただし，製造業者は少なくとも具体的な1つの確認試験を実施し，かつ当該製造業者が供給業者の試験結果を適切な間隔で適切にバリデートすることで，当該供給業者が実施した分析の信頼性を確定していることを条件とする。211.84(d)(2)
  - 各医薬品容器および閉塞具に対して，以下の事項が定められていない。
    - ✓適切な手順に従った適合性試験の実施
    - ✓試験の代わりに，当該供給業者の試験証明書を受領して差し支えない。ただし，製造業者が容器/閉塞具について少なくとも目視確認し，かつ当該製造業者が適切な間隔で当該供給業者の試験結果を適切にバリデートすることで，当該供給業者の試験結果の信頼性を確認することを条件とする。211.84(d)(3)
    - ✓原料成分の試験および検査手順に，汚染について所定の規格が設定されていない。211.84(d)(5)

- **受入規格に適合しない原料成分，医薬品容器，閉塞具の不適合**
  - 規格を満たさない材料ロットを不合格としていない。211.84(e)

- **原料成分，医薬品容器，閉塞具に対する適切な再試験／再検査**
  - 管理されていない区域に長期保存された後，医薬品容器もしくは閉塞具が再試験／再検査されずに品質管理部門により承認されていた。211.87

- **不適合材料の隔離保管**
  - 不適合になった原料成分，医薬品容器もしくは閉塞具は，識別確認できるようにし，かつ不適切な操作での使用が防止できるように設計された隔離システムで保管することを保証できていない。211.89

- **水および製造用ガスの供給，設計，保全，バリデーションおよび稼働**
  - それぞれの原料成分に対し定められた規格に，以下の事項を含んでいない。
    - ✓適切な手順に従った適合性試験の実施。
    - ✓試験の代わりに，当該供給業者の試験証明書を受領して差し支えない。ただし，製造業者が原料成分について少なくとも1つの特異的識別試験を実施し，かつ当該製造業者が適切な間隔で当該供給業者の試験結果を適切にバリデートすることで，当該供給業者の試験結果の信頼性を確認することを条件とする。211.84(d)(2)

- **医薬品容器と閉塞具**
  - 医薬品容器もしくは閉塞具には，反応性，負荷性，または吸着性がないことを示していない。211.94(a)
  - 医薬品容器および閉塞具について，洗浄法，滅菌法および発熱性を除去する処理法や基準または規格，試験法を文書化し，遵守していない。211.94(d)
  - 最終容器と閉塞具は，医薬品を品質劣化させない材料から作られておらず，あるいは意図する使用目的に適さなくさせる材料が使用されている。600.11(h)
  - 最終容器と閉塞具は清潔でなく，表面の固形物，抽出可能な汚染があり，その他，医薬品を悪化させ，あるいは意図する使用目的に適さなくさせる材料が使用されている。600.11(h)
  - 充填後，密封工程が保存期間中に医薬品の完全性を損なわない方法で行われていない。600.11(h)

- **培養物と細胞株**
  - 医薬品の製造に使用する培養物が，安全かつ正しい手順で／当該生物の当初の特性を保ち，汚染や劣化が起こらない温度と方法で，保管されていない。21 CFR 610.18(a)
  - シードロットがロット番号，製造日ごとに識別されていない。21 CFR 610.18(b)
  - 培養物の妥当性と外来性の生物が存在しない旨を確定するための定期試験の，すべての結果を記録あるいは保存していない。21 CFR 610.18(b)
  - 当該株の特性の完全性／外来性生物が存在しないことを確認するために起源株に定期的

な試験を実施していない。21 CFR 610.18(b)
- 各培養物において，起源株が明確に識別されていない。21 CFR 610.18(b)
- 医薬品の製造に使用する細胞株について，細胞遺伝学的特徴および腫瘍形成性に関する記述/*in vitro*における増殖特性や寿命に関する特徴/検知可能な微生物の存在に対する試験などの経緯が識別できない。21 CFR 610.18(c)
- 培養物に関する適切な記録が維持されていない。21 CFR 610.18(d)

製造システム

本システムでの欠陥には，(これらに限定されないが) バッチ製造，管理記録，再加工，工程内管理，試験，検査，製造機器の洗浄，使用記録などを含む製造活動に関連する違反状態が含まれる。

• 手順：欠陥

- 製造，工程管理の手順書は，医薬品が標榜し，または保有していると記述している同一性，力価，品質，および純度を保証していない。211.100(a)
- 手順書からの逸脱について記録し，正当性を立証していない。211.100(b)

• 原料の仕込みに関する適切な手順

- 原料の仕込みに関する手順に以下の事項が含まれていない。
  - ✓製造された医薬品が標榜し，または保有していると記述している同一性，力価，品質，および純度を保証するための製造および管理手順。211.101
  - ✓有効成分の表示量または所定量に対して100重量%未満にならないようなバッチの処方。211.101(a)
  - ✓原料成分の秤量，測定作業に関する適切な監督。211.101(c)

• 適切な製造段階もしくは状態での製造物と設備の識別

- 調合および保管容器，プロセスライン，医薬品のバッチ製造で使用する主要設備のすべてを常に適切に識別確認しておらず，それぞれの内容物ならびに，必要な場合には，バッチ処理の段階を適切に表示していない。211.105(a)

• 実際の製造収量と理論的収量の計算と文書化

- 医薬品の製造，加工，包装，または保管の適切な段階が終了するたびに，実収量と理論収量に対する割合を測定していない。211.103

• バッチ製造管理記録

- 製造する医薬品のバッチごとに，バッチ製造管理記録を作成しておらず，もしくは各バッチでの製造管理に関する完全な情報を記載していない。211.188, 600.12(a)

- **製造工程終了までの時間制限の設定**
  - 医薬品の品質を保証するために，製造の各段階が完了するまでの時間制限を設定していない。211.111

- **工程内管理，試験，検査の実施と文書化**
  - バッチごとの工程内原料の適切なサンプルについて実施される工程内管理，試験，検査について，詳細に規定する手順書の制定，もしくはこれを遵守していない。211.100(a)

- **医薬品の工程内規格値と最終規格値の妥当性と均一性**
  - 工程内規格が医薬品の最終規格と一致しない。211.110(b)

- **無菌医薬品に対する微生物汚染防止**
  - 無菌であるべき医薬品の微生物汚染を防止するよう設計された，滅菌工程のバリデーションを含む，適切な手順書の制定，もしくはこれを遵守していない。211.113(b)，600.11(b)

- **製造前手法の遵守（例，セットアップ，ラインクリアランス）**
  - 製造管理およびプロセス管理手順は：211.100(b)
    - ✓種々の製造および管理機能に関する手順書の制定，もしくはこれを遵守していない。
    - ✓実行した段階で文書化していない。
    - ✓手順書からの逸脱を記録し，その正当性を立証していない。

- **基本製造管理記録**
  - 基本製造管理記録（Master production and control records）に以下の事項が含まれていない。211.186
    - ✓完全な製造管理指図
    - ✓サンプリングおよび試験手順
    - ✓規格
    - ✓特別な注釈もしくは従うべき注意事項
    - ✓基本製造管理記録の作成のための手順

- **プール**
  - 2名またはそれ以上のドナーからのHCT/Pを製造過程でプールしていた。1271.220(b)

- **保存温度**
  - HCT/Pが適切な温度で保存されていない。1271.260(b)
  - 記録された保存温度が，許容限界値内であることを確かめるため，定期的に評価されて

いない。1271.260(e)
- HCT/Pの保存温度が記録，維持されていない。1271.260(e)
- 感染因子の増大を抑えるため，製造プロセスの各段階において，HCT/Pの保存について許容温度限界が設定されていない。1271.260(e)

- **記録保持**
  - 記録が適切な期間（作成後10年間/少なくとも一定のHCT/Pが投与されてから10年/投与日がわからない場合は，一定のHCT/Pの流通の日，破棄の日，有効期限など，最も近い日から少なくとも10年間/保管している硬膜標本の適切な破棄から10年間）保管されていない。1271.270(d)

包装・表示システム

本システムの欠陥には，包装作業，ラベルの取扱いと表示作業として，(これらに限定されないが) ラベルの受入れ，検査，ラベルの発行，残数照合，ラベル枚数の齟齬調査と追跡調査等に関連した違反状態を含む。

- **包装・表示材料に対する使用基準：検査，保管，使用**
  - 表示および包装資材の受入れ，確認，保管，取扱い，サンプリング，検査，もしくは試験の詳細を記述した手順書の制定，もしくはこれを遵守していない。211.122(a)
  - 表示および包装資材は，受領後，医薬品の包装または表示作業で使用する前に，代表的なサンプルを採取し，検査または試験を実施していない。211.122(a)
  - 適切な規格に適合しない表示または包装資材が，承認され，使用のため出荷されている。211.122(b)
  - 医薬品，力価，剤形，または内容物の量がそれぞれ異なる場合のラベルおよびその他の表示材料が，分離保管もしくは適切に識別保管されていない。211.122(d)
  - 製造ラインまたはこれに関連する箇所に印刷装置を設置して医薬品の個々のラベルまたはケースに印字する際には，印字した内容すべてがバッチ製造記録で規定してある印刷内容と整合しているのを保証するためにモニターしていない。211.122(h)

- **表示の発行管理，発行した表示の検査，および使用した表示の照合**
  - 医薬品表示作業で使用するために発行した表示材料：
    - ✓厳密に管理されていない。211.125(a)
    - ✓表示材料の同一性および基本製造管理記録，またはバッチ製造管理記録に規定してある表示内容との整合性を注意して検査していない。211.125(b)
    - ✓発行し，使用し，返却された表示物の数量一致を確認しないか，もしくは最終医薬品の数量と発行したラベルの数量に不一致が発生した場合に，それを評価していない。211.125(c)

✓ロット番号または管理番号を付した過剰の表示物を滅却している保証がない。211.125(d)

- 包装・表示作業，ラインクリアランス，コンピュータ化された工程のバリデーション，安全性確保等の調査および文書化
  - 手順書の制定，もしくはこれを遵守していないか，もしくは正しいラベル，表示物および包装資材を使用しているのが保証できるような手順になっていない。211.130
  - 他の医薬品についての作業から混同および交叉汚染を防止するのに，物理的または空間的分離が適切でない。211.130(a)
  - 後続の表示作業のため，分離保管中の充填済みでラベル未貼付の医薬品容器を，個々の容器，ロット，またはロットの一部へのミスラベリングを排除できるように，識別，もしくは取り扱っていない。211.130(b)
  - 医薬品は，当該バッチの製造および管理の実績が確認できるように，ロット番号または管理番号で識別されていない。211.130(c)
  - 包装および表示作業施設を，その後の作業に適さないすべての医薬品，包装および表示材料が取り除かれていることを保証するために，使用直前に検査していない。211.130(e)
  - コンピュータ化された包装ないし表示工程で使用する設備を使用する場合，適切な性能を保証するため，日常的に校正し，検査し，またはチェックしていない。211.68 (a)
  - コンピュータおよび関連システムの変更を，権限を与えられた者のみが行えるよう，適切に管理されていない。211.68(b)
  - HCT/Psに対しHCT/Psとドナーおよび医薬品に関するすべての記録とを結びつける明確な識別コードを付していない。1271.290(c)
  - HCT/Psのドナーから受託者あるいは最終廃棄までの追跡を可能とする追跡システムを確立していない。1271.290(b)
  - ある施設により付された明確な識別コードに代わり，この施設で新たな識別コードをHCT/Psに付した場合，新コードと旧コードとを関係付ける手順が確立されていない。1271.290(c)
  - 各HCT/Pタイプについての適切な出荷条件が確立されていない。1271.265(d)
  - 包装，出荷容器がHCT/Psの汚染を防止できるよう設計，製造されていない。1271.265(d)

- 付属記録
  - HCT/P容器に張り付けた明確な識別コードに，個人の名前，社会保障番号，医療記録番号が記されていない。1271.55(a)(1)
  - ドナー適格性の決定終了後，HCT/PsにHCT/P容器に張り付ける明確な識別コードが付されていない。1271.55(a)(1)
  - ドナー適格性の確定終了後，スクリーニングと試験結果に基づいて，HCT/Psにドナーの適格性に関する記述が付されていない。1271.55(a)(2)

- ドナー適格性の確定終了後，HCT/Psにドナー適格性決定の際の記録のサマリーが付されていない。1271.55(a)(3)
- HCT/Psに付属する記録に，ドナーの名前，ドナーを識別する個人情報が含まれていた。1271.55(c)
- スクリーニングにより不適格と決定し，限定使用として出荷されたドナーからのHCT/Psの記録概要に不適格についての理由が記されていない。1271.55(b)(4)

- **充填済み未表示（後に複数の表示を行う）容器の管理**
  - 後続の表示作業のため，個々の容器，ロット，またはロットの一部が不正表示にならないようにラベル未貼付の状態で，ラインから離れて保管してある充填済みの医薬品容器を識別確認するための手順書が存在しない。211.130(b)

- **有効期限**
  - 医薬品ラベル［211.137(a)(d)］
    - ✓適切な安定性試験に基づき決定した有効期限を表示していない。
    - ✓ラベル上の保存条件と関係のない有効期限が表示されている。
    - ✓再構築（溶解）した凍結乾燥医薬品および凍結乾燥医薬品の有効期限が表示されていない。

- **表示済み最終製品の検査**［211.134(a)，(b)］
  - 表示済み最終製品について
    - ✓ロットの最終仕上げ作業中，容器とパッケージに正しいラベルが付されているか保証するための試験がなされていない。
    - ✓仕上げ作業完了の時点で，表示の正しいことを目視で検査するために，代表サンプルを採取していない。
    - ✓試験操作の記録がない。

- **使用したすべての表示見本またはコピー等を含む完全な表示管理記録**
  - 入荷した別々の表示および包装資材ごとに受領，検査または試験を実施した出荷記録を保管していない。211.122(c)
  - ラベルおよび表示物を検査，照査し，所定規格に適合していることを文書化した記録が保管されていない。211.184(d)
  - バッチ製造管理記録に表示物管理の完全な記録，ならびに使用したすべての表示物のサンプルまたはコピーが含まれていない。211.188(b)(8)

試験室管理システム

本システムの欠陥には，（これらに限定されないが）スタッフィング，施設，校正，設備器具の維持管理，規格と標準，サンプリング計画と試験方法等，試験室機能に関連した違反状態を含むであろう。

- **試験操作に対する文書化された手順と管理システム**
  - 規格，基準，サンプリング計画，試験手順，またはその他の試験室管理機構の変更については，組織内の適切な部門が起案，もしくは品質管理部門が照査し，承認することになっていない。211.160(a)

- **分析機器・装置の校正および維持管理プログラム**
  - 機器，装置，計器および記録装置を，適切な間隔で，具体的な指示事項や日程計画，確度および精度の許容限界，ならびに確度もしくは精度の許容限度に適合しない場合の改善措置についての規定等をそれぞれ記載した，校正に関する手順書がないか，遵守していない。211.160(b)(4)

- **分析方法手順書の遵守，バリデーション/ベリフィケーション**
  - バッチごとのサンプリング方法およびサンプリング数について記載している手順書が存在しない。211.165(c)
  - 企業が使用する試験法の確度，感度，特異性，および再現性について設定，もしくは文書化していない。211.165(e)

- **試験と出荷解除**
  - 医薬品のバッチごとに出荷前に，ラボ試験によって，有効成分ごとの同一性および力価について，最終規格への適合性が確認されていない。211.165(a)
  - 有害微生物が存在してはならない要件になっている医薬品のバッチごとに，適切なラボ試験を実施していない。211.165(b)
  - 分離保管中の，汚染された，不適切なドナーから採取され，伝染病の伝播防止のために出荷基準に適合しないと判定されたHCT/Pが出荷可能となっていた。1271.265(c)(2)

- **規格，基準，および代表的なサンプリング計画**
  - 試験室管理には，原料成分および医薬品が同一性，力価，品質，および純度の適切な基準に適合していることが保証できるように設計された，科学的に正しく適切な規格，基準，サンプリング計画，および試験手順を含んでいない。211.160(b)

- **試験方法の実効性を示す安定性の実証等，安定性試験計画**
  - 医薬品の安定性特性を評価するために設計した試験計画書に以下を含まない。
    - ✓各試験属性におけるサンプルサイズと試験間隔。
    - ✓試験のために保管しているサンプルの保管条件。211.166

- 特別な試験要求事項
  - 無菌もしくはパイロジェンフリーと称する医薬品の各バッチについて，適切なラボ試験を実施していない。211.167(a)

- 適切な保存サンプル：保存サンプルの検査記録
  - 医薬品の各ロットまたはバッチを代表しており，適切に識別確認されている保存サンプルが，適切な数量，保存されていないか，もしくは医薬品の表示に従って保存，もしくは医薬品と同一の一次容器，施栓系に保存していない。
  - 保存サンプルに対し，その品質劣化の兆候を調べるために，最低，年一度の目視検査を実施していない。211.170

- 正しいサンンプルに実施する試験
  - 適切な規格文書に適合していることを確認する際に，
    - ✓サンプルは，原料成分の各ロットを代表していないか，もしくは適切に識別されていない。211.160(b)(1)
    - ✓サンプルは，代表していないか，もしくは適切に識別されていない。211.160(b)(2)
    - ✓サンプルは，医薬品を代表していないか，もしくは適切に識別されていない。211.160(b)(3)

- 試験室記録
  - 以下の事項を含んでいない。
    - ✓サンプルの試験で使用した方法ごとの説明には，試験した医薬品に使用したと同様に，サンプルの試験で使用した方法が真度および信頼性の適切な標準に適合しているのを確定したデータの場所を記載すること。211.194(a)(2)
    - ✓検査および分析を含め，所定の規格および基準に適合しているのを保証するのに必要な，すべての試験で得られたすべてのデータの完全な記録。211.194
    - ✓試験それぞれの実施中に取得したすべてのデータ，ならびにグラフ，チャート，試験室の機器で作成したスペクトルなどで，具体的な原料成分，医薬品容器，閉塞具，中間製品または医薬品および試験したロットが適切に識別できる完全な記録。211.194(a)(4)
    - ✓試験に関連して実施したすべての計算，ならびに計測単位，変換係数，および等値換算係数などの記録。211.194(a)(5)

ドナー適格性システム

- ドナー適格性システム

本システムの欠陥には，（これらに限定されないが）ドナーのスクリーニング，試験，ドナー適格性決定終了前の製品の検疫，不適格とされたドナーからの製品の保管，緊急の医療上の要請が生じた場合の製品の使用等の違反状態を含むであろう。

- **ドナーの適格性手法**
  - HCT/Psのドナー適格性の試験/スクリーニング/判定で行ったすべてのステップに対する手順を制定していない。1271.47(a)
  - ドナー適格性要件に適合していることを保証するための手順が設計されていない。1271.47(a)
  - 実施前に，ドナー適格性の手順が責任者によって照査/承認されていない。1271.47(b)
  - ドナー適格性手順が，業務を行う区域の職員，またはそのような業務の可能性が実用的でない近くの区域の職員に利用できない。1271.47(c)
  - 感染症伝播のリスクを予防することに関連したドナー適格性手法からの逸脱を，記録/正当化していない。1271.47(d)

- **ドナーの適格性確認**
  - ドナーのスクリーニングや試験結果に基づいてHCT/Pドナーとして適格であることを決定していない。1271.50(a)
  - ドナーのスクリーニングや試験結果に基づいて，責任者がHCT/Pドナーの適格性を，決定/文書化していない。1271.50(a)
  - HCT/Pドナーのドナースクリーニングが適合と考えられていたが，感染性病原体による感染のリスクファクター/感染性病原体による臨床的証拠/異種間臓器移植に関連したリスクファクターを否定できない。1271.50(b)(1)
  - 適合と考えられたHCT/Pドナーのドナー試験が関連する感染性病原体に，陰性または反応しない。1271.50(b)(2)

- **記録**
  - ドナー適格性の決定がなされた後，文書を保管していない。1271.55(d)(1)
  - 感染性病原体に関するすべての試験結果と解釈の文書/感染症の試験を実施した検査室の名称と住所の文書を保管していない。1271.55(d)(1)(i)
  - 感染症に対するドナースクリーニングのすべての結果/解釈の文書を保管していない。1271.55(d)(1)(ii)
  - ドナーの適格性を判定した文書/ドナーを適格と判定した責任者の文書/ドナーを適格と判定した日付の文書が保管されていない。1271.55(d)(1)(iii)
  - ドナーの適格性記録が正確でなく，消去可能，または判読できない。1271.55(d)(2)
  - 要求されているドナー適格性記録が，当局の査察またはFDAの要求事項に利用可能なように作成されていない。1271.55(d)(3)
  - HCT/Psに関係する記録を，投与した日から少なくとも10年間/HCT/Psの投与日が不明な場合は，出荷，処分，または有効期間のうち，後の日付から少なくとも10年間，

保管していない。1271.55(d)(4)

- ドナーの適格性決定完了前の検疫や他の要件
  - HCT/Psをドナー適格性決定が完了するまで検疫状態に保持していない。1271.60(a)
  - ドナー適格性決定がまだ完了していない検疫中のHCT/Psが，検疫中であることを明確に識別できない/出荷および配送のために有用なHCT/Psであることを容易に識別できない。1271.60(b)
  - ドナー適格性決定前に出荷されたHCT/Psを，出荷中，検疫状態に保持していない。1271.60(c)
  - ドナー適格性決定の完了前に検疫状態で出荷されたHCT/Psに，HCT/Psのドナーを識別できる記録が添えられていない。1271.60(c)(1)
  - ドナー適格性決定の完了前に検疫状態で出荷されたHCT/Psに，ドナー適格性決定が完了していないことを示す記録が添えられていない。1271.60(c)(2)
  - ドナー適格性決定の完了前に検疫状態で出荷されたHCT/Psに，ドナー適格性決定の完了まで埋め込み，移植，注入，移入してはならないことを示す記録が添えられていない。1271.60(c)(3)
  - ドナー適格性決定が完了していないドナーからのHCT/Pの注入によってもたらされる緊急の医学的必要性を示した文書がない。1271.60(d)(1)
  - 医学的に緊急性を要するケースとして製造使用されるHCT/Psに，“NOT EVALUATED FOR INFECTIOUS SUBSTANCES”（感染性物質に対して評価していない），“WARNING: advise patient of communicable disease risks”（警告：患者に感染症リスクの忠告）と目立つように表示していない。1271.60(d)(2)
  - 医学的に緊急性を要するケースとして製造使用されるHCT/Psに，(完了したあらゆるドナースクリーニングと試験結果)(完了していないあらゆるスクリーニングと試験のリスト）が添えられていない。1271.60(d)(2)
  - 医学的に緊急性を要するケースにおいて使用されるHCT/Psのドナー適格性決定が完了していないことを医師に知らせる文書がない。1271.60(d)(3)
  - 医学的に緊急性を要するケースにおいて使用されるHCT/Psに対してドナー適格性決定が完了していない。1271.60(d)(4)
  - 医学的に緊急性を要するケースにおいて使用されるHCT/Psに対するドナー適格性決定結果が医師に知らされていない。1271.60(d)(4)

- 不適格なドナーからのHCT/Psの保管と使用
  - 不適格なドナーからのHCT/Psを不適切な出荷を防止できるように，保管/識別していない。1271.65(a)
  - 限定使用として製造された不適格ドナーからのHCT/Psを顕著に表示していない。1271.65(b)(2)

- 限定使用として製造された不適格ドナーからのHCT/Psに，バイオハザード標識/感染症リスクの警告/試験結果の警告を顕著に表示していない。1271.65(b)(2)
- 限定使用として製造された不適格ドナーからのHCT/Psに，必要な記録が添えられていない。1271.65(b)(2)
- 限定使用として製造された不適格ドナーからのHCT/Psのスクリーニングおよび試験結果を医師に知らせる文書がない。1271.65(b)(3)

• ドナースクリーニング

- ドナーは，感染性病原体や感染症の，リスクファクター/臨床的エビデンスに関する医療記録の照査によってスクリーニングされていない。1271.75(a)(1)
- ドナーは，異種移植に関連した病気リスクに対する医療記録の照査によってスクリーニングしていない。1271.75(a)(2)
- リンパ球の多い細胞や組織のドナーが，細胞に関連する感染性病原体や感染症の，リスクファクター/臨床的エビデンスに関する医療記録の照査によってスクリーニングしていない。1271.75(b)
- ドナーは，感染性病原体のリスクファクターまたは臨床的エビデンス/異種移植に関連する感染症リスクを有する不適格者であるかもしれないことが決定されていない。1271.75(d)

• ドナー試験

- 生後1カ月未満のドナーの母親からの検体が，感染性病原体の試験に使用されていない。1271.80(a)
- 感染性病原体の試験に用いたドナー検体が，適切なときに採取されていない。1271.80(a)
- 感染性病原体の試験は，ドナースクリーニング試験として，FDAによって許可，承認，または明らかなものではない。1271.80(c)
- 感染性病原体に対する試験が，製造者の指示に従って行われていない。1271.80(c)
- 感染性病原体に対する試験が，臨床検査室改善法（Clinical Laboratory Improvement Act，1988年）またはメディケア・メディケイドサービスセンター（Centers for Medicare and Medicaid Services）によって定められた同等の基準に適合している状態で，ヒト検体について認証された試験室で実施していない。1271.80(c)
- 感染性病原体に対するスクリーニング試験において，陽性であるドナーを不適格と決定していない。1271.80(d)(1)
- 感染症の試験用検体が希釈した血漿であった，細胞または組織を患者に戻す7日以内に注射や点滴前に採取した検体を用いてドナー試験が行われていない，あるいは希釈した血漿が試験結果に影響しなかったことを決定するために，適切なアルゴリズムが用いられなかったことより，ドナーは不適格であると決定されない。1271.80(d)(2)

6　付属書－製品ガイダンス

1－分画製品（Fractionators）
2－ワクチン（Vaccines）
3－遺伝子組換え製品（Recombinant Products）
4－アレルギー誘発製品（Allergenics）
　工程流れ図（Flow Diagram）
　工程流れ図の補遺（Appendices to Flow Diagram）
5－最小操作を施した，非血縁の同種臍帯血（造血幹細胞，臍帯血［HPC-C］）〔Minimally manipulated, unrelated allogeneic umbilical cord blood（Hematopoietic Progenitor Cells, Cord［HPC-C］）〕
6－許可前および承認前査察（Pre-license and Pre-approval inspections）

1．付属書1：分画製品

血漿分画（Plasma Fractionation）

血漿は，数千種類の異なるタンパク質を含むが，そのうちのほんのわずかなものが治療上の関心事である。血漿由来製品を製造するために，血漿は，分画と呼ばれる工程において，目的のタンパク質を他のタンパク質から分離するために種々の物質で処理される。第二次世界大戦中に，ハーバード医科大学のCohnらは，数千人のドナーから得られた血漿プールから血漿の分画法を開発した。今日，ほとんどの血漿分画製剤製造業者は，Oncleyによって開発された改変Cohn法（Cohn-Oncley分画法）またはこの方法のさらなる変法を使用し，さらなる製品の製造を可能にしている。

Cohn-Oncley法による分画は，低温アルコール（通常はエタノール）と水混合物で，pH，イオン強度，温度，およびタンパク質濃度の調製組み合わせによる血漿タンパク質の沈殿に依存している。あるいは，アルコールを含まないイオン交換，ゲルろ過，またはアフニティ手法を使用して，カラムクロマトグラフィーによって血漿誘導体を分離する製造業者もいる。すべての場合において，血漿の画分は，沈殿物もしくは上清などの1つの工程由来の生成物が次の分画工程の出発物質となるように逐次的に分離する。各工程が適切に行われないと，その後の分画に悪影響を及ぼす可能性がある。したがって，各最終製品の完全性は，工程中のすべての前工程に依存する。

解説：Cohnのエタノール分画法

上述の「血漿の画分は，沈殿物もしくは上清などの1つの工程由来の生成物が次の分画工程の出発物質となるように逐次的に分離する」を，日本で製造されている血漿分画製剤の製造に当てはめると図4-10のようになる。

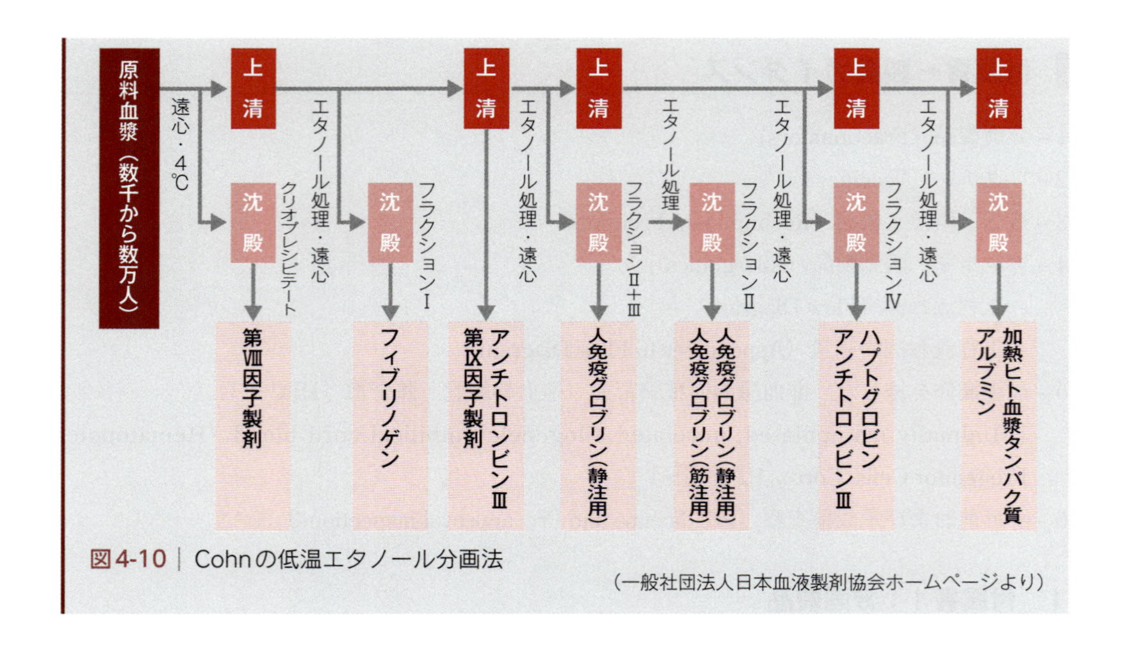

図4-10｜Cohnの低温エタノール分画法

（一般社団法人日本血液製剤協会ホームページより）

血漿誘導体は，タンパク質をベースとしており，高温で変性する可能性がある点で，他の生物学的製品に類似している。これらの製品は，通常，無菌操作法技術を用いて充填され，場合によってはウイルス不活化のために最終容器内で加熱処理することはできるが，最終滅菌を行うことはできない。

材料システム

原材料（Source Material）

使用される原材料の種類とその供給元は重要である。原料は，許可を受けた原料血漿または許可を受けていない回収血漿のいずれかでなければならない。回収血漿とは，21 CFR 606.121に示されている表示要件を超えた基準が存在しない製品である。許可を受けた製造業者は，分画のための血漿が採取時から適切に処理されていること，および病原菌や汚染物質が含まれていないことを保証しなければならない。分画のための血漿は，抗HIV-1，抗HIV-2，抗HCV，HBs抗原およびHIV抗原について試験し，陰性でなければならない。

回収血漿は，各サプライヤーと有効な短期供給契約がある場合に使用できる（21 CFR 601.22参照）。許可されていない原料血漿を認可製品に使用できるのは，原料血漿が供給不足下にある場合のみである。原料血漿供給不足の合意には，製造業者の血漿の受入れ基準，例えば貯蔵/出荷温度，ウイルス試験などが含まれていなければならない

分画バルクの保管（Storage of Bulk Fraction）

バルク濃縮物は，認可されたライセンス申請書と適用される規制に従って保持し保管する必要がある。アルブミンについては21 CFR 640.81(d)を参照のこと。PPF（Plasma protein fraction）の場合は21 CFR 640.91(d)，IG（Immune globulin）の場合は21 CFR 640.102(c)を参

照のこと。多くの製造業者はバルクペーストを－20℃以下で貯蔵する。

製造システム

プール（Pooling）

最低限，プーリングは環境的に管理されている所で実施することが推奨されているが，必ずしも分類された清浄度区域（あるレベルの微粒子管理区域）ではない。手動でのプーリング作業は，ジャケット付きタンクまたは温度制御された区域にあるタンク内で行うことができる。

分画（Fractionation）

工程の各段階で出発材料を収穫するので，工程の制御が重要である。工場での製品固有の製造工程図の照査は，工程遂行に役立つかもしれない。考慮すべき他の領域には以下が含まれる。特殊遠心処理，ペーストの収集（分画工程中に遠心分離技術またはフィルタープレスを用いて回収された沈殿物），フィルタープレス操作，フィルター助剤添加およびアセトン乾燥プロセスを含むが，これらに限定されない。

カラム精製（Column Purification）

カラムクロマトグラフィーは，いくつかの血漿誘導体，例えば，凝固タンパク質およびいくつかの免疫グロブリン製品のために使用される。活性物質の収集条件は，バッチ記録で明確に定義され，無関係の物質を排除するように正しく制御されるべきである。

カラムの洗浄，すすぎ，残留物の試験，および再生手順は非常に重要である。使用していないカラムは，微生物増殖を抑制し，培地の化学的または物理的変化を防ぐ条件下で保存する必要がある。

インキュベーション（Incubation）

加熱処理後，アルブミンおよびPPFの最終容器を20～35℃にし，少なくとも14日間定温放置する。21 CFR 640.81(g)および21 CFR 640.91(g)を参照のこと。

2. 付属書2：ワクチン

ワクチンの使用にあたっては，公衆衛生上，多くの特別な考慮事項がある。ほとんどの場合，ワクチンは予防的に投与され，免疫系を刺激し，将来の疾病の発生を減少または予防することを目的としている。したがって，ワクチンは，一般に小児および軍人を含む健康な個人に投与される。標準的な小児用ワクチンとしては，ジフテリア，破傷風，精製百日咳菌，不活化ポリオワクチン，ヘモフィルスインフルエンザタイプb（Hib），B型肝炎，麻疹，おたふくかぜ，風疹などがある。またワクチンは，特定の感染性病原体に曝露された個人の発症防止のために投与されることもある。膀胱癌治療のためのBacillus Calmette Guerin（BCG）ワクチンのように，非感染性の症状を変えるために投与するものもある。例えば，ツベルクリンPPDのような診断用皮膚試験抗原などのワクチン関連製品は，特定の生物に対する免疫応答を有し，感染を示す可能性のある人を識別する。多くのワクチンメーカーは，特定のワクチンまたは関連製品のみの供給者である。

施設および設備システム

交叉汚染は，複数の製品を製造する施設では重大な問題である。芽胞形成菌および生ワクチンに関して相互汚染を予防することを目的とした特定の規制要件が存在する。21 CFR 600.10および600.11に記載されている規制要件では，芽胞形成菌および生ワクチンを処理するために使用される人員，建物および設備は，汚染および交叉汚染を防ぐために他の製造から隔離されている必要がある。

材料システム

活性型ワクチン成分は，多くの原料に由来する。ワクチンは，弱毒化された細菌，ウイルスまたは寄生虫からの調製物である不活化（殺滅）された全菌，照射された細胞，粗分画または精製された免疫原（組換えDNA由来物を含む），合成抗原，または他のもの。ワクチン製品は，上記の供給源の組み合わせもある。ワクチンはまた，活性成分に対する免疫応答を増強させるアジュバントを含むものもある。

製造システム

細胞培養（Cell Culture）

最初の容器に出発材料を接種し，スケールアップを含む。

破壊とハーベスト（Disruption and Harvest）

破壊（適切な場合）および製品の採取は，化学的，物理的または酵素的手段を用いて行われる。すべてのプロセスパラメータを特定し，バッチ製造記録に文書化する必要がある。

外来性ウイルスの除去（Adventitious Agent Removal）

ヒトまたは動物起源の細胞由来製品については，承認された製造許可申請書に記載されているプロセスに従ってウイルス除去を実施する必要がある。いくつかの製造工程では，特定のウイルス除去工程が存在するかもしれない。他の一連の製造段階でも，例えばクロマトグラフィーのように特にウイルス除去を目的にしているわけではないが，ウイルス除去が伴うかもしれない。

精製（Purification）

ワクチンバルクの精製は，以下の方法のうちの1つ以上を含み得る。

a）カラムまたはバッチクロマトグラフィー

b）遠心分離

c）ろ過

d）沈殿後にろ過または遠心分離

吸着（Adsorption）

吸着は，その免疫原性を増加させるために，ワクチン抗原にアルミニウムアジュバントを添加するプロセスである。さまざまな組成のアルミニウムアジュバントがワクチン製造に使用される。ワクチン製造業者は，純度パーセント，粒径，およびタンパクとの結合能力を含む，アジュバントの品質特性を規定すべきである。品質特性は，一般にアジュバント製造者によって提供される分析証明書（COA）に規定されている。バッチ記録には，使用するアジュバントの種類を規定する必要がある。

アルミニウム吸着は，中間品，最終バルク，またはその両方で行うことができる。アルミニウム吸着には，一般に2つの手順が使用される。(1)あらかじめ形成されたアルミニウムアジュバントをワクチン抗原に添加，および (2)アルミニウムアジュバントをワクチン抗原中で処方。いくつかのワクチンについては，抗原にアルミニウムアジュバントを結合するための条件が知られており，このプロセスのための仕様が確立されている。しかし，多くの製品では，抗原にアルミニウムアジュバントを結合させる科学的メカニズムが解明されておらず，したがって，結合規格が確立されていない。

アルミニウムアジュバントの抗原への吸着の程度は，pH，リン酸塩濃度，および適切な混合などの製造プロセスパラメータによって影響される。これらの吸着プロセスパラメータは，製造における一貫性を促進するために，製造業者によって規定されるべきである。

注意：アルミニウムアジュバントを含む製品は，いったんそれらがアルミニウムに吸着されると無菌ろ過ができなくなるため，すべて無菌的に処方される。

不活化（Inactivation）

ワクチンの有効成分が生菌またはウイルスの死菌または不活化バージョンである場合，不活化方法は製造業者によって確立され，製品の承認段階で審査される。不活化のために，熱または化学的処理のいずれかを使用することができる。すべてのプロセスパラメータを監視し，不活化を実証するために適切な試験を実施する必要がある。不活化される微生物については適切な封じ込め手順を確立すべきである。

ワクチンの有効成分が細菌毒素である場合，毒素の不活化方法も製造業者によって確立され，承認申請中に審査される。ホルムアルデヒド処理は，毒素不活化の一例である。すべてのプロセスパラメータを監視し，毒素の不活化を実証するために適切な試験を実施する必要がある。

コンジュゲーション（Conjugation）

コンジュゲートワクチンは，一般に，ポリサッカライド（多糖）抗原をキャリアタンパク質に化学結合させることによって形成される。ポリサッカライド抗原は細菌細胞から抽出される。キャリアタンパク質は，通常，多糖を産生する細菌細胞とは異なる細菌細胞に由来する。ポリサッカライド抗原およびキャリアタンパク質は，以下を含むさまざまな方法を用いて精製される（遠心分離，緩衝液交換，限外ろ過およびクロマトグラフィー）。精製プロセスは，多糖類およびキャリアタンパク質の純度を保証し，生成物およびプロセス関連不純物の除去を保証するために，プロセス試験を通じて監視されるべきである。工程管理試験の規格を規定し，結果をバッチ製造記録に記録する必要がある。

ポリサッカライドおよびキャリアタンパク質の精製後，化学反応を用いて2つの分子を共役結合させる。共役反応の完了，不純物の量，収率，および最終コンジュゲート生成物の純度を決定するために反応を監視すべきである。過剰の試薬および反応副生物を除去するために，さらなる精製工程を使用することができる。さらに，安定化したコンジュゲートを生成させるために精製後の工程を実施してもよい。

エンドトキシンレベル（Endotoxin Levels）

いくつかの細菌ワクチンは，エンドトキシンを産生するグラム陰性菌から製造される。これらのタイプのワクチンでは，エンドトキシンはしばしば関心の持たれる免疫原であり，製造業者は最終製品中のエンドトキシンレベルを規定することになる。最終製品があらかじめ規定したエンドトキシンの規格を満たしていることを確認するために，製造記録および試験記録を定期的に照査する必要がある。

最終製品（Finished Products）

ワクチンおよび関連製品については，生物学的成分を希釈し，アジュバントに吸着させ，安定剤や防腐剤を混合し，および/または最終製品にするために凍結乾燥する場合もある。さらに，複数のワクチンを一緒に処方して，混合ワクチン製品を製造することもできる。ワクチン製品の最終的な容器/施栓系にはいくつか異なる種類がある。例えば，カプセル（ブリスターパック），サシェ，経口溶液，密封ガラスアンプル，単回投与シリンジ，単回用量および頻回用量バイアル（溶液または凍結乾燥）が含まれる。

3. 付属書3：遺伝子組換え製品

各製造操作の詳細は異なるが，組換え生物製剤の製造には多くの共通要素がある。このプロセスは，通常，単一の細胞またはコロニーから得られ，遺伝的安定性を保証するために保存されるマスターセル・バンク（MCB）で始まる。MCBは，製造バッチを開始するために使用されるワーキングセル・バンク（WCB）用の原材料を提供する。製品を製造するのに十分な細胞を増殖させる1つの方法は，発酵によるものである。発酵は，WCBからの細胞を所望の製品を抽出するのに十分な量に増殖させる工程である。WCBからの細胞を培地に接種して発酵を開始する。

小さな容器（通常はフラスコ）で数回継代した後，培養物を発酵容器（通常はバイオリアクター）に入れる。発酵プロセスの終了時に，細胞から細胞外物質および/または培地成分を除去し，あらゆる外来性微生物を不活化もしくは除去するように設計されたさまざまな精製工程に供する。

精製は，ろ過，クロマトグラフィー，抽出，および酵素処理を含むことができる。得られた最終バルク製品をさらに希釈し，充填し，または充填前に凍結乾燥する。

コンポーネント（Components）

マスターセル・バンク（MCB）およびワーキングセル・バンク（WCB）

i．保管条件（Storage Conditions）

MCBとWCBの保管条件は明確に定義されていて，保管条件が維持されることを確実とするシステムが必要である。保管要件として温度規定がある場合，日常の温度測定文書があり，規定値から温度逸脱があった場合のアラームシステムが設置されていること。

ii．識別（Identification）

使用前にWCBが特性化され，規格に適合していることを示す文書が必要である。規格に適合しないWCBが使用された場合は，当該WCBから製造されたロットと製品の処分を決定する。企業は，MCBとWCBの起源と履歴（継代数）を示す記録を保有しておくこと。

iii．WCBの取扱い（Handling of the WCB）

WCBの在庫と取扱いに関する記録を照査し，それらが細胞の完全性を保護するのに十分であることを確認する。どのWCBを使用して製造バッチを開始したのかを示す記録があることを確認する。

iv．新しいMCB（New MCB）

企業は，WCBから新しいMCBを作製する前に，認可された許可申請（license application）または変更申請をしなければならない。企業はまた，新しいMCBが試験され，適切に特徴付けられたことを示す記録を有すること。

エンドトキシン（Endotoxins）

製造は，設計仕様を超える製品の微生物負荷（増殖）を防ぐように管理された環境下で実施する必要がある。製品品質に悪影響を及ぼす可能性のある，あらゆる物質による機器または製品への汚染を防止するための手順を合理的に講じ，それに従うこと。セル・バンク調製のための区域においては，汚染または交叉汚染を防ぐための予防措置が講じられるべきである。微生物学的増殖を促進することができる製造プロセスについては，定期的にバイオバーデンについてモニタリングすべきである。

発酵/バイオリアクター（Fermentation/Bioreactors）

発酵プロセスは，WCBの初期培養物の接種，スケールアップを含む。初期の継代は，層流下で容器を開いて行われることが多い。大型の容器は一般に閉鎖されたシステムである。システムが閉鎖系なら，システムに破損があってはならない。プロセスのすべてのステップをバッチ・レコードに記録する必要がある。

破壊とハーベスト（Disruption and Harvest）

破壊（適切な場合）と製品回収は，化学的，物理的または酵素的手段を用いて行われる。すべての必須パラメータは文書化する必要がある。

精製（Purification）

精製は，一般に，カラムクロマトグラフィー，ろ過および遠心分離の組み合わせを用いて行われる。使用される方法は承認されたプロセスと同じでなければならず，すべてのステップはバッチ記録に記載する必要がある。

4. 付属書4：アレルギー誘発製品

公衆衛生サービス法（PHS法）に基づき，CBERは，さまざまな物質に対する過敏症のヒトの診断および治療に使用されるアレルギー誘発製品の使用許可を出している。このコンプライアンスプログラムの対象となるアレルギー誘発製品は，アレルギー性疾患の診断，予防または治療のためにヒトに投与される生物学的製品である。製品は，花粉，昆虫，カビ，食物および動物を含む原料から製造されている。

生物学的製剤の定義を満たすことに加えて，アレルギー誘発製品は，連邦食品・医薬品・化粧品法（FDC法）セクション201(g)における薬物の定義も適用される。したがって，これらの製品は，PHS法，FDC法，および生物製剤規制（21 CFR Parts 600～680）の該当するセクションおよび医薬品規制（特にPart 210および211のCGMP）を含むその他の規制当局によって規制および査察が行われる。

現在，使用が認可されているアレルギー誘発製品には，アレルゲンパッチ試験とアレルギー抽出物の2種類がある。このプログラムは，アレルゲンパッチ試験に対処するためのものではない。アレルギー抽出物は，感受性のある個体においてアレルギー反応を誘発することが知られている，カビ，花粉，昆虫毒，動物の毛および食物などの天然物質から製造される注射可能な製品である。アレルギー抽出物は無菌性が要求される。

標準化および非標準化（Standardized and Non-standardized）

アレルギー抽出物は現在，2つの形態で製造されている：標準化型および非標準化型。標準化されたアレルギー抽出物は，安全性，同一性，無菌性，力価，および安定性について試験されなければならない。力価試験は，米国参照標準との比較によって行われる。CBERは，米国参照標準品を維持し，配布している。標準化されたアレルゲンはまた，CBERによるロット出荷の対象となる。米国参照標準品が存在しない抽出物は，非標準化（non-standardized）または非標準化抽出物（unstandardized extracts）と呼ばれる。標準化されていないアレルギー抽出物は，CBERのロット出荷を受けない。標準化されていないアレルギー抽出物は，安全性と無菌性について試験すべきである。21 CFR 610.11および610.12で要求される試験の例外は，21 CFR 680.3(b)および(c)にある。

処方セット（Prescription Sets）

処方セットは，個々の医師の処方に従ってバルクまたは（許可を得た）保存濃縮物から製造される。処方セットの組成は，一般に薬局の慣行（州当局によって規制されている）とみなされ，したがって，このプログラムの対象とはならない。しかし，査察官は，施設が各セットの有効な処方を有していること，およびセットを製造するために使用されたバルクまたは保存濃縮物がCGMPに従って製造されていることを確認すべきである。

材料システム

原材料（Source Material）

原材料には，アレルギー反応を惹起する活性物質を含む。原材料および原材料製造業者は，登録またはリストに掲げる必要はなく，製造許可も必要ない。これらの材料は完成した生物製剤ではないため，製造業者はPart 211の要件を満たさない。

原材料の供給者は，21 CFR Parts 600～680の要件に従うこと。原材料の特定の基準は，21 CFR 680.1(b)および(c)に記載されている。原材料は生物製剤の成分であるため，CGMPの一般原則に従って製造しなければならない。

ほとんどの最終製品製造者は，原材料供給業者から原材料を入手する。最終製品製造者が独自に原材料を製造する場合，原材料の製造作業が最終製品製造現場と同じ施設内または近接した施設内にある場合は，査察する必要がある。

21 CFR 680.1(c)によれば，アレルギー誘発製品製造業者は，CBERに各原材料供給者の名前と住所リストを提出しなければならない。リストは毎年更新する必要がある。原材料供給者は，CBERに報告されたものと同じでなければならない。

動物由来原料（Animal Source Materials）

ウマ属の動物は破傷風に対する免疫を維持するために処理され，21 CFR 680.1(b)(3)(iv)に示すあらゆる疾病の報告を必要に応じてCBERに報告すべきである。

解説：動物の感染症報告

21 CFR 680.1(b)(3)(iv)には，口蹄疫，腺疫，破傷風，炭疽，ガス壊疽，馬伝染性貧血，馬脳脊髄炎，またはアレルギー誘発薬の製造に使用することを目的とした動物または豚の病気のいずれかの感染症の疑いがある場合には，製造者は直ちにCBERに届け出なければならないとある。

【生物製剤の製造概要】(図4-11)

1．シードバンク

マスターウイルスシード（Master Viral Seed；MVS）およびワーキングウイルスシード（Working Viral Seed；WVS）

定義によると，WVSは特定のロット番号と製造日を持つ同じ組成と由来を持つ材料で構成され，多くの場合，MVSから取り出した1継代のものである。MVSと少なくとも1つのWVSは，承認審査中に，使用のために検証しておく必要がある。企業はMVSとWVSの継代履歴と試験プロファイルを含む完全な履歴を把握しておく必要がある。ウイルスシードの貯蔵および取扱い，およびワクチン製造におけるWVSの使用は極めて重要である。バッチ記録には使用したWVSを明確に示すこと。

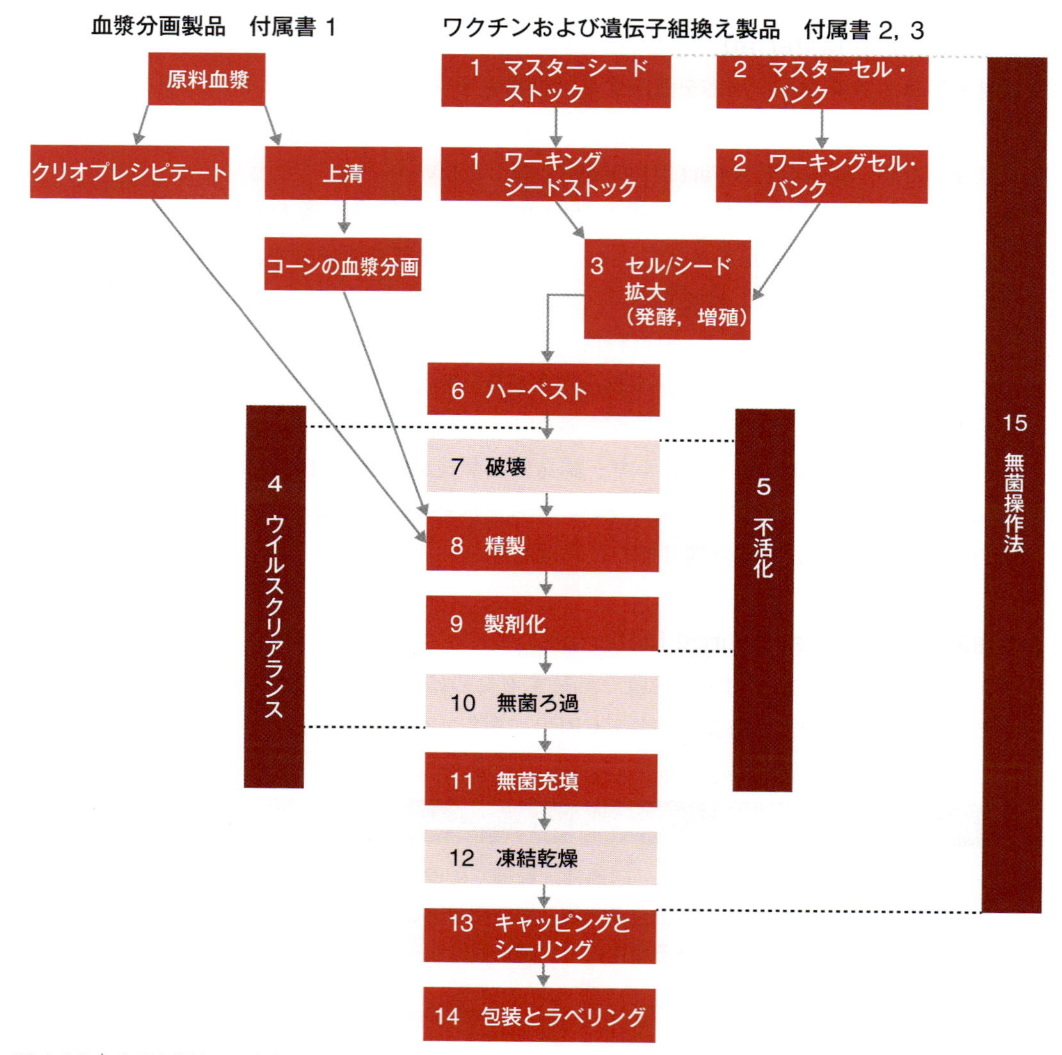

図4-11 | 生物製剤の工程流れ図

新しいウイルスシード（New Viral Seed）

ライセンスを受けた製品に新しいMVSを使用する際には，新しいMVSから派生したワクチンを出荷する前に，CBERに変更申請承認書を提出する必要がある。新しいWVSは，事前承認変更書CBE-30として，または適切な文書とともに年次報告書としてCBERに報告しなければならない。製造業者がライセンスまたは前回の査察以降にMVSまたはWVSのいずれかを変更した場合，その変更は適切な方法でCBERに報告されるべきである。新しいウイルスシードが製造された場合，ウイルスシードが適切な規制およびライセンス要件から逸脱することなく製造されたことを保証するために，新しいウイルスシードの製造を記述した記録があること。

保管（Storage）

シードウイルスは製造工程における不可欠なものであるため，MVSとWVSは厳重なセキュリティの下での維持管理が必要である。シードウイルスは，機器の故障による損失や不正なアクセスを防止するために，適切な温度で複数の場所に別々に保管する必要がある。温度を含む保存条件は明確に定義し，検証し，文書化すること。各保管場所には，警報システムがよく見られる。

保管目録（Inventory）

企業は，すべての保管シードウイルスの正確な目録を維持し，シードウイルスの各容器にその内容物を明示する必要がある。在庫記録は，手持ちの材料の量と相関する必要がある。サンプルと職員の安全性を確保するために，製造に使用するWVSサンプルを適切に管理する必要がある。

WVSの適合性（Suitability of the WVS）

製造者は，現在のWVSを製造に使用するために継続的な適合性を裏付けるデータ（例えば力価，無菌性）が提供可能であること。

細菌の一次および二次（ワーキング）シードの保存条件〔Bacterial Primary seeds and Secondary（Working）seeds Storage conditions〕

細菌シードは，製造工程における不可欠なものであるため，厳密な安全性の下で一次およびワーキングシード両方の維持管理が必要である。細菌の一次シードは，適切な温度で複数の場所に分けて保管し，機器の故障による損失や不正アクセスを防ぐための適切な管理が必要である。一次シードおよび二次シードの保存条件（温度を含む）は明確に定義され，文書化されるべきである。各保管場所には，警報システムがよく見られる。

識別（Identification）

製品製造に使用される各菌株の履歴と特性を維持すること。特性には，分離株の起源，種名，血清型，生化学性状，病原性，遺伝学的特性，および動物またはヒトでの*in-vivo*検査が含まれる。一次および二次シードは，製造に使用する前に規格を満たし，特性評価の適切な記録を維持する必要がある。製造業者は，製造バッチを開始するためにどの二次シードロットが使用されているかを示す記録を有すること。

シードの完全性および継代限界（Seed Integrity and Passage Limitation）

細菌株の遺伝学的安定性を維持するために，一次および二次シードに許容される継代数は限られる。継代数は，許可申請書で承認された継代数に基づいて，適切なSOPで規定する必要がある。一次および二次シードのロット番号と調製日を識別すること。菌株の特性の完全性および外来生物による汚染のないことを確認するために，定期的に試験を実施する必要がある。各一次および二次シードの継代数，および菌株の完全性および汚染のないことを実証するために，実施したすべての試験の詳細を記載した適切な記録を維持すること。

新しい一次および二次シード（New Primary and Secondary Seeds）

一次シードの変更には，製造に変更した一次シードを使用する前に変更届（事前承認変更届またはPAS）の提出と承認が必要である。以前承認された一次シードから新たな二次シードを樹立するには，ほかに規定がない限り，承認された許可申請書のSOPに従って変更が行われ，CBERにCBE-30変更届または年次報告書として提出することになる。

2. セル・バンク

マスターセル・バンク（MCB）およびワーキングセル・バンク（WCB）

セル・バンクシステムは，ウイルス増殖用宿主として使用されるいくつかの細胞株の保存に使用される。MCBとWCBは，製造許可を得た製法で製造に用いられる。ほとんどの場合，MCBはWCBよりも幅広く特徴付けられているが，WCBがMCBよりも幅広く特徴付けられる製品の製造業者にも製造許可を与えることができる。後者の場合，製造業者のWCBにはMCBに対する以下の事項についての記載が適用されるであろう。

保管条件（Storage Conditions）

MCBとWCBの保管条件を明確に定義すること。1カ所に保管されたMCBの破壊に備え，MCBを複数の場所に保管する必要がある。MCBとWCBへの職員のアクセスを明確に規定し，厳重に管理すること。保管条件は維持・保証されること。温度制限を規定する保管要件では，規定された限界からの温度逸脱に対しては状況を記録し，作動中の警報システムを設置すべきである。

識別（Identification）

セル・バンクは十分に特徴付けられ，製造に使用する前に規格を満たしている必要がある。新しいWCBは，適切な方法でCBERに報告すること。承認された手順が実施されている場合，承認された手順に従って新しいWCBでの製造は，軽微な製造変更の年次報告書に含まれることがある。

規格を満たさないセル・バンクは使用しないこと。規格を満たさなかった場合には，どうして規格を満たさなかったのかの判断と，セル・バンクから製造された製品ロットの処分を含む調査の記録を保管すること。セル・バンクの継代数または倍加数は，遺伝学的安定性を保証するため，および弱毒性ワクチンの場合には病原性のないことを確実にするために管理される。許容される継代数または倍加数は，製品固有であり，承認された許可申請書で指定される。企業は，承認された許可申請書に明記された手順に従って，MCBとWCBの継代数および/または倍加数を規定する記録を保有すること。

セル・バンクの取扱い（Handling of the Cell Bank）

MCBおよびWCBの保管，保管目録および取扱いについて明記した文書は，細胞の完全性を保護するのに十分なものであること。企業は製造バッチを開始するために使用したセル・バンクを特定する記録を保持すべきであり，二倍体細胞を製造に使用する場合，細胞は許可申請書に指定された適切な継代数で使用される。

セル・バンクのウイルス安全性評価（Viral Safety Evaluation of Cell Banks）

細胞株はヒトまたは動物の宿主に由来するので，細胞株がウイルスに汚染されていないことを保証するために，ウイルス安全性試験がしばしば必要である。ウイルス汚染は，宿主細胞自体（内在性）由来，または製造中（非内在性）に細胞系に導入されるかもしれない。

MCBまたはWCBに偶発的なウイルス汚染が存在しないことを示すために実施された試験は，許可申請書または承認された変更届に明記される。いくつかの製品では，製造細胞の各バッチについても，製造中に生じ得る可能性のあるウイルス汚染について試験される。

新しいMCBとWCB（New NCB and WCB）

新しいMCBの確立には，許可申請書または事前承認変更届が必要である。以前承認されたMCBからの新しいWCBの確立は，WCBが承認された許可申請書中のSOPファイルに従って作製されていれば，年次報告書で報告することができる。新しいWCBは承認されたMCBからのものでなければならない。新しいWCBの試験は，承認された申請書のSOPに従って，または事前承認変更届で提出されたとおりに行うこと。

3. 細胞/シードの拡大培養

細胞培養（Cell Culture）

このプロセスは，出発物質の最初の容器への接種とスケールアップを含む。初期の継代は，層流下，開放容器で行われることが多い。大型の容器は一般に閉鎖系システムである。閉鎖系システムでの製造容器間の接続にはブレークはないはずである。

発酵/バイオリアクター（Fermentation/Bioreactors）

発酵プロセスは，初期容器へのWCBの接種とスケールアップを含む。初期の継代は，層流下，開放容器で行われることが多い。大型の容器は一般に閉鎖系システムである。閉鎖系システムでの製造容器間の接続にはブレークはないはずである。

4. ウイルスクリアランス

ヒトまたは動物起源の細胞または原材料に由来する製品のウイルスの不活化/除去は，承認された許可申請書のプロセスに従って実施する必要がある。いくつかの製造操作には，特定ウイルスの不活化/除去工程がある。ウイルスの不活化/除去は，ウイルスの不活化/除去ステップであると特に考えられていない製造プロセスによっても達成される。場合によっては，1つ以上のウイルスクリアランスステップが目的の製品に適用される。

ウイルス不活化/除去ステップ前後の完全な分離が行われるべきである（最終容器中でウイルス不活化されるアルブミンなどの製品は除く）。ウイルスクリアランス操作後のステップには，専用のエアハンドリングユニットまたはシングルパスエアーを備えた隔離領域を使用する必要がある。

加熱処理は生物製剤から感染因子を除去する1つの方法である。加熱処理は低温殺菌（pasteurization）と呼ばれることがあり，大型水浴などの加熱設備は低温殺菌器（pasteurizers）と呼ばれることがある。技術的には，低温殺菌は63℃で30分間加熱するが，これは血漿由来のウイルスを不活化するには不十分である。

バッチ記録で指定されたパラメータは，ウイルス不活化/除去のための検証されたプロセスで達成されるべきである。プロセスに加えられた変更は，CBERへの変更届の提出は必要ないが，検証されるべきである。

5. 不活化

有効成分が生菌またはウイルスの死菌または不活化したものである場合，不活化方法は製品承認中に確立され，照査されるであろう。不活化のために熱または化学的処理のいずれかを使用することができる。製造者はプロセスを検証し，製造は検証された手順に従っていること。すべてのパラメータを監視し，適切な許容結果が得られるよう試験を実施する必要がある。封じ込め手順は，ウイルスを不活化するのに十分なものであること。

有効成分が細菌毒素である場合，毒素の不活化方法も確立され，製品承認中に審査される。ホルムアルデヒド処理は，毒素不活化の一例である。上述のように，製造者は毒素の不活化のための検証された手順に従い，毒素の不活化を実証する適切な試験を実施し，承認された許可申請書中の規格結果を得ること。

6. ～7. 破壊とハーベスト

製品の破壊（適切な場合）とハーベストは，化学的，物理的，または酵素的手段を用いて達成される。企業は承認された方法のみを使用することができ，すべての重要なパラメータを文書化する必要がある。

8. 精製

精製は，一般に，カラムクロマトグラフィー，ろ過および遠心分離の組み合わせを用いて行われる。使用される方法は承認されたプロセスと同じでなければならず，すべてのステップはバッチ記録に記載する必要がある。

8a）カラムまたはバッチクロマトグラフィー

カラムまたはバッチクロマトグラフィーは，血漿誘導体，細菌性，ウイルス性および組換え産物の精製に使用される。活性物質の回収条件は，バッチ記録で明確に定義され，望ましくない物質を排除するように正確に管理されるべきである。製品移動は，環境的に管理されたシステム内で行うこと。

カラム洗浄，すすぎ，プロセス残留物に対する試験，カラム媒体からの浸出物，および再生手順は非常に重要である。これらの手順を検証し，遵守する必要がある。カラムの有効な再利用回数が検証されており，この制限に従うこと。

製造スケールでのカラム検証を実行する必要がある。この妥当性確認は実製造と同時に実施され，進行中である可能性がある。使用していないカラムは，微生物増殖を抑制し，培地の化学的または物理的変化を防ぐ条件下で保存すること。カラムが劣化し始めたり，バリデートしたパラメータから外れて実行されたりした場合に，SOPで規定したとおりにすぐに交換または再生できるように，カラムの性能を監視するシステムが必要であり，プロセスバリデーションによってサポートされる。

UVモニター，ポンプ，チャートレコーダー，PLCなどのカラムサポート機器には，適切な据付時適格性評価（IQ）と運転時適格性評価（OQ）が必要である。これらは，日常の校正スケジュールにも含める必要がある。企業は，校正，メンテナンス，交換，およびアップグレードを文書化する必要があり，これらの操作はSOPに従って実行すること。

8b）遠心分離

低速，高速，超遠心または連続遠心分離法は，ハーベストおよび精製スキームにおいて一般的に使用される。遠心分離機の稼働遠心時間と遠心速度（rpm），特定の遠心機番号（複数の遠心機使用の場合），および使用するローターをバッチ製造記録に記録する必要がある。遠心分離機は，適切な機器のバリデーション，IQ，OQ，稼働性能適格性評価（PQ）を備えていなければならず，適切な分離を行うためには，規定した時間と回転数が望ましい相対遠心力（relative centrifugal force；rcf）であることを保証するために，定期的に再検証/校正を行う必要がある。

定期的メンテナンスでは，ローターの摩耗を調べる必要がある。ローターは製品に専用であるか，またはバリデートされたクリーニング手順が必要である。遠心技術は一般にエアロゾルを発生するので，遠心ローターおよび遠心機の内部は，バリデートされた洗浄プロセスを実行すべきである。提示された時間とスピードで確実に所望の分離を生じさせるように，遠心分離工程全体がプロセスバリデーションに含まれていなければならない。遠心分離装置（新しいローター，特に新しい遠心分離機）の変更は，SOPに準拠し，文書化する必要がある。例えば，あるブランド遠心分離機を用い3,200 rpmで20分間は，他の製造業者の類似した遠心分離機で同じ時間および速度で，同じrcfを達成できないことがある。

8c）ろ過

ワクチン製品の精製には，限外ろ過（diafiltration），超遠心（ultrafiltration），精密ろ過（microfiltration）など，さまざまなタイプのろ過方法が使用される。使用されるフィルターのいくつかは単回使用でもよく，また多回使用でもよい。フィルターは，通常，フィルターハウジング装置内に設置される。カラム精製の評価に使用される基準はまた，フィルターハウジングおよび多回使用フィルターにも適用する必要がある。

8d）沈殿の後にろ過または遠心分離

沈殿条件（時間，温度，濃度など）はプロセスバリデーションに基づいていて，バッチ製造記録に定義する必要がある。必要に応じて，ろ過および遠心分離に関するこれまでのコメントが適用される。

9．調製，充填および包装

いくつかの生物学的医薬品については，原薬を希釈し，アジュバントに吸着させ，安定剤を混合し，防腐剤を混合し，および/または凍結乾燥して最終的な生物製剤にすることができる。さらに，複数の成分を一緒に処方して混合ワクチン製品を製造することができる。

10．ろ過

滅菌フィルターは，製品との適合性と微生物捕捉能力についてバリデートし，意図する使用に適していることを確認しなければならない。フィルターは，使用前に規格に適合しているかどうかを評価し判断する必要がある。充填後にフィルターの完全性試験を実施し，結果は製造元の検証済み規格に適合している必要がある。一部のバルク製品は，ろ過滅菌した後の充填前に保管される。保管期間と保存条件を検証する必要がある。

11．充填

長時間の充填作業では，充填期間中に生物製剤の力価および微生物汚染の影響を受けないことを確実にするために，時間制限を確立しバリデートする必要がある。充填中断が発生した場合の対応SOPが備わっていること。いくつかの製品は，ろ過滅菌後の充填前に保管される。

保管期間と保存条件をバリデートする必要がある。充填ラインは，先の充填物からの持ち込み（キャリーオーバー）が発生しないように検査する必要がある。

12. 凍結乾燥

凍結乾燥機への積載は，Class 100（ISO 5）の条件下で，またはCBERの承認を受けた状態で行う必要がある。凍結乾燥工程は，凍結乾燥機内での製品の配置を含む，バリデートされたパラメータに従って行うこと。バイアルにガス（通常は窒素）が充填される場合は，滅菌フィルターの完全性試験，滅菌，および交換に関する手順を文書化し，遵守すること。

13. 容器/閉塞具

生物学的製剤の最終的な容器・施栓系にはいくつか異なるものがある。例えば，カプセル（ブリスターパック），サシェ，経口溶液，密封ガラスアンプル，シングルユースシリンジ，単回用量および多回用量バイアル（溶液または凍結乾燥），および抗原をあらかじめ充填した複数の穿刺装置を含む。企業は，容器および閉塞具，特に滅菌および/または発熱物質を含まないことが必要な容器および閉塞具の受領，取扱い，サンプリングおよび保管について記述した適切な文書および手順書を有していること。

企業は，容器と閉塞具の適合性を確認し保証するための手順と管理方法，最終製品に使用される容器と閉塞具のベンダーからの受入れ適合/不適合手順，バリデートされた容器・施栓系および最終容器一致のための手順を有していること。

生物学的製剤の容器，閉塞具，および成分の脱パイロジェンおよび滅菌手法は，適切にバリデートし，それに従うこと。これらのプロセスに使用される装置（閉塞具洗浄装置，トンネル型滅菌装置，乾熱滅菌装置，オートクレーブ）は適切に保守され，定期的に再評価すること。

14. 包装/表示

適用される表示要件は，21 CFR Part 201と，Part 610および660のさまざまなセクションに記載されている。表示のための特定の表現は，CBERによって審査および承認される。生物製剤には，CBERから承認を受けたラベルを貼る必要がある。

検査，セキュリティラベル，ラベル説明責任など，ラベリングとパッケージングのプロセスコントロールを記述し，それに従うこと。適切な場所で目視検査を実施し，作業者は目視検査手順の訓練を受け，認定を受けること。

15. 無菌操作/制御プロセス

生物学的製剤は，管理された環境内で製造される。プロセス全体を無菌条件下で行う必要はないが，無菌操作法が始まる工程ポイントを確立しておくべきである。生物製剤は，プロセス全体を通じて制御された環境で維持され，企業は意味のある根拠を提供できるように，工程内でのバイオバーデン管理とアラートレベルを規定しておく必要がある。

a. 初期の製造段階からの無菌操作法

いくつかの生物学的製剤では，最終製品の閉塞工程前のいくつかの段階，またはすべての製造段階で無菌操作法を用いる。しかしいくつかの製品の製造では，ろ過によって製品の無菌化ができないポイントがある。そのような場合，製品はろ過滅菌後のすべての段階を無菌操作法で取り扱う必要がある。他の例では，最終的な生物製剤はろ過滅菌することができないので，製剤中の各成分を滅菌し，無菌的に混合する。例えば，アルミニウムアジュバントを含有する製品は，いったんそれらがアルミニウムに吸着されると無菌ろ過をすることができないため，無菌的に処方される。

生物学的製剤が初期段階から無菌的に処理される場合，製品およびすべての成分または他の添加物は，製造工程に入る前に滅菌される。製品の無菌性を維持するために，各工程段階ですべての移送，輸送，保管段階を注意深く管理することが重要である。

製品または製品の接触面を露出させる手順（例えば，無菌接続）は，Class 100（ISO 5）環境での一方向気流下で実施しなければならない。クラス100（ISO 5）環境を取り巻く部屋の環境は，クラス10,000（ISO 7）以上でなければならない。操作中に微生物および浮遊微粒子のモニタリングを実施する必要がある。

表面の微生物モニタリングは，操作の最後，洗浄の前に行うべきである。作業者のモニタリングは，操作と関連して実施すべきである。

プロセスシミュレーション評価は，製造中の製品の無菌性に影響を与える可能性のあるすべての条件，製品の取扱い，および作業介在を組み込むように設計する必要がある。プロセスの初期段階のプロセスシミュレーションは，プロセス制御が製造中に製品を保護するのに十分であることを実証しなければならない。

これらの評価では，製品接触面が環境に曝露する製品の操作，添加，および手順をすべて組み込む必要がある。評価には，開放操作の最大時間および参加作業者の最大数など，最悪の条件が含まれている必要がある。プロセスシミュレーションは，製造中に発生する操作が適切に表現されている場合は，全体の製造時間を模倣する必要はない。

プロセスシミュレーションでは，製品の保管または他の製造区域への製品移送が組み込まれていることが重要である。例えば，指定された保管期間中のバルク容器の完全性が確保されるべきである。バルクタンクまたは他の容器の輸送は，培地充填の一部としてシミュレートする必要がある。製剤段階のプロセスシミュレーション評価は，少なくとも年に2回実施すること。

凍結乾燥操作では，密閉されていない容器が，プロセスをシミュレートする方法でチャンバーの加圧および部分排気にさらされている必要がある。バイアルは微生物の増殖を阻害する可能性があるため，凍結してはならない。

b. 細胞基材治療製品（または細胞基材治療としての使用を意図した製品）の無菌操作

細胞を基材とする治療製品（Cell-based therapy products）は，その製造工程全体で無菌操作法を使用する製品の一群である。可能な場合は，製造中に閉鎖系システムが使用される。

細胞基材の治療製品は，最終製品段階であっても，短い処理時間であることが多い。これらの製品は，しばしば，最終製品の無菌試験結果が得られる前に患者に投与される。製品の投与前に最終無菌試験の結果が得られない状況下では，追加の管理と試験を実施することができる。

例えば，追加の無菌試験は，製造の中間段階で，特に患者投与前の製品を最後に操作した後に行うことができる。顕微鏡検査，グラム染色，エンドトキシン検査などの微生物汚染を示唆するその他の検査は，製品出荷前に実施する必要がある。

c．製造および無菌処理

製造業者は，製造されたロット製品の工程内試験において，設定した微生物の規格を満たさなければならない。可能であれば，無菌操作工程を観察して無菌操作技術を評価する必要がある。すべての製造での接続と移送は，無菌的に行うべきである。

充填中断が発生した場合の対応SOPが備わっていること。一部のバルク製品は，ろ過滅菌した後の充填前に保管される。保管期間と保管条件はバリデートしなければならない。管理され清浄度区分されている区域へのアクセス制限に関する手順が整備されていること。

フィルターは，使用前に評価して規格を満たしていることを確認する必要がある。フィルターの完全性試験は充填後に実施する必要があり，結果は製造元の検証済み規格に適合している必要がある。

無菌コアの洗浄と消毒の手順を文書化し，それに従うこと。これらの手順では，バリデーション評価結果に従って洗浄剤を使用すべきであり，洗浄剤適用表面は継続的な有効性を実証するために監視されるべきである。長時間の充填作業では，充填時間が製品の力価および微生物汚染の影響を受けないことを保証するために，時間制限を設定し，バリデートする必要がある。

訓練作業者のためのプログラムが必要である。製造工程での訓練に加えて，作業者は適切な着衣技術（gowning technique）の訓練を受けるべきである。着衣の手順書を整えて，それに従うこと。

企業の無菌操作区域（充填および凍結乾燥）は，21 CFR 211.42 (c)(10)，無菌操作によって製造された無菌医薬品のガイドライン，および業界向けドラフトガイダンス：無菌操作によって製造された無菌医薬品のガイドライン－CGMPを参考に設計すること。

Class 100（ISO 5）の条件は，無菌製品および容器・施栓系を含む資材が曝露されている区域でバリデートし，維持する必要がある。重要区域と直接支援区域および作業員のモニタリングには，日常的な微生物の種レベル同定を含むこと。

5．付属書5：最小操作を施した，非血縁の同種臍帯血（造血幹細胞，臍帯血[HPC-C]）

和訳と解説は割愛した。

6. 付属書6：承認前審査および承認前査察

背景（Background）

公衆衛生法のセクション351および連邦食品・医薬品・化粧法（FDC法）のセクション704は，生物学的製品を製造しているすべての施設での査察を実施する規制当局に向けられる。21 CFR 601.20に基づき，製品および施設に適用される規則を遵守していることが確認された場合を除き，生物製剤製造許可（biologics license）を発行しないものとする。1997年のFDA近代化法（FDA Modernization Act）における「処方箋薬ユーザーフィー法（Prescription Drug User Fee Act）」の再認可の下で，必要に応じて査察が申請の完全審査の一部とみなされる。

適切な要件遵守を確認し，提出されたデータが正確で完全であることを確認するために，生物製剤のライセンス取得申請書（biologics license application；BLA）または変更届（supplement）に記載されている施設では，ライセンス取得前査察（PLI）または承認前査察（PAI）が実施される。このプログラムは，企業がBLAまたは承認前変更届（prior approval supplement）を提出したときに，現地査察によって当該生物製剤製造施設を評価することをCBERに指示する。これには，原本提出，化学，製造，管理に関する情報（CMC）の改訂版，承認されたBLAへのCMC変更届が含まれる。国内および国際的なPLIsおよびPAIsは，原薬や最終製剤の製造，および試験実施ラボを含む，提出申請書に関連するすべての施設を対象とすることがある。

申請書または変更届のCMCセクションには，医薬品中間体，原薬および最終製剤の分析試験方法および規格，ならびに製品の製造および管理手順の一般的な説明，ならびに従来のBLAの設備管理が含まれる。BLAの施設および機器情報，バッチ記録，その他の情報を含むセクションは，査察時に確認することができる。CMCおよびその他のセクションの評価には，常に申請書または変更届で提出された情報の審査が含まれ，一般に，CBERのコンプライアンス・生物製剤品質部（Office of Compliance and Biologics Quality）の製造および製品品質課（Division of Manufacturing and Product Quality；DMPQ）および製品スペシャリスト（product specialist）による製造業務の査察が含まれる。

Team Biologicsの査察官も，査察に参加するよう招集される。

CBERの方針は，製造施設およびプロセスが適切な要件を満たし，査察および審査を通じて規制に準拠することを保証することである。CBERは，CBER SOPP 8410「許可前または承認前査察が必要な場合の判断」に基づいてPLIまたはPAIが必要かどうかを判断する。査察の範囲は，このコンプライアンスプログラムに記載されているシステムアプローチに加えて，この付属資料に記載されている。

査察スケジュールと準備（Inspection Scheduling and Preparation）

施設が稼働している時期，査察チームの運用性，PDUFA（処方箋薬ユーザーフィー法）の時間枠を満たすためにPLIまたはPAIを実行する必要がある。それは他の査察プログラムと組み合わせてもよい。

PLIまたはPAIの前の準備には，次の事項が含まれている必要がある。

・CMCセクション，または申請書または変更届のその他のセクション，および査察対象施設の関連するドラッグマスターファイル（drug master file；DMF）を確認する。
- オンサイトでより詳細に評価する必要のある問題/逸脱を特定する。
- 他のチームメンバーと一緒に，このプログラムの目的に合致した査察対象の施設および製品に固有の査察計画および戦略を策定する。

査察チーム（Inspection Team）

PLIsとPAIsは，可能な限り，DMPQ（製造および製品品質課）査察官をチームリーダーとし，製品スペシャリスト（最終的な生物製剤施設を除くすべての査察）とのチームアプローチでなければばならない。CBERは，ORAにCBER PLIsおよびPAIへの参加を要請する。これらの査察を実施するスタッフは，適切な訓練と経験による有資格者である。

査察の実施（Conducting the Inspection）

PLIおよびPAIは，すべてのシステム（適用可能な場合），および各システムの3つの重要要素（レベルⅠ査察に相当）をカバーするシステムベースのアプローチを使用して実行する必要がある。さらに，これらのタイプの査察に対するシステムベースのアプローチの一環として，査察計画に基づいて以下の目的も評価する必要がある。

- すべての関連データがBLAまたは変更届に提出され，データが正確かつ完全であることを確認する。
- 提出物と比較して製造履歴が正確かつ完全であることを確認する。
- 製造工程，製造および試験を観察し，CMCセクションおよび他の提出セクションで提出された記載事項および/またはバッチ記録と比較する。
- 原薬および医薬品の製造工程，工程管理，分析試験，およびプロセスバリデーションを照査する。
- 提出物に記載していない，製品または製造に影響する可能性のある施設およびプロセスの変更を照査する。
- 申請書で提出された場合は，製品開発データを確認する。
- 規格を満たしていないバッチやロットを確認し，規格を満たし，規格外調査が完了したことを確認する。
- 安定性データを確認し，規格を満たしていることを確認する。
- 新しい製造区域，設備，およびユーティリティの妥当性に関する提出書類審査により，必要に応じてデータを照査する。
- 原材料および成分検査が行われていることを確認する。
- 新製品が品質システムのすべての側面に組み込まれていることを確認する。
- 原薬および医薬品の出荷バリデーションを確認する。
- 生物製剤逸脱報告書および有害事象報告書（それぞれ21 CFR 600.14および600.80）の報告のための手順が確立されていること。

査察報告（Inspection Reporting）

IOMの指示に従った，Form 483（Form FDA-483）様式の報告書に基づき，報告可能な査察観察所見を工場に発行する。CBER/OCBQ/DMPQの住所と電話番号をForm 483の地区事務所の住所として使用すること。アドレスは，FDA/CBER/OCBQ/DMPQ HFM-670,1401 Rockville Pike，Rockville，MD 20852-1448，電話番号は，301-827-3031。

査察を実施した後，申請権限者または他の権限ある職員との連絡を文書化する必要がある。電話会議を含むこれらの通信は，審査中の申請書または変更届の一部としてRMS-BLAに入力され，EDRにアップロードされる。申請者が提出した査察およびForm 483の回答に関する正式な連絡は，審査中の申請書または変更届の修正として追加される。

査察チームのリーダーは，各自が記載責任のある特定の施設査察報告書（EIR）セクションに関するチームと調整することになる。EIRは，申請書および/または変更届がFDAが満たすことを要求している所定の審査時間枠（タイムクロック：time clock）内にあるので，査察から帰ってきた直後に書かれなければならない。Form 483に報告されたすべての査察結果は，申請書または変更届の承認前に解決されなければならない。

解説：CBERのワクチン承認申請制度

簡単にFDA/CBERにおける生物学的製剤の承認申請手続きのタイムスケジュールを示す（図4-12）。

FDA/CBERにおける生物学的製剤の承認申請手続き方法には，標準手続き（standard NME NDA）と優先手続き（priority NME NDA）がある。

1. 標準手続き：出願後60日目から10カ月以内に，NME（new molecular entity：新規成分）/NDA（new drug application：新規医薬品申請）およびBLA（biological license application：生物製剤許可申請）の90%を審査する行動。
2. 優先手続き：出願後60日目から6カ月以内に，NME（new molecular entity：新規成分）/NDA（new drug application：新規医薬品申請）およびBLA（biological license application：生物製剤許可申請）の90%を審査する行動。

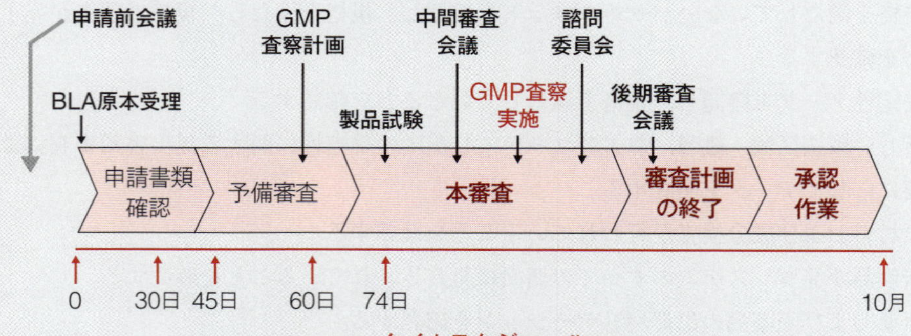

図4-12 | CBERにおける生物学的製剤の承認手続きタイムスケジュール

・申請前会議（pre-NDA/BLA meeting）

CBERは，申請後の手続きをスムーズに進めるために，NDA/BLA提出2カ月以上前に，申請書の計画内容をCBERの審査部門と十分に協議することを強く推奨している。出願申請書は，提出時に完全であることが期待されるが，一部資料の提出が間に合わない場合も予想される。例えば，更新された安定性データ（原本で提出された12カ月のデータを更新するための15カ月目のデータ）または前臨床試験（例えば発癌性）等については，申請前会議で提出の遅れることが合意された場合には，申請書原本提出後，30日以内に提出することも可能である。

・30日

申請書原本提出30日以内に必要な提出資料が整わなかった場合には，当該申請書類は却下される。

・45日

CBERは，45日以内に受領した申請書に関して簡単な評価を行い，申請者から提出された科学的および規制上の要件に関する質問に書面で回答する。

・60日

商標名が容認できないと判断された場合，申請者は提出商標名を支持できる書面提出によって反論するか，60日以内に本件について議論する会議開催を要求することができる。

・74日目レター

申請書原本を受理してから74日目に，予備審査結果（問題があってもなくても）を手紙，電話会議，ファクシミリ，電子メール，またはその他の便宜的手段によって申請者に報告する。この報告には，今後の審査スケジュール，審査過程で大きな修正があった場合の審査会議予定日，審議遅延が発生した場合の承認作業スケジュールの変更，諮問委員会（Advisory Committee；AC）会議の開催計画などについても含む。

・中間審査会議（Mid-cycle review meeting）

CBERの規制プロジェクトマネージャー（Regulatory Project Manager；RPM）および審査チームの適切なメンバーと中間審査会議を開催し，審査チームによって現在までに確認された重大な問題，情報要求，重大な安全上の懸念に関する情報，リスク管理に関する審査チームの考え方，後期会議の予定日，および残りの審査サイクルの予定等について議論した上，申請者に審査状況の最新情報を提供する。RPMは，申請者との電話会議の日時調整を行う。

・後期審査会議（Late-cycle meeting）

審査プログラムに含まれるすべての申請書について，審査が完了した時点でCBERの代表者は，申請機関の責任者，適切な分野のチームメンバー，およびこれまでの審査で実質的な問題が特定されている分野のチームリーダーおよび/または監督者を審査することが期待される。その上で，審査チームと申請者の間で会議を開催し，審査状況を議論する。後期審査会議で議論する内容については，会議の20日以上前に申請者に送付しなければならない。

解説：日本における医薬品の製造販売手順

わが国で医薬品を市場へ業として出荷（製造販売）することは，医薬品，医療機器等の品質，有効性及び安全性の確保等に関する法律（医薬品医療機器等法）で規制されており，規制当局（厚生労働省および各都道府県）の許可・承認を得ないと行うことはできない。

わが国で医薬品を製造販売するためには，大きく3点，(1) 企業としての責任体制の審査，(2) 製品の有効性・安全性等の審査，(3) 製品の生産方法・管理体制の審査について規制当局の審査を受ける必要がある。その手順をPMDAホームページより示す（図4-13）。

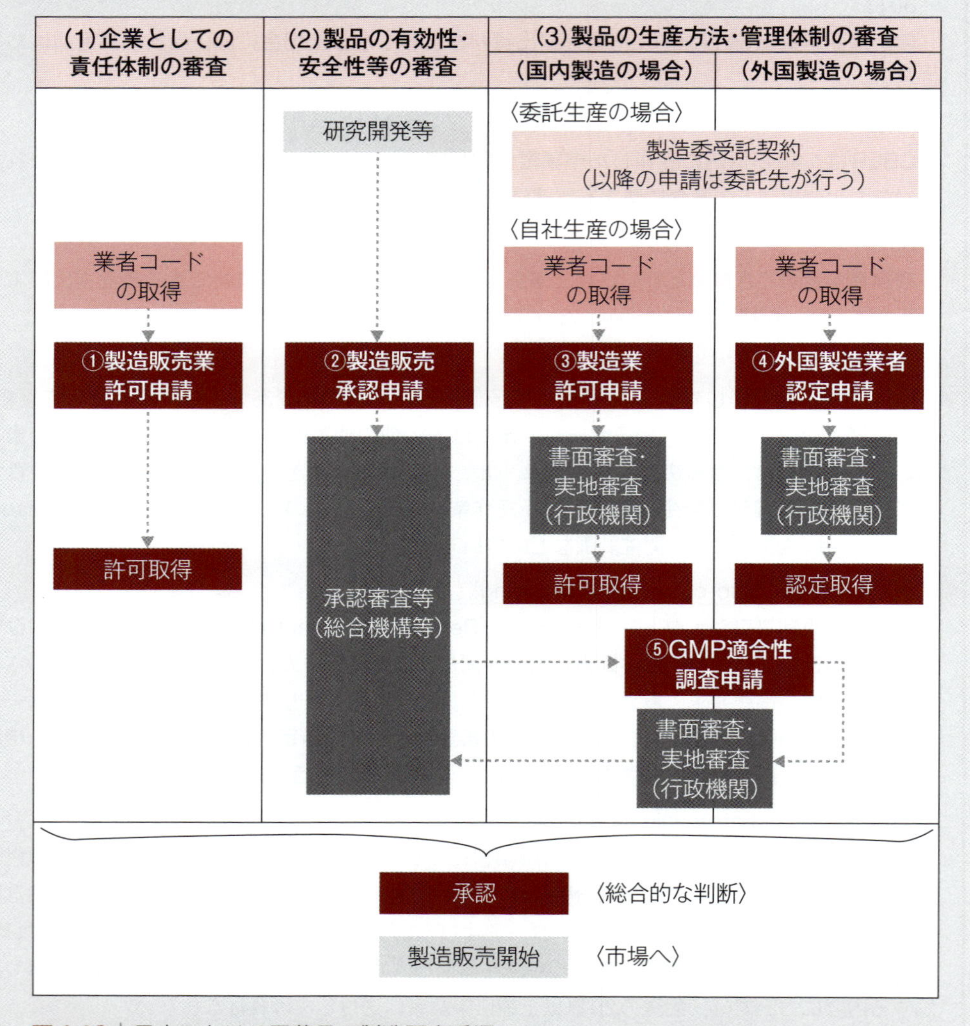

図4-13｜日本における医薬品の製造販売手順

①医薬品製造販売業許可申請書（第19条，第114条の2，第137条の2関係）
②医薬品製造販売承認申請書（第38条関係）
③医薬品製造業許可申請書（第25条，第137条の8関係）
④医薬品外国製造業者認定申請書（第35条，第137条の18関係）
⑤医薬品適合性調査申請書（第50条関係）

医薬品の「製造販売業」とは，以下の事業を行う者を指す。「製造販売業」とあるが，必ずしも自ら医薬品製造を行う必要はない。

①自ら製造した医薬品の販売事業者

②他に委託して製造した医薬品の販売事業者

③輸入した医薬品の販売事業者

取り扱う医薬品の区分によって，許可の種類が分かれる。「医薬品製造販売業許可申請書」を提出し，許可取得後に，取り扱う医薬品の品目ごとに「医薬品製造販売承認申請書」を提出して，「承認」を受けなければならない。承認前にGMP適合性調査を受けるが，医薬品医療機器等法の規定により「書面による調査または実地の調査」を受ける。

以下に，日本におけるワクチンの承認手続き方法を示す（図4-14）[2]。

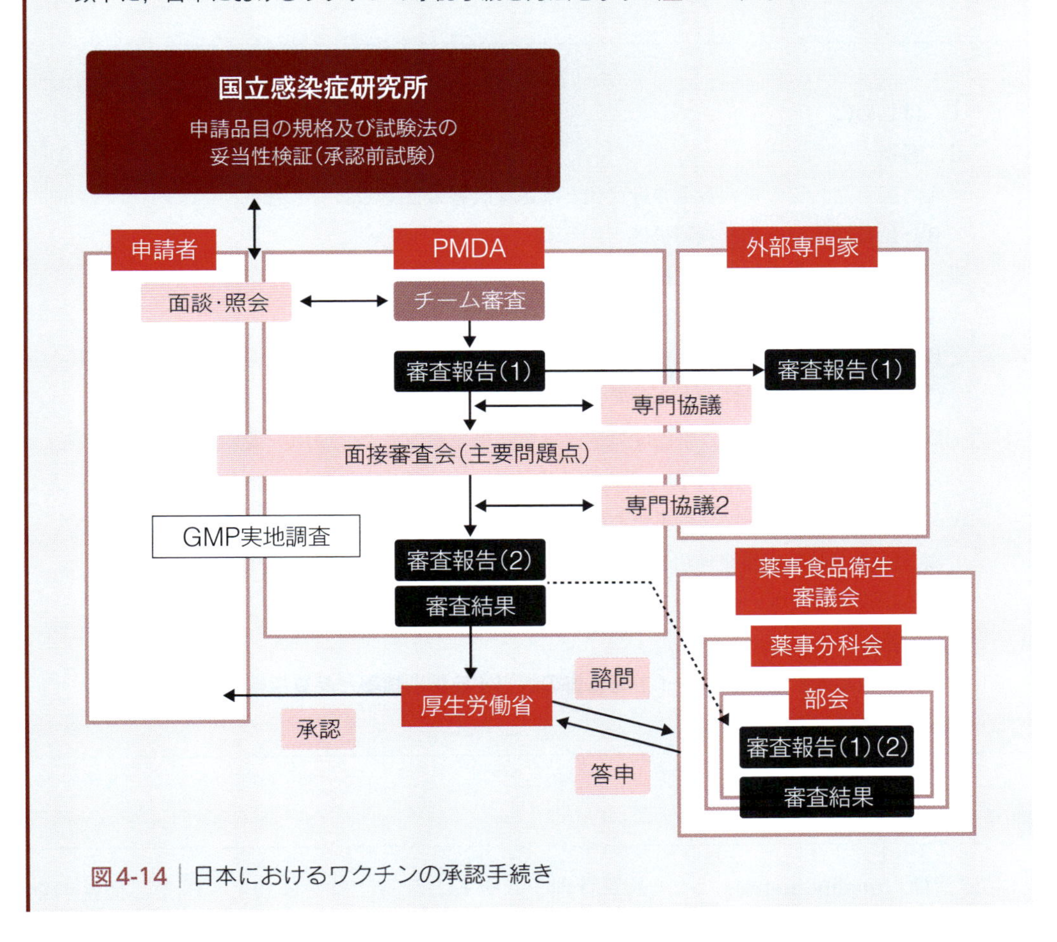

図4-14｜日本におけるワクチンの承認手続き

参考文献：

1） PDUFA Regulation Performance Goals and Procedures Fiscal Years 2013 Through 2017.
2） 鹿野真弓：ワクチンの薬事承認，第7回予防接種部会（資料2-7），2010.

4.6 品質指標データの提出に関する業界向けガイダンス（ドラフト）（2016年11月）

出 典

Submission of Quality Metrics Data Guidance for Industry（Draft Guidance）（2016年11月，Revision 1）
文書番号：FDA-2015-D-2537
発　　行：CDER，CBER

本文書の目次を以下に示す。

目 次

1 Ⅰ．はじめに

品質指標（quality metrics）は，品質管理システムと製造工程を監視し，医薬品製造の継続的な改善努力を推進するために，医薬品および生物製剤業界全体で使用されている。これらの指標は，FDAにとっても有用である。なぜなら，医薬品製造所のリスクベース査察のスケジューリングなど，法令遵守および査察方針と実践の開発を支援するために，FDAの将来の医薬品不足を予測し，おそらく医薬品不足を緩和させる能力を向上させるために，そして製薬業界に，医薬品製造のための最先端の革新的な品質管理システムの導入を奨励するためである。本改訂ドラフトガイダンスには，医薬品評価研究センター（CDER）および生物学的製剤評価研究センター（CBER）が，提出されたデータと品質指標を利用して，両センターの政策と実践の継続的な改善と医薬品製造業におけるイノベーションをサポートし続けることを保証する方法の説明が含まれている。

これらの目標を達成するために，FDAは品質指標報告プログラムを開始している。本ガイダンスで説明されているように，FDAはFDA品質指標報告プログラムの自発的な報告フェーズを開始した。プログラムの自主的な報告フェーズでは，FDAは限られた一連の品質指標，関連する分析についてさらに学習し，品質指標報告プログラムを改善するつもりである。

報告プログラムが任意の段階では，FDAはヒト用医薬品製造事業所の所有者および運営者からのデータの自主的な提出を受け入れる。FDAは，「対象医薬品」最終剤形（finished dosage forms；FDF）の大規模な調製，増殖，調合，または加工，または「対象医薬品」の製造に使用される医薬品原薬（active pharmaceutical ingredients；API）に期待している。

本ガイダンスに記載しているプログラムの自主的な報告フェーズでは，CDERが規制している特定の製造業者からの報告に焦点を当てていない（例えば，FDC法のセクション503Aでの調剤業者の作業，またはセクション503Bでの外部委託調剤事業所として登録されている，または，CBERが規制している血液，輸注用血液成分，ワクチン，体外診断薬，細胞治療製品，遺伝子治療製品，アレルギー誘発性抽出物，ヒト細胞，組織，細胞および組織由来製品の製造業者）。

一般に，FDAのガイダンス文書は法的強制力を有していない。ガイダンス文書はある話題に関するFDAの現在の考え方を説明するものであり，特定の規制要件または法定要件が引用されていない限り，推奨事項として参照されるべきである。FDAガイダンスでの単語“should”の使用は，何かを提案または推奨しているが，必須ではないことを意味する。また，本ガイダンスでは，品質指標データの一貫した報告とカウントを促進するために，またFDAの関心度を示すために単語“should”を使用している。

2 Ⅱ．背景

A．医薬品品質の規制監視の近代化と承認後改善の促進

医薬品の品質監視に対するFDAのアプローチは，近年進化している。CDERとCBERは，公衆衛生を保護および促進するために，FDAの使命の一環として，医薬品製造の近代化を支援することに取り組んでいる。この取り組みは，FDAの医薬品不足の予防と緩和のための戦略計画に記載されているように，不足の根本的な原因に対処することで医薬品不足を緩和する長期戦略の一部でもある。2002年に，FDAは「21世紀の医薬品CGMP：リスクベースのアプローチ」と題したイニシアチブを開始し，最新のリスクベースの医薬品品質評価システムの実践を奨励してきた。このイニシアチブは，規制当局の審査，法令遵守，および査察ポリシーが医薬品製造業界の継続的な改善と革新をサポートすることを含むなど，いくつかの目標とともに公開された。21世紀の医薬品CGMPの発行以来，CDERは「規制当局の広範な監督なしに，高品質の医薬品を確実に製造できる，最大限に効率的で機敏で柔軟な製造セクター」という構想を推進してきた。

FDAは，メーカーに製品および事業所固有の評価を実施する際に，このガイダンスで説明

されている指標以外の追加の品質指標を定期的に使用することを推奨している。選択された指標は，メーカーが製品およびメーカーの品質状態を評価するのに役立つと思われる品質指標の包括的なセットであることを意図していない。

B. 品質指標データ：規制根拠

FDAは，品質を確保するための監視を含む，ヒト用医薬品の製造，調製，増殖，または加工に関与する事業所が，プロセスバリデーションライフサイクル（process validation lifecycle）および医薬品品質システム（pharmaceutical quality system；PQS）評価の一部として，品質指標を使用していることを理解している。このガイダンスで説明されている指標は，このような監視の一部であるかもしれない。

FDAのプロセスバリデーションガイダンスで説明されているように，製造業者は，製品とプロセス開発からの情報と知識に基づいて，製造プロセスの制御（つまり，制御戦略）を確立し，望ましい品質属性を持つ製品を生み出す。制御戦略が正常に実施されると，製造業者には，材料，装置，製造環境，人員，および製造手順が変化しても，プロセスの使用期間にわたってプロセスを制御状態に維持することが期待される。ヒト用医薬品のCGMPでは，製造業者は，製品の品質に関連する製品およびプロセスデータを維持および評価するための継続的なプログラムを持つ必要がある。この継続的評価の最良の実践は，継続的なプロセスベリフィケーション（process verification）である。定期的な製品照査（Periodic Product Review；PPR）を少なくとも1年に1回実施する必要がある。収集されたデータには，関連するプロセスの傾向と，入荷された材料またはコンポーネント，中間製品，および最終製品の品質が含まれる。事業所によっては，この評価を，最終製品またはAPIについて，それぞれ年次製品照査（Annual Product Review）または製品品質の照査（Product Quality Review）と呼ぶ場合がある。本ガイダンスで説明している品質指標データ（quality metrics data）のほとんどは，PPR実施の一環としてすでに事業所によって収集されていると予想される。

FDAは，食品医薬品局の安全と革新に関する法律（Food and Drug Administration Safety and Innovation Act；FDASIA）の公開法No.112-144のタイトルVIIセクション706に基づき，医薬品の製造，調製，増殖，調合，または加工に従事する事業所の所有者または運営者から，査察の前に，または査察の代わりに記録または情報を要求することにより，FDC法セクション704による査察を行うかもしれない。本ガイダンスに記載されている品質指標データは，FDAがFDC法のセクション704に基づいて査察できるタイプの情報である。ただし，FDAは，品質指標報告プログラムの任意のフェーズを実施する際に，FDC法のセクション704(a)(4)に従って情報を提出することは要求しない。FDAは，報告プログラムのこの自発的フェーズの一部として行われた品質指標の提出データに誤りがあっても，提出が誠実に行われている場合，法的執行措置を講じるつもりはない。

FDC法のセクション510(h)(3)は，登録が必要な事業所によってもたらされる既知の安全性リスクに応じて，医薬品事業所のリスクベースの査察スケジュールを要求している。これらのリスクは，510(h)(4)(A-F)に記載されている特定の要因に基づいており，事業所で製造，調製，増殖，調合，または加工される医薬品の固有のリスクやその他の要因を含む。FDAは，製造事業所および製品の安全リスクの理解をサポートするために，また査察リソースの割り当てに必要かつ適切であると判断する基準の基礎として，品質指標を分析し，計算するつもりである。

3 Ⅲ．品質データの報告と品質指標の計算

A．誰が報告し，誰が報告に貢献できるか

1．対象事業所および対象医薬品

以下に記載する場合を除き，対象医薬品の製造，調製，培養，調合，または加工，または対象医薬品の製造に使用されるAPIに従事する各事業所の所有者および経営者は，品質指標データを提出できる。本ガイダンスでは，所有者または経営者が直接または間接的に報告書を提出する事業所を「対象事業所（covered establishments）」と呼ぶ。

対象医薬品，または対象医薬品の製造に使用されるAPIを報告するための，対象医薬品は次のとおりである。

- FDC法のセクション505または公衆衛生サービス法（PHS）法のセクション351に基づく承認された申請書に示されている医薬品
- OTCモノグラフに従って販売されている，または，
- 市販されている未承認の最終製品

対象事業所には，契約試験ラボ，契約滅菌業者，契約包装業者（これらに限定されないが），必要に応じて，医療事業所で使用される対象医薬品またはAPIの製造，調製，増殖，調合，または加工を行っている他の事業所も含まれる。

2．対象事業所の報告者は誰か

本ガイダンスでは，2種類の品質指標データの報告について説明する。(1)製品報告事業所によって提出された製品報告書，および(2)サイト報告事業所によって提出されたサイト報告書。FDAは，製品報告事業所およびサイト報告事業所からの報告を奨励する。FDAは，すべての対象事業所が製品報告事業所と協力し，対象医薬品のデータを報告することを希望している。そのため，製品報告事業所はすべての対象事業所からのデータを含む単一の製品報告書を提出する。データを単一の製品報告書にまとめることで，製品固有の問題（例：医薬品供給の潜在的な不足）のデータ分析と識別が容易になる。

a．製品報告事業所による製品報告書の提出

製品報告書の対象は，通常，対象医薬品または対象医薬品の製造に使用されるAPIである。報告書には，本ガイダンスで説明しているデータを含む，製造サプライチェーン内の各対象事業所からの品質指標データが含まれる場合がある。FDAは，品質を確保するための医薬品製造の監視と管理の責任の一環として，1つの事業所がそのような報告書を提出するために必要なすべての品質指標データをすでに所有またはデータにアクセスしていると考えている。例えば，契約を通じて，または対象医薬品の品質指標データを持つ対象事業所のすべて，または対

象医薬品の製造に使用されるAPIが共通の所有権または管理下にあるためである。この事業所では，単一の報告書が送信されるように，データを結合する必要がある。例えば，APIは多くの場合，複数の顧客に提供され，最終製品メーカーは，APIサプライヤーを使用するため，スタンドアロン製品報告書になる場合がある。

本ガイダンスでは，製品報告事業所（product reporting establishments）として，製品報告書をFDAに提出する事業所を対象事業所（covered establishments）と呼んでいる。製品報告事業所が，製品報告書を提出する目的で製品の製造サプライチェーンの対象事業所からデータを収集しているが，対象事業所からデータを利用できない場合，FDAは製品報告書に当該対象事業所と，特定のデータが受信できなかったことを明確に示すことを希望する。

FDAは，21 CFR 211.22.25に記載されているように，医薬品の監視に関する品質管理部門（quality control unit；QCU）の責任と権限を考慮すると，監督対象のQCUの責任と権限を考慮して，対象医薬品または対象医薬品で使用されるAPIの各報告事業所のQCUがFDAに提出するための報告書を作成するのには，最適な立場であると考えている。

b. サイト報告事業所によるサイト報告書の提出

対象事業所が直接報告することを希望する場合，またはすべての製品とデータが製品報告書を介して報告されるかどうか不明な場合，対象事業所はサイト報告書の提出を選択できる。本ガイダンスでは，サイト報告書をFDAに提出する対象事業所を「サイト報告事業所（site reporting establishments)」と呼ぶ。

サイト報告書の対象は，単一の対象事業所である。完全な報告書には，本ガイダンスで説明されているように，対象事業所で製造された各製品に固有の関連する品質指標データとともに，対象製品がすべてリストされる。

B. FDAが計算する品質指標

業界の報告に基づいてFDAが計算予定の次の一連の品質指標セットは，利害関係者(stakeholder）の入力により開発された。FDAは，対象事業所に提出するように勧めているデータセットを開発する際に，次の選択基準を使用した。

(1)報告の一貫性を提供する客観的なデータ，(2)FDC法のセクション704に基づく査察の対象となる記録に含まれるタイプ，および（3)合理的な制限内でのPQSの全体的な有効性の評価における貴重な要素，そして合理的な方法で，過度の報告負担を回避する。FDAは，これらの品質指標データが，FDAがアクセス可能な他のデータと組み合わせて，運用上の信頼性に関する重要な情報を提供すると考えている。

FDAは，次のセクションで説明する報告データを使用して，該当する場合，各製品および対象事業所の品質指標を計算する。

- 製造プロセスのパフォーマンスの指標としてのロットの受入れ率（Lot Acceptance Rate；LAR)。

  LAR：時間枠内で合格したロット数を，現在の報告時間枠内で同じ対象事業所によって製造開始したロット数で割ったもの。

- 患者または顧客からのフィードバックの指標としての製品品質苦情率（Product Quality Complaint Rate；PQCR）。
  PQCR：製品について受け取った製品品質の苦情の数を，現在の報告時間枠内で出荷した全投与量単位数で割ったもの。
- ラボ運用の指標として，無効になった規格外（Out-of-Specification；OOS）率（IOOSR）。
  IOOSR：出荷ロットに対するOOS試験結果数と，対象事業所で測定プロセスの異常により無効になった長期安定性試験の総数を，現在の報告時間枠内での出荷ロット数と長期安定性試験結果の総数で割った値。

C. 報告される可能性のある品質指標データ

セクションIV.Bでは，FDAが計算する指標のタイプと，各指標を計算して理解するために送信できる関連データについて説明している。FDAは，可能な限り，製品報告事業所が対象事業所によって区分された製品報告書を提出するよう奨励している。本ドラフトガイダンスに記載されている品質指標データは，CGMPに準拠して医薬品を製造する過程で開発および維持される。一般に，FDAが受け取る情報は21 CFR 211サブパートJに従って維持され，21 CFR 211.180(e)の下で評価される。最終製品でないもの（APIなど）については，FDC法のセクション501(a)(2)(B)および業界向けFDAガイダンスQ7：原薬GMPガイダンスを参照のこと。本セクションで説明されているように，集計および報告されるデータは，分析のために簡単にアクセスできる形式である。

米国に輸入された，輸入しようとしている，または米国で製造された多くの医薬品に関連するデータの報告が望ましい。ただし，FDAは，一部の対象事業所では，製造開始ロット，不合格ロット，および輸入品，輸入を目的とする，または米国での製造医薬品に固有のOOS結果を特定できない場合があることを認識している。さらに，米国外で製造されたロットは，製造が完了して一部が輸入された後，または米国への輸入を目的として分割される場合がある。

これらの場合，製造プロセスが同じプロセスを使用し，輸入品，輸入を目的とする，または米国での製造医薬品に固有ではないロットのデータを管理する場合，報告書には輸入されていない，または米国への輸入を意図していないロットのデータと，ロット受け入れおよび無効化されたOOS指標による，米国に輸入または輸入されたロットのデータの両方が含まれる。医薬品の選択は，次のいずれかによる。

(1)輸入品，輸入を目的とする，または米国での製造医薬品，または，(2)必ずしも輸入品，輸入を目的とする，または米国での製造医薬品とは限らない同じ製造プロセスおよび管理を使用するすべての医薬品は，特に指定のない限り，報告サイクル内および報告サイクル全体で一貫性を保つ必要がある。製品の品質に関する苦情データは，輸入品，輸入を目的とする，または米国での製造医薬品に関連する必要がある。

データの報告には，PPRに含まれる試験を含むすべての製造業務（例えば，商業的流通を目的としたロット，商業的ロットと同じ製造プロセスと管理が使用されている場合の承認後臨床試験ロット）を含める必要がある。

(1) ロット受け入れ率（LAR）データ

- 一次包装または流通を目的とした販売可能なロット数
- 一次包装または流通のために出荷された販売可能なロット数
- 一次包装または流通を目的として拒絶された販売可能ロット数
- 流通製品向けの製造工程中および包装製品ロットの製造開始ロット数
- 出荷製品を対象とした，製造工程中および包装製品のロット数
- 出荷製品を対象とした，拒否された製造工程中および包装製品のロット数

• LARデータの特定基準

- 販売可能なロットの例には，バルク錠剤，充填バイアル，製造が別の対象事業所で行われる場合はバルク粉砕された工程内材料，バルクAPI，および別の対象事業所で製造が行われる場合はバルク中間APIが含まれる。
- ロットは，最初に製造したロットの後に，細分化またはグループ化される場合がある。後続の各細分化またはグループ化は，個別のロットとみなされる。
- 包装製品のロットの例には，バルク錠剤の複数の包装構成（小瓶，大瓶，ブリスターなど）や，複数のラベル（例：異なる国向け）で無菌バイアルに充填されたラベルが含まれる。包装作業は，スタンドアロン（stand-alone）ロットにすることも，既存のロットに含めることもできる。
- 一般に，FDAは，製造されたロットの数から出荷されたロット総数を差し引いたものが，処分保留中のロット総数に等しいと推定している（例：中間製品，バッチリリースの評価済みロット，品質の齟齬に関連して処分保留中のロット）。この構成が有効ではない，まれな例があることも認識しており（例えば，長期間にわたって処分が保留されているなど），コメントテキストボックスを使用してこのような異常状況を説明することを勧める。

(2) 無効になった規格外率データ（IOOSR）

- 最終製品およびAPIの出荷試験におけるOOS件数，およびラベルに表示されている有効期限を支持するための，長期安定性試験における最終製品またはAPIのOOS結果。
- 長期安定性試験がラベルに表示されている有効期限を支持している場合，最終製品またはAPIに対して実施されたロットリリースと長期安定性試験の総数。
- OOS結果の原因が測定プロセスの異常として識別され，安定性試験がラベルに表示されている有効期限を支持している最終製品，またはAPIのロットリリース試験および長期安定性試験のOOS結果数。

- IOOSRデータの特定基準
  - OOS結果が得られるたびに調査を実施する必要がある。品質指標プログラムの目的で，次のOOS結果をカウントする必要がある。「医薬品製造の規格外（OOS）テスト結果に関する業界調査のFDAガイダンス：(2006年10月)」のセクションIII，および「無菌操作法によって製造される業界向け無菌医薬品のFDAガイダンス-CGMP（2004年9月）」のセクションXIを参照。
  - 試験総数は，(1)無効になったOOS率のコンテキストを提供し，(2)製造実績と制限内で製品を製造する能力（現在と同じ報告期間内に行われたロットリリースと，長期安定性試験の総数で割った製造異常として調査したロットリリースと長期安定性OOS結果）の二次的指標を提供する測定ツールである。
  - このプログラムの目的上，OOS結果は，試験結果が完了した日，またはOOS調査が開始された日にカウントする必要がある。
  - 試験には，ロットリリースの単一の分析結果，または設定された期限での安定性試験実施時点が含まれる（分析化学，出荷無菌試験など）。例：(1)ロットリリースの場合，分析証明書（Certificate of Analysis）で報告されている最終製品の含量均一性結果は1つの試験とみなされる。(2)安定性試験の時点では，その時点で実行された各試験は個別の試験としてカウントされる。
  - 対象医薬品で使用されるAPIを製造する対象事業所は，安定性試験でのOOS結果を報告することを期待されていない。
  - 安定性試験の場合，製品のリアルタイムの安定性をサポートする試験のみをカウントする必要がある（安定性加速試験は除外される）。
  - ロットの出荷試験または長期安定性試験がロットに対して複数回実行される場合（再試験など），各試験をカウントする必要がある。
  - FDAは，本ガイダンスで説明されていない他の種類の試験（例えば，工程内試験，環境試験，原材料および包装資材の試験）の重要性を認識している。ただし，これらの試験結果は，本報告書ではカウントされない。

(3) 製品品質苦情率（PQCR）

- 製品に関して受け取った製品品質の苦情数
- 出荷製品の投与単位総数

- PQCRデータの特定基準
  - 製品品質に関するすべての苦情の総数は，用語集の定義に基づいている。苦情の受け手が，苦情を個々のメーカーに転送してさらに調査する場合，この数には同じ製品品質の苦情の複数のカウントは含まれない。この数には，潜在能力（効果の欠如の患者報告など）などの潜在的な品質問題がすべて含まれる。
  - 出荷製品の投与量単位の総数は，用語集で定義されている。

D. 品質指標データ報告書内でコメントを送信する方法と，FDAに質問を提示する方法

報告事業所は，提出されたデータの説明をするために300ワードのテキストコメントを提出するか，改善のための計画を報告することができる。FDAは，異常なデータや傾向が特定された場合，または現地査察の準備中にコメントを参照する場合がある。コメントの送信はオプションである。FDAは，将来コメントを標準化するためのコードセットの確立を検討する可能性がある。

コメントでは，自然災害，先端技術の使用などの特別な状況を説明したり，製造サプライチェーンや改善計画を説明したりする場合がある。例えば，ロット受け入れ率の予想外の低下は，事業所の制御外の状況（例えば，嵐や火災などの自然の行為）による可能性がある。先端技術の場合，感度を高めたリアルタイム出荷試験に使用される新しい工程内分析技術を使用すると，リアルタイムの出荷試験に使用される工程内OOS結果の検出が改善され，OOSの結果が一時的に増加する可能性がある。

ただし，低品質製品の転用と拒否を可能にする改善された検出法は，品質保証を改善するであろう。この場合，新しく改善された技術が実行され，この変更の結果として，より堅牢な製品が市場に出荷されたことを示すデータのあることを説明することが適切な場合がある。

このデータを収集すると，対象事業所が特定の状況について質問する場合は，OPQ-OS-QualityMetrics @ fda.hhs.govに送信できる。

E. 品質指標データをFDAに報告する方法

セクションIV.Bで説明されている品質指標報告者リストを容易にするために，サイトと製品報告の不一致を減らすために，定義された報告期間（例えば，1年）が必要である。したがって，報告事業所は，1年を通じて四半期ごとにデータをセグメント化した品質指標データ報告書を提出する場合がある。FDAは，ポータルサイトが閉じられたときにデータ分析を開始し，最初の調査結果と品質指標報告者リストをFDAウェブサイトに公開する予定である。

ドラフトガイダンスの付録Aは，電子ポータルに提出するための情報と，さまざまな事業セグメント/タイプに関連する適用可能な品質指標データ要素の説明を含む品質コンポーネントリストである。関連する技術適合ガイドには，追加の技術的詳細が記載されている。

（※「IV. 品質指標とパブリックレポートの使用」は略。）

4 用語定義

医薬品有効成分/原薬（Active Pharmaceutical Ingredient；API）

医薬品の最終製品に組み込むことを目的とし，病気の診断，治療，緩和，治療，予防における薬理学的活性またはその他の直接的な効果を与える，または身体の構造や機能に影響を与えることを目的とする物質。医薬品有効成分には，物質の合成に使用される中間体は含まれない。この用語には，製剤の製造時に化学変化を起こし，特定の活性または効果

をもたらすことを目的とした修飾された形で製剤中に存在する可能性のある成分も含まれる。

バッチ（Batch）

特定の制限内で均質な特性と品質を実現することを目的とした特定の量の医薬品またはその他の材料で，同じ製造サイクル中に単一の製造指図に従って製造される。バッチは，1つのロットまたは複数のロットで構成される。

継続的工程確認（Continued Process Verification）

通常製造中に，工程が制御状態にあることを継続的に確認する工程検証活動。

重要な品質特性（Critical Quality Attribute；CQA）

物理的，化学的，生物学的，または微生物学的な特性または特質が，適切な制限，範囲，または分布内にあり，目的の製品品質を確保する。

投与量単位（Dosage Units）

承認された申請書または製品ファミリー（非申請製品の場合）の下で販売業者を含む顧客に配送または出荷された個々の投与量単位（例：100,000錠，50,000バイアル，50 kg）。

事業所（Establishment）

1つの一般的な物理的場所で，1つの管理下にある事業所。この用語には，登録された医薬品事業所の管理活動に従事する独立したラボラトリー（コンサルティングラボなど）が含まれる。

最終投与剤形（Finished Dosage Form；FDF）

患者への投与を目的とした有効成分および/または不活性成分を含む製剤の物理的形態。例えば，錠剤，カプセル，バイアル，液剤，クリーム，または軟膏が含まれる。

最終医薬品（Finished Drug Product）

一般に，しかし必ずしもそうではないが，薬局，病院，または医薬品のその他の販売者または流通者に，患者または消費者への配布に適した最終包装形態中の他の成分と関連して，少なくとも1つの医薬品有効成分（API）を含む最終医薬品（FDF）（例：錠剤，カプセル，または液剤）。

長期試験（Long-term testing）

再試験期間の推奨保管条件またはラベル表示のために提案（または承認）された有効期間での安定性試験。

ロット（Lot）

バッチ，またはバッチの特定部分で，規定された制限内で均質な特性と品質を持つ。または，連続工程で製造される医薬品の場合，規定された制限内で均質な特性と品質を保証する方法で，時間または量の単位で製造される特定量。

合格ロット（Accepted Lot）

流通または次の処理工程のために出荷された製造開始ロット。見逃せない根本原因のために，ロットが予想外に低い歩留まりで出荷され，関連する調査がロットの出荷をサポートしている場合，合格ロットとみなされる。低歩留まり結果の調査を徹底し，品質部門が管理する必要がある。ロット番号がクローズされている場合，ロットは新しいロット番号が発行され，その後出荷される。この場合，元のロットのみがカウントされる。合格ロットは，最終処分決定の日にカウントする必要がある。合格ロットが合格ロットとみなされなくなる可能性がある（例：安定性の低下，契約包装業者または市場で特定された品質問題）。この場合，ロットは合格ロットとしてカウントされなくなる。処分決定の変更が品質データの提出後である場合，報告者は修正案を提出することができ，修正案が将来の立入査察中に討議に役立つかもしれない。

製造開始ロット（Started Lot）

製造業者が，物質的に請求したAPI（最終医薬品製造業者の場合）または主要な出発原料（API製造業者の場合）にロット番号を発行し，処理決定が行われる商業使用を目的としたロット。製造が複数の時間セグメント（四半期）にまたがる場合，ロット番号が発行されるか，APIまたは主要な出発原料が物質的に請求されたときに，開始されたロットをカウントする必要がある。異なるパッケージ構成に対して1つのロット番号が発行されている場合，各ロット番号をカウントする必要がある。

ロット出荷試験（Lot Release Test）

すべてのリアルタイム出荷試験を含む最終規格への適合性試験，および最終ロット製品の出荷代理として機能するすべての工程内試験が含まれる（例：リアルタイム出荷試験は申請書で承認される）。

規格外（OOS）結果（Out-of-Specification Result）

医薬品の用途，医薬品マスターファイル，公定書，または製造業者によって規定された規格または許容基準の範囲外のすべての試験結果。OOSの結果が得られるたびに調査を実施する必要がある。

品質指標プログラムの目的で，以下の試験イベントをカウントする必要がある：(1)出荷ロット（ロット出荷試験の代理として機能する工程内試験を含む），および長期安定性試験結果のみ，および（2)OOSの原因が後で測定異常によるものと判断された場合でも，すべての出荷ロット試験および長期安定性試験の結果。

無効になったOOS（Invalidated OOS）

調査で，OOS結果の原因が測定プロセスの異常として特定された規格外結果。個別の試験結果の無効化は，OOSの結果を引き起こしたと合理的に判断できる試験イベントの観察と文書化によってのみ実行できる。品質指標プログラムの目的で，以下の試験イベントを含める必要がある。(1)ロットの出荷試験および安定性試験の結果のみ，および(2)最初にOOSが発生し，その後のラボ調査で無効になってもすべてのロット出荷および安定性試験の結果。

定期的な製品品質照査（Periodic Product Review）

医薬品の規格または製造または管理手順の変更の必要性を判断するために，少なくとも年に一度実施して，医薬品の品質基準を評価する。

製品ファミリー（Product Family）

最終医薬品の場合，APIと最終投与剤形（FDF）が同じである（つまり，製品ファミリーは複数の含量または単一の含量のみ），全米医薬品コード（NDC）セグメントの任意の組み合わせ。APIの場合，製品ファミリーはNDC製品コードセグメントによって定義される。製品ファミリーは，品質指標データ提出のために非適用薬をグループ化する目的で定義される。グループ化は，定期的な製品品質照査（例：年次製品品質照査）で製品をグループ化する方法と一致している可能性がある。

製品品質苦情（Product Quality Complaint）

医薬品が同一性，含量，品質，および純度の適切な基準に適合していることを保証するように設計された規格の，いずれかに対する実際の不適合または可能性を含む苦情。

5 付録A：製品報告書およびサイト報告書の該当する識別情報と品質指標データ要素

本付録では，品質指標報告プログラムの自発的フェーズでの送信に，どのような識別情報と品質指標データ要素を適用できるかを明確にしている。品質指標データ送信の技術的な詳細については，技術適合ガイド（eCTD Technical Conformance Guide）に記載されている。特定の識別情報要素（投与剤形，事業運営など）にデータ標準が利用可能である。

付録Aは，8つのサブパートに分かれている。このドラフトガイダンスで説明されているように，報告書タイプ，事業所タイプ，および製品タイプの異なる組み合わせに対応している。

- 製品別報告書
  - 申請製品

最終製品（Finished Drug Product）：付録A.1
原薬・有効成分（API）：付録A.2

- 非申請製品
  最終製品：付録A.3
  原薬・有効成分：付録A.4

- **製品別のサイト報告書**
  - 製品品質の監視責任のみを伴う製造業者：付録A.5
  - 試験の責任を持つ製造業者：付録A.6
  - 試験の責任のない製造業者：付録A.7
  - 試験の責任のみを持つ製造業者：付録A.8

（※8つのサブパートのうち，付録A.2（製品および原薬の提出製品報告書への入力事項）と付録A.6（試験を実施する製造所に適用可能な，提出サイト報告書への入力事項）を**表4-11，4-12**に示す。）

表4-11 ｜ 付録A.2　製品および原薬の提出製品報告書への入力事項

	業　種	製品報告施設［監督責任のある製造のみ］	出荷試験または安定性試験を実施する契約製造業者	契約製造業者が出荷試験または安定性試験を実施していない（FDF，包装，滅菌など）	出荷試験または安定性試験のみを実施する契約ラボ
品質指標データ	1：製品名	X	N/A	N/A	N/A
	2：医療用医薬品/一般医薬品	N/A	N/A	N/A	N/A
	3：一般医薬品モノグラフ	N/A	N/A	N/A	N/A
	4：製品タイプ	X	N/A	N/A	N/A
	5：申請者名	X	N/A	N/A	N/A
	6：申請タイプ	X	N/A	N/A	N/A
	7：申請番号	X	N/A	N/A	N/A
	8：国家薬物コード（NDC）番号	N/A	N/A	N/A	N/A
	9：報告期間	X	X	X	X
	10：四半期	X	X	X	X
	11：投与剤形	X	N/A	N/A	N/A
	12：原薬	N/A	N/A	N/A	N/A
	13：サプライチェーン/工程ステージコード	X	X	X	X

業　種		製品報告施設［監督責任のある製造のみ］	出荷試験または安定性試験を実施する契約製造業者	契約製造業者が出荷試験または安定性試験を実施していない（FDF，包装，滅菌など）	出荷試験または安定性試験のみを実施する契約ラボ
	14：FEI/DUN	X	X	X	X
	15：製造開始した工程品/包装品	N/A	X	X	N/A
	16：製造：販売可能数	N/A	X	X	N/A
	17：不適合：工程品/包装品数	N/A	X	X	N/A
	18：不適合：販売可能数	N/A	X	X	N/A
	19：出荷：工程品/包装品数	N/A	X	X	N/A
	20：出荷：販売可能数	N/A	X	X	N/A
	21：品質苦情件数	X	X	X	N/A
	22：出荷投与単位総数	X	X	X	N/A
	23：OOS結果の原因が測定プロセスの異常として識別された出荷試験と安定性試験のOOS結果合計	N/A	X	N/A	X
	24：出荷試験と安定性試験のOOS結果合計	N/A	X	N/A	X
	25：すべての出荷試験と安定性試験の合計	N/A	X	N/A	X

X：報告書への入力適用，N/A：報告書への入力は適用されない

表4-12｜付録A.6　試験を実施する製造所に適用可能な，提出サイト報告書への入力事項

製　品		最終製品：申請品	最終製品：非申請品	原薬：申請品	原薬：非申請品
品質指標データ	1：製品名	X	X	X	X
	2：医療用医薬品/一般医薬品	X	X	N/A	N/A
	3：一般医薬品モノグラフ	N/A	X	N/A	X
	4：製品タイプ	X	X	X	X
	5：申請者名	X	N/A	X	N/A
	6：申請タイプ	X	N/A	X	N/A
	7：申請番号	X	N/A	X	N/A

製　品	最終製品：申請品	最終製品：非申請品	原薬：申請品	原薬：非申請品
8：国家薬物コード（NDC）番号	N/A	X	N/A	X
9：報告期間	X	X	X	X
10：四半期	X	X	X	X
11：投与剤形	X	X	X	X
12：原薬	N/A	X	N/A	N/A
13：サプライイチェーン/工程ステージコード	X	X	X	X
14：FEI/DUN	X	X	X	X
15：製造開始した工程品/包装品	X	X	X	X
16：製造：販売可能数	X	X	X	X
17：不適合：工程品/包装品数	X	X	X	X
18：不適合：販売可能数	X	X	X	X
19：出荷：工程品/包装品数	X	X	X	X
20：出荷：販売可能数	X	X	X	X
21：品質苦情件数	X	X	X	X
22：出荷投与単位総数	X	X	X	X
23：OOS結果の原因が測定プロセスの異常として識別された出荷試験と安定性試験のOOS結果合計	X	X	X	X
24：出荷試験と安定性試験のOOS結果合計	X	X	X	X
25：すべての出荷試験と安定性試験の合計	X	X	X	X

X：報告書への入力適用，N/A：報告書への入力は適用されない

6 付録B：カウントの例

(1) ロット受け入れ率

a. ある事業所が，6つの小さな工程内ロットを販売可能な1ロット（錠剤，液剤，充填バイアルなど）を製造するために，1つの容器に合わせた。その後，2つの販売可能なロットを1つの包装形態ロットにする。

製造されたすべてのロットが出荷されると仮定する。

- 工程内および包装形態ロットの製造と出荷：13［最初の販売可能ロットの6ロット，2番目の販売可能ロットの6ロット，および単一の包装ロット］
- 販売可能なロットの製造と出荷：2

b. ある事業所が，5つの包装形態ロットに分けられる1つの販売可能なロットを製造した。

製造されたすべてのロットが出荷されると仮定する。

- 工程内および包装形態ロットの製造および出荷：5

・販売可能なロットの製造と出荷：1

c. OTCモノグラフ製品の場合，1つのバッチの販売可能な製品がラベルのない一次容器に包装され，次いで一次容器にラベルが付けられ，3つの異なる包装業者で二次包装がなされる。このシナリオでは，これらの事業所の4つすべてが対象事業所とみなされる（1つはバルク製造事業所で，3つは一次表示事業所）。表示のない一次包装OTC製品の製造業者にとって，表示のない一次包装ロットは販売可能なロットである。各包装事業所によって出荷されるロットも販売可能なロットである。

d. 事業所Aは製品を製造し，事業所Bは製品を包装化している。事業所Bは，ロットの不合格につながる欠陥を発見した。欠陥原因は事業所Aでの製造によるものだった。この状況では，事業所Aは最初の出荷にもかかわらず，この製品ロットを出荷済みロットとしてカウントすべきではない。事業所Bについては，受入れ試験で欠陥が発見され，当該ロットの包装作業がまだ開始されていない場合，当該ロットのカウントはしない。包装作業が開始されたロットの場合，出荷済みロットとしてではなく，製造開始ロットとしてカウントする必要がある。

e. 錠剤にコーティング（被覆）を行うプロセスを，別個のコーティングパンに錠剤を投入して，機能性または非機能性フィルムコーティングを行う場合，ロット数はそれぞれのパンへの錠剤投入が1ロットとみなされるか，投入が単一の製造開始ロットの一部であるかによって異なる。機能性コーティングまたは非機能性コーティングのいずれについても，採取した検体と最終製品の出荷試験は，ロットを代表するものでなければならない。

f. 事業所Aは，報告サイクルの最後の四半期に製品Zの製造を開始するか，報告サイクルの最初の四半期に製品Yの製造を中止する。四半期ごとの説明は，コメントフィールドに記述できる。製品報告書またはサイト報告書は，その製品について完全であるとみなされる。

(2) 製品品質苦情率

a. あるロット製品を5社の顧客に出荷し，すべての顧客が同じ苦情を報告した場合，これは5つの苦情としてカウントされる。

b. あるロット製品を出荷し，単一の顧客が異なる部門から同じ苦情を受け取った場合，単一の苦情のみがカウントされる。サイト報告書を提出する場合，当該対象事業所にとって，この苦情が最も負担の少ないオプションである場合，データにこの苦情を含めることを選択できる。

c. あるロット製品を3つの地域に出荷し，そのロットに関して米国外の地域から苦情が寄せられたとする。この場合，苦情は品質指標プログラムの一部として報告する必要はない。対象事業所は，この苦情を米国または米国領土への輸入製品または輸入を目的とする製品に適用できる場合，この苦情を含めることを選択できる。

d. 包装業者によるサイト報告書の場合，苦情が受け取られ，包装業者の操作（錠剤または散剤の変色など）が原因である可能性がある場合，苦情はサイト報告事業所でカウントする必要がある。

(3) 無効になった規格外（OOS）結果率

a. 最終結果を生成するために，複数の検体準備または試験に関与する注入を伴う分析試験に関して，1つの試験は，規定された限度値を持つ単一の分析結果によって表される。例えば，ステージ2に進む1つの含量均一性試験では，30の無効な結果が得られる場合があるが，この場合，1つのOOS結果としてカウントする。

b. 1つのロットから取り出した2つの検体をそれぞれ2回の注入で試験し，分析証明書に1つの結果が報告されている場合，これは1つの出荷試験とみなされる。

c. リアルタイム出荷試験とみなされる工程管理試験中にOOS結果が発生する場合，本ガイダンスの目的上，これは出荷OOS結果とみなされる。

d. 最終製品の試験中に複数のOOS結果が観察された場合（例えば，当該ロットが試験と均一性の両方で不適合の場合），これは複数の出荷OOS結果とみなされる。

e. 50 kgのAPIを5つの10 kg包装にパッケージされ，5つの包装容器のうち3～5つが試験される。分析証明書には，これらの平均値を報告する。包装容器の1つ以上が同じ属性のOOSである場合，事業所はOOS調査を開始し，これらのOOS結果を単一のOOS結果としてカウントする必要がある。OOS結果を持つ1つのAPI包装容器は，ロット全体の調査につながるはずである。調査が完了したら，その後の再試験は新しい出荷試験としてカウントする必要がある。

f. A社が，試験結果が有効であることが証明されるまで，OOS結果を宣言しないとする。元の試験結果をOOSとして記録していない場合，A社の無効化されたOOS率は低くなる。品質指標プログラムの目的で，多くの出荷OOS結果は，本ガイダンスで定義されている「OOS結果」の用語に従って，試験室調査の前にカウントする必要がある。さらに，PPRの一部としてこれらのタイプの結果を評価して，医薬品の規格または製造または管理手順の変更の必要性を判断する必要がある。

解説：品質指標データ提出の狙い

（1）品質指標プログラムの見直し作業に着手

FDAは，2002年に「21世紀の医薬品品質-リスクベースアプローチ（Pharmaceutical CGMP Initiative for the 21st Century – a Risk Based Approach）」を導入した。本イニシアチブは，動物用医薬品およびヒト用医薬品の医薬品品質に関するFDAの規制を近代化することを目的としている。

本イニシアチブでは当初，以下の目標を掲げていた。

- 製薬業界による新しい技術進歩の早期採用を奨励する。
- 医薬品の生産と品質保証のすべての側面に対して，品質システムアプローチの実践を含む，最新の品質管理手法の業界への適用を促進する。
- 重要な分野に業界とFDAの両方の注意を集中させるリスクベースアプローチの実施を奨励する。
- 規制の見直し，法令遵守（コンプライアンス），および査察方針が最新の薬学に基づいていることを確認する。
- 強化された品質システムアプローチを，FDAのビジネスプロセスおよび審査ならびに査察活動に関する規制方針とさらに統合することによって，FDAの医薬品品質規制プログラムの一貫性と連携を強化する。

本イニシアチブで，望ましい製造業者の状態とは，「広範囲にわたる規制監督なしで，高品質の医薬品を確実に製造できる，最大限の効率性，機敏性，柔軟性のある医薬品製造セクターである」と述べている。本イニシアチブでは，多くの進歩はあったが，製造と品質に関する21世紀のビジョンを完全には実現できていない。CGMPで述べているように，科学およびリスクベースに焦点を当てるのではなく，多くの事業所では，最小要件をチェックする（チェックボックスアプローチなど）に焦点を合わせ続けている。

FDAは，「品質指標データ（Quality Metrics Data）」の提出を任意の形で製薬業者に求めているが，製造品質の継続的な改善を促進するメカニズムとして，FDA Quality Metrics Programの確立に関して，業界から意見を求めることにした。2018年6月，FDAは，品質指標に関する継続的な対話について，利害関係者（stakeholder）の要求に応え，FDAが品質メトリクスを使用していることを業界に知らせる方法を提供するために，2つの新しい自主的プログラム，“品質指標フィードバックプログラム”と“品質指標サイト訪問プログラム”を発表した。現在の“品質指標プログラム”を改善・発展させるために，FDAは利害関係者（製薬企業）との共同取り組みを始めた。本パイロットプログラムへの参加企業は9社以内（事前審査あり）とあり，2018年7月30日からから参加受付を開始し，2019年7月29日で終了予定である。このパイロットプログラムを通じて，新しい“品質指標プログラム”が提示されるものと思われる。

（2）医薬品不足を減らす行動としても

FDAが医薬品製造業者の「品質指標データ（Quality Metrics Data）」入手を重視している背景の1つに市場からの医薬品不足防止がある。医薬品不足は，多くの場合，医薬品製造の問題によって引き起こされる深刻な製品品質の欠陥であり，頻繁に発生している。FDAは，ほとんどの医薬品不足が品質の問題に起因していることを発見した（例えば，標準以下の製造施設または工程，または最終製品に重大な品質欠陥が確認されている）。これらの状況では，問題を解決するための是正作業が必要となり，製造が中断されて医薬品が不足する可能性がある。医薬品不足を減らすための行動を取ることは，FDAの最優先事項である。

2020年3月3日，新型コロナウイルス感染拡大に伴い，インドは医薬品原料の一部輸出禁止を打ち出した。インドは世界のジェネリック医薬品供給の約20%を担っており，その製造に必要な原薬（API）の約66%を中国に頼っている。インドの措置によって，世界にまたがる製薬業界のサプライチェーンに混乱が生じた。FDAのハーン長官は3月3日，議会公聴会で「インドは26の医薬品有効成分の輸出を制限した。これは同国の輸出能力の約10%に相当する」と証言。「サプライチェーンへの影響を見極めるため，このリストの精査に尽力している」と述べた。供給元を特定の地域だけに頼ってしまうと，洪水や地震などの自然災害や新型コロナウイルス感染症などのパンデミックスが発生したときに産業全体が打撃を受けてしまう。できるだけ，多様化させ，抵抗力を高めておくことが重要である。

市場からの医薬品不足は日本でも頻発している。例えば，本書第5章に示したバイエル社での勃起不全治療剤「レビトラ錠（LEVITRA）」や，2018年に発生した「日医工」社からのセフェム系抗生物質製剤セファゾリンナトリウム注射用「日医工」の欠品問題がある。「日医工」では，原薬をイタリアのA社とB社の2ルートで製造し，国内で最終製品にしていた。このうち，2018年末からイタリアA社ルートから購入している原薬に異物混入ロットが急激に増え，製造できない状況になった。セファゾリンナトリウム原薬の出発物質の1つであるテトラゾール酢酸（TAA）は世界で唯一，中国のTAAメーカーが製造しているが，環境規制の問題で，中国当局の指示により全世界で供給停止となった。結果，イタリアB社はTAAの在庫がゼロとなった。そして日医工は2019年2月末に本剤使用の全医療機関に供給停止の案内を始めた。

セファゾリンの主要な使用方法は外科的予防投与，つまり「術後感染予防」のための第一選択薬としての役割である。同剤は黄色ブドウ球菌感染症の治療や，手術で感染症を防ぐためのキードラッグの1つであったが，供給停止により手術現場では混乱を生じた。かつては世界の最先端を走っていたわが国の抗菌薬（抗生物質を含む）の研究開発と製造・品質管理の知識・技術は，1990年代の半ばから経費が廉価で済む中国やインドに移転してしまい，国内の抗菌薬の研究開発・製造・品質管理のすべてが空洞化してしまった。

日本ジェネリック製薬協会加盟29社の公開情報より抗菌薬の原薬製造国350件を解析した結果，中国35%，韓国26%，インド13%，イタリア7%，スペイン4%であり，これらの5カ国の合計で85%に達する（表4-13）。本書第6章，「6.8 高活性医薬品（β-ラクタム系抗菌薬）」（p. 458）も参照されたい。

表4-13｜後発抗菌薬原薬製造国

抗菌薬の系統		中華人民共和国	大韓民国	インド	イタリア	スペイン	イスラエル	スロベニア	台湾	ポルトガル	ハンガリー	クロアチア	ブルガリア	オーストリア	デンマーク	アメリカ合衆国	シンガポール	日本	合計
β-ラクタム系抗生物質医薬品	セフェム系（注射用）	2	22	2	5													1	32
	セフェム系（経口用）	2	24	6	9													1	42
	ペニシリン系	9	1	2	1	4								1			1	1	20
	カルバペネム系	5	4	2															11
	βラクタマーゼ阻害薬配合剤	7	4	1															12
その他の各種抗生物質医薬品	アミノグリコシド系	13	1					1								1			16
	マクロライド系	13	7	16		7						2	1						46
	リンコマイシン系	7			5														12
	テトラサイクリン系	1			4					3									8
	ペプチド・グリコペプチド系	5	6		1			6			3				1			1	23
	他の系の抗生物質	5	2			1													8
各種合成抗菌薬	キノロン系	50	21	15		3	10											14	113
	他の系の合成抗菌薬	2		1					4										7
国別の原薬製造件数（注射・経口・外用）		121	92	45	25	15	10	7	4	3	3	2	1	1	1	1	1	18	350
構成比		35%	26%	13%	7%	4%	3%											5%	

〔八木澤守正氏（慶應義塾大学薬学部創薬物理化学講座）より提供〕

GMP調査よもやま話⑦

薬事法（現，医薬品医療機器等法）第43条に，「厚生労働大臣の指定する医薬品は，厚生労働大臣の指定する者の検定を受け，かつ，これに合格したものでなければ，販売し，授受し，又は販売若しくは授受の目的で貯蔵し，若しくは陳列してはならない。ただし，厚生労働省令で別段の定めをしたときは，この限りでない」とある。本条を受け，生物学的製剤は国立感染症研究所で国家検定を受け，合格しなければ市場出荷できない。2006年に，無菌試験は国家検定から削除されたが，1991年に国内某血液製剤メーカー（M社）のアルブミンから高頻度にカビが検出されたことにより，監視指導課からGMP調査依頼があった（**表1**）。

表1　1986～1991年に，アルブミン製剤中から無菌試験でカビが検出されたロット数

製造所	カビ陽性	陰性	計
M社	5	1,083	1,088
他社	0	1,662	1,662
合計	5	2,745	2,750

Fisherの直接確率法，P = 0.00963

M社で調査した結果，汚染アルブミン製剤はすべて米国にある子会社で製造されたものであった。そこで，米国にある子会社の指導強化を文書で要請した。1994年，国の規制緩和政策の一環で，加熱血液製剤（60℃で10時間以上の加熱処理）が国家検定「無菌試験」から削除された後の1998年，M社の米国子会社で製造されたアルブミン製剤にカビや酵母が検出され，FDAは1997年12月12日から1998年6月25日に製造された187ロットの血液製剤の回収を命じた（**表2**）。

カビ汚染の根本原因を究明せず，適切なCAPAを講じていなかったためとしか思えない事例である。

表2　血液製剤の回収

AT社（M社米国子会社）

1998年2月	カビ汚染/GR8011A
1998年4月	酵母汚染/GR8020A
1998年6月	カビ汚染/GR8004A

第 5 章

警告書の代表例

5.1 固形剤の交叉汚染：Bayer Pharma AG

5.2 日本の原薬メーカー：協和発酵バイオ株式会社

5.3 世界最大のジェネリック医薬品メーカー：
Teva Pharmaceutical Works Pvt. Ltd.

第5章

警告書の代表例

本章では，警告書の全文を理解するために，本書の読者なら誰でもが知っている企業に対して発出された警告書を3例示す。Form 483や警告書では，非開示箇所を“(b)(4)”で表しているが，本書では“(b)(4)”を「●●」で表した。“(b)(4)”は，固有名詞（製品名，製造工程，装置・機器名，施設・建屋，など）や数値を伴うもの（基準値，測定値，秤量値，ロット数など）に付けられるが，必ずしもこの限りではない。

5.1 固形剤の交叉汚染：Bayer Pharma AG

企　業　名　：Bayer Pharma AG（ドイツ）
査察実施日　：2017年1月12日～20日
警告書発出日　：2017年11月14日
警告書発行機関：CDER

米国食品医薬品局（FDA）は，2017年1月12日から20日に，ドイツ・レバークーゼン市，Kaiser-Willhelm-Allee, Building W11に所在する医薬品製造会社，Bayer Pharma AGを査察した。

この警告書は，最終製剤のCGMP規制に対する重大な違反を要約している（21 CFR Part 210および211を参照のこと）。同社の製造，加工，梱包，または保管のための方法，施設，または管理がCGMPに準拠していないため，当該医薬品は連邦食品・医薬品・化粧品法（FDC法）のセクション501(a)(2)(B)，21 USC 351(a)(2)(B)に違反している。

FDAは同社からの2017年2月10日付の返信の詳細を確認し，その後の通信受信も確認した。

査察中，FDA査察官は次のような特定の違反を観察したが，これらに限定されない。

1. **同社は，機器の洗浄および維持管理に関する適切な手順書を作成し，それを遵守していなかった（21 CFR 211.67(b)）。（解説①）**

   専用機器以外の機器の洗浄方法が不十分である。同社には，複数の製品に使用できるいくつかの●●がある。

   A. 機器の外面

   ●●に入っていた医薬品●●の製造中に，FDA査察官は●●外面に●●残留物を観察した。製造区域の担当者は，残留物はおそらく同じ部屋で以前に処理された●●製剤からのものであると述べた。

査察後，同じ●●で製造された●●錠剤のサンプルを試験して，交叉汚染の可能性を評価した。試験により，●●錠剤に●●が存在することが確認された（**解説②**）。これは，顧客の契約製造業者として製造した●●である。

B. 製造装置について

3つの異なる部屋で，査察官は，“clean” と特定された3つの●●のうち，●●の周辺に白い残留物を観察した。清掃手順には，●●の清掃に関する規定が含まれていなかった。

●●およびその周辺の残留物は，製造装置への交叉汚染物質の侵入につながる可能性がある。

同社の回答では，●●の多くの是正措置と予防措置（CAPA）を約束した。これには，洗浄手順と慣行の再評価，製品の品質と安全性に対する残留物の影響の評価，洗浄に関わる作業者の再トレーニングが含まれている。

同社の回答は不十分であった。●●で製造された米国出荷製品が交叉汚染されているかどうかを十分に評価していなかった。さらに，他の非専用製造装置の洗浄手順，慣行，およびバリデーションを再評価していなかった。

当警告書への回答として，以下を提示すること。

- 同社で製造し，米国市場で有効期限内にある製品の各バッチの安全性と純度をサポートする回顧的照査（retrospective review）。結論を裏付ける分析試験結果の要約レポートを含めること。
- この回顧的試験から有効期限内に残っているバッチを除外することを提案する場合は，その科学的妥当性を提示すること。

2. 同社は，当該バッチがすでに出荷配送されているか否かにかかわらず，予想していなかった齟齬，またはバッチもしくは原料成分がそれぞれの規格に適合しない場合に，十分な原因調査を実施していなかった（21 CFR 211.192）。

製品品質に関する苦情の調査が不十分であった。例えば，●●バッチ●●を含む●●の漏れに関する2つの苦情を調査したとき，容器-閉塞具不良の根本原因を特定できなかった。同社のサプライヤーは，調査で対処しなかった●●欠陥について通知してきた。また，調査では，保管サンプルの検査や過去の苦情の確認を行ったが，バッグの完全性の欠陥を特定できなかった。

同社の調査システムに十分な改善が欠けていたため，回答は不適切であった。

当警告書への回答として，以下を提示すること。

- 苦情の日付，製品名，バッチ番号，苦情の説明，正確な違反箇所，根本原因，CAPAを含む詳細な説明とともに，潜在的なバッグの非完全性を，2014年から現在までに受け取ったすべての苦情のリストに提示すること。最終更新された調査を，バッチ●●および●●で観察された●●の問題に含めること。

- 米国市場での有効期限内の製品の品質に影響を与える可能性のある苦情に関連するすべての原因究明の回顧的照査。調査程度の評価，潜在的な根本原因の特定，関連するトレンドレビュー，CAPAを含めること。
- 苦情，不備，逸脱を究明するためのシステムの完全な評価と改善。それらが徹底的で科学的であり，適切かつ効果的なCAPAを達成することを保証すること。
- 苦情バッチと，その他影響を受ける可能性のあるバッチの両方を含む，調査中に保管サンプルのより徹底的な調査または試験を必要とする手順。
- 重大な欠陥の各苦情を慎重に評価して，市販製品に影響があるかどうかを判断する手順。現在の問題は，1バッチに対して3つの苦情を受け取った後にのみ問題意識を高めていることである。
- ベンダーまたは請負業者の受容性の継続的な監視の改善。ベンダーが材料の重大な逸脱または潜在的な欠陥について通知することを保証する方法を説明すること（例えば，品質契約を変更することにより）。

3. **同社は，すべての原料成分，医薬品容器，閉塞具，中間製品，包装資材，表示材料，および医薬品を承認または拒否する責任と権限を持つ適切な品質管理部門を確立しておらず，医薬品の同一性，含量，品質，および純度に影響を与えるあらゆる手順または規格を，承認もしくは拒否する責任を有していなかった（21 CFR 211.22(a)および(c)）。**

品質管理部門は，医薬品の品質を保証するために，施設での手順の妥当性を十分に監視していなかった。

A. 破棄されたトレーニング記録

FDA査察官は，職員トレーニングの原記録が廃棄されていたのを目撃した。「レバークーゼンサプライセンターでのSchulungsdatenbank（学習管理システム）の使用」に関する手順書3-040-127では，これらの記録を保持する必要がある。同社の回答では，トレーニングの原記録を保持することを約束した。ただし，担当者がトレーニングを受け，割り当てられた機能を実行できるようにするために，プログラムを再評価していなかった。

B. 廃棄された自動目視検査機のパラメータ

●●部門のオフィスのごみ箱に，FDA査察官は，自動化された錠剤目視検査機の検査パラメータを文書化および設定するために使用された計算書が廃棄されているのを目撃した（**解説③**）。これらのパラメータは，錠剤の受け入れまたは拒否に使用される。回答の中で，最終的な設定パラメータを記載し，承認していたが，「これらのパラメータをサポートするために作成した計算書は，これまで保存していなかった」と述べている。

同社は，欠陥を検出するための目視検査機のプログラミングは，CGMP活動ではない可能性があると述べている。しかし，この機械のパラメータは，許容される錠剤と許容されない錠剤を区別するために使用されることに留意すること。したがって，信頼性の高い設定を機械プログラミングに入力することは，CGMPの一部である。

当警告書への回答として，

- 「non-GMP」とみなされる医薬品製造または試験機器に関連するシステムまたは活動を再評価する。再評価結果を提示し，文書の取り扱い，保管，および廃棄の手順の改善点を説明すること。
- トレーニングプログラムの有効性を確認すること。これには，一部の個人がSOPに従わなかった理由の評価が含まれるが，これに限定されない。CAPAを要約すること。

4.　同社は，所定の規格および基準に適合しているのを保証するのに必要なすべての試験で得られた完全なデータが試験室記録に含まれていることを確認できなかった（21 CFR 211.194(a)）。

監査証跡を照査した際，査察官は製造中の錠剤重量チェックからの未報告データを観察した。錠剤の目標重量から●●%以上変化した値を報告しないように，インプロセス重量チェッカーをプログミングしていた。

同社の回答では，この手順をやめて，そのような値は調査し，錠剤重量チェッカーデータの回顧的評価を実行することを約束した。しかし，回顧的錠剤の重量評価は，2017年2月1日から3月15日までに拒否されたすべての測定値と，2016年8月1日から2017年2月1日までに拒否された測定値総数の不特定の約8,000の拒否測定値に限定されていた。完全なデータが含まれていることを確認するために，機器の検証とプロセスバリデーションを再確認するという約束はなかった。

当警告書への回答として，回顧的錠剤重量評価の一環として，調査結果で得られた知見が錠剤製造装置の適格性確認および製造プロセスバリデーションをサポートするデータに影響を与えるかどうかを説明すること。再検証した機器の妥当性とプロセスバリデーション文書の概要リストを提示すること。

データインテグリティの改善

FDAは，査察の前に，データインテグリティの改善プログラムを開始したことを認める。査察官は，データインテグリティの改善プログラムの一環として，2016年6月に内部評価の結果として，クロマトグラフィーへの「試行分析」を中止したことを文書にしている（**解説④**）。ただし，同社は2015年1月1日から2016年6月23日の間に生成された●●および●●に対するクロマトグラフィーデータのみを評価していた。

2017年5月11日および2017年8月10日に提出された行動計画書には，同社施設で製造および試験された他の製品の評価は含まれていなかった。さらに，回顧的照査には，FDAに提出した医薬品申請書のサポートに使用される2015年1月1日より前に生成されたデータは含まれていなかった。さらに，同社の回顧的照査は，試験室のみに焦点を合わせていた。他の製造システムでの潜在的なデータインテグリティの過失を調査していなかった。

この手紙への回答に，改訂された行動計画書を提示すること。サマリーレポートには，施設で製造および試験された他の製品を含め，FDAに提出した医薬品申請書のサポートに使用された2015年1月1日以前に生成したあらゆるデータを確認すること。また，プロトコールと方法論を含めること。評価の対象となるすべての試験室，製造業務，およびシステムを要約すること。問題の性質と範囲を完全に決定するために，資格のある独立コンサルタントがインタビューを実施したかどうかを明示すること。データインテグリティを監査し，CAPAを支援する際の独立コンサルタントの役割について論じること。運用またはシステムの一部を除外した理由を正当化すること。

結　論

当警告書に掲げた違反は，すべての違反リストを示しているものではない。同社は，これらの違反を調査し，逸脱原因を究明し，これらの再発を防止し，同社の全施設における他の逸脱を防止する責任がある。

もし，同製造所で製造される医薬品供給に混乱が生じそうなことを考えているのなら，FDAは直ちにCDERの医薬品不足部門のスタッフに連絡をとることを求める(drugshortages@fda.hhs.gov)。FDAは法律に準拠しながら同製造所の操業を実行させるために，最も効果的な方法について同社と行動をともにすることができる。医薬品不足部門に連絡した後は，同社はいかなる義務にも応じ，21 USC 356C(b)下で医薬品製造の停止または中断を報告しなければならない。FDAは，同製造所の製品に依存している患者の健康を守るため，可及的速やかに，製品不足を避けるために，どのような行動が必要かについて考えることになる。

すべての違反を完全に是正し，CGMPの遵守を確認するまで，FDAは，医薬品製造所としての同製造所のあらゆる新薬承認申請または変更承認申請を保留することがある。

これらの違反を是正しなかった場合，FDAは，ドイツLeverkusen市，Kaiser-Willhelm-Alleeに所在するBayer Pharma AGで製造された品目を米国で受け入れることは，FDC法のセクション801(a)(3)，21 USC 381(a)(3)に基づいて拒否し続ける。同じ規制下，FDC法のセクション501(a)(2)(B)，21 USC 351(a)(2)(B)に記されているCGMPに従っていない製造所での製法や管理方法では，品目は拒否されるであろう。

本警告書を受け取った後，15営業日以内に書面で回答すること。われわれの査察以降に違反の修正，およびそれらの再発を防ぐためにとった対策を示すこと。もし，15営業日以内に完全な是正措置ができない場合には，遅れる理由と，なし終える計画について述べること。回答は，電子回答としてCDER-OC-OMQ-Communications@fda.hhs.govに送信するか，または以下に郵送すること。

Jason F. Chancey
Consumer Safety Officer
U.S. Food and Drug Administration
White Oak Building 51, Room 4359
10903 New Hampshire Avenue
Silver Spring, MD 20993
USA

解 説

①FDAは，Form 483や警告書を発出する際の規制根拠として，CGMP（21 CFR Part 211）の関連項を掲げている。日本では，GMP調査講評時に調査所見を述べる場合や「GMP調査指摘事項書」でも指摘内容の規制根拠は示していない。日本のGMP要件は，省令要件（医薬品及び医薬部外品の製造管理及び品質管理の基準に関する省令，薬局等構造設備規則）以外にも，GMP関連の局長通知，課長通知，事務連絡等があり，CGMPのようにGMP要件が単純化されていないのも，規制根拠を提示できない原因かもしれない。

②非開示"(b)(4)"部分の多い警告書だけに推定せざるをえない面もあるが，査察結果を踏まえて提示されたForm 483での指摘事項を勘案すると，レビトラ®錠製造区域を査察中，FDA査察官はレビトラ®錠との共用製造装置の外面に白色の残留物を観察した。査察官は，当該製造区域の担当者に，白色残留物は何かと問い合わせたところ，担当者は「以前，本共用製造装置で製造した●●によるものでは」と答えたらしい。そこで，FDA査察官は「検体受領書（FDA Form 484)」を発行し，本装置で製造したレビトラ錠を採取し，FDAラボで試験した結果，レビトラ錠に●●製品が混入していたことを確認したため，今回の警告書になったと考えられる。

③データインテグリティにおける「生データ」を理解していない上に，査察前にゴミ箱を片付ける習慣がなかったのは，世界の製薬企業「バイエル社」としては問題である。

④GMP査察において「データ管理とデータの完全性」を注目するようになったのは，2013年に米国FDAがインドの製薬企業で，出荷試験および安定性試験の結果を公式取得する前に，HPLCで「試行」サンプルの分析を行っていたことに端を発している。以降，FDAはHPLCで「試行」サンプルの分析を行っていた企業に多くのForm 483や警告書を発出してきた。それにもかかわらず，バイエル社では2016年6月まで「試行分析」を行っていたことは驚きである。

解説：CGMP規則違反による警告—交叉汚染

バイエル社（Bayer Pharma AG）は，ドイツのレバークーゼン市に本部を置く化学工業および製薬会社（多国籍企業）である。アスピリンやヘロインなどを送り出した世界的な医薬品メーカーとして知られる。FDAは，同社を2017年1月12日～20日にGMP査察を行い，査察終了日（1月20日）の講評で，下記11項目の指摘（Form 483）を出した。本指摘を受け，バイエル社は数回にわたって改善計画を提出したが，回答内容がFDAからみて不十分とのことで，2017年11月14日付で，バイエル社のCEO　Werner Baumann氏にCGMP違反で警告書が出た。下記1と2の注射剤の製造環境と異物の目視検査に関する指摘に関しては，対応が良かったのか，警告書には含まれていない。

1. 注射製品を充填するための適切な環境条件を確保できていない。
2. 注射製品中の粒子状物質（異物）を確実に検出する手順が確立されていない。
3. 機器および施設の清掃手順が確立されておらず，遵守していない。
4. 文書管理システムが確立されていない。
5. 徹底的な苦情調査を実施せず，調査を関連するバッチに拡大していない。
6. 交叉汚染を防ぐために分離された区域を設定していない。

7. 齟齬に関して徹底的な調査を行っていない。
8. 施設および機器は，意図した使用に適した設計ではない。
9. すべての分析データの保管と照査をしていない。
10. 分析試験の試験手順が確立されていない。
11. データの同時記録がなされていない。

FDAからの指摘，「6. 交叉汚染を防ぐために分離された区域を設定していない」を受け，バイエル社は工場の改修工事を始めた。交叉汚染問題を起こした医薬品は，勃起不全治療薬「レビトラ®錠（LEVITRA®）」であり，日本のバイエル薬品株式会社から2018年1月に本剤の供給遅延に関する通知が出た。2年以上経過した執筆現在，供給が一時再開されるなどしているが，安定供給には至っていない。

5.2　日本の原薬メーカー：協和発酵バイオ株式会社

企　業　名　：Kyowa Hakko Bio Co., Ltd.
査察実施日　：2017年9月4日～8日
警告書発出日：2018年8月10日

米国食品医薬品局（FDA）は，2017年9月4日から8日に，山口県防府市にある原薬製造所，協和発酵バイオ株式会社を査察し，その結果から2018年8月10日付で警告書を発出した。原薬CGMPの重大な違反が確認できた。FDAは，2017年9月26日付の同社の回答書を照査したが，十分な是正措置が欠如しているのを確認している。警告書での主な指摘内容は次のとおりである。

査察中，FDA査察官は次のような特定の違反を観察したが，これらに限定されない。

1. **品質部門が，同社施設で製造されたAPIがCGMPに準拠していることを保証する責任を果たしていない。**

同社は，規格外（OOS）またはその他の適合しない許容できない結果を得た後に，再試験を実施またはデータを操作していた。例えば，調査2016-C-023では，原料●●の高速液体クロマトグラフィー（HPLC）分析で，システムの適合性試験（SST）が不適合であり，「いくつかのデータは，SST規格に適合するように操作された」と述べている。この根本原因を，同社はCGMP逸脱の「重要性認識の欠如」と「試験データを容易に操作できる環境」に起因したと考えた。調査では，元のサンプルの再試験を行い，規格に適合したと結論付けた。根本原因および原料の試験に，不適合なSSTシステムを用いることの影響について，さらなる詳細を提示しなかった。

同社の回答では，流通中の製品ではOOSは見つからなかったと述べているが，この結論を裏付けるデータを含めていなかった。同社の回答は不適切である。同社では，さらなるデータインテグリティの問題を特定したが，実施した是正措置に関する詳細を提示しなかった。

当警告書への回答として，逸脱，不一致，OOS結果，苦情，およびその他の不適を調査するための全体的システムの徹底的な評価を提示すること。さらに，規格あるいは製造基準に適合しないロットを出荷したかどうかを判断するために，有効期限内にあるすべての出荷ロットの回顧的な照査を提示すること。

不適，OOS，傾向外（out-of-trend），またはその他の予期しない結果の取り扱いおよび調査記録に関する情報については，FDAのガイダンス“Investigating Out-of-Specification (OOS) Test Results for Pharmaceutical Production”を参照のこと。下記ウェブサイトから入手できる。

- https://www.fda.gov/downloads/drugs/guidances/ucm070287.pdf

2. **データへの不正アクセスやデータの変更を防止するように，またデータの削除を防止するように，コンピュータ化システムが十分に管理されていなかった。**

HPLCシステムに対する同社の管理は不適切であった。一部のHPLCシステムは，監査証跡機能がないか，監査証跡が機能しないように設定されていた。さらに，HPLC操作を実行するのに，ユーザー名とパスワードが要求されていなかった。異なる●●の作業員が前の作業員が始めたことを続けられるように，IDとパスワードは作らなかったと述べた。

年次製品照査では，標準偏差や工程能力（process capability）のような製造データの計算と統計的評価を行うために，保護されていないExcelワークシートを使用していた。これらの電子ファイルは，不正な変更を防ぐために保護されておらず，変更履歴がなかった。同社のデータ管理の欠如は，データの信頼性に疑問を呈する。

同社の回答では，監査証跡機能のないこれらHPLCシステムの操作を停止したと述べている。回答はまた，同社の電子ワークシートを管理するための手順書を作成すると述べている。管理されていないHPLCシステム，または保護されていないワークシートからのデータを製品に使用した場合の影響を評価していないため，回答は不適切である。

当警告書への回答として，すべての試験室装置から生成された電子データの管理と手順についての包括的かつ公正な照査を提示すること。この照査に基づいて，データの作成，変更，保守，保存，およびシステムの安全性などの，試験室システムを改善するための詳細な是正措置および予防措置（CAPA）計画を提示すること。計画には，CAPAの有効性の評価に使用する過程も含めること。

また，下記のデータインテグリティ改善項目にある追加の要望も含めること。

複数の工場で繰り返される違反

前の警告書（WL 320-10-009）で，FDAは，同社の品質部門がOOS事象を徹底的に調査および文書化できなかったことに関連して，同様のCGMP違反を指摘した。FDAはまた，2017年9月の宇部工場の査察でも同様のCGMP違反を指摘した。複数の工場で繰り返されるこれらの違反は，経営幹部が医薬品製造の監視と管理を適切に行っていないことを示す（**解説①**）。

経営幹部には，すべての欠陥を完全に解決し，継続的にCGMP遵守を保証する責任がある。グローバルな製造作業を直ちに包括的に評価し，システムと工程，最終的には製造した医薬品がFDA要件に準拠していることを保証する必要がある。

データインテグリティの改善

同社の品質システムは，製造する医薬品の安全性，有効性，品質をサポートするデータの正確性と完全性を適切に保証していない。FDAは，同社がコンサルタントを使って業務を監査し，FDA要件に適合することを手助けしてもらっていることを承知している。同社が雇う第三者のコンサルタントは，データインテグリティの改善を含む，具体的にあてがわれた職務に対して資格を有していなければならない（**解説②**）。

当警告書への回答として，以下を提示すること。

A. データの記録と報告における不正確さの範囲に関する包括的な調査。調査には以下を含めること。

- 詳細な調査計画と方法論；評価の対象となるすべての試験，製造作業，および評価によってカバーされるシステムの要約，および除外しようとする作業の正当性。
- データ不正確性の本質，範囲，および根本原因を特定するために，現在および以前の従業員との面談。これらの面談は，資格のある第三者が実施することを勧める。
- 同社施設でのデータインテグリティの欠陥の程度の評価。欠落，変更，削除，記録の破棄，作業と同時でない記録の作成，およびその他の欠陥を特定すること。データインテグリティの逸脱を見つけた施設での作業のすべてを述べること。
- 試験，製造，およびその他のデータインテグリティ欠陥の本質に関する包括的な回顧的評価。FDAは，違反の可能性があると特定された区域での専門知識を持つ資格のある第三者が，すべてのデータインテグリティの逸脱を評価することを勧める。

B. 指摘された欠陥が医薬品の品質に及ぼす影響の可能性についてのリスク評価。評価には，データインテグリティの逸脱によって影響を受けた医薬品の出荷による患者へのリスク，および日常的な作業によってさらされるリスクの分析評価を含めること。

C. グローバルな是正措置および予防措置計画の詳細を含む，同社の管理戦略。戦略には以下を含める必要がある。

- 分析データ，製造記録，およびFDAに提出したすべてのデータを含む，すべての生成データの信頼性と完全性をどのように保証しようとするのかを説明する詳細な是正措置計画。
- 現在の行動計画の範囲と深さが，調査結果とリスク評価と釣り合っているという証拠を含む，データインテグリティ逸脱の根本原因の包括的な説明。データインテグリティの逸脱に責任ある担当者が，同社のCGMP関連あるいは医薬品申請データに影響を与える可能性があるかどうかを示すこと。
- 患者を守り医薬品の品質を保証するために，これまでに行ったあるいはこれから行う措置について述べる暫定対策。例えば，顧客への通知，製品のリコール，追加試験の実施，安定性を保証するために安定性計画にロットを追加，医薬品承認申請上の措置，および苦情監視の拡大など。
- データインテグリティを保証するためにデザインされた，改善作業と手順，工程，方法，管理，システム，マネジメント監視，および人的資源（例えば，教育，人員配置の改善）の強化を説明する長期的な対策。
- 実施中あるいは終了済みの上記活動についての状況報告。

結 論

当警告書に掲げた逸脱（違反）は，すべての逸脱リストを示しているものではない。同社は，これらの逸脱を調査し，逸脱原因を究明し，これらの再発を防止し，同社の全施設における他の逸脱を防止する責任がある。

もし，同製造所で製造される医薬品供給に混乱が生じそうなことを考えているのなら，FDAは直ちにCDERの医薬品不足部門のスタッフに連絡をとることを求める（drugshortages@fda.hhs.gov）。FDAは法律に準拠しながら同製造所の操業を実行させるために，最も効果的な方法について同社と行動を共にすることができる。医薬品不足部門に連絡した後は，同社はいかなる義務にも応じ，21 USC 356C（b）下で医薬品製造の停止または中断を報告しなければならない。FDAは，同製造所の製品に依存している患者の健康を守るため，可及的速やかに，製品不足を避けるために，どのような行動が必要かについて考えることになる。

すべての逸脱を完全に修正し，CGMPに適合していることを確認するまで，FDAは，医薬品製造所としての同製造所のあらゆる新規承認申請または変更承認申請を保留することがある。

これらの逸脱を修正しなかった場合，FDAは，山口県防府市協和町1-1の協和発酵バイオ株式会社で製造された品目を米国で受け入れることは，FDC法のセクション801（a）（3），21 USC 381（a）（3）に基づいて拒否し続ける。同じ規制下，FDC法のセクション501（a）（2）（B），21 USC 351（a）（2）（B）に記されているCGMPに従っていない製造所での製法や管理方法では，品目は拒否されるであろう。

本警告書を受け取った後，15営業日以内に書面で回答すること。われわれの査察以降に違反の修正，およびそれらの再発を防ぐためにとった対策を示すこと。もし，15営業日以内に完全な是正措置ができない場合には，遅れる理由と，なし終える計画について述べること。回答は，電子回答としてCDER-OC-OMQ-Communications@fda.hhs.govに送信するか，または以下に郵送すること。

Towanda Terrell
Compliance Officer
U.S. Food and Drug Administration
White Oak Building 51, Room 4359
10903 New Hampshire Avenue
Silver Spring, MD 20993
USA

解説：原薬CGMP規制違反による警告―是正措置の欠如

①2010年以来，FDAは同社に9回の査察を行っており，OAIは3回，VAIは4回，指摘事項なしのNAIは2回であった（表5-1）。

表5-1｜防府工場と宇部工場へのFDA査察

査察最終日	被査察工場	FDAの判断	査察部署
2010/06/25	防府工場	OAI	CDER
2011/10/27	防府工場	VAI	CDER
2014/03/20	防府工場	NAI	CDER
2017/09/08	防府工場	OAI	CDER
2019/11/08	防府工場	OAI	CDER
2010/07/02	宇部工場	VAI	CDER
2014/03/14	宇部工場	VAI	CDER
2017/09/15	宇部工場	VAI	CDER
2019/11/08	宇部工場	NAI	CDER

NAI（No Action Indicated）：指摘事項なし
VAI（Voluntary Action Indicated）：指摘はあったが（Form 483），行政的措置はない
OAI（Official Action Indicated）：重大な指摘があり，行政措置がとられる（Warning Letter）

②コンサルタント，第三者，第三者委員会

FDAが発出する警告書では，「FDAは21 CFR 211.34にある資格のあるコンサルタント（qualified consultant）を使って，作業を評価し，CGMP要件に適合することを手助けしてもらうことを勧める」という表現が多い。最近，データインテグリティが問題になってから「FDAは，欠陥のおそれがある分野について具体的な専門知識を有し，資格のある第三者（qualified third party）が，すべての作業のCGMP適合性について包括的な監査を行い，CAPAの完了と有効性を評価することを勧める」との表現が多くなっている。“qualified”は，「適格性が評価されている」や「資格のある」と訳すのが一般的であるが，本書では「資格のある」と訳した。

コンサルタントの要件については，21 CFR 211.34やEU GMPおよびPIC/S GMPのPart 1の2.23項に詳述されているが（表5-2），第三者（third party）要件についての記述はない。日本でもスポーツ界や企業で不祥事が発生すると，第三者委員会を立ち上げて問題解決を図るのが流行になっている。最近マスコミをにぎわした福井県高浜原発建設に関して，関西電力と高浜町元助役の森山栄治氏との金銭的癒着解明のため立ち上げた「第三者委員会（委員長：但木敬一元検事総長）」は，5カ月にわたって弁護士23名のチームを率いた大がかりなものであった。製薬企業の中では，2016年1月8日に厚労省より110日間の業務停止命令を受けた化血研の第三者委員会は，吉戒修一弁護士以下，専門委員5名，弁護士13名から構成されるものであった。

一般に，当事者の一方を“first party”，その相手方を“second party”という。GMP査察における当事者は，FDAと被査察施設（企業）になるので，第三者（third party）とはFDAや被査察施設関係者ではない者を指す。日本の製薬企業が重大なGMP規制違反をすると，薬事を専門とする弁護士事務所が，少数の専門家を加えながら報告書を作成し，当局に提出することが多い。協和発酵バイオ社も第三者委員会（弁護士2名，専門家1名）を構成し，防

府工場製造部で発見された多数のGMP規制違反の原因・背景等について調査を行い，報告書を作成している。

データインテグリティの専門家の例としては，例えば，英国王室公認品質協会/国際審査員登録機構（CQI/IRCA）によって認定されたGMPトレーニングコースを終了し，医薬品GMP品質マネジメントシステムのCQI/IRCA登録審査員/監査員になっている人や，ISO 27001（情報セキュリティマネジメント）認証を行うドイツのTÜV Rheinland，ISO 9001やISO 17025などの適合性認定機関の審査員も，品質マネジメントシステムについては教育を受けているので，データインテグリティなどの「特定分野について具体的な専門知識を有する者」はいる。

表5-2｜コンサルタントの要件

21 CFR 211.34	医薬品の製造，加工，包装または保管に助言を与えるコンサルタントは，雇用されている専門的な問題について助言を与えるのに十分な教育，訓練，経験またはそれらの組み合わせを備えていることとする。コンサルタントの氏名，住所，資格および提供する職務の種類についての記録を保管しておくこととする。
PIC/S GMP Part 1 2.23	コンサルタントは，適切な教育，訓練，経験，またはそれらの融合したものを有していること。そして，依頼された課題に助言を与える。コンサルタントの氏名，住所，有する資格，提供する内容を記録し，保管する。

5.3 世界最大のジェネリック医薬品メーカー：Teva Pharmaceutical Works Pvt. Ltd.

企　業　名　：Teva Pharmaceutical Works Pvt. Ltd.（ハンガリー）
査察実施日　：2016年1月21日～29日
警告書発出日：2016年10月13日

FDAは，2016年1月21日から29日に，ハンガリーにあるTeva Pharmaceutical Works Pvt. Ltd.の医薬品製造工場（以下，同製造所と略）を査察した（**解説①**）。

本警告書は，最終製品に対するCGMP規制への重要な違反を要約している（21 CFR Part 210と211を参照のこと）。同製造所の製造方法，製造施設，製造管理，製造工程，包装，または保管がCGMPに適合していない。同製造所の医薬品は，FDC法のセクション501(a)(2)(B)および21 USC 351(a)(2)(B)でいうところの不良品である。以下にFDA査察官が観察した違反の概要を示すが，これらに限定されるものではない。

1. 説明できない齟齬やバッチまたはその成分が規格に適合しないことについて，十分に調査していなかった（21 CFR 211.192）。

具体的には，培地充填試験や無菌試験での不具合について，適切に原因を調査していなかった。これらの不具合から，同製造所の製造施設で適切な無菌保証が欠如していたことが示唆された。閉鎖系アクセス制限バリアシステム（RABS）で，小容量注射剤を対象とした培地充填試験では，陽性バイアルが31本発生した。さらに，他の充填ラインでも，1本またはそれ以上の陽性バイアルが発生していた（**解説②**）。同製造所は，別々の作業員が実施した無菌操作に原因があるとした。しかし，同製造所の原因調査は不十分であった。例えば，汚染バイアルで認められた微生物を同定していなかった。無菌試験で陽性の結果を得た場合でも，原因調査が不十分であった。この調査では，無菌製造作業に対する危害を適切に評価していなかった。また同一の製造ラインで製造した他のバッチが影響されているかどうかも確認していなかった。さらに，出荷試験で実施した無菌試験で得られた複数の陽性結果を無効にしていた。

2. 無菌を標榜している医薬品の微生物学的汚染を防止できるように設計された適切な手順書を作成せず，またその手順を遵守していなかった。さらに，無菌プロセスや滅菌プロセスをバリデートしていなかった（21 CFR 211.113(a)）。

2015年9月8，9日に撮影された，無菌注射剤製造ラインの組み付けと充填作業のビデオによれば，①作業員がゴム栓供給装置の上で，他の作業員にペンを直接手渡していた，②充填ラインの組み付け中に，クリーンルームの床に作業員が座り込んでおり，立ち上がったときに作業着を交換していなかった，③クリーンルームの壁に寄りかかっている作業員がいた，④充填ラインの組み付け作業中に，開放されたRABSから作業員が長時間離れていた（**解説③**）。

3. **無菌プロセス作業区域の環境条件をモニターする適切なシステムを設定していなかった（21 CFR 211.42(c)(10)(iv)）。**

4. **医薬品成分，医薬品容器，閉塞具，中間製品，表示材料，および医薬品が，同一性，力価，品質，および純度の適切な基準に適合しているのが保証できるように設計された内容で，科学的に正しく，適切な規格，標準，サンプリング計画，および試験手順を含む試験室管理を設定していなかった（21 CFR 211.160(b)）。**

同製造所が実施した適合性試験では，無菌試験の許容基準に適合していなかった。具体的には，無菌試験実施中に，陽性対照サンプルで菌の増殖が認められなかった（**解説④**）。培地が菌の増殖を支援しなかった原因を調査しなかった。無菌試験法が不適切であれば，品質管理試験で非無菌製品が検出できなくなる確率が高くなる。

当警告書への回答としては，①陽性対照で不具合が認められた根本原因，ならびに是正措置・予防措置計画を提示すること，②無菌試験法ならびに製品共存下での菌増殖促進再現能力について，包括的に調査した結果を提示すること，③微生物学的試験を実施する新しい計画を提示すること。

5. **所定規格および基準に適合しているのを保証するのに必要な，すべての試験で得た完全なデータが試験室記録に記載されていることを保証していなかった（21 CFR 211.194(a)）。**

査察官は，環境モニタリングや作業員のモニタリングで得たコロニーカウント数が，公式記録の記載値と一致していないことを認めている（**解説⑤**）。

6. **コンピュータまたは関連するシステムを適切に管理せず，マスター製造管理記録またはその他の記録を承認された者だけが変更できるのを保証していなかった（21 CFR 211.68(b)）。**

同製造所の独立したコンピュータ化システムでは，分析担当者がデータを削除しないように，日常監査証跡の照査，完全なデータ保管などの管理に欠陥があった。同製造所は，HPLCのEmpowerシステムについて，2016年1月11日から監査証跡結果の照査を開始する手順の実践を開始した。しかし，査察までに何の照査も実践していなかった。さらに1月11日に開始した手順では，監査証跡をランダムに照査するようになっていた。同製造所は，コンピュータ化システムについて，ユーザーアクセス制限ならびに監査証跡の実施を保証する手順を強化するよう公約している。しかし，単に監査証跡機能を活性化し，ユーザー管理を設定しても，同製造所で認められたデータ完全性の問題を是正するには不十分である。

当警告書への回答として，①HPLCおよびフーリエ変換赤外分光法，ガスクロマト法，紫外分光法など，他の試験室データを対象として実施した回顧的照査の詳細，ならびに，②照査実施期間とその期間を設定した根拠を提示すること。

7. バッチ間の均一性が保証できるように設計されたマスター製造管理記録の適切な作成手順書を遵守していなかった（21 CFR 211.186(a)）。

査察官は，廃棄物容器に品質関連文書が入っているのを認めた。これらの文書は，不完全な無菌試験データシート，サンプルの移動追跡様式，培地充填試験サンプル培養カードなどであった。不完全な無菌試験データシートの記載内容は，無菌性チェックに関する情報が追跡できる内容であった。当初のデータシートに誤りが認められたため，その記録を破り，説明文書とともに廃棄されていた。

CGMPコンサルタントを勧める

同製造所で観察されたCGMP違反内容に基づいて，21 CFR 211.34に規定されているコンサルタントが，工場がCGMP要件に適合するように支援することを強く推奨する。同社のコンサルタントが，汚染の危険性を認識するために全操作を十分に評価し，工場での無菌性保証の逸脱支援，品質システムの改善を行うべきである。コンサルタントの使用は，工場がCGMPに適合する義務のあることを救済するためではなく，すべての逸脱を十分に解決し，CGMPに適合させる義務は経営者（管理職員）にある（**解説⑥**）。

データインテグリティの改善

同製造所の品質システムでは，製造した医薬品の安全性，有効性，および品質を傍証するデータの確度や完全性が適切に保証できない。FDAは，同製造所がコンサルタントを雇用して作業を監査し，FDA要件への適合を支援させているのを承知している。

当警告書への回答として，次の事項を提示すること。

A. データの記録と報告における不正確さの範囲に関する包括的な調査。調査には以下を含めること。

- 原因調査のプロトコールと方法。すべての試験室，製造作業および評価対象とするシステムの要約，ならびに評価対象から除外を計画している作業に関する除外計画の正当性を示すこと。
- 現在および過去の従業員と面接し，データの不正確さの性状，範囲，および根本原因を確定すること。FDAは，これらの面接を適格性の評価を受けた第三者が実施するよう推奨する。
- データ完全性の欠陥と記録残置方針の程度を評価すること。データの省略，変更，削除，記録滅却，非同時的記録作成，およびその他の欠陥をそれぞれ確定させること。データ完全性に欠陥が認知された製造施設での作業すべてを説明すること。

・試験データ完全性の欠陥の状態を回顧的に詳しく評価すること。ここには，試験室での試験の生データだけでなく，報告された試験結果や，すべての製品やプロセスラインでの品質監視結果を含めること。FDAは，欠陥のおそれがある分野について具体的な専門知識を有し，適格性が評価されている第三者がすべてのデータ完全性欠如を評価するよう推奨する。

B. 検出された不具合が医薬品品質に影響を及ぼすおそれについての現行のリスクアセスメントを報告すること。このアセスメントには，データ完全性欠如の影響を受けた医薬品を出荷したことが，患者のリスクになったことの解析を含めること，全社的な是正措置・予防措置計画の詳細を含むマネジメント戦略を提出すること（**解説⑦**）。

C. グローバルな是正措置および予防措置の詳細を含む同製造所の管理戦略。管理戦略には以下のことを含むこと（**解説⑧**）。

・同製造所で生成するすべてのデータ（微生物学的データおよび化学的データ，ならびに製造記録，およびFDAに提出したすべてのデータを含む）の信頼性および完全性をいかに保証するようにしたいのかを記した詳細な是正措置計画。
・現在の措置計画の範囲と深さが原因究明およびリスク評価の検出にふさわしいものであることの証拠を含むデータの完全性逸脱の原因究明の包括的記載。データの完全性逸脱に責任ある職員がCGMP関連または医薬品の申請データにまだ影響を及ぼしているのかどうかについて記載すること。
・これまでに対応した，またはこれから対応する患者保護のため，医薬品の品質保証のため，顧客への通知のような，製品回収，追加試験の実施，安定性を保証するために安定性試験プログラムに追加した製品ロット，医薬品の申請活動，および強化された苦情モニタリング等の行動について記載した暫定的対策。
・同製造所のデータの完全性を保証するために設計した手法，プロセス，方法，管理，システム，監視マネジメント，人的資源（例えば，従業員のトレーニング，人員配置）を改善するあらゆる努力および増進について記載した長期にわたる手法。
・すでに進行中，あるいは完了したあらゆる上記活動に関する現状報告。

結　論

当警告書に掲げた違反は，すべての違反リストを示しているものではない。同社は，これらの違反を調査し，逸脱原因を追究し，これらの再発を防止し，同社の全施設における他の逸脱を防止する責任がある。

もし，同製造所で製造される医薬品供給に混乱が生じそうなことを考えているのなら，FDAは直ちにCDERの医薬品不足部門のスタッフに連絡をとることを求める（drugshortages@fda.hhs.gov）。FDAは法律に準拠しながら同製造所の操業を実行させるために，最も効果的な方法について同社と行動を共にすることができる。医薬品不足部門に連絡した後は，同社はいかなる義務にも応じ，21 USC 356C(b)下で医薬品製造の停止または中断を報告しなければならない。FDAは，同製造所の製品に依存している患者の健康を守るため，可及的速やかに，製品不足を避けるために，どのような行動が必要かについて考えることになる。

FDAは，同製造所製品を2016年5月27日付で，輸入警告リスト（66～40）に掲げた。

すべての違反を完全に修正し，CGMPに適合していることを確認するまで，FDAは，医薬品製造所としての同製造所のあらゆる新規承認申請または変更承認申請を保留することがある。

これらの違反を修正しなかった場合，FDAは，ハンガリーにあるTeva Pharmaceutical Works Private Ltd.で製造された品目を米国で受け入れることは，FDC法のセクション801(a)(3), 21 USC 381(a)(3)に基づいて拒否し続ける。同じ規制下，FDC法のセクション501(a)(2)(B), 21 USC 351(a)(2)(B)に記されているCGMPに従っていないという製造所での製法や管理方法では，品目は拒否されるであろう。

本警告書を受け取った後，15営業日以内に書面で回答すること。われわれの査察以降に違反の修正，およびそれらの再発を防ぐためにとった対策を示すこと。もし，15営業日以内に完全な是正措置ができない場合には，遅れる理由と，なし終える計画について述べること。回答は，電子回答としてCDER-OC-OMG-Communications@fda.hhs.govに送信するか，または以下に郵送すること。

Lixin (Leo) Xu, M.D., Ph.D.
Compliance Officer
U.S. Food and Drug Administration
White Oak Building 51, Room 4359 （**解説⑨**）
10903 New Hampshire Avnue
Silver Spring, MD 20993
USA

解説：CGMP規制違反による警告－無菌性保証の欠如

①テバ製薬（Teva Pharmaceutical Industries Ltd.）は，イスラエルに本社を置く，世界15位の医薬品メーカーであり，ジェネリック医薬品では世界最大のシェア実績を持つ。世界中に製造所があり，これまでにもFDA査察でいくつかの製造所が警告書を受けている。ここで紹介するTeva Pharmaceutical Works Pvt. Ltd.はハンガリーにある無菌医薬品製造所であるが，警告書はイスラエルにある本社の社長兼CEO宛てに出ているのが特徴である。また指摘内容は，当該製造所のみならず，テバ製薬全体のシステムに及ぶ内容になっている。このような警告書を受けた場合，その対応は非常に困難であることが予想される。GMPとは日頃からCGMP要件に適合するよう，意識しながら努力することであり，その重要性を理解いただくためには，貴重な事例である。

②クローズドRABS内での培地充填試験で汚染バイアルが31本も発生することは尋常ではない。また，検出された汚染菌の同定を行っておらず，これでは汚染原因究明を含む逸脱管理がなされておらず，是正措置・予防措置（CAPA）も無理である。

③日本では，GMP査察官を無菌操作区域まで入室させる工場が多いが，欧米では，関連SOPを根拠に査察官にガウニングトレーニングを5日間くらい受けさせなければ無菌操作区域への入室を認めないのが一般的である。ガウニングトレーニングを5日間受けていたら査察ができないので，ビデオで無菌操作区域の気流の妥当性や無菌操作技術の妥当性を評価することになる。そのためには，査察官が理解できるようなビデオを撮っておく必要がある。スモークテスト，環境モニタリングポイント，作業者の実作業が明確に判断できるビデオ撮影にすることが重要である。

④日米欧薬局方で国際調和された「無菌試験法」には，以下の「手法の適合性試験」がある。

a. メンブランフィルター法：試験に供された容器の内容物をろ過した後，最終回の洗浄液に試験用菌株を100 CFU以下加えたものをろ過する。

b. 直接法：試験に供された容器の内容物を培地に加えた後，試験用菌株100 CFU以下をその培地に接種する。

いずれの接種方法においても，培地を含むすべての容器は規定の温度で最長5日間培養する。培養後，陽性対照に匹敵する肉眼的に明瞭な増殖が得られれば，被験製品は本試験条件下で抗菌活性を持たないか，または抗菌活性が十分に除去されたものとみなすことができ，当該手法は適切であり，試験条件を変更する必要はない。

「被験製品の存在下で陽性対照に匹敵する肉眼的に明瞭な増殖が得られなければ，被験製品は当該試験条件下では十分除去できない抗菌活性を有している。この場合，抗菌活性を除去するために条件を変えて手法の適合性試験を繰り返す」とある。

陽性対照（検体を接種していない培地に試験用菌株100 CFU以下を接種したもの）に菌の増殖が認められなかったということは，“当該試験が成立していない”ということである。

⑤データの完全性に関しては，本書の第6章，「6.10 データ管理とデータの完全性」(p. 484)で詳述する。

⑥FDAはコンサルタントの活用を強く推奨している。本製造所では，コンサルタントを雇用しているが，今回の逸脱を踏まえて，問題別にさらなるコンサルタントの雇用を求めている。日本の製薬企業においても，GMP関連のコンサルタントを置いているところがあるが，このような指摘を受けると，コンサルタントも安泰とはしていられない。21 CFR 211.34には「医薬品の製造，加工，包装または保管に助言を与えるコンサルタントは，雇用されている専門的問題について助言を与えるのに十分な教育，訓練，経験またはそれらの組み合わせを備えていることとする。コンサルタントの氏名，住所，資格および提供する職務の種類についての記録を保管しておくこと」とある。EU-GMPおよびPIC/S-GMP Part 1の2.23項に，21 CFR 211.34と同じく，以下のコンサルタント要件が加わった。

・コンサルタントは，専門的問題について助言を与えるのに十分な教育，訓練，経験またはそれらの組み合わせを備えていること。

・コンサルタントの氏名，住所，資格および提供する職務の種類についての記録を保管しておくこと。

日本の製薬企業においても，GMP関連の専門家とコンサルタント契約するところが増えているような気がする。

⑦このアセスメントには，データ完全性欠如の影響を受けた医薬品を出荷したことが，患者のリスクになったことの解析を含めること，全社的な是正措置・予防措置の詳細を含むマネジメント戦略を提出することとあるが，厳しい指摘内容である。データの完全性欠如製品を出荷したことによる患者のリスク解析をいかにすべきか，考えるだけでも難しい課題である。FDAが求めるこの姿勢は，日本の査察官にも影響を及ぼすものと思われるので，このような指摘対象にならないように普段から十分な対策が必要である。

⑧今回査察を受けたハンガリー工場のみならず，テバ製薬はグローバル的に是正措置・予防措置の詳細を含む管理戦略について答えなければならない。グローバル企業にとっては本件を「他山の石」とすべきかもしれない。

⑨本警告書に対する回答送付先は，White Oak Building 51のRoom 4359である。警告書に対する回答書送付先は，米国内企業の場合はRoom 2261またはRoom 5352，米国外企業はRoom 4359が一般的である。

GMP調査よもやま話⑧

ICH Q10（医薬品品質システム）2.2項には“品質方針”，2.3項には“品質目標”が示されている。筆者は，製薬企業を訪問すると，同社が掲げる品質方針や品質目標に目が行きがちである。会社によっては社員にインパクトがあるよう工夫を凝らした内容もあるが，全体的にはありきたりの文言を並べたものが多いような気がする。

ドイツの生物製剤メーカーにGMP調査に出かけた際，工場長が説明していた品質方針および品質目標は非常にわかりやすいものであった（図）。無菌医薬品製造工程をドイツの国営航空会社“ルフトハンザ”のパイロットにたとえ，リスク管理や品質マネジメントシステムについて述べていた。品質目標は企業の関与するすべての階層から支持されなければならないので，このようにわかりやすいことが第一である。

われわれの共通認識は，パイロットに対する要件と同じ
（カーレーサーに対する要件とは異なる）

- 強い規制環境（飛行管理）
- 強い責任感（乗客および飛行機に対して）
- 責任および完璧性
- 100%の安全性/ノーリスク
- 重要ステップに焦点を当てる（離陸時，着陸時のような）
- 明快に規定された手法（目的地）
- トレーサビリティ（正しい文書化，明快なコミュニケーション）
- 日常作業における優れた操作（非常時における冷静な行動）
- 適切な変更管理なくしての変更はしない
- 優れた技術的理解
- 柔軟性，勝利精神

図　品質方針と品質目標

第6章

分野別警告書

6.1 品質システム

6.2 品質管理部門

6.3 GMP査察妨害

6.4 出発原料管理

6.5 製薬用水管理

6.6 原薬製造

6.7 再生医療等製品（HCT/Ps）

6.8 高薬理活性医薬品

6.9 無菌性保証

6.10 データ管理とデータの完全性

第6章

分野別警告書

本章では，FDAから発出された警告書をPHARM TECH JAPAN誌に掲載された記事から抜粋し，分野別に示す。必ずしも分類が適切でないかもしれないが，参考にしていただきたい。可能な限り企業名を載せているので，より詳細に内容を知りたい場合は，FDAのWarning Letters検索サイトにて企業名を入力すると，原文が出てくるので，内容を確認してほしい〔第1章 1.1節「5 FDAの査察結果」(p. 14) を参照〕。

FDAの査察結果を参考に，GMP査察や監査等で指摘を受けた際，また日常業務で逸脱等が発生した際にどのように対応すべきかを学び取るのに，本章を活用していただきたい。

なお，警告書中の「●●」は，非開示であることを示している。

第6章の構成

6.1 品質システム

品質システムは，医薬品製造の根幹をなす要件であり，以下のように多岐にわたっている。これらの中から，PHARM TECH JAPAN誌に掲載された品質システム関連の主な警告書およびForm 483の一部を示す。

品質システムの指摘事項分野

・品質マネジメント	・不合格品処理
・組織管理	・バリデーション（全般）
・文書管理	・委受託製造
・自己点検と管理者監査	・変更管理
・教育訓練	・逸脱管理
・製品品質の照査	・出荷判定
・衛生管理	・従業員の適格性
・販売後の品質情報管理	・その他
・苦情・回収・警告処理	

1 CGMP規則違反

事例1 製造バッチ記録，手順書等の記載不備

企業名　　：Rxhomeo Private Ltd.（インド）
査察実施日　：2019年1月28日～2月1日
警告書発出日：2019年6月13日

FDAは，2019年2月21日付の同社の回答書を照査したが，十分な是正措置が欠如しているのを確認している。査察官は，以下を含むがこれに限定されるものではない違反を指摘した。なお，この査察結果を受けて，同社に2019年5月22日付で輸入警告（Import Alert）が出された。

警告書での主な指摘内容は次のとおりである。

1） 製造した医薬品の各バッチの製造および管理に関する完全な情報を含む，バッチ製造および管理記録を作成していなかった（21 CFR 211.188）。

バッチ記録に以下の点などを含む詳細が欠けている。

- ラインクリアランスに関する情報
- 製造に使われた主要装置およびラインの識別
- 使用原料に関するバッチ固有の情報
- 使用原料の重量と測定
- 工程試験の結果
- 収量の記載
- ラベルの管理記録
- 最終容器－栓の説明
- 実行されたサンプリング
- 各重要工程の作業員および/または各工程の直接監督者名

・バッチに関連する調査

・保管時間あるいは装置管理設定の限度

ホメオパシー医薬品の●●以上が1つのマスターバッチ記録を共用している。この1つのマスターバッチ記録には，自由形式の大きなスペースのあるセクションがあり，ホメオパシー医薬品製造用原料について，あらかじめ決められた重量測定の記載がない。

不完全な記録は，調査に必要な措置の追跡性を奪う。さらに，製品固有の指図および計算のないマスターバッチ記録は，医薬品製造における混同や誤りを引き起こす可能性がある。

Form 483への回答では，バッチ記録，手順書の改訂版を提示した。しかしながら，新しいバッチ記録は，装置設定の限度，収量，原料規格，あるいはラベル規格を含む詳細を含んでいないので，Form 483への回答は不適切である。また，すべての医薬品に対して製品固有のマスターバッチ記録を使うのかどうか回答からははっきりとはしなかった。

当警告書への回答として，すべての医薬品に対する製造工程のグローバルな照査を行い，混同や誤りを防ぐために，個々の医薬品に対するすべての重要な製造ステップをとらえ，バリデートされた計算式を含むマスターバッチ記録を確立すること。

2) 品質管理部門は，製造する医薬品がCGMPに適合し，また同一性，含量，品質，および純度の規格を満たすことを保証する責任を果たしていなかった（21 CFR 211.22）。

品質管理部門（QU）は，製造工程の管理を行っていなかった。品質保証 QA-004-00手順書は，QUに対する組織，職務，および責任を規定し，説明していない。さらに，製造所の作業員は，QUにも所属している。ホメオパシー医薬品を製造する同じ製造作業員が原料の照査と出庫も承認している。CGMPに適合する品質システムでは，製造部門とQUが独立していることが求められている。

QUはまた，ラベルの出庫を行っていない。ラベルへのアクセスを管理していない。供給業者の適格性を適切に評価していない。同社が●●以上の異なるホメオパシー医薬品を製造していることから，懸念となる混同を防ぐために，ラベルを適切に管理することが重要である。

Form 483への回答では，以下を含む多くの品質および製造作業のための手順書を作成していなかった。

・原料の受入れ

・入荷原料のサンプリングと承認

・規格外結果および不適に対する調査

・工程および洗浄バリデーション

・マスター製造記録およびバッチ製造記録

・年次製品照査

・装置の適格性評価

当警告書への回答として，以下を提示すること。

- QUが職務を効果的に，また独立して果たすために必要な権限とリソースを与えられていることを保証するための，CAPAを伴う包括的な評価。評価には，以下の点などを含めること。
  - ✓手順書が頑健で適切であるかどうかの見極め
  - ✓適切な慣行への遵守を評価するための，QUによる作業中の監視についての規定
  - ✓QUによる処置決定前の，各バッチの完結した，また最終的な照査およびその関連情報
  - ✓調査の監視と承認，およびすべての医薬品の同一性，含量，品質，および純度を保証するためのすべての他のQU職務の履行
- QU監視なしに製造出荷された使用期限内にある医薬品バッチのリスク評価を行うこと。
- 新しい手順書および遵守のメトリックスを実施するための工程表を提示すること。

品質システムは不適切である。CGMP規則（21 CFR, Part 210および211）に適合する品質システムとリスク管理アプローチを実施するための手助けとして，FDAガイダンス“Quality Systems Approach to Pharmaceutical CGMP Regulations”を参照のこと。

事例2　OTC医薬品原料の入荷・出荷試験の不適

企業名　　　：SnugZ USA, Inc.（米国）
査察実施日　：2018年11月26日～30日
警告書発出日：2019年6月12日

FDAは，2018年12月19日付の同社の回答書を照査したが，十分な是正措置が欠如しているのを確認している。査察官は，以下を含むがこれに限定されるものではない違反を指摘した。

警告書での主な指摘内容は次のとおりである。

1）医薬品の各バッチについて，出荷前に各有効成分の同一性，含量を含む医薬品最終規格に適合することを決めるための試験を行っていない。また特定菌がいないことを求めている医薬品の各バッチについて，必要に応じて試験を行っていない（21 CFR 211.165(a)および(b)）。

有効成分の同一性および含量の試験を行うことなしに，多くのOTC医薬品を出荷した。さらに，重要な微生物特性（例えば，特定菌不在，総菌数）の試験を行うことなく最終医薬品の出荷を行った。バッチの試験を行うことなしに，出荷前にすべての医薬品が規格を満たす科学的な証拠はない。

当警告書への回答として，以下を示すこと。

- すべての最終医薬品の試験を規格に従って行う手順書。

- 理化学および微生物試験法の分析バリデーション，装置バリデーション，および新しい試験法。出荷処理決定を行う前に適合しなければならない規格も提示すること。
- 米国へ出荷され使用期限内にあるすべての医薬品のバッチ保存サンプルの試験結果の要約。試験結果には，有効成分の同一性と含量および他のすべての品質特性を含めること。

2) 医薬品の各原料の同一性を検証するために少なくとも1つの試験を行っていない。また，原料供給業者による分析の信頼性を，適当な間隔でバリデートし，確立していない（21 CFR 211.84(d)(1)および(2)）。

医薬品の製造に用いる入荷APIおよび他の原料の試験を行って，同一性，純度，含量，および他の試験への適合性を見極めていなかった。代わりに，供給業者の試験の信頼性をバリデーションを通して確立することなく，また各ロットに対して少なくとも1つの確認試験を行うことを保証することなく，供給業者からのCOAに依存してAPIや他の原料を出庫していた。

当警告書への回答として，以下を提示すること。

- 入荷原料試験手順書の改訂版。各入荷原料ロット（有効成分および不活性成分）に対して少なくとも1つの確認試験を行うことを保証するためのCAPA計画を含めること。同一性，含量，品質，および純度の規格への適合性を見るために各原料ロットをどのように試験するかを詳しく説明すること。入荷原料の各ロットに対する純度，含量，および品質の試験を行う代わりに，供給業者からのCOAを用いるのであれば，これらの特性に対する供給業者の試験結果の信頼性を定期的バリデーションを通してどのように確立するかを述べること。
- 各業者からのすべての容器，栓，および原料の適格性が評価されているかどうか，使用あるいは再試験期限を適切に設定しているかどうか，および入荷原材料管理が適切で，不適切な容器，栓，および原料の使用を防止できているかどうかを見極めるために，原材料システムの包括的で公正な照査。

3) 製造する医薬品が持つべき同一性，含量，品質，および純度を備えていることを保証するように設計された，製造および工程管理手順書を作成していない（21 CFR 211.100(a)）。

医薬品製造用の工程をバリデートしていなかった。例えば，工程適格性評価検討を行っておらず，また頑健な製造作業と一貫した医薬品品質を保証するための工程管理をモニターするための適切な継続的計画がない。FDAがプロセスバリデーションの要素と考える一般原則およびアプローチについては，FDAガイダンス“Process Validation: General Principles and Practices”を参照のこと。

当警告書への回答として，以下を提示すること。

- バリデーションおよび適格性評価活動のプロトコール。

・バッチ変動を最小限にして，一貫した製品品質を保証するために，医薬品のライフサイクルを通して，作業における変動の発生源をどのようにモニターするかについての説明。
・OTC医薬品の出荷済みバッチの評価。通知あるいは市場からの撤退を含む，流通中のOTC医薬品に対する製造品質および患者安全性リスクに言及する計画を含めること。

4）医薬品の安全性，同一性，含量，品質，または純度を，公的な，または他の設定要件を超えて変化させるような，機能不全あるいは汚染を防ぐために，装置および器具が適切な間隔で，洗浄，保全，必要に応じて消毒および/または滅菌されていない(21 CFR 211.67(a))。

例えば，OTC医薬品製造用の充填機が汚れて医薬品の残渣を含んでいたことを，査察官が指摘した。洗浄バリデーションも行っていなかった。

当警告書への回答として，以下を提示すること。
・各洗浄装置に対する洗浄手順および慣行を評価する包括的な計画。
・交叉汚染のワーストケースシナリオに対して洗浄手順が適切であることを示す洗浄バリデーション。この選択は，溶解度および洗浄の難しさに基づくこと。
・出荷され使用期限内にあるバッチで，不適切な装置洗浄および保全管理によって損ねられた可能性があるバッチに対するリスク評価。

回答全般

Form 483への回答で，同社はCGMP指摘の重要性を認めた。しかしながら，提案した是正措置が，作業および出荷した医薬品をCGMPに適合させることを裏付けるには限られた是正措置，および不十分な詳細と証拠を提示した。

同社のQUは権限および/または責任を行使していない。責任を果たし医薬品の品質を一貫して保証するために，QUに権限，十分なリソース，および従業員を提供しなければならない。さらに，QUにはすべての報告された苦情を調査し，解決する責任がある。CGMP規則（21 CFR, Part 210および211）に適合する品質システムと管理アプローチを実施するための手助けとして，FDAガイダンス“Quality Systems Approach to Pharmaceutical CGMP Regulations”を参照のこと。

2 その他の事例

事例1 品質システムの欠陥①

企業名　　　：Changzhou Jintan Qianyao Pharmaceutical Raw Materials（中国）
査察実施日　：2017年2月13日～17日
警告書発出日：2017年5月11日

中国の原薬製造業者への警告書での主な指摘内容は次のとおりである。なお，同社には2017年5月4日付で輸入警告（Import Alert）が出された。

- 組織，手順，工程と資源，原薬が品質と純度の規格に適合することを，自信を持って保証する活動など，品質を管理するシステムを実施していない。品質に関連する活動を定めて文書化していない（2016年8月より前に，米国向けに原薬を製造し出荷していたにもかかわらず，品質に関連する活動を定めて文書化していない）。
- 原料の受け取り，確認，隔離保管，保管，サンプリング，試験，取り扱い，および合格あるいは不合格の手順書がない。査察官が，重要な原料のリストとサンプリング要件を求めたところ，入荷原料の試験とサンプリング手順はないと答えた。代わりに，倉庫の作業員は入荷原料の取扱い，サンプリングおよび試験を“頭で”行うと説明した。
- 設定された規格や基準に適合していることを保証するために行われたすべての試験の完全なデータを含む試験管理記録がない。原薬ロットの含量試験の監査証跡を照査したところ，記録もなく，あるいは調査することなく，同じサンプルを数日の間に3回試験していた。試験成績書を完成させ，原薬バッチを出荷するために，最後の3回目の試験結果のみを報告していた。
- 適切なバッチ製造記録を作成しておらず，また作業したときに記録していなかった。作業員が疲れてデータを直ちに記録せず，また数値を忘れたときに，前のバッチのプロセスパラメータの値を用いて新しいバッチ記録を完成していた。

事例2 品質システムの欠陥②

企業名　　　：Foshan Flying Medical Products Co., Ltd.（中国）
査察実施日　：2017年2月20日～23日
警告書発出日：2017年8月1日

中国の医薬品製造業者に発出された警告書での，品質システムの欠陥に関する主な指摘内容は次のとおりである。

バッチの製造と品質が妥当であることを，品質管理部門が示す文書がなかった。例えば，以下の記録がなかった。

- 変更管理
- 年次製品照査
- エラーが十分に調査されたことを保証するバッチ記録照査
- 医薬品の合格と不合格
- 過去3年間，作業中に製造記録に情報を記録する責任のある製造部門の担当者が，品質部門にも所属していた。

当警告書への回答として，以下を保証する是正措置を提示すること。

- 責任を遂行し，一貫して医薬品品質を保証するための，しかるべき権限と十分な人員を持つ適切な品質管理部門を設立する。
- 医薬品の同一性，含量，品質，純度を損ねるかもしれない設備と作業のすべての点をカバーし，CCMPに従う適切な手順を作る。
- すべての作業が妥当であることを示す文書を作り，維持する。

事例3 品質システムの欠陥③

企業名　：Phillips Co.（米国）
査察実施日　：2016年10月4日～7日
警告書発出日：2017年5月8日

米国の医薬品製造業者に発出された警告書での，品質システムの欠陥に関する主な指摘内容は次のとおりである。

- 製造する医薬品が持つべき本質，力価，品質，および純度を備えていることを保証するように意図された，製造および工程管理手順書がない。再現性のあるバッチ品質を保証するために，製造工程を定め，あるいはバリデーションを行わなかった。例えば，充填とホールド時間の手順に，混合時間，混合速度およびバルクホールド時間のようなプロセスパラメータを定めていなかった。さらに，原料を混合するのに台所用ブレンダーを用いていた。適切な設備装置，教育を受けた人員，適切な原料，十分に定められた工程，および手順書のようなGMP準拠の製造作業の基本要素を理解していなかった。
- 製造した医薬品の各バッチについての，製造および管理に関する完全な情報を含む，バッチ製造および管理記録を作成していなかった。例えば，Tetracycline-ABC（lot 511110）の出荷済みバッチのバッチ記録を突き止めることができなかった。見つけ出すことができたバッチ記録は不完全で，製造工程が手順どおりに行われ再現性があるかどうかを決める，バルク製造，充填，および包装作業に関する重要な情報が欠けていた。

事例4 不適切な受託製造所の監視と管理

企業名　　　：Pharmco Laboratories Inc.（米国）
査察実施日　：2015年11月9日～30日
警告書発出日：2016年12月15日

米国の医薬品製造業者に対し，医薬品製造に関する適切な監視と管理を行っていないとする警告書での主な指摘内容は次のとおりである。

2006年以降の複数のFDA査察で指摘されたものと同じ，あるいは類似の欠陥を抱えているにもかかわらず，品質部門は医薬品の複数バッチを出荷していた。上記の欠陥に対して，同社は前回の査察後の誓約と本質的に同じ改善策を提案した。これらの繰り返された間違いは，同社の上級幹部が医薬品製造に関して監視と管理を行っていないことを示している。

繰り返される問題を是正していないため，FDAは受託製造工場に関する規制要件についての基本的な理解を懸念している。医薬品製造のさまざまな部分の受託製造を行う工場は，CGMPを遵守しなければならない。FDAは多くの医薬品製造業者が製造設備，試験室，包装業者，およびラベル業者などの独立した受託会社を使っていることを知っている。

製品所有者との契約とは関係なしに，同社は製造する医薬品の品質に責任を持たなければならない。医薬品が確実に安全性，本質，含量，品質，および純度を満たすために，FDC法のセクション501(a)(2)(B)に従って製造されるように要求されている。

事例5 顧客との品質契約

企業名　　　：Indoco Remedies Limited（インド）
査察実施日　：2016年8月31日～9月4日
警告書発出日：2017年3月27日

インドの医薬品製造業者へ警告書を発出した。警告書での主な指摘内容は次のとおりである。

品質管理部門に適用する責任と手順を文書化していない。顧客との品質契約で，市販された医薬品のバッチがフィールドアラートレポート（FAR）の対象になると判断すると，顧客に知らせなければならない。しかしながら，複数のロットで，漏れ，無充填，充填不足バイアルの欠陥に関する多くの苦情があったにもかかわらず，査察の際にはこの通知を送った証拠がなかった。品質契約の規定を守らず，品質問題を顧客に知らせていないことは，医薬品の品質，安全性，有効性を保証し，また，21 CFR 314.81規定のFARでFDAに知らせるために顧客が行う措置を遅らせたかもしれない。

同社は幅広い医薬品を受託している製造業者である。CGMPを遵守していないと，依頼を受けた医薬品の品質，安全性および有効性に大きな影響を与えることになるかもしれない。CGMPを遵守して製造し，製造上の問題や品質上の問題を速やかに顧客（例えば，所有者，スポンサー）に知らせる責任を理解しておくことは重要である。CGMPに従って製造されるように，受託製造業者を監視する責任が顧客（製造委託者）にもある。

当警告書への回答として，以下の標準操作法を提出すること。

- 顧客に速やかに報告する必要がある製造と品質上の問題(FARを必要とする事象を含むが，これに限定されるものではない）を特定する。
- FARの可能性がある問題，関連する教育プログラム，および教育を必要とするすべての職員の識別を顧客に知らせる。

事例6 プロセスバリデーション

企業名　　　：Homeolab USA Inc.（カナダ）
査察実施日　：2017年1月9日～13日
警告書発出日：2017年8月2日

カナダの医薬品製造業者に発出された警告書での，プロセスバリデーションに関する主な指摘内容は次のとおりである。

同社のプロセスバリデーションは，均一な特性と品質を持つ医薬品を製造するために，モニターされ管理されるべきバラツキの原因あるいは重要パラメータに取り組んでいなかった。例えば，

- 中間製品中の有効成分の均一性をバリデートしていなかった。実際の工程をバリデートするのではなく，有効成分の代用として溶液を用いていた。溶液を用いることに科学的な妥当性はなく，工程で混合される実液と同じ物理化学的な特性と混合特性を持つことが示されていなかった。
- 製造指図が十分に定められていない。
- バリデーション計画書と分析において，製造工程に信頼性があり，再現性があることを保証するための，許容規格と詳細パラメータ（例えば，粒度）がない。
- 計画書では，“バリデートされる人”に言及している。もし結果が適合しなければ，その人は“新しいバリデーションを受ける”ことになっていた。プロセスバリデーションは，人を評価する試行として用いられているように思われ，工程そのものが設計どおりに適切で，再現性を保証することに焦点がおかれていない。

安定した製造作業を確実に維持するために，工程管理をモニターし，バラツキを検出するオンゴーイング計画を作る手順書がない。信頼できる製造作業は，各バッチ間を通して一貫した品質を保証するために必須である。製造の1つ以上のステージで大きなバラツキが認められると，バラツキの原因に言及し，継続的な管理状態を提供するために，上級幹部が有効な措置を支援して実施することが必須である。

当警告書への回答として，以下を提供すること。

- 中間粉末混合物が一貫して品質特性を満たすように，すべてのバラツキの原因を特定し管

理する，データを駆動して科学的に妥当な計画を立てる。これには，例えば装置の用途適合性の評価，投入原料の品質保証，各製造工程ステップと管理能力の決定が含まれる。
- バリデートされていない工程で作られた中間粉末混合物を用いて，製造され，出荷された医薬品のリスク評価。リスク評価では米国で流通し，なお使用期限内にあるもので，脆弱な人々向けの製品に言及すべきである。

事例7 不適合・逸脱管理

企業名　　　：Morton Grove Pharmaceuticals, Inc.（米国）
査察実施日　：2016年1月4日～2月5日
警告書発出日：2017年2月17日

米国の医薬品製造業者に発出された警告書での，主な指摘内容は次のとおりである。

バッチがすでに出荷されたか否かにかかわらず，説明のつかないバッチや原料の規格への不一致あるいは不合格を調査していない（21 CFR 211.192の要件逸脱）。OOS試験結果の調査が完全で，タイムリーで，科学的根拠に基づいていなかった。根本原因を見極めていなかった。

［安定性不適：調査］

製品Aの2つの異なるバッチが安定性試験不適となった。最初のOOS調査を照査したところ安定性不適は製品Aの製造に用いる賦形剤によって引き起こされるとしていた。同じ調査で，科学に基づく健康危害評価を行うこともなく，そのような不純物は健康リスクがないと結論付けていた。OOS調査が5カ月以上未完了のまま，同製品の他のバッチを出荷し続けた。同社幹部が査察官に，“調査は見落とされていた”と話した。Form 483への回答で，更新された調査のコピーを提示したが，回答は以下の点で不適切であった。
- 製剤の安定性不適を引き起こしたと最初に決めた根拠を説明しなかった。
- 影響を受ける可能性があるすべてのバッチに調査を広げていなかった。

当警告書への回答として，
- 調査の段階と根拠原因をどのように決めたのか，詳細を述べること。
- 製品/品質に関連する調査が完全で，タイムリーで，科学的に確かであることを保証するために行ったことの詳細を述べること。
- 出荷済みで市場にあって，影響を受ける可能性がある製品のバッチに関して，追加の措置をとらなかった理由を正当化すること。

事例8　手順書の不備

企業名　　　：Changzhou Jintan Qianyao Pharmaceutical Raw Materials（中国）
査察実施日　：2017年2月13日～17日
警告書発出日：2017年5月11日

中国の原薬製造業者に不適切な品質マネジメントと記録保管で警告書を発出した。

- 2016年8月より以前に，品質に関連する手順を持っていなかった。2017年2月までに手順の案を作成していたが，査察の時点では何ら実施していなかった。
- 入荷原料の試験とサンプリング手順がなかったが，手順を暗記していると同社は説明した。
- すべての試験の完全なデータを含む試験管理記録を作成していなかった。
- バッチ製造記録を作成しておらず，ある従業員は前のバッチの値を再使用していた。

事例9　是正措置の欠如

企業名　　　：B. Braun Medical Inc.（米国）
査察実施日　：2016年4月18日～5月11日
警告書発出日：2017年5月12日

米国の医薬品製造業者に警告書を発出した。FDAは，回答書を照査したが，十分な是正措置が欠如しているのを確認している。査察官は，以下の指摘をした。

- 品質部門に適用する責任と手順を文書化し，遵守していない。品質部門が責任を果たしておらず，特に製品欠陥の苦情，製造逸脱および有害傾向を調査していなかった。手順書〔例えば，是正措置・予防措置プログラム品質手順，不一致マネジメントシステム（DSPA）品質手順〕は，根本原因に対してCAPAをタイムリーに行うよう要求している。しかしながら多くの場合，是正措置の実施が大幅に遅れ，あるいはとられた措置が有効でなかった。
- 品質部門がPAB組み立て工程チェックに変更を行った。PABトップキャップコーナーのリークの検知を改善するために，工程リーク試験圧力を増加した。しかしながら，リーク試験がリークを検知するのに適切であることを保証していなかった。

事例10　バッチ製造管理記録

FDAは，米国のOTC医薬品メーカーへForm 483を交付し，指摘事項を通知した。

バッチ製造管理記録には，バッチごとの製造および管理に関する完全な情報を記載していなかった。具体的には，

- バッチごとのバッチ製造管理記録には，独立して第二者がチェックし，その日付を記入し，署名していなかった。

- バッチ製造管理記録には，医薬品のバッチごとの製造で使用した原料の実重量や計測値を記載していなかった。なお，第二者はバッチに添加した原料の実量を検証していなかった。
- バッチ製造管理記録には，バッチ製造で使用した原料特有の識別記号を記載していなかった。原料カードによる正確な追跡調査性も維持管理していなかった。
- バッチ製造管理記録には，医薬品のバッチ製造で使用した特異的な重量に関する情報を記載していなかった。
- 医薬品の製造，加工，および包装の適切な段階ごとに，理論収量に対する割合を確認していなかった。
- マスター製造管理記録には，製造管理指示事項およびサンプリングと試験手順の完全な内容が記載されていなかった。
- バッチ製造管理記録には，医薬品容器および閉塞具に関する説明が記載されていなかった。
- バッチ製造管理記録には，作業前後での包装および表示作業区域の検査結果が記載されていなかった。
- バッチ製造管理記録には，包装資材と表示材料の適切性と正確さについて検査した結果を，包装作業結果を文書化するまでに記載して文書化していなかった。
- バッチ製造管理記録には，ラベルのコピーが添付されていなかった。

事例11 包装・表示システム

FDAは，米国のOTC医薬品メーカーへForm 483を交付し，指摘事項を通知した。

医薬品には，間違いがないラベルや包装資材を使用したことが保証できるように設計された手順が，文書化されていなかった。具体的には，

- 包装資材および表示材料の検査を記載した手順を文書化していなかった。
- 表示材料発行管理の手順を記載した手順書の内容が不適切であった。
- 包装作業区域を使用前後に検査した結果を記録する手順を文書化していなかった。

事例12 原薬の受入れ試験

FDAは，米国のOTC医薬品メーカーへForm 483を交付し，指摘事項を通知した。

供給業者の分析報告書を参考として受理した医薬品成分について，具体的な確認試験を実施していなかった。具体的には，

- 適切な規格書による確認試験の代わりに，有効成分供給業者の分析結果を適切な時間間隔で，適切に分析し，同業者が実施した分析結果の信頼性を確認することなく，同業者からの分析報告書を受理し，使用していた。
- 医薬品成分試験では，原薬の同一性を検証するため，少なくとも1つの特異的な試験を実施していなかった。
- 医薬品製造で使用する入荷原料の受入れ試験および承認を記載した手順書がなかった。

6.2 品質管理部門

1 品質管理部門全体

事例 イタリアの医薬品製造業者への警告書

企業名　　　：FACTA Pharmaceutics S.p.A.（イタリア）
査察実施日　：2016年1月11日～19日
警告書発出日：2017年1月13日

米国FDAは，2016年1月11～19日にイタリア・トリビアーノにある医薬品メーカー（FACTA Farmaceutici S.p.A社）を査察し，その結果から2017年1月13日付で警告書を発出した。CGMPに関する主な指摘内容は，次のとおりである。

1）試験室記録には，所定の規格および基準に適合していることを保証するのに必要な，すべての試験で得た完全なデータが記載されているのを保証していなかった（21 CFR 211.194(a)）。

当警告書への回答として，次の事項を提示すること。

- 品質管理部門試験室における研修の評価結果。
- 適格性が評価されており，経験のある者が重要な試験結果を照査し，これを文書とする業務に配置する方法を特記すること。
- 非公式のスプレッドシートを使用していた2014年1～9月に，別の分析担当者が実施したサンプルの試験結果を包括的に評価した結果。
- 管理していないスプレッドシートの使用程度の評価結果。
- 米国への医薬品出荷で使用していた目視検査手順の種類。

2）医薬品成分，医薬品容器，閉塞具，中間製品，包装資材，表示材料および医薬品の適否判定の責任と，権限を有する適切な品質管理部門を設定していなかった（21 CFR 211.22(a)）。

3）**当警告書への回答**として，製品出荷に関し，2014年1月～2016年1月に作成されたすべてのOOS試験報告書の評価結果を提示すること。関係するHPLCおよびガスクロマト分析で文書化したデータを提示すること。ここでは，OOS試験結果の処理で認められた欠陥の程度を十分に調査するための詳細な措置計画とタイムスケジュールを併記すること。

4）同社の品質システムは，製造する医薬品の安全性，有効性，および品質を傍証するデータの正確さと完全性を適切に保証していない。

当警告書への回答として，次の事項を提示すること。

①データ記録と報告書にあるデータの不正確さの程度に関する包括的な原因調査。この調査には下記事項を含めること。

- 詳細な原因調査の計画書と方法論。すべての試験施設，製造作業，および評価対象とするシステム，ならびに評価対象からの除外を予定している作業の除外理由の正当性。
- 現行および過去の従業員と面接して，データの不正確さの性質，範囲，および根本原因を確認すること。FDAは，この面接を，適格性が評価された第三者が実施するよう勧告する。
- 製造施設でのデータ完全性欠如の程度の評価結果。省略，変更，削除，記録滅却，非同時的記録作成，およびその他の欠陥を確認すること。データ完全性欠如が検出された製造施設のあらゆる部分について記述すること。
- 試験および製造でのデータ完全性欠如について，包括的かつ回顧的な評価，ならびに完全性欠如の性質。

②認められた不具合が医薬品の品質に影響する可能性について，現行法でリスクアセスメントした結果。このアセスメントには，データ完全性が欠如した医薬品を出荷したことが原因となって発生した，患者に対するリスク，ならびに現在の作業が原因となって生じるリスクの解析結果を含めること。

③同社の経営管理戦略。ここには，全社的な是正措置・予防措置計画の詳細を含めること。

- 分析データ，製造記録，およびFDAへ提出したすべてのデータなど，作成したすべてのデータの信頼性と完全性を保証する方策を記述した詳細な是正措置計画。
- 現行の措置計画の適用範囲および程度が査察での指摘事項，ならびにリスクアセスメントに対応している証拠など，データ完全性の欠如の根本原因を包括的に記述した報告書。
- これまでに同社が実施し，もしくは今後着手する予定の患者の保護対策を記述した暫定方策，ならびに医薬品品質を保証するための暫定方策。例えば，顧客への通知，製品回収，追加試験の実施，安定性試験計画へのロットの追加，医薬品申請措置，苦情モニタリングの強化など。

2 微生物試験関係

事例1 無菌試験不適の原因調査が不十分

企業名　　　：Emcure Pharmaceuticals（インド）
査察実施日　：2019年2月11日～20日
警告書発出日：2019年8月2日

FDAは，2019年3月13日付の同社の回答書を照査したが，十分な是正措置が欠如しているのを確認している。警告書での主な指摘内容は次のとおりである。査察官が，以下を含むがこれに限定されるものではない違反を指摘した。

1）バッチがすでに出荷したか否かにかかわらず，説明のつかないバッチあるいは原料の規格への不一致あるいは不適を調査していない（21 CFR 211.192）。

通常のバッチ出荷試験で得られた以下の無菌試験不適を適切に調査していなかった。

- 2018年6月4日に行われた●●注射剤，●●mg/mL，バッチ●●の無菌試験で*Bacillus cereus*の発育が報告された。
- 2017年11月24日に行われた●●注射剤，●●mg/mL，バッチ●●の無菌試験で*Lysynibacillus fusiformis*の発育が報告された。

無菌試験の不適調査によると，最も可能性が高い根本原因は両者とも試験エラーであった。無菌試験調査では結論を裏付ける十分なデータが欠けていた（**解説①**）。

例えば，

- 無菌試験は，ISO 5ラミナーエアーフロー環境内にあるクローズド試験システムで行われていた。この条件は無菌試験中における偶発的な汚染を引き起こす可能性を最小限にする（**解説②**）。調査ではこのようなクローズド試験システムで起こる可能性があった具体的な違反について適切に言及していなかった。
- 陰性対照に微生物汚染は観察されなかった。
- ISO 5エリアにおける環境モニタリングデータは，無菌試験中に微生物汚染を示さなかった。
- 調査では，無菌試験中の無菌上の違反は特定されなかった。
- 調査では，試験法，原材料，あるいは無菌試験の実施方法に不備は見つからなかった。
- 製造中での汚染（欠陥モード）の可能性について適切に評価されてなかった。

製造上での汚染原因の可能性について十分に調査を行っていなかった。例えば，不適となった無菌試験で単離された微生物が過去に試験室で回収されていた一方，同じ微生物が無菌試験不適の起こる6カ月前に製造エリアでも回収されていた。2017年11月24日に●●注射剤，●●mg/mL，バッチ●●の無菌試験で回収された*Lysinibacillus fusiformis*は，充填ライン●●で2017年9月1日に回収されていた。同様に，2018年6月4日に●●注射剤，●●mg/mL，バッチ●●の無菌試験で回収された*Bacillus cereus*が，2017年12月2日にバイアル充填室で回収されていた。

環境データの照査は無菌試験室での知見にあまりにも偏りすぎており，不十分であった。データは試験室設備における潜在的な汚染管理リスクを示していると結論付けたが，製造における不適モードには言及しなかった。具体的には，調査ではバイアルシール工程の頑健性を含むがこれに限定されない容器-栓の完全性の危険性について十分に言及していなかった。Form 483への回答で，容器-栓完全性試験（container closure integrity test；CCIT）結果の回顧的な照査を記した一覧表を提示したが，矛盾，逸脱，苦情，および潜在的な容器-栓完全性の不適モードに関連する調査についての包括的な評価が欠けていた。

特に，同社はCCITで最初は合格した製品バッチにおける容器-栓の完全性不適のために，過去に製品を回収したことがある。容器-栓システムの完全性は，製品の無菌性を保証するために重要である。

同社は各バッチの一部（サブロット）を不適として，残りのサブロットを米国向けに出荷した。FDAは，出荷済みのサブロットをFDAと協議後に回収するとする同社の決定，および無菌試験アイソレータを導入する決定を了解する（**解説③**）。これらの不適をさらに照査し，根本原因および他のロット（あるいはサブロット）への影響の評価を記録するにあたっての詳細を提示することを保証するために，微生物規格外調査の手順書を評価する表明も了解する。

当警告書への回答として，以下を提示すること。

- 逸脱，異常，苦情，OOS結果，および不適の調査に対する全体的なシステムの評価。是正措置および予防措置（CAPA）計画には，逸脱，不適，または欠陥を引き起こす可能性のある操作のバラツキの発生源の照査における改善された厳密さなどを含むが，これに限定されない。また，CAPAの有効性を評価するプロセスを含めること。
- 矛盾，逸脱，苦情，保全管理，バッチ欠陥履歴の詳細，および潜在的な密封性のバラツキおよび容器-栓システムの完全性に関連する照査に関する記録の包括的で第三者による評価。照査には，2016年7月以降のすべてのロットを含めること。この評価に基づいて，シール工程および容器-栓システムの頑健性を評価するための回顧的照査の改訂版を提示すること。
- 将来の無菌試験不適調査が，具体的には滅菌器における生物学的致死性の均一性，および容器-栓システムの完全性を照査するなどの，製造作業における潜在的な脆弱性の包括的な評価を含むことを保証する計画と手順書。
- 本警告書で記された2017年以降の複数の追加無菌試験で濁りのあるサンプルが見つかったことから，無菌試験法の包括的で第三者による照査を提示すること。見かけ上，誤って濁りのある結果の原因となったバラツキの根本原因を取り除くための方法の頑健性の改善に焦点が当てられるべきである。
- 滅菌器の熱分布および致死性の均一性に焦点を当てた滅菌器の信頼性についての第三者による照査。この照査では，物理的および生物学的データの両方を評価し，現在のF値およびz値データの解析および滅菌サイクルの正当化に用いた関連する仮説も含めること。温度分布/負荷検討の解析の詳細，各バイオロジカルインジケーターロットのD値，およびバイオロジカルインジケーター陽性結果の原因を含めること。2017年以降のバリデーションの各々で特定された●●（あるいは最もバラツキの大きい位置）を定めること。

繰り返される違反

2017年8月7～17日の査察で，微生物調査が適切でなかった類似のCGMP違反をFDAは指摘した。これらの繰り返された問題は，経営幹部が医薬品製造の監視と管理を適切に行っていないことを示している。経営幹部には，すべての問題を解決し，CGMP遵守を日常的に保証する責任がある。製造作業を直ちに包括的に評価し，システムと工程，究極的には製造された医薬品がCGMP要件を遵守するよう保証すべきである。

解説：貧弱な無菌操作技術

Emcure Pharmaceuticals社は，2016年3月3日付でも以下に示すような「貧弱な無菌操作技術」により警告書を受けている。

- オペレーターは，日常の無菌充填作業中に，充填ラインの下で手と膝を床の上に付けていた。
- オペレーターは，開いたバイアルの真上に手を置いて，バイアルを●●に向けていた。
- セットアップ中に，オペレーターは袋に入れていない滅菌済みツールをISO 7からISO 5エリアに移動し，打栓装置近くの充填エリアに置いた。
- ISO 7エリアでオペレーターは滅菌済みの蓋をコンテナーから床に落とし，それを拾い上げてコンテナーに戻した。
- 無菌充填活動を実行する前の無菌セットアップ中に，オペレーターは額と露出した肌にゴーグルを着用していた。
- オペレーターは，Restricted Access Barrier Systems（RABS）用の装着をせずに，素手でラインからバイアルを調整または取り除くために，RABSバリアを開けていた。
- オペレーターは，保護されていない滅菌RABSをISO 5エリアからISO 7エリアに移動し，次にモバイル式層流（LAF）ISO 5エリアに運んでいた。

解説

①無菌試験の検出感度

無菌試験に供される検体や試料の量は限られており，ロット当たりの汚染率が低い場合，無菌試験で汚染菌を検出するのは不可能に近い。それゆえ，たとえ規定された無菌試験に合格しても，培地，検体量（抜き取り個数，接種量），試験方法を変えれば検出できるかもしれない微生物の存在までを否定するものではない。

無菌試験に及ぼす要因

$F_0 = F1 \times F2 \times F3 \times F4 \times F5 \times F6 \times F7$

F_0：無菌試験結果
F1：被験ロットからの抜き取り方法と抜き取り個数
F2：抜き取りした各容器から培地への接種量
F3：接種方法（MF法，直接法）
F4：培地の種類
F5：培養温度
F6：培養期間
F7：その他（汚染菌数，汚染菌種，他）

あるロット製品中に均一に汚染容器が存在すると仮定する。その際に汚染容器を抜き取る確率は，以下の式で表すことができる（表6-1）。

$P = 1 - (1 - X)^N$

P：汚染容器を抜き取る確率

X：ロットの汚染率

N：サンプリング容器数

表6-1 ｜ロット当たりの汚染率と汚染容器の抜き取り確率
（抜き取り数20個の場合，少なくとも1個の汚染容器を抜き取る確率）

ロット当たりの汚染率	汚染容器の抜き取り確率
0.001（0.1%）	0.019（2%）
0.005（0.5%）	0.095（9.5%）
0.01（1%）	0.181（18%）
0.05（5%）	0.632（63.2%）
0.1（10%）	0.864（86.5%）
0.5（50%）	1.000（100%）

ここでは抜き取った汚染容器を無菌試験に供すれば，間違いなく汚染菌を検出できるとの前提での計算である。1%の汚染ロットから無作為に20容器を抜き出した場合，汚染容器を抜き取る確率は18%である。別の言い方をすると，「汚染率1%のロット製品は82%の確率で無菌試験に合格し，出荷される」ということである。このように検出感度の悪い「無菌試験」であるがゆえに，汚染菌が検出されたロット製品は出荷できない。汚染菌を試験エラーと結論付けるには，それ相応の説得力のある情報収集が必要であるが，一般的には，汚染菌を試験エラーと結論付けることは困難である。

②日米欧薬局方で調和された「無菌試験法」では，ろ過できる液剤は，Membrane filtration（MF）法で実施することになっている。市販のMF法システムはクローズドシステム（閉鎖系）になっている（図6-1）。

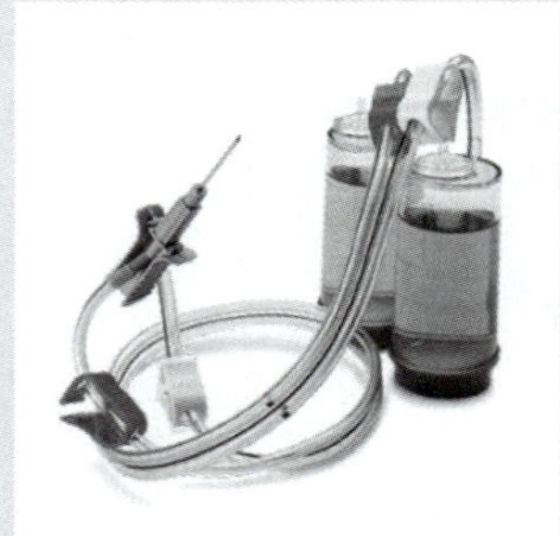

図6-1 ｜市販のMF法システム
提供：メルク株式会社

③試験エラーによる汚染原因をできるだけ“ゼロ”にするは，試験実施環境からの汚染導入を“ゼロ”にするのが重要であり，アイソレータを使うのが優れた方法である。USP <1116> は，各清浄度区分の評価に“cfu”ではなく，“汚染回収率（Contamination recovery rate）”という概念を適用している（表6-2）。同じグレードA環境でもヒトが介在するクリーンルームでの汚染菌出現率は1%未満であるが，ヒトが介在しないアイソレータやクローズドRABSでは0.1%未満としている。0.1%未満というのは1,000回モニタリングしても1回も汚染が認

められないということである。筆者が関わった企業で，アイソレータを使用している場合の環境モニタリング成績は以下のようなものだった。

- 某社無菌試験用アイソレータ：これまで1,800回除染を行い，使用ごとに5カ所で環境モニタリングを実施してきたが，汚染が認められたことはない（9,000回でゼロ汚染）。
- 某社再生医療等製品製造所：落下菌計測プレートを外部の試験検査機関に送って培養や観察を行ってきたが，落下菌が800枚に1回（1 CFU）検出された。ただし，汚染菌検出箇所は，シャーレの縁部分であったため，モニタリング中に落下したものか，搬送・培養中に起こった汚染なのか判別できなかった。

表6-2｜USP<1116>で推奨される汚染回収率（%）

クラス	空気吸引法（%）	落下菌法，直径9cmシャーレ，4時間（%）	コンタクトプレート，またはスワブ（%）	グローブまたは無塵衣（%）
Isolator/Closed RABS (ISO 5 or Better)	<0.1	<0.1	<0.1	<0.1
ISO 5	<1	<1	<1	<1
ISO 6	<3	<3	<3	<3
ISO 7	<5	<5	<5	<5
ISO 8	<10	<10	<10	<10

事例2　*Burkholderia cepacia*検出試験

企業名　　　：Sage Products, Inc.（米国）
査察実施日　：2016年6月2日～9月1日
警告書発出日：2017年7月17日

米国のSage Products社は，液剤半製品（例えば，2% chlorhexidine gluconate）を自社工場で製造し，他の医薬品を委託製造している。自社工場製品と委託製造品の微生物汚染の試験には，同社の方法を用いているが，この試験法をバリデートしようとしたが，製品中に特定菌があるかどうかを確実に繰り返し判断できることを示すことができなかった。

2016年3月に，この方法を用いて製品A（lot 53957）の特定菌の試験を行った。特定菌は検出されず，このロットを出荷した。この出荷製品の変色の苦情を受けてUSP変法とこの方法の両方で同ロット保存品の試験を行った。両試験で微生物汚染が認められた。特にUSP変法では，57,000 CFU/mLを超える高い菌数が認められ，特定菌である*Burkholderia cepacia*と同定された。

医薬品中の特定菌の数やタイプを検出することは，バッチ処理の判断を適切に行うにあたり重要であるが，それにもかかわらず，製品中の特定菌の試験法は出荷前に，一貫して確実に*B. cepacia*を検出していなかった。例えば，同社は2006年以降，*B. cepacia*汚染に関連する製品を少なくとも4ロット回収を行った。同社が一貫して*B. cepacia*を検出できる試験法を用いていれば，これらの製品は出荷されなかったかもしれない。

Form 483への回答では，SOP Microbial Recovery Validationを改訂し，バリデートした試験法を引用したことを示しているが，SOPの改訂では*B. cepacia*などの特定菌の検出および総菌数を数えるための試験法の不適格性に言及していない，あるいはUSP <61> 生菌数試験法およびUSP <62>特定微生物否定試験法との同等性あるいは優位性を示していない。

分析法バリデーションには，以下の欠陥がある。

- 希釈ファクターがUSPの1：10より何倍も大きく，特定菌や総菌数不適を除外するには検出力が不十分である。
- USP <62>で求められている濃縮ステップを考慮していない。
- 菌の回収をバリデートするために提出された試験データが示している，“こすり落とし”ステップがサンプル調製で行われていない。
- 傷つき，ストレスのかかった菌を含む数の少ないさまざまな菌が確実に回収されるという証拠がない。特に，*B. cepacia*に対するサンプル効果のデータは，ストレスのかかった菌ではなく新鮮な培地で育った菌を用いてとられている（**解説**）。
- 各チャレンジ菌に対する菌回収結果が十分に説明されていない。チャレンジ試験で回収された発育菌の同定が必ずしも検証されていなかった。
- 各製品の処方に対する可能性のあるサンプル相互作用ファクター（例えば，強める，あるいは抑える）が確立されていない。

当警告書への回答として，以下を提示すること。

- 米国に出荷された使用期限内のすべての医薬品の保存サンプルを試験するという表明。回顧的な試験プロトコールでは，微生物回収ができることが検証済みの公定書収載の試験法を使用することの保証。
- 代替法を適切にバリデートするまでは，医薬品の各ロットの試験で増殖ステップを含む微生物限度試験（すなわち，総生菌数および*B. cepacia*と他の特定菌の検出）に検証済み公定書収載の試験法を用いるという表明。
- 微生物品質問題の再発を防ぐための製造工程の設計と，管理への具体的な改善を記すグローバルなCAPA計画。

同社の試験法をバリデートするのであれば，以下も含むこと。

- 各製品に対する，特異性，検出限界，頑健性，再現性およびUSP法との同等性を含むバリデーション計画と，最終報告書の改訂版を提示すること。
- 同社の試験法を包括的に評価し，同警告書で指摘された点を含む不適切性に対処すること。この評価が完了したら，改訂された方法がUSP法と同等か優れているかどうかを評価する際に出てきた，すべての知見および逸脱を提示すること。

*B. cepacia*汚染再発の履歴があり，2016年の根本原因調査で，ラインにある定置洗浄（CIP）システムの洗浄サンプルを培養し，*B. cepacia*があることを特定した。

当警告書への回答として，以下を提示すること。

- 特定菌（*B. cepacia* を含む）の受け入れ規格の妥当性を再評価すること。
- 洗浄と消毒工程の妥当性を包括的に評価すること。
- 指摘された欠陥に対処するCAPAを含むこと。

解説：ストレスのかかった菌

「傷つき，ストレスのかかった菌を含む数の少ないさまざまな菌が確実に回収されるという証拠がない。特に，*B. cepacia* に対するサンプル効果のデータは，ストレスのかかった菌ではなく新鮮な培地で育った菌を用いてとられている」とあるが，この種のことを査察官はよく言うが，ストレスのかかった菌を作製する標準的な方法はないので，試験者各自が適切と思われる方法で作製することになるが，日局「製薬用水の品質管理」にあるR2Aカンテン培地の指標菌は滅菌精製水中に3日間置き，“飢餓状態”にしてから使用することになっている。本法もストレスのかかった菌を作製する一手法と思われる。

事例3　特定微生物否定試験の不備

企業名　　　：ChemRite CoPac, Inc.（米国）
査察実施日　：2016年6月6日～7月15日
警告書発出日：2017年6月29日

2017年6月29日付でFDAは，米国のChemRite CoPac社へ警告書を発出した。

米国の特定菌がいないことを求めている医薬品のバッチについて，必要に応じて試験を行っていない（21 CFR 211.165(b)）。

- 2013～2015年にかけて，微生物製品規格に適合するかどうかを評価する試験を行うことなく，あるOTC製品の少なくとも24バッチを出荷した。バッチ記録は，特定菌 *Pseudomonas aeruginosa*（緑膿菌）が1 CFU/mL未満の分析結果を報告している。しかしながら，受託試験機関から提示された試験結果は，*P. aeruginosa* の試験結果を報告していなかった。受託試験機関が行った微生物試験の生データも照査したが，受託試験機関が *P. aeruginosa* の検査を行ったことを示す生データがなかった。これらの齟齬にもかかわらず，複数のバッチを出荷した（**解説**）。
- 試験を行うことなく出荷したロットの保存サンプルの回顧的試験を行っていない。さらに，受託試験機関から受けとった試験結果にはこの試験の情報がないにもかかわらず，バッチ記録が *P. aeruginosa* がないと報告している理由を説明していない。

当警告書への回答として，特定菌の試験を行っていないことに対する調査結果を提示すること。根本原因，保存サンプル試験を完了するタイムライン，および当該製品のすべての出荷済みロットの回顧的照査の要約を含めること。微生物試験を行うことなく出荷したかどうかを判断するために，使用期限内にある出荷済み他製品の全ロットについても評価し，報告書を提示すること。

・査察官は出荷規格の1つとして*B. cepacia*検査がないことを記した試験成績書を入手した。受託試験機関が，最終医薬品中の*B. cepacia*を培養し，同定する方法を適切にバリデートしていないことが判明した。微生物回収バリデーション報告書によると，受託試験機関は*B. cepacia*をチャレンジ菌として含めていなかった。

当警告書への回答として，受託試験機関で行われた*B. cepacia*試験に関連する品質ユニットの問題の根本原因を提示すること。各受託試験機関が使用目的に即してバリデートされた試験法を用いていることを，品質ユニットがどのように判断するかを示すために，委託先の適格性評価，選定，および監視計画の最新版を提示すること。

解説：非無菌製剤の特定微生物否定試験法

非無菌製品（製剤および医薬品原料）に対する特定微生物否定試験法（日局では，微生物限度試験法の中で規定）が日米欧薬局方で調和された（表6-3）。USPには*B. cepacia*否定試験も加わったが，日局やEPにはまだ収載されていない。

表6-3｜非無菌製剤の微生物学的品質に対する許容基準値

投与経路	総好気性微生物数（CFU/gまたはCFU/mL）	総真菌数（CFU/gまたはCFU/mL）	特定微生物
経口（非水性製剤）	10^3	10^2	大腸菌を認めない（1 gまたは1 mL）
経口（水性製剤）	10^2	10^1	大腸菌を認めない（1 gまたは1 mL）
直腸	10^3	10^2	−
口腔粘膜 歯肉 皮膚 鼻 耳	10^2	10^1	黄色ブドウ球菌を認めない（1 gまたは1 mL） 緑膿菌を認めない（1 gまたは1 mL）
膣	10^2	10^1	黄色ブドウ球菌を認めない（1 gまたは1 mL） 緑膿菌を認めない（1 gまたは1 mL） カンジダ・アルビカンスを認めない（1 gまたは1 mL）
経皮吸収パッチ	10^2	10^1	黄色ブドウ球菌を認めない（1パッチ） 緑膿菌を認めない（1パッチ）
吸入	10^2	10^1	黄色ブドウ球菌を認めない（1 gまたは1 mL） 緑膿菌を認めない（1 gまたは1 mL） 胆汁酸抵抗性グラム陰性菌を認めない（1 gまたは1 mL）

事例4 汚染原因の究明と他のロット製品への影響評価の不備

企業名　　：Humco Holding Group, Inc.（米国）
査察実施日　：2015年6月25日～7月1日
警告書発出日：2017年1月26日

2017年1月26日付でFDAは，米国のHumco Holding Group社へ警告書を発出した。

バッチがすでに出荷したか否かにかかわらず，説明のつかないバッチや原料の規格への不一致あるいは不合格を調査していない（21 CFR 211.192）。

Mecuroclear（lot 542639）が，水でよく見つかるグラム陰性菌 *Burkholderia* sp.と不特定の酵母とカビに汚染されたという苦情を顧客から受けた。製品の用途は，傷の感染症を防止する応急防腐剤である。査察では，この苦情で行った幅の狭い限られた調査を概説した個別の文書を提示した。調査報告書は，

- 苦情で報告された微生物のすべてにMecuroclear（lot 542639）が汚染されたかどうかを評価していなかった。
- 行われたすべての微生物試験の結果が含まれていなかった。
- 明確な見逃せない原因を特定していなかった。
- 他のロットあるいは製品が，問題の影響を受けたかどうかを評価していなかった。

Form 483への回答書で，製品が製造中止となるときでも，調査を要求するように回収調査手順を改訂すると述べている。しかしながら，影響を受けたかもしれない他のロットあるいは製品に調査を広げることをどのように保証するかについては言及していなかった。回収と調査の手順が，調査が完全で，また，他の影響を受けた可能性がある当該製品および他製品のロットにまで及ぶことをどのように保証するかの詳細を提示すること。さらに，汚染がないことを保証するために，現在市場にある製品の微生物試験結果を提示すること。

GMP問題が続いていることから，設備，手順，工程，およびシステムを評価して，製造する医薬品が適切な本質，含量，品質，および純度を持つことを保証するために，CGMP専門知識を持つ第三者のコンサルタントを雇うことを勧める。

事例5 陽性対照不適による当該試験の不成立

企業名　　：USV Limited（インド）
査察実施日　：2016年6月1日～10日
警告書発出日：2017年3月10日

インドの医薬品製造業者に発出された警告書での，主な指摘内容は次のとおりである。

試験室管理に，原料，容器，栓，中間品，ラベルおよび医薬品が同一性，力価，品質，および純度の適切な基準に適合することを保証するための，科学的に信頼できる適切な規格，基準，

サンプリング計画および試験法を定めていなかった（21 CFR 211.160(b)）。

例えば，QC微生物試験室の査察で，査察官が以下を認めた。

・サンプルの微生物試験に用いた培地の陽性コントロールプレートに増殖がなかった。陽性コントロールが増殖しないときには，偽陰性の可能性があるため，試験結果は有効とは考えられない。

・無菌試験室エリアの環境モニタリングで，コンタクトプレートの培地が乾燥していた。乾燥し，ひびが入った，あるいはその他の損傷のあるものは，微生物の成長と促進を損ね，正確に数えられなくし，その結果，人為的に低い菌数と偽陰性を引き起こす。欠陥のある培地を用いると，微生物試験結果の有効性を損ねる。また，無菌作業室の環境モニタリングで分離された細菌と真菌を種レベルまで同定していなかった。

・微生物同定装置へのアクセスが制限されていない。さらに，この装置のバックアップに用いる外部のハードドライブへのアクセスを制限していない。誰でもファイルを削除し，手を加えることができる。

3 理化学試験関係

事例1 品質試験室の品質システム欠陥

企業　　　：Cellex-C International Inc.（カナダ）
査察実施日：2017年1月16日～19日
警告書発出日：2017年8月2日

カナダの医薬品製造業者に対する警告書での，主な指摘内容は次のとおりである。

・医薬品の各バッチについて，有効成分の同一性，含量を含めて規格に適合していることを出荷前に試験していない（21 CFR 211.165(a)）。Form 483への回答では，試験受託業者にすべての最終製品の主薬の試験を行わせるとしているが，試験受託業者に試験を委託するために使う選択，適格性評価，および監視手順が十分に記載されていないために回答は不適切である。試験を行うことなく，以前に出荷した使用期限内のすべての製品中の有効成分の同一性と含量の試験を行う措置計画と予定も提示していなかった。

・各原料が同一性，純度，含量，品質の規格に適合していることを確認するために，サンプルの試験を行っていない（21 CFR 211.84(d)(1)，(2)）。From 483への回答で，成分の確認試験は行えないので，代わりに各入荷成分の確認は業者の試験成績書（COA）に依拠すると出張した。2つの理由で回答は不適切である。まず，入荷成分に対して少なくとも1つの確認試験を行わなければならない。成分の同一性を検証するために，業者のCOAに依拠してはいけない。また，同一性以外の規格項目に対して，すべての入荷成分の試験を行っていないことにどのように対処するかを示していないので，回答は不適切である。

・品質管理ユニットに適用する責任と手順を文書化していない（21 CFR 211.22(d)）。責任を果たすための適切な権限を品質ユニットが持つことを保証する重要な手順がない。例えば，苦情処理および製造記録照査の手順がない。Form 483への回答によれば，“明確な職務記述書”を伴う品質手順を確立するとしているが，この手順案を提示していない。また，“明確な職務記述書”を確立することが，品質管理ユニットに適用される文書化された責任と手順を同社が持つことをどのように保証するかを示しておらず，回答は不適切である。

- 製造する医薬品が持つべき同一性，力価，品質，および純度を備えていることを保証するように意図された製造および工程管理手順書がない（21 CFR 211.100(a)）。医薬品製造工程をバリデートしていない。製造工程がバッチの均一性，完全性および一貫した品質をもたらす保証がない。Form 483への回答で，製造工程をバリデートすることを表明したが，その措置計画と予定を提示していないので回答は不適切である。
- 製造した医薬品の各バッチについての，製造および管理に関する完全な情報を含む，バッチ製造および管理記録を作成していなかった（21 CFR 211.188）。バッチの製造記録は不完全であり，充填と包装作業における重要工程に関する情報が含まれていない。Form 483への回答によれば，製造処方のワークシートを改訂したが，この回答では不十分である。提示されたワークシートには，すべての重要機器の確認，最終製品の容器栓の説明，および工程と最終製品のサンプリングの詳細などの製造工程に関する情報が欠けている。

事例2　頻発した規格外含量試験結果への対応不十分，試験データの完全性不備

企業名　　：Mylan Laboratories Limited（インド）
査察実施日　：2016年9月5日～14日
警告書発出日：2017年4月3日

FDAは2016年9月5～14日，米国Mylan Laboratories社のインド工場を査察し，その結果から警告書を発出した。

1）バッチがすでに出荷されたか否かにかかわらず，説明のつかないバッチや原料の規格への不一致あるいは不合格を調査していない（21CFR 211.192）。

2016年1月1日～6月30日にかけて，根本原因を確定する調査を十分に行うことなしに，最初の139の規格外（OOS）含量試験結果のうち101（約72%）を無効にした。例えば，●●mg錠ロット●●の6カ月安定性含量試験の最初のOOS結果の調査を始めた（調査報告書PR 908027）。最初の不適結果の調査を行うことなく無効にし，再試験を行い，この結果を報告した。帰すべき原因を突き止めなかった。また，不適の原因とした大きな“試験バイアス”が他の試験業務に影響を及ぼすことがないことを保証するために，是正措置・予防措置を行っていなかった。

Form 483への回答では，科学的な評価に基づいて判断がなされ，OOS結果が試験によるものか，製造によるものかを決めることになっていると述べている。しかしながら，上

述の例では，“試験バイパス”があると推定したが，この見かけのエラーをどのようになくすか，あるいは減らすかを検討しなかった。試験エラーを減らす是正措置・予防措置（CAPA）を行っていないので，Form 483への回答は不適切である。

さらに，不適切に無効とされたこれらのOOS結果を，試験室における傾向分析に含めていなかった。Laboratory Investigation Report Procedure MLLNSK-SOP-QA-GMP-0138，第6版によれば，“確定された”根本原因のみが特定され，傾向分析の対象になることになっている。調査では，原因をはっきりさせることなく頻繁に最初の不適を無効にしているので，試験システムでの問題を警告してくれるであろうデータの大部分を傾向分析は除外している。OOS調査における傾向を特定していないことは，2015年3月19～26日に行われた前回の査察と同じ指摘である。

当警告書への回答として，以下を含むこと。

- “確定した”根本原因，および帰すべき根本原因なしに無効として除外した最初のOOS結果の両方を含むすべてのOOS結果の傾向分析を行い，結果を提示すること。
- 無効とした個々の結果に対して，試験した製品，試験日，試験のタイプ，試験の目的，最初の結果，再試験結果，および確定しない根本原因を示すこと。
- Laboratory Investigation Report Procedureの手順書を改訂し，改訂版を提示すること。すべてのOOS調査が傾向分析に含まれることを改訂手順書がどのように保証するかを明確に述べること。

2) エラーが発生していないこと，またはエラーが発生した場合は十分な調査が行われていることを保証するために，製造記録を照査する権限を有する適切な品質管理部門がなかった（21 CFR 211.22(a)）。

高速液体クロマトグラフィーとガスクロマトグラフィーに用いるコンピュータ化システムによって生成されたエラー信号を，品質ユニットがモニターし，調査しなかった。これらの信号は，元のCGMP分析データの消失あるいは削除を示していた。しかしながら，品質ユニットは今回の査察で指摘されるまで，エラー信号に包括的に取り組まず，消失したあるいは削除されたデータの範囲や影響を見極めなかった。

例えば，査察官が2016年8月の含量試験と溶出試験からの監査証跡を照査した。これらの監査証跡は，“結果を削除した”とのメッセージを含んでいたが，これら2つの事象のどちらも試験パッケージに記録されていなかった。また，品質ユニットによって検討あるいは調査されていなかった。

中断した，紛失した，削除された，失われたデータで，調査を開始した個々の事例を査察官に示したが，データの完全性がない原因に関する調査の多くで，類似の結論を得ており，予防・是正措置を行っていなかった。多くの事象を電源断，接続の問題（インターネットあるいは電気コードの切断），および機器の誤作動のせいにしていた。なぜこれらの事象が頻繁に起こったのかを説明できず，また，問題の調査を行わなかった，あるいは是正し再発を防ごうとしていなかった。

同社は複数回の回答を提出したが，以下の点についてはまだ回答されていない。

・これらの問題がどのくらい広がっているか。
・医薬品品質への影響の評価。
・なぜこれらの事象が試験室で頻繁に起こったのか。
・品質ユニットが照査し調査し，CGMPデータの信頼性に影響を与える規範に従って行動することをどのように保証するかを示す。

事例3　システム適合性試験の不備

企業名　　　：Shandong Analysis and Test Center（中国）
査察実施日　：2017年1月16日～18日
警告書発出日：2017年6月22日

中国の原薬製造業者に発出された警告書での，主な指摘内容は次のとおりである。

同社は，ヘパリンやヘパリン関連医薬品中の過硫酸化コンドロイチン硫酸（OSCS）を，核磁気共鳴（NMR）分光法を用いて試験する試験受託会社である。検体中のOSCS試験を行う際，システム適合性試験を日常的に行っていなかった。さらに2014年12月26日，システム適合性試験を行い不適となった。装置がOSCS検出のシステム適合性試験で不適になった原因調査を行わず，または不適が発生する前に行った他のOSCS試験の信頼性について判定しなかった。

システム適合性は制度が満たされているかどうかを決め，NMR分光計が目的とする試験にフィットしていることを保証する。装置がうまく機能せず検体が誤って「適」となる可能性を避けるために，システムがヘパリン中のOSCS汚染を検出するのに適切であることを示すことは重要である。

事例4　同一性確認試験の不備

企業名　　　：Raritan Pharmaceuticals, Inc.（米国）
査察実施日　：2016年9月29日～10月20日
警告書発出日：2017年6月20日

米国の医薬品製造業者に発出された警告書での，主な指摘内容は次のとおりである。

同一性を確認するために，純度，含量，および品質の規格に適合していることを調べるための各原料のサンプル試験を行っていない。ホメオパシー製品のすべての成分を，純度，含量および品質のすべての規格への適合性に対してサンプリングし，試験を行っていない，あるいは，供給業者から試験成績書が提供される成分に対しては，試験を行う代わりに，少なくとも1つの確認試験を行っていない。

当警告書への回答として，成分の在庫品の現在，および将来の試験計画を提示すること。

事例5 不適切なHPLC測定パラメータ設定

企業名　　　：Divi's Laboratories Ltd.（インド）
査察実施日　：2016年11月29日～12月6日
警告書発出日：2017年4月13日

インドの原薬製造業者に発出された警告書での，主な指摘内容は次のとおりである。

試験法が科学的に根拠なく，また適切でなく，原薬が設定された品質および/または純度の基準に適合していることが保証されていない。原薬の不純物分析用高速液体クロマトグラフィー（HPLC）のソフトウェアが，科学的に正当化されることなく，“処理妨害（inhibit integration)”の機能を自由に使えるよう設定されていた。

例えば，査察官が原薬の出荷におけるHPLCによる不純物の確認試験の処理パラメータを照査したところ，これらのパラメータは，分析の異なる4つの時点でピーク処理を妨害するようにソフトウェアが設定されていることを示していた。同様に，出荷における不純物試験で，HPLCパラメータは分析の異なる4つの時点でピーク処理を妨害するように設定されていた。販売用バッチの出荷試験のいくつかの時点で処理を妨害することは，科学的に正当化できるものではない。原薬不純物の確認と定量の本性を隠し，規格に適合しない原薬を出荷することになる。

当警告書への回答として，試験方法やクロマトグラフィックパラメータの変更を考慮に入れた，使用期限内のすべてのロットの最新の分析結果を提示すること。

事例6 OOS試験結果の隠蔽

企業名　　　：Jinan Jinda Pharmaceutical Chemistry Co., Ltd.（中国）
査察実施日　：2016年5月30日～6月1日
警告書発出日：2017年2月24日

- 品質管理試験室が不純物の複数の規格外（OOS）試験結果を，理由なしに無視した。例えば，36カ月安定性バッチのHPLC試験で，未知不純物ピークのOOSが認められ，試験を中止した。新しいサンプルも不純物ピークのOOSを示した。クロマトグラムは手動で変更され，ピークの存在を隠した。ピークをデータ処理から外すように，処理パラメータを設定した。ピークが除外されたため，品質ユニットはすべての情報を提供できず，安定性バッチおよび市場にある他のバッチが引き続き品質基準に適合しているかどうかを評価できていなかった。さらに監査証跡によると，2015年7月1～2日に，60カ月安定性バッチの不純物のHPLC測定で，7つのサンプル注入を行っていた。最初の5つのサンプル注入のデータをいつも除外していた。最後の2つの名前を書きなおして，規格適合と報告していた。品質ユニットは，これらの重大なデータ操作に気づいておらず，言及しなかった。

事例7　試薬類の関係書類保管不備

品質管理試験室では，試薬の受理，使用，および再試験が文書化されていなかった。また，試薬の分析証明書が1カ所に保管管理されているとはいえなかった。このため，品質管理試験室にある複数の試薬のメーカーや使用期限が不明であった。HPLCを設置してある部屋のpH緩衝液を調製するのに使用する，保存試薬カプセルの分析証明書を保管管理していなかった。

事例8　試験手順とサンプリング計画の不備

試験室管理には，医薬品容器，医薬品成分，閉塞具および医薬品が，同一性，力価，品質および純度に関する適切な基準に適合していることを保証できるように設計された試験室管理手法，ならびに科学的に正しく適切な試験手順，およびサンプリング計画の設定が含まれていなかった。例えば，細菌性エンドトキシン試験実施中に，培養時間（60 ± 2分）と温度（37 ± 2℃）をモニターせず，また結果を記録し，文書化していなかった。加熱装置に装着されている温度計は校正されていなかった。これらにより，試験中の温度指示値が正確であり，試験結果が正確であることが保証できなかった。

事例9　ワークシートへの記載不備

生データを記入するワークシートには，サンプル調製，比較標準品/二次標準バッチの番号などの標準調製法が文書化されていなかった。すべての試験法の適切性を，実使用条件で検証していなかった。医薬品の安定性試験計画書には，信頼性や意味があり，かつ特異的な試験法が記載されていなかった。

事例10　分析証明書の検証不実施

医薬品成分供給業者が作成した分析報告書の信頼性について，試験結果が適切な時間間隔でバリデートされていない欠陥があった。具体的には，入荷した原料ならびに供給業者から受領した有効成分についての分析証明書の信頼性を確定させるための検証を実施していなかった。

解説：指摘されない試験室管理のヒント

FDA査察で，試験室管理での問題が指摘されないようにするためのヒントを，コンサルティング企業関係者が述べているので，参考にされたい。

Form 483や警告書で試験室管理のヒントを探せ

2015年4月10日付の情報によれば，FDA査察で試験室管理での問題が指摘されないようにするため，専門家は医薬品メーカーに対し，同業者が犯した間違いをよく調べるようにすることを重要視している。2014年に公表されたFrom 483では，不適切または科学的に正しくない試験室管理109件が指摘されている。この件数は指摘事項上位10項目の第2位にある。年間での指摘件数としては，試験室管理不備は2013年で第4位であったが，2014年では第2位になっている。コンサルティング企業の部長によれば，試験室管理についての指摘事項のおよそ50%は，データ完全性に問題があるためと考えられている。指摘事項の残り半分は，品質システムの欠如や正しい手順を遵守しなかったことが理由となっている。2014年に世界各国で一部のメーカーがデータを偽造したり破壊したりするなど，悪質な違反を犯したため，FDAはデータ完全性を極めて詳細に調査し始めた。通常のデータ完全性の問題といえる指摘事項には，試験結果や試験実施時期を変更したのを監査証跡で追跡調査していなかったことなどが含まれている。

データ完全性を維持管理する方策についてFDAが発出したガイダンス，具体的にはPart 11である。これは電子記録を規制する連邦規則にある1つのセクションである。当局のガイダンスがほとんどなければ，メーカーは警告書やForm 483を見て，FDAが査察で何を探しているかを確認する必要がある。企業はコンサルタントを雇用して，分析バッチの試験結果などリスクの高い製造記録などの文書類を確定し，従業員を適切に教育訓練して差し支えない。メーカーは，警告書やForm 483に記載されている指摘事項を社内の監査システムに取り入れ，FDAが実際に探していることを施設のプロセスで計測できるようにするのが望ましい。社内監査も，試験室に関する指摘事項の主な原因，つまり品質システムの能力の低下を防止するために重要である。誰かが標準操作手順書（SOP）を遵守していなければ，社内監査でその遵守しなかった事実と理由を明らかにすること。例えば，

①十分な時間がなかった
② SOPの内容が理論や計算式であふれかえり，複雑すぎる内容である
③実践する方法と同時に，その根拠が理論式や図表で説明されている
④やさしい内容であるが，細かな文字で行間を詰めて記述されているため，高齢者には読みにくい
⑤実行する順序が現状と違っている
⑥実行するのに必要な手順が欠落している

などいくつかの理由を挙げることができる。しかし，ほとんどの場合，SOPで規定してあることが，そのとおりに実践できなかった，または実践しなかった本当の理由は，それぞれの言い訳の裏側にあると考えるべきである。

読めないSOPは，すぐに改訂すること。現場の作業員が，SOPで求めている内容を本当に理解しているかを調査することも大切である。SOP作成担当者は，作業担当者の報告を聞いただけで判断しないこと。現場設備の現状を確認しないまま，イメージした設備についてSOPを設定する管理者が存在すれば，SOPを遵守しなかった責任は作業者ではなく管理職にある。SOPの作成を担当する者は，文字どおり，現場を頭でなく，自分の目で見ること。できれば，実際に作成したSOPの規定どおりに作業してみること。いわゆる「頭がよく，感が鋭い」管理職が，見たこともない現場の設備についてSOPを記述した事例がある。

査察に関する情報誌を購読し，査察官の時流に沿った動向や思考内容の変化に遅れないようにして，さらに査察官が訪問したときには，すでに準備が終了しているように，日頃から努力することである。

6.3 GMP査察妨害

1 GMP査察妨害の事例

事例1 インドの医薬品製造業者

企業名　　：Vikshara Trading & Investments Ltd.（インド）
査察実施日　：2016年10月18日
警告書発出日：2017年4月28日

FDAは，2016年11月2日付の同社の回答書を照査したが，十分な是正措置が欠如しているのを確認している。警告書での主な指摘内容は次のとおりである。なお，この査察結果を受けて，同社に2017年2月8日および2月9日付で輸入警告（Import Alert）が出された。

同社は査察を遅らせ，制限した。連邦食品・医薬品・化粧品法（FDC法）により，査察を遅らせ，拒否し，制限すると，製造されたものは不良医薬品となる。

1） FDAが予告した査察を予定どおりに行おうとするのを遅らせた。

2016年4月25日，査察手続きを促進し，記録や人が準備できるように，FDAは同社と連絡をとった。同年6月18日，“工場の作業員と職員がストライキに入った”と同社からFDAに連絡が入った。同年6月20日，作業員が抗議して工場の入口を封鎖したと同社はFDAに知らせた。これらのやりとりの結果，FDAは同年6月27日と予告していた査察を中止した。

同年7月15日，ストライキ続行中であると同社がFDAに連絡した。同年8月8日，従業員の辞表のコピーと工場入口を封鎖している従業員の写真を付けて，ストライキの証拠を同社が提示した。

従業員がストライキをしていると同社が主張しているにもかかわらず，同年7月11日から8月9日の間，工場が多くの製品を製造している証拠をFDAはつかんでいた。工場のストライキという偽りの申し立ては，FDAが予告した査察を計画し実施するのを遅らせた。

2） 同社は査察を制限した。

2016年10月18日に査察を行った。査察中の同社の行動は，FDAがCGMP適合性を評価するのを妨げた。例えば，容器室および包装とラベル保管エリアへのドアに鍵をかけ，査察官がこれらのエリアに入るのを妨げ，査察を妨害した。

3） 査察のために準備しておくべき記録を提示しなかった（21 CFR 211.180(c)）。

査察中に製造記録を査察官に提示しなかった。査察の最後に，数日以内に製造記録を電子的に提示すると同社は述べた。今までのところ，FDAはその製造記録を受け取っていない。

維持管理されていない工場

査察中，工場内の電気が消されていた。アクセスできるエリアで，査察官は暗闇の中で懐中電灯を持って見て歩かなければならなかった。よく見えないにもかかわらず，製造エリアに粉が散らかり，床に粉末が固まりついているのが見えた。さらに，空箱，ゴミ，粉に覆われた最終製品，および散らかった容器などが見られた。

事例2 中国の原薬製造業者

企業名　　　：Beijing Taiyang Pharmaceutical Industry社（中国）
査察実施日　：2015年11月16日
警告書発出日：2016年10月19日

査察を遅らせ，拒み，制限し，あるいは査察をさせなかった。

2015年11月16日，倉庫に同社ラベルがついた多くのドラムがあるのが窓越しに見えた。倉庫へのアクセスを求めたところ，容器や原料を調べるために倉庫へ入るのを，説明なしに妨害された。翌日アクセスさせてくれたが，数多くのドラムが取り除かれており，査察できなかった。ドラムについて尋ねたところ，どこにあるのか，あるいは中身について説明がなかった。査察官が倉庫に近づくのを遅らせ，査察をする前にドラムを取り除いて査察を制限した。

事例3 中国のヘパリン原薬製造業者

企業名　　　：Yibin Lihao Bio-technical社（中国）
査察実施日　：2019年7月31日～8月6日
警告書発出日：2020年2月13日

FDAは2019年8月26日付の同社の回答書を照査したが，十分な是正措置が欠如しているのを確認している。警告書での主な指摘内容は次のとおりである。なお，この査察結果を受けて，同社に2020年1月15日付で輸入警告（Import Alert）が出された。

1）各々の中間体およびAPIバッチに対して製造管理記録を作成し使用していない。

同社は，精製して最終APIとする粗ヘパリンを製造している（**解説①**）。2019年7月10日の査察前の電話でFDAに，何カ月もの間，何も製造していないと述べ，同年7月31日の査察開始時には査察官に対し，粗ヘパリンは製造しておらず，装置のテストを行っているだけだと述べた（**解説②**）。

倉庫の実地査察の際に，倉庫の作業員がファイバードラムを持って出ていくのに査察官は気づき，ドラムの中身について尋ねた。作業員は，ドラムには●●バッグが入っていると答えた。しかしながら，ドラムを調べたところ，FDA査察の数日前に製造された2バッチの粗ヘパリンであることがわかった（CU190726：製造日2019年7月26日，およびCU190727：製造日2019年7月27日）。これら2バッチの製造試験記録について尋ねられた際に，同社は，これら2つの粗ヘパリンバッチの記録はないと答えた。

Form 483への回答では，粗ヘパリンバッチCU190726およびCU190727の完備した記録を，記録保持慣行の不備のために，タイムリーに提示しなかったことを認めた。さらに回答では，倉庫作業員の教育を行っており，"正式な承認"の前に欧州あるいは米国市場には販売しないと述べた。しかしながら，記録慣行をどのように改善するかについて言及しなかった。また，お粗末な記録慣行が出荷済み原薬に与える影響について評価しなかった。

第6章
6.3

当警告書への回答として，以下を提示すること。

- 粗ヘパリンを含む，同社から出荷されたすべての原薬の数合わせ。数合わせには，以下を含めること。
  - ✓バッチ番号
  - ✓バッチ量
  - ✓原薬名
  - ✓出荷日
  - ✓発送日
  - ✓出荷の届け先
  - ✓目的市場
- 文書化の慣行が不十分なところを見極めるための，製造試験作業を通して用いられる文書化システムの完備した公正な評価。文書化の慣行を包括的に改善し，帰属する，読みやすい，完全な，オリジナルな，正確な，作業と同時の記録を保持することを保証するための，是正予防措置（CAPA）計画の詳細を含めること。

2）幹部および製造作業員の積極的な参加を含む，品質を管理する有効なシステムを作っていない，文書化しておらず，実施していない。

製造した粗ヘパリンの追跡性に関連する記録を適切に管理していなかったことに査察官が気づいた。2019年7月31日の概括査察の際に，オフィスビルの3階にある品質保証（QA）室の床，机，およびキャビネットに多くの記録があるのに査察官が気づいた。これらの記録のいくつかには，ヘパリンのバッチ製造記録が含まれていた。

査察中に，これらの記録は政府出資の申請をサポートするために作成されたと作業員の1人は答えたが，記録にある粗ヘパリンバッチは実際には製造されていなかった。しかしながら，査察期間中の後日，2019年8月2日に，QA室にあるすべての記録は，実のところ本物の粗ヘパリンバッチと関係があると述べた。

さらに，Crude Heparin Sodium Inventory and Distribution Recordは，2019年6月1日～

7月30日に，粗ヘパリンの●●バッチ（CU190601～CU190730）を製造したことを示していたが，2つのバッチ（CU190728およびCU190730）の完備した記録しか提示できなかった。

粗ヘパリンの追跡性は，品質を管理する上で重要な部分である。作業と同時に記録され完備された各バッチの記録が，CGMPの遵守目的に保持されることを保証しなければならない。品質管理システムは不適切であり，粗ヘパリンを含む，同社で製造されたすべての原薬の追跡性について疑問を投げかける。

ヘパリンについては，FDAガイダンス“Heparin for Drug and Medical Device Use: Monitoring Crude Heparin for Quality”を参照されたい。

全社的な品質ユニット（QU）の欠陥について総体的に言及していないので，Form 483への回答は不適切である。

当警告書への回答として，幹部および製造作業員の積極的な参加を含む，品質を管理する頑健なシステムを作り，文書化して実施し，および維持することを保証するための，包括的な評価および改善計画を提示すること。評価には以下の点などを含めること。

- 手順が頑健で適切であるかどうかの見極め。
- 適切な慣行への遵守を評価するための，作業中の監視についての規定。
- QUによる処置決定前の，各バッチおよび関連情報についての完備した最終照査。
- 調査の監視と承認，およびすべての製品の同一性，含量，品質，および純度を保証するためのすべての他のQU職務の履行。

データ完全性の改善

品質システムが製造する原薬の安全性，有効性および品質をサポートするデータの正確性と完全性を保証していない。CGMPに適合するデータの正確性と完全性を保証していない。CGMPに適合するデータ完全性慣行を確立し従うためのガイダンスとして，FDAガイダンス“Data lntegrily and Compliance with Drug CGMP”を参照のこと。

FDAは，同社が資格のあるコンサルタントを使って，改善の手助けをしてもらうことを強く勧める。

当警告書への回答として，以下を提示すること。

- 米国へ出荷された原薬のデータ照査の結果を含む，データの記録と報告における不正確性の広がりに関する包括的な調査。データインテグリティ間違いの範囲と根本原因を詳しく述べること。
- 指摘された問題が原薬の品質に及ぼす影響の可能性についてのリスク評価。評価では，データインテグリティの間違いによる影響を受けた原薬の出荷による患者へのリスク分析，および日常的な作業によってさらされるリスク分析を含むこと。
- グローバルなCAPA計画の詳細を含む同社としてのマネジメント戦略。詳細な是正措置計画では，微生物および分析データ，製造記録，およびFDAへ提出したすべてのデータを含む，生成されたすべてのデータの信頼性と完全性をどのように保証しようとするのかを述べること。

解 説

①ヘパリン原薬製造

人工透析や心臓手術，心臓発作患者の治療などに広く使われているヘパリンは通常はブタの腸などから製造される。2008年3月19日，FDAは米国で死者19人と深刻なアレルギー患者数百人を出した中国製原料を含む血液凝固阻止剤ヘパリンについて，含まれていた汚染物質を「過硫酸化コンドロイチン硫酸（OSCS）」と特定したことを明らかにした。問題の製剤に含まれる有効成分の大半は，中国江蘇省（Jiangsu）常州（Changzhou）の工場で，米国ウィスコンシン（Wisconsin）州に拠点を置くサイエンティフィック・プロテイン・ラボラトリーズ（Scientific Protein Laboratories）との共同事業で製造され，販売元の米国製薬会社バクスターインターナショナル（Baxter International）に供給されていた。当時のFDAによると，検出されたOSCSは特殊な型で通常自然界には存在せず，人為的に合成された可能性もあるとした。ヘパリンへの混入経路は調査中で，混入が偶発的なものか意図的なものかは不明であり，意図的なものであるとの証拠も得られていないと報道した。日本でも大問題になり，厚生労働省が調べた結果，OSCS混入ヘパリンは輸入されていなかったが，ヘパリンは透析治療に必須で，国内シェア50%を超えるヘパリン製剤（扶桑薬品，テルモ，大塚製薬工場製）が自主回収になった。

②偽りは墓穴を掘る

本警告書は，「GMP査察妨害」の対象にはなっていないが，製造所は査察官に，「査察対象品目の粗ヘパリン原薬を何カ月もの間，製造していない」と述べたにもかかわらず，実際には製造しており，製造バッチの試験記録もなく，つじつまの合わないことが連鎖的に露呈している。本件は，「GMP査察妨害」と同格とみなせるものである。これまでにも中国やインドの製薬企業において，FDAのGMP査察官は会社のウソに気づき，警告書を出している。

2 医薬品査察の遅延，阻止，制限または拒否に相当する状況に関するFDA規制ガイダンス（2014年10月）の要点

FDAが2014年10月に「医薬品査察の遅延，阻止，制限または拒否に相当する状況に関するFDA規制ガイダンス」を発出した際，一般に日本では査察妨害など起こり得ないし，日本には関係ないガイダンスと捉えられた。以下に，「医薬品査察の遅延，阻止，制限または拒否に相当する状況に関するFDA規制ガイダンス」の要点を示す。

出 典

Guidance for Industry: Circumstances that Constitute Delaying, Denying, Limiting, or Refusing a Drug Inspection.（October 2014）
医薬品査察の遅延，阻止，制限または拒否に相当する状況に関するFDA規制ガイダンス（2014年10月）

内容

Ⅰ．序文

（略）

Ⅱ．背景

- 2012年7月9日　に，Food and Drug Administration Safety and Innovation Act（FDASIA：FDA安全・イノベーション法）が成立した。「査察の遅延，拒否，または制限あるいは立入りや査察を拒絶する工場，倉庫あるいは施設において，またそのような工場，倉庫あるいは施設の所有者，作業者あるいは代理業者によって製造，加工，梱包または保管された薬」を“不良医薬品（adulterated drugs）”とみなすFDASIAの707項がFDC法のセクション501(j)に追加された。
- FDC法セクション704(a)は，FDAに査察の権限を与えている。特に，正式に指名されたFDAの職員がFDC法の規制で対象とされる施設に，合理的な時期に合理的な範囲内で，合理的な方法で査察する権限が与えられている。FDA査察は「FDAによって管理されているFDC法および規制に遵守していることを目的に，施設を注意深く，厳密に判定する，公的調査」である。
- FDC法セクション301(e)および301(f)に基づき，立入りあるいは査察の同意を拒絶し，あるいはアクセスまたは特定の記録のコピーの同意を拒絶することは禁じられている。FDASIS 707項により追加されたFDC法セクション501(j)の新しい項は，「査察の遅延，拒否，または制限あるいは立入りや査察を拒絶する工場，倉庫あるいは施設において，またそのような工場，倉庫あるいは施設の所有者，作業者あるいは代理業者によって製造，加工，梱包または保管された薬」を，“不良医薬品（adulterated drugs）”とみなす。

- 査察を遅延させるか，阻止するか，制限するか，拒否することの4つのセクションで示されており，また，それぞれに問題を回避できる合理的な理由や説明の例示が示されている。
- 査察時のこれらの行為は，FDC法のセクション501(j)に基づき，不良医薬品（adulterated drugs）と判断される。

Ⅲ．査察の遅延

A. 事前通告査察の遅延

FDC法では，査察の事前通告を求めていない。それゆえ，FDAは原因究明調査や通常の査察時には事前通告をしていない。しかしながら，FDAは承認前査察や許可前査察，海外施設の査察においては，査察官が工場に到着する前に通告するのが一般的である。FDAは，天候や治安状況，休日や他の非営業日，予定されていたキャンペーン製造等，現地の状況に対応しようとしている。事前通告査察への遅延行為は，FDC法のセクション501(j)で不良医薬品（adulterated drugs）と判断される。

遅延行為	・正当な説明なしに，査察開始日に同意しない。 ・正当な説明なしに，査察開始日の遅延を要求する。 ・FDAからの連絡に返事をしない。
遅延行為に該当しない例	・FDAの査察予定日は製造中でないので（例:月に1回のキャンペーン製造を行っている），FDAの査察中に製造が実施されるように別の日を提案する。

B. 査察中の遅延

遅延行為	・査察対象エリアが稼働中でFDAの査察対象区域にもかかわらず，正当な説明なしに一定の期日または時間までに査察官のアクセスを認めない。 ・査察完了に支障をきたすほどの不当な時間，査察官を会議室に残し，書類や担当者から遠ざける。
遅延行為に該当しない例	・査察官が手順に従った更衣を済ませるまで無菌製造エリアには立入りさせない。

C. 製造記録の提出遅延

遅延行為	・正当な説明なしに，査察官が査察中に要求した記録類を要求した時間内に提示しない。 ・正当な説明なしに，FDC法のセクション704(a)(4)に従って，査察官が要求した記録をタイムリーに提示しない。
遅延行為に該当しない例	・査察官が記録類の英訳を要求したが，英訳がすぐに用意できない。 ・要求した記録類が製造中の作業に使用中のため，要求時点では提示できない。 ・要求された記録類の量がかなり膨大で，まとめるのにそれなりの時間がかかる。

IV. 査察の拒否

査察の拒否行為	・FDAの日程調整の働きかけを断る。 ・査察官の到着時，査察開始を承諾しない。 ・正当な説明なしに，関係職員が不在という理由で査察を受け入れない。 ・医薬品を製造，加工，包装，保管等していないと虚偽の弁明により査察を受け入れない。 ・従業員を家に帰し，査察官に今日は何も製造していないと告げる。
査察の阻止行為に該当しない例	・予告なしの査察の開始時に，質問に適切に答えられる従業員がすぐには確保できない。 ・予告なしの査察で，査察官が到着したとき，計画に基づくメンテナンスのために工場が閉まっていた。

V. 査察の制限

A. 製造施設もしくは製造工程へのアクセス制限

製造工程へのアクセス制限	・正当な説明なしに，FDAの査察期間中，すべての製造の中止を指示する。 ・製造工程の直接の観察を不当な短時間に制限し，FDAの通常の慣例的査察を行わせない。 ・正当な説明なしに，製造工程の一部の直接観察を制限する。 ・正当な説明なしに，施設の一部特定区域への立入りを制限する。 ・査察が終了する前に，FDA査察官を建屋から立ち退かせる。
製造工程へのアクセス制限に該当しない例	・FDA査察官が手順に従った更衣を済ませるまで無菌工程エリアに立ち入りさせない。 ・労働安全衛生局により特定区域に立ち入る前に訓練が求められている場合で，FDA査察官がその訓練を終えていない。

B. 写真撮影の制限

写真撮影の制限	・施設の状況を効果的かつ同時的に記録するために，写真は査察における完全性の一部である。例えば，げっ歯動物や昆虫来襲の証拠，装置や施設の不完全な建設または維持管理，製品の保管状況，製品の表示や表示作業，原料または最終製品の目視汚染等がある。
写真撮影の制限に該当しない例	・製品の化学的特性が，写真撮影により製品品質に有害な影響を及ぼすものである場合。

C. 記録へのアクセス制限

記録へのアクセス制限	・FDA査察官が要求した製品の出荷記録の提示を拒否する。 ・FDA査察官が要求した記録のすべてではなく，一部しか提示しない。 ・FDA査察官が要求した記録を，妥当性なく編集（削除，塗りつぶしなど）した上で提示する。 ・FDA査察官がセクション704（a）(4）に従って要求した記録の提示を拒否したり，またはその記録を，妥当性なく編集した上で提示する。
アクセス制限に該当しない例	・例示なし

D. 検体採取の制限または妨害

検体採取の制限または妨害	・サンプル収集は，FDAの査察や規定行動の重要な一部である。FDC法セクション702(a)はFDAに調査の実行とサンプル収集の権限を与えている。サンプル制限の例は次のようなものがあるが，これらに限らない。FDA査察官は，環境サンプル，最終製品サンプル，原材料サンプル，中間製品サンプル，生物学的同等性や生物学的分析目的の保管サンプル等を採取する権限がある。
検体採取の制限または妨害に該当しない例	・例示なし

VI. 立入りまたは査察の拒否

立入りまたは査察の拒否	・正当な説明なしに，査察官が施設または特定の区域に立ち入るのを禁じる。例えば，鍵を開けない，その他，立ち入るための必要な措置を行わない。 ・査察予定の施設に行こうとする際，施設がそれに応じない場合。 ・担当者が出社している明確な証拠があるのに，査察にきている査察官からの電話に出ない。
立入りまたは査察の拒否該当しない例	・例示なし

解説：国内と海外の査察の違い

筆者の，国内企業と海外企業の査察経験から，以下のことがいえる。

- 国内企業は，査察官がはっきり資料提供を求めなければ出さない傾向があるが，査察に慣れている海外企業では，ちょっと口に出しただけでも資料を出してくる傾向がある。出された資料についてはコメントもせざるを得ず，予定された査察時間を費やすには有効な方法と考えることもできる。提出された資料量が多く，日本に持ち帰るのが難しい場合には，国際宅配便で送ってもらったこともある。
- 日本でもサンプル採取や写真撮影は可能ではあるが，通常の査察では行っていない。

GMP調査よもやま話⑨

培地充填試験

筆者がISO/TC 198/WG 9（Aseptic processing of health care products）会議に出席したのは第4回 ISO/TC 198会議（1992年）が初めてであり，そこで培地充填試験の規格作成議論が始まった。当時の日本では，調査結果，注射剤メーカーの半分が培地充填試験の実施経験がなかったが，欧米では培地充填試験の実施が無菌医薬品製造許可要件であることを知り唖然とした。

一方，日本でも1994年4月に改正された医薬品GMPにバリデーション概念が導入され，2年間の猶予期間をもって1996年4月から医薬品の製造承認時において「バリデーション」が許可要件になった。また1995年に発出された「バリデーション基準について」(薬発第158号，平成7年3月1日）では，プロセスバリデーションを「製品の品質に影響する可能性のある（重要）工程が，あらかじめ設定した規格と品質特性に適合した製品を恒常的に生産できる高度な保証があることを検証し，その結果を文書化しておくことである」と定義付けている。重要工程の例として，無菌操作製剤では無菌操作工程，ろ過滅菌工程，無菌充填工程，凍結乾燥工程を挙げていた。そこで，無菌製造工程のプロセスバリデーション手法の1つとして，培地充填試験の国内導入を考え，まだ議論中のISO 13408内容を参考に，培地充填試験法の素案を作成し，当時，日本薬局方（以下，日局）調査会にあった「一般試験法委員会」に本法の取り扱いを諮った。日局は厚生省審査管理課が所轄しており，培地充填試験法はGMP要件ということで監視指導課の所轄ということで，その取り扱いについてはなかなか結論が出なかった。そうこうするうちに，日局に参考情報欄が設置されることになり，「分析法バリデーション」，「プラスチック製医薬品容器」とともに，「培地充てん試験法」も第十三改正日局参考情報に導入された。なお，「培地充填試験法」と“法”を付けたのは，当時の日局では“試験”は“法”で受けるためであった。しかしその後，“法”を外してもよくなった。現在，PIC/S Guideline Annex 1の改訂作業中であるが，最終版が出ると，「培地充填試験（プロセスシミュレーション）」は日局から削除される予定である。

6.4 出発原料管理

1 グリセリンの受入れ試験不備

各原料が同一性，純度，含量，品質の規格に適合していることを確認するために，サンプルの試験を行っていない（21 CFR 211.84(d)(1)および(2)）。以下に，グリセリン原料での警告書発出事例を2例示す。両社には，輸入警告（Import Alert）が出された。

事例1 Europharma Concepts社

企業名　　　：Europharma Concepts Limited（アイルランド）
査察実施日　：2017年10月31日～11月3日
警告書発出日：2018年5月16日

同社は，グリセリンをOTCゲル製品の成分として用いている。供給業者から入手したグリセリン原料ロットについてジエチレングリコール（DEG）とエチレングリコール（EG）の試験を製造へ出庫する前に行っていなかった（**解説①**）。グリセリンのDEG汚染は世界的に種々の人的致死中毒事故につながっている。さらに，ゲルOTC医薬品の製造に用いる入荷有効成分や他の成分の試験を，製造への出庫前に行っていなかった。

Form 483への回答では，米国薬局方-国民医薬品集に収載されていない原料の供給業者に連絡をとり，試験法を入手して評価を行っていると述べている。製造業者として同社は製造への出庫前にすべての成分ロットの確認試験を行う責任があるので，Form 483への回答は不適切である。製造で使用される前にすべての原料ロットが規格を満たすことを保証するための暫定的な措置についても述べていなかった。例えば，グリセリン含有製品については，グリセリンロット中にDEGあるいはEGが存在するかどうかに言及していなかった。

当警告書への回答として，以下を提示すること。

- 供給業者の適格性を初期段階と日常的な管理の両方で評価する手順書を提示すること。入荷成分各ロットのすべての特性について試験を行うつもりかどうかを述べること。代わりに，業者の試験成績書（COA）に依存するのであれば，各業者の試験結果を定期的に検証する詳細を提示し，少なくともすべての入荷成分ロットの確認試験を行うことを表明すること。
- グリセリンを含有し米国市場で使用期限内にある医薬品のリスク評価の詳細を提示すること。すべてのロットの保存サンプルのDEGとEGの試験を行うこと。規格外試験結果のバッチを出荷したことがわかれば，顧客への通知および製品回収などの是正措置を示すこと。
- 試験室における慣行，方法，装置，および試験者の適格性について，包括的で公正な照査を提示すること。この照査に基づいて，試験室システムを改善する是正・予防措置（CAPA）の詳細を提示すること。

事例2 Goran Pharma社

企業名　　　：Goran Pharma Pvt Ltd（インド）
査察実施日　：2017年11月13日～15日
警告書発出日：2018年4月24日

1）同社は，さまざまな供給業者から入手した有効成分や添加剤などの原料成分の同一性を保証していなかった（21 CFR 211.84(d)(1)および(2)）。

医薬品の製造に用いる入荷成分の試験を行って同一性，純度，含量，および他の規格への適合性を確認していなかった。バリデーションで供給業者の試験の信頼性を確保することなく，供給業者からのCOAを用いて製造用に出庫していた。例えば，ジエチレングリコール（DEG）あるいはエチレングリコール（EG）が存在するかどうかを確かめるために，医薬品成分であるグリセリンの各ロットの試験を行っていなかった（**解説①**）。これらの有害不純物を検出するUSPの同一性試験を用いて各グリセリンロットの試験を行わなかったので，医薬品製造に用いるロットの受入れ可能性を保証していなかった。医薬品中のDEG汚染は世界的に種々の人的致死中毒事故につながっている。

Form 483への回答で，すべてのロットの試験の信頼性を確認するために，同社の試験結果を業者のCOAと比較するつもりであることを示し，SOPの改訂版を提示した。業者のCOAの正確性を検証するために，各入荷成分のすべての特性試験を行うか，あるいは代わりに初回試験および適切な間隔での日常的試験を通して業者の試験結果の適格性を評価するのかはっきりしないので，回答は不適切である。米国へ出荷された製品に対してDEGとEGの試験を回顧的に行ったかどうかについて言及しなかった。

当警告書への回答として，以下を提示すること。

- ロットが米国薬局方に従って試験され，品質ユニットが出庫承認するまで，成分の使用を保留することをどのように保証するかについての詳細な記述。
- 初回および日常的に供給業者のCOAの適格性をどのように評価するのかを説明する改訂された手順書。業者のCOAに依存する代わりに，入荷各ロット成分の全特性試験を行うかどうかを説明すること。あるいは，業者のCOAに依存するのであれば，各々の業者の試験結果を定期的な間隔でどのように検証するかについての詳細を提示すること。また，あらゆる入荷ロット成分について少なくともUSPの同一性試験を行うという誓約を含めること。
- グリセリンを含み米国市場で使用期限内にある医薬品についてのリスク評価の詳細。リスク評価の一部として，直ちにすべてのロットの保存サンプルのDEGとEG試験を行い，もし試験結果が異常であれば，市場措置をとること。

- 試験室の慣行，方法，装置，および試験者の適格性についての包括的で公正な照査。この照査に基づいて，試験室システムを改善するためのCAPA計画の詳細を提示すること。

2) 同社の施設において，医薬品の製造，加工，包装または保管に使用する設備は，適切な設計，適切なサイズ，および意図した用途での作業ならびに洗浄や保全が容易なように配置されていない（21 CFR 211.63）。

同社の製薬用水システムが適切に設計されていない。同社が示したシステムには「滅菌済み」●●であり，デッドレッグの配管が含まれていた（**解説②**）。この不適切なシステム設計は，バイオフィルムの形成を促進する。さらに，査察中に不適切な培地の保管，発育促進試験の非実施，陽性対照の欠如など，査察中に試験室管理で指摘された欠陥により，バイオバーデンまたは微生物基準値の逸脱を確実に検出できるかどうか不明である。

同社の回答書で，改善した製薬用水システムを調達したと述べた。新しい製薬用水システムを検証する方法の詳細が不足しているため，回答は不適切である。同社は，新しい製薬用水システムを●●と●●で「滅菌」すると述べたが，提案した滅菌頻度，●●または滅菌時間の科学的根拠を提示しなかった。最後に，同社の回答には，改善前の製薬用水システムを用いて製造され，同社の管理下にある製品，または米国に出荷された製品に対するリスク評価が含まれていなかった。

当警告書への回答として，以下を提示すること。

- 新しい製薬用水システム検証の詳細な計画書。
- 製薬用水システムの定期的な監視，およびシステムの制御と保守の手順書。
- 製薬用水システムのサニタイゼーション頻度，●●，および時間の科学的正当性。
- 新しい製薬用水システムの設置導入と検証の前に製造された製品のリスク評価。
- 査察中に微生物試験室の欠陥が指摘された場合，過去のデータに基づいて製薬用水システムが制御状態にあったことを特徴づける理由。

解説

①ジエチレングリコール

1985年，オーストラリアでワインの甘さを増す目的でジエチレングリコールをワインに混入させてドイツなどに出荷。日本にも輸入され“毒入りワイン事件”として騒動となった。

2007年5月にパナマ政府が風邪シロップとして配布した薬に，2006年に中国から輸入したグリセリンにジエチレングリコールが混入していたため，風邪シロップを経口摂取し，少なくとも100人以上が死亡した。同様の事件がハイチでも発生し，米国FDAや日本でも大きな関心事になった。厚生労働省は直ちに中国からの輸入グリセリンの使用状況について調査を開始したが，日本では使われていなかった。

ジエチレングリコールは，飲用・食用として摂取しない限り，毒性は認められないとされ，化粧品の配合成分に関する規制である医薬品医療機器等法「化粧品基準」においても規制対象ではなかったが，2008年，同基準改正によって歯磨には配合禁止となり，グリセリンは，ジエチレングリコール0.1%以下のものしか使えないことになった。

FDAは2007年5月，「業界向けガイダンス：Testing of Glycerin for Diethylene Glycol」を発出した。この中でFDAは，USPのグリセリンモノグラフにDEG汚染の安全限界は0.1%とあるので，すべてのグリセリンロットについて医薬品製造に使用する前に，この限界値以下であることを試験により確認することを推奨している。

②滅菌と消毒

本警告書では，製薬用水システム（精製水製造装置と思われる）に“滅菌（sterilize）”と“消毒（sanitize）”が使われている。“滅菌”とは，無菌性保証水準（sterilization assurance level；SAL）≦10^{-6}を達成できるよう行うのに対して，製薬用水製造システムに適用される“消毒”とは，一般には滅菌温度以下の高温で熱処理することであるが，本警告書では混同して使っているようである。

2 供給業者のCOA依存

各原料が同一性，純度，含量，品質の規格に適合していることを確認するために，サンプルの試験を行っていない事例（21 CFR 211.84(d)(1)および(2)）。次の2社には，輸入警告（Import Alert）が出された。

事例1 Nox Bellcow Cosmetics社

企業名　　　：Nox Bellcow Cosmetics Co. Ltd.（中国）
査察実施日　：2017年9月18日～22日
警告書発出日：2018年5月9日

入荷有効成分（API）の適切な同一性試験を実施しなかった。代わりに，外観と匂いのみでこれらの成分を受け入れていた。APIの純度，含量，および他の規格の試験も行わなかった。バリデーションによって供給業者による試験の信頼性を確立することなく，供給業者からのCOAに基づいてAPIを製造に出庫していた（**解説③**）。

当警告書への回答として，以下を提示すること。

- 入荷成分の試験の手順書を提示すること。各々の入荷ロット成分（有効成分と賦形剤の両方）に対して少なくとも1つの同一性試験を行う表明を含めること。
- 各入荷ロット成分の純度，含量，および品質についての規格適合性計画の詳細を述べること。各ロット成分の純度，含量，および品質についての試験を行う代わりに供給業者のCOAを使うのであれば，定期的バリデーションによって供給業者の試験結果の信頼性を確立する計画を具体的に述べること。

事例2　Jalco Cosmetics社

企業名　　　：Jalco Cosmetics Pty Ltd.（オーストラリア）
査察実施日　：2017年12月11日～13日
警告書発出日：2018年5月18日

クリームの製造に用いる入荷有効成分と他成分について，各成分が規格を満たしていることを保証するための試験を行っていなかった。確認試験を行うことなく，各成分の同一性を供給業者のCOAに依存していた（**解説③**）。

Form 483への回答では，今後は受託試験業者が製造に使用する前に成分ロットの確認試験を行うと述べている。

供給業者のCOAの信頼性を確立することを表明していないので，Form 483への回答は不適切である。

当警告書への回答として，以下を提示すること。

各成分の同一性，含量，品質，純度の規格への適合性試験をどのように行うかを詳しく述べること。試験を行う代わりに供給業者のCOAの試験結果（同一性試験を除いて）に依存するのであれば，定期的バリデーションだけでなく，製造で使用する前に業者の試験結果の信頼性をどのようにして確立するかを述べること。最後に，使用期限内にあり米国に流通している，不適切に試験管理された成分から製造されたすべての医薬品のリスク評価を提示すること。

解説

③出発原料の規格試験の実施

出発原料（活性成分，賦形剤，他）や包装資材を医薬品製造に使用する前にそれらの品質特性が規格に適合していることを試験によって確認しなければならない。WHO医薬品GMP（WHO GMP for Pharmaceutical Products: main principles. WHO Technical Report Series, No. 986, Annex 2（2014））には，以下のようにある。

- 17.13 出発原料や包装資材を使用するため出荷承認する前に，品質管理責任者は試験が行われ，同一性（確認），含量，純度，その他の品質特性値がすべて規格に適合していることを確認すること。
- 17.14 同一性（確認）試験は，出発原料の各容器からのサンプルごとに行うこと。出発材料の各容器が正確に表示されていることが保証できるバリデートされた手順が確立しているなら，容器群の一部からのサンプルも許容できる。
- 17.16 製造業者がすべての試験を行う代わりに，供給業者から試験成績書を受け取ってもよい。ただし製造業者は，供給業者の試験成績を適切な周期でバリデートし，供給業者の試験能力を実地監査し，供給業者の試験の信頼性を確認していなければならない。成績書はオリジナル（複写でない）か，その確実性が保証されたものでなければならない。成績書には，以下の内容が記載されていなくてはならない。
  (a) 発行した供給業者の識別（名称及び住所）

(b) 責任者の署名，及びその者の適格性の記載
(c) 被験対象物の名称
(d) 被験対象物のバッチ番号
(e) 規格及び使用した方法
(f) 得られた試験成績
(g) 試験日

つまり，出発原料を使用する医薬品製造業者がすべての規格試験を実施することが基本であるが，製造業者がすべての試験を行う代わりに，供給業者から試験成績書（COA）を受け取ってもよいとしている。ただし，同一性（確認）試験は，製造業者が出発原料の各容器からサンプリングして行わなければならない。「GMP事例集（2013年版）」には，製造業者が出発原料の受入れ時に試験検査の一部項目を省略または簡略化する場合の事例が示されている。

［問］ GMP 11-7（試験検査の一部省略等） 医薬品・医薬部外品 GMP 省令第 11 条第 1 項第 2 号の規定に関し，製剤に係る製品の製造業者等が原料及び資材の受入れ時の試験検査の一部項目の実施を省略又は簡略化することができる場合があれば，事例を示してほしい。

［答］ 以下に掲げる条件をすべて満たし，かつ一部の項目の試験検査を省略又は簡略化しても当該製品の品質に影響を及ぼさないことを示す合理的な根拠があり，製品標準書等にその旨があらかじめ品質部門の承認を得て明記されている場合には，当該製造業者等は，当該項目の試験検査を省略又は簡略化しても差し支えない。

1. 製造業者等が，当該原料又は資材がその使用目的に適した品質水準を保証するシステムの下に製造されていることを確認していること。
2. 製造業が，省略の前に少なくとも 3 ロット又は 3 管理単位等リスクに応じたロット数の全項目についての試験検査を行っており，供給者による試験検査成績を入手の上確認しており，かつ，その成績と自らによる受入れ試験検査の成績とを一定の間隔で確認し，継続的に相関性等を有していることを確認している項目であること。
3. 製造業者等が，自らによる受入れ試験検査の成績が安定しており，規格幅からみて不合格になるおそれがないことを確認している項目であること。
4. 製造業者等が，省略又は簡略化された試験検査項目について定期的に自ら試験検査を行うこと。
5. なお，上記にかかわらず，外観検査及び確認試験については，製造業者等が自ら行うこと。

〔GMP 事例集（2013 年版）について，厚生労働省医薬食品局監視指導・麻薬対策課，事務連絡，平成 25 年 12 月 19 日より引用〕

PIC/S GMP Guide Annex 8（出発及び包装材料のサンプリング）には，「出発原料の完全なバッチの同一性は，通常，個々にサンプルをすべての容器から採取し，また同一性試験が各サンプルについて実施された場合にのみ保証される。容器のある部分のみのサンプル採取を行うことは，出発原料の容器のうち，ひとつも不適正にラベル表示されていないことを保証できる，バリデーション済みの手順が確立されている場合には許される」とある。しかし，手順について十分にバリデーションを実施することは，以下の場合，困難であるとしている（図6-2）。

・ブローカーのような仲介者により供給される出発原料で，製造元が不明又は監査されていない場合
・注射剤に使用する出発原料

注射剤に使用する出発原料の場合，同一性確認のために容器の一部のみのサンプリングは認められないという理由がわからない。医薬品品質システム（PQS）やGDP（医薬品の適正流通ガイドライン）を導入した今日，注射剤に使用する出発原料に関しては，全包装からサンプリングしなければ，同一性を確認できないとする理由に，業界も困惑している。規制当局から，しかるべき説明がほしいものである。

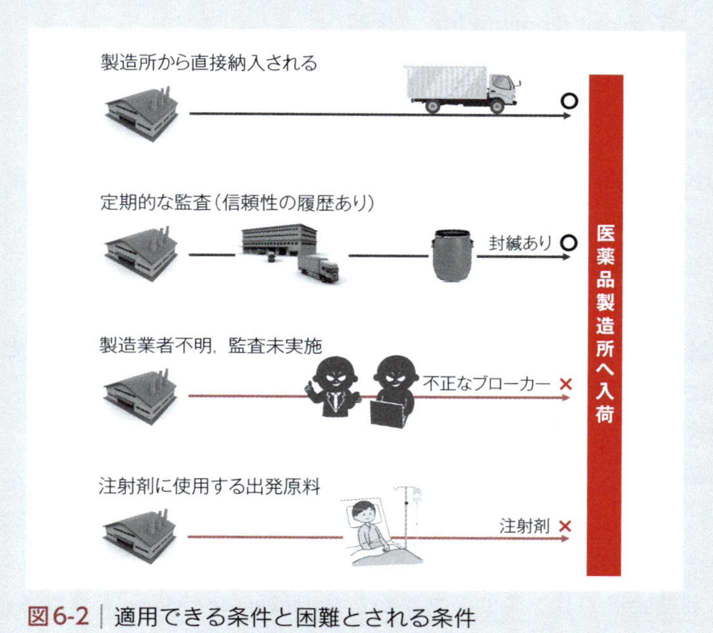

図6-2｜適用できる条件と困難とされる条件

6.5 製薬用水管理

1 微生物の検出事例

事例1 *Burkholderia* spp. 検出 ①

企業名　　　：Torrent Pharma Inc.（米国）
査察実施日　：2019年3月11日～4月9日
警告書発出日：2019年10月28日

FDAは，2019年4月30日付の同社の回答書を照査したが，十分な是正措置が欠如しているのを確認している。警告書での主な指摘内容は次のとおりである。査察官が，以下を含むがこれに限定されるものではない違反を指摘した。

1）適切に設計された，適切なサイズの，およびその使用目的にかなう作業と洗浄と保全の作業が容易にできるように適切に配置された装置が，医薬品の製造，加工，包装，または保管に使用されていない（21 CFR 211.63）。

同社の●●水システムは，●●水，●●規格および微生物限度を満たす水を一貫して製造するように，適切に設計，管理，保全，およびモニターされていなかった。水システムの衛生上の設計欠陥には，複数のデッドレッグおよびねじ管のつなぎがあった。

特に，製造装置のリンスサンプルから*Burkholderia cepacia*が単離された。調査では，水システムを汚染の発生源とした。水システムのその後のサンプリングで，前処理および下流の配管システムに，好ましくないパターンの*B. cepacia*汚染があることが明らかになった（**解説①**，p. 413）。

製薬用水は使用用途に対して適合していなければならず，また，微生物学的な特性に日常的に適合していることを保証するために，定期的に試験されなければならない。製造用および洗浄用水を製造するシステムは，医薬品の品質および安全性の重要な決定要因である。同社は，この不適切な●●水システムを用いて，直腸坐薬および経口溶液を製造していた。最近までこのシステムで鼻用液も製造していた。

Form 483への回答では，パイプおよび継ぎ手の設計が，複数のデッドレッグとともに，●●システム汚染の原因になっていたと述べた。FDAは，同社が水システムを閉鎖し置き換えることを決めたことを了解する。しかしながら，回答で恒久的な置き換えシステムを導入するまで，一時的なシステムを入手して用いることを提案した。Form 483への回答では，一時的なシステムから生成された水が●●水の品質基準を満たすことを保証するための，暫定的措置が十分ではなかった。また，一時的な新しい水システムの設計，および各システムをモニターし維持する計画についての詳細も十分ではなかった。

当警告書への回答として，以下を提示すること。

- ●●水システム（一時的および恒久的）の設計の包括的で公正な評価，および日常的な管理と保全の計画。
- 以下を含むがこれに限定するものではない是正・予防措置（CAPA）計画
  - ✓すべての装置の特定および施工材料を伴う●●水システムの青写真。
  - ✓導入する改善されたシステムが，●●水，●●規格，および微生物限度（総菌数および特定菌）を満たす水を一貫して製造することを保証する日常的な管理，保全，およびモニタリングのための効果的な計画。後者に関しては，製造する製品の使用用途の観点から，●●水の総菌数限度が適度に厳しいことを保証すること。
  - ✓生菌数および微生物同定試験のための，●●水システムから●●サンプルの採取を保証する規定を含むがこれに限定されるものではない，更新された●●水システムを管理する改訂手順書。
- 新しい●●水システムのバリデーション報告書。システムバリデーションプロトコール，全試験結果，およびバリデーション最終報告書を含めること。
- 暫定の水システムで製造される，すべての製品のリスト。製品が水性か非水性処方かどうかを示すこと。

2）バッチがすでに出荷されたか否かにかかわらず，説明のつかないバッチあるいは原料の規格への不一致，あるいは不適を調査していなかった（21 CFR 211.192）。

●●水システムから微生物学的な不適結果を適切に調査していなかった。例えば，2018年12月からの調査18-EVE-117で，水の試験法が●●水システムの*B. cepacia*を確実に検出するには不適切であることがわかった。*B. cepacia*をより検出できるように，2018年12月に，サンプリングと試験法を調整した後に，微生物学的な逸脱の有意な傾向がシステムに現れた。特定汚染菌の好ましくないパターンを検出後数カ月，また査察後数週間，影響を受けた市場出荷バッチに調査を拡大しなかった（**解説①**，p. 413）。最初の調査で，水システムの設計上の欠陥の重大性についても言及しなかった。

このシステムからの●●水は，流通中の多くの医薬品バッチ製造に用いられた。Form 483への回答では，現在の●●水システムの使用を止め，市場にあるすべての医薬品バッチを回収したいと述べている。市場措置および是正措置の表明をFDAは了解する。しかしながら，タイムリーで十分な，また効果的な調査を確実に行うように，調査システムが改善されることを十分に保証していないので，Form 483への回答は不適切である。

当警告書への回答として，以下を提示すること。

- 逸脱，異常，苦情，規格外（OOS）結果，および不適の調査に対する全体的なシステムの包括的で公正な評価。
- 調査システムを改善するCAPA計画の詳細。CAPA計画は，調査能力，根本原因評価，範囲の決定，品質ユニット（QU）による監視，および手順書における改善を含むがこれらに限定されるものではない。すべてのフェーズの調査が適切に行われること，およびCAPAが有効であることをどのように保証するかについても言及すること。

・設備および装置に対する作業管理者による定期的で慎重な監視を行うCAPA計画。この計画では，特に装置/設備の性能の問題の速やかな検出，修理の効果的な実施，予防保全スケジュールの順守，装置/設備のインフラストラクチャーに対するタイムリーな技術レベルアップ，および日常的なマネジメントレビューに対する改善されたシステムを保証すること。

事例2 *Burkholderia* spp.検出 ②

企業名　　　：Unipharma, LLC（米国）
査察実施日　：2019年4月22日～5月7日
警告書発出日：2019年11月6日

FDAは，2019年5月28日付の同社の回答書を照査したが，十分な是正措置が欠如しているのを確認している。警告書での主な指摘内容は次のとおりである。査察官が，以下を含むがこれに限定されるものではない違反を指摘した。

1）バッチがすでに出荷されたか否かにかかわらず，説明のつかないバッチあるいは原料の規格への不一致，あるいは不適を調査していなかった（21 CFR 211.192）。

OTC医薬品の製造に精製水を用いている。同社が製造するいくつかの製品は幼児および小児用である。試験結果が，水システムにおいて*Burkholderia cepacia*（*B. cepacia*）が悪い影響をもたらす傾向を示したが，精製水で製造したOTC医薬品の複数バッチを出荷した。製造用水における特定菌汚染は，医薬品の汚染につながり，患者を危険にさらすおそれがある（**解説①**，p. 413）。

2018年末に開始した適格性評価および定期的モニタリングの際に，精製水サンプルで識別された特定菌が，悪い影響をもたらし続ける傾向を十分に調査していなかった。システムの適格性評価の際に特定された微生物に言及する調査を開始した。

水サンプリングによって特定された微生物のいくつかは，精製水システムにおいてバイオフィルム生成に寄与することが知られており，医薬品の特定菌汚染の発生源となりうる。

調査は続行中であるが，精製水サンプル採取工程を改善した是正措置を含む，水システムの稼働性能適格性評価を2018年12月1日に承認した。精製水システムの試験では，低レベルの*B. cepacia*が，使用点および前処理工程で引き続き認められた。査察の最後で，OTC医薬品の製造をやめ，精製水システムを隔離し，念のためにすべての市場にある医薬品を回収することにした。

Form 483への回答では，新しい調査を開始し，消毒の問題，サンプリング方法のエラー，および予防保全の欠陥を特定していた。精製水システムを再スタートする前に，CAPAを行い，SOPの改訂を含む追加の措置を行っている。

水システム管理における欠陥のすべての潜在的な根本原因を包括的に調査していないので，Form 483への回答は不適切である。例えば，微生物試験の結果が数えきれないほど多いと思われる，前処理サンプルの場所，PWIについての調査を提示しなかった。調査では，ユースポイントにおける付属品（配水パイプおよびバルブ），潜在的なデッドレッグ，およびシステム部品の予防保全の頻度を含むがこれらに限定されない，装置設計上の欠陥およびシステムの弱点についての評価も十分に含んでいなかった。回答では，将来の調査が完全で，管理者によって注意深く照査され，またCAPAの有効性が見極められることをどのように保留するかについても言及しなかった。

当警告書への回答として，以下を提示すること。

- 逸脱，異常，苦情，OOS結果，および不適の調査に対する全体的なシステムの包括的で公正な評価。このシステムを改善するためのCAPA計画の詳細を提示すること。措置計画は，調査能力，範囲の見極め，根本原因解析，CAPAの有効性，品質部門（QU）による監視，および手順書における改善を含むが，これらに限定されない，調査のすべての段階が適切に行われることをどのように保証するかについて言及すること。
- 試験室慣行，手順書，方法，装置，記録，および試験者の能力についての包括的で公正な照査。この照査に基づいて，試験室システムの有効性を改善し評価するための計画の照査を提示すること。
- 水システム設計，管理，および保全の包括的で公正な評価。
- 適合する水システムを運転するための改善計画。改善されたシステムの設計が，精製水のUSPモノグラフ規格および微生物限度を満たす水を一貫して製造することを保証するための，日常的な管理，保全，およびモニタリングの頑健な計画を含めること。また，改善された水システムを製造に用いることを認める計画，また，このシステムの再導入および日常的な管理状態の品質保証による監視を保証する計画を含めること。
- すべての特定された問題が是正され，保全修理が完了した後の水システムのバリデーション報告書。システムバリデーション計画書，すべての試験結果，および最終のバリデーション報告書を含めること。

事例3　*Burkholderia* spp.検出 ③

企業名　　　：Diamond Wipes International, Inc.（米国）
査察実施日　：2017年5月8日～17日
警告書発出日：2018年3月7日

FDAは，2017年6月7日付の同社の回答書を照査したが，十分な是正措置が欠如しているのを確認している。警告書での主な指摘内容は次のとおりである。査察官が，以下を含むがこれに限定されるものではない違反を指摘した。

1） 医薬品が持つべき同一性，含量，品質，および純度を備えていることを保証するように意図された製造および工程管理手順書を作成していない（21 CFR 211.100(a)）。

水システムが製剤を製造するのに適した水を一貫して製造する能力があり，精製水のUSPモノグラフおよび微生物限度値に最低限適合することを示さなかった。

14カ月の間に総菌数アクションリミットを8回，アラートリミットを何度も超える水を製造に用いていた（**解説②**，p. 416）。水システムが管理されていないことの調査を行わず，適切なCAPAを施さなかった。特に，システムに微生物が多い（多すぎて数えられなかったこともある）ことに加えて，*Pseudomonas* spp.，*Burkholderia* spp. および病原性グラム陰性バクテリアを単離していた（**解説①**，p. 413）。

同社は，このシステムの水を用いて局所医薬品を長い間製造していた。例えば，許容されない品質の水を用いて製剤化された抗菌性ニキビ治療用顔面拭き取りシートの数ロットを出荷していた。水はこの処方における成分である。

Form 483への回答で，水システム汚染問題の調査を回顧的に行う努力をすることを述べた。最終製品の保存サンプルを試験したが微生物汚染は認められなかったと述べた。さらに，調査では試験エラーは認められなかったにもかかわらず，水システムに *Burkholderia* spp. が認められたことを無視していた。

回答では，水システムにおける好ましくない微生物汚染が製品へ及ぼすリスクの可能性について言及していなかった。さらに，純水システムデザインの改善を行い，改良されたシステムのバリデーションを行うことを表明しなかった。

品質管理試験は水システム管理の大きな問題に言及するには不十分である。保存サンプルの試験は，汚染製品が分布していないことの十分な信頼を与えない。微生物汚染は均一ではない。このため，保存サンプル陰性の結果は，影響のあるロットで製造された他のユニットを受け入れるには十分ではない。

また，水の微生物アラートリミットを●●以上に緩め，およびアクションリミットを●●以上にしていた。局所投与される水性医薬品の用途にふさわしくないので，これらの緩和された限度値には科学的な正当性がない。製造や試験の基準を決める際には，製品の用途を理解することは重要である。同社の拭き取り製品に類似したベンザルコニウム塩酸塩消毒剤は，GMPが厳しく守られていないと，*B. cepacia* のような好ましくない水性微生物が棲息することが歴史的にわかっている。

当警告書への回答として，以下を提示すること。

- 適切な水システムを取り付けてバリデーションを行うCAPA計画を含む，水システムデザインの包括的な評価。
- 改善されたシステムがUSPモノグラフの純水の規格と微生物限度値に適合する水を一貫して製造することを保証する，日常的な管理，保全，およびモニタリングのための効果的な計画。後者に関しては，局所剤には同社のアクションやアラート限界値よりはるかに厳しい総菌数が一般的に適切である。
- 指摘された水システムの問題が，現在米国に流通しているすべての医薬品のロット品質に及ぼす影響の可能性について言及するリスク評価の詳細。リスク評価に応えて行おうとする措置，例えば，顧客への通知や製品の回収を具体的に述べること。
- 最終医薬品の各々に対する，用途に基づく微生物限界値（例えば，総生菌や特定菌）に対する科学的な根拠。
- 水システムにおける菌の属の定期的な同定を保証するCAPA計画。

解説①：非無菌医薬品には*Burkholderia cepacia*管理が必須

- *Burkholderia cepacia*は以前*Pseudomonas*属に分類されていたグラム陰性桿菌である。自然環境に常在する細菌であり，病院では緑膿菌と同様，湿潤した環境から検出される日和見感染菌である。セパシアに汚染された消毒薬，吸入剤，輸液による感染例の報告もあり，軟膏，点眼薬，石けん，透析液などからの検出報告もある。また，抗菌薬についても多剤耐性を示す場合があり，易感染患者の気道や血流内に伝播した際には重大な院内感染症に発展することがある。
- セパシアの定着や感染の多くはICU患者や呼吸器関連器具を使用している患者において発生し，欧米においては特に嚢胞性線維症（Cystic fibrosis）患者におけるセパシア感染が頻繁に報告されており，嚢胞性線維症患者において重大な肺疾患をもたらし死因となることがある。嚢胞性線維症は遺伝疾患の一種で，欧米の白人では約3,000人に1人の確率で出生するのに対し，日本では60万人に1人の出生率とされる極めてまれな疾患である。
- 日米欧薬局方間で国際調和された「微生物限度試験法」中の特定微生物否定試験対象菌にはなっていないが，米国薬局方（USP）ではFDAの意向を反映し，長年の検討結果，吸入剤，経口液剤，口腔粘膜剤，皮膚剤，または経鼻剤を対象にUSP <60> に*Burkholderia cepacia* complex（BCC）の否定試験を導入した。USP <60> に導入された*Burkholderia cepacia* complex（BCC）の否定試験法は，恐らくEP/JPにも導入されていくものと思われる。FDAのGMP査察では，これら非無菌医薬品の調製に使用する精製水の管理項目として*Burkholderia cepacian* complex（BCC）に注目している。以下にUSP <60> に導入された*Burkholderia cepacian* complex（BCC）の否定試験の概要を示す（表6-4～6-6）。

試験菌株

表6-4｜増殖促進および適合性試験用菌株

微生物	標準菌株
Burkholderia cepacia	ATCC 25416，NCTC 10743，またはCIP 80.24
Burkholderia cenocepacia	ATCC BAA-245，またはLMG 16656
Burkholderia multivorans	ATCC BAA-247，LMG 13010, CCUG 34080，CIP 105495，DSM 13243，またはNCTC 13007
Pseudomonas aeruginosa	ATCC 9027，NCIMB 8626，CIP 82.118，またはNBRC 13275
Staphylococcus aureus	ATCC 6538，NCIMB 9518，CIP 4.83，またはNBRC 13276

表6-5 | *B. cepacia* 選択カンテン培地の性能試験条件

培　地	特　性	試験菌
Burkholderia cepacia 選択カンテン培地	発育促進と鑑別	*Burkholderia cepacian*, *Burkholderia cenocepacia*, または *Burkholderia multivorans*
	発育阻害（選択）	*Pseudomonas aeruginosa*, *Staphylococcus aureus*

Burkholderia cepacia 選択カンテン培地

表6-6 | *Burkholderia cepacia* 選択カンテン培地の組成

成　分	重　量
Casein peptone	10.0 g
Lactose	10.0 g
Sucrose	10.0 g
Sodium chloride	5.0 g
Yeast extract	1.5 g
Phenol red	0.08 g
Gentamicin	10.0 mg
Vancomycin	2.5 mg
Crystal violet	2.0 mg
Polymyxin B	600,000 U
Agar	14.0 g
脱イオン水　1,000 mL	

試験方法

- サンプル調製と前培養：製品1 g以上をSCD液体培地で10倍希釈する。この10 mLを30～35℃で48～72時間培養する。
- 選択培地：培養液を*B. cepacia*選択カンテン培地上に画線接種し，30～35℃で48～72時間培養する。
- 判定（解釈）：BCCの存在の可能性は，黄色の輝きを持つ緑がかった茶色のコロニーの成長，またはピンクと赤のゾーンで囲まれた白いコロニーの成長によって示される。BCCの存在が疑われるコロニーは適切な同定試験によって確認する。

2 水システムの不適事例

事例1 水システムの不適切な調査

企業名　　　：A.P. Deauville, LLC（米国）
査察実施日　：2019年4月9日～5月2日
警告書発出日：2019年11月8日

FDAは，2019年5月20日付の同社の回答書を照査したが，十分な是正措置が欠如しているのを確認している。警告書での主な指摘内容は次のとおりである。査察官が，以下を含むがこれに限定されるものではない違反を指摘した。

1) **バッチがすでに出荷されたか否かにかかわらず，説明のつかないバッチあるいは原料の規格への不一致あるいは不適を調査していなかった（21 CFR 211.192）。**

[水システムの不適切な調査]

理化学および微生物限度を満たさない水システムの複数の不適を調査しなかった。2018年7月23日に，委託試験業者が水システムの総菌数の限界外（OOL）結果を報告した。総菌数は870 CFU/mLで，100 CFU/mLの限度を超えていた（**解説②**，p. 416）。OOL試験結果を調査しなかった。不適にもかかわらず，このシステムからの水をOTC局所用医薬品Soft Whisper Dandruff Shampooの複数バッチの製造用原料として用いていた。さらに，全有機体炭素量（TOC）結果および電気伝導度結果を含む水システムの複数の不適を調査しなかった。

当警告書への回答として，指摘された水システム不適が，現在米国市場にあるすべての医薬品品質に及ぼす影響について言及するリスク評価の詳細を提示すること。リスク評価に応じて実行しようとする措置，例えば顧客への通知および製品の回収を具体的に述べること。

[水システムの不適切な管理]

●●水システムに対する適切な管理を保証していなかった。水システムはしばしば“停止され”，システムが管理状態を確立し維持したことを示すために必要な定期的なモニタリングのデータがなかった。具体的には，●●規格および微生物限度に適合する水を一貫して製造できるかどうかを評価するための，理化学および微生物学的な試験結果を提示することができなかった。このシステムからの水を医薬品の原料として，および製造装置の洗浄用に使用している。

当警告書への回答として，以下を提示すること。

- 水システムの設計，管理，および保全の包括的な評価。
- 改善されたシステムの設計が，●●規格および微生物限度を満たす水を一貫して製造することを保証するための，頑健な日常的管理，保全，およびモニタリングの計画を含めること。製品の使用用途の観点から，総菌数限度が適切であることを保証すること。
- 製品のライフサイクルを通して管理状態を保証するためのバリデーション計画の詳しい概要，および関連する手順書。工程か同性能適格性評価計画，および継続的な管理状態を保証するためのバッチ内およびバッチ間変動の日常的なモニタリングを説明すること。

- 製造する医薬品の各バッチにおける使用の容認性を保証するために，水の定期的な微生物試験を規定する水システムモニタリングの手順書。

解説②：精製水バイオバーデンのOOS

日局では，「常水」，「精製水（バルク）」，「精製水（容器入り）」，「滅菌精製水（容器入り）」，「注射用水（バルク）」，「注射用水（容器入り）」の6種の水を規定している。USPでは，精製水（Purified Water），無菌精製水（Sterile Purified Water），注射用水（Water for Injection），無菌注射用水（Sterile Water for Injection）の他に，抗菌剤入りの注射用水（Bacteriostatic Water for Injection），吸入剤用の滅菌精製水（Sterile Water for Inhalation），灌注用の滅菌精製水（Sterile Water for Irrigation），血液透析用水（Water for Hemodialysis）を規定している。バルク精製水およびバルク注射用水の品質規格（理化学試験，生物学的試験）は，日米欧薬局方でほぼ調和されている（表6-7，6-8）。ただし，規格値には多々問題もある。例えば，TOCの規格は精製水，注射用水ともに0.50 mg/L（500 ppb）以下であるが，オンラインでの測定値は通常，規格値の1/10以下になる。それを規格値の500 ppbで管理していると指摘の対象になることもある。実測値をベースに自分らで適切な管理値を設定することが重要である。また導電率はインラインで，TOCはオンラインで測定するのが基本である。

バイオバーデンの逸脱は，貯水タンクとユースポイントの間を熱水ループ循環している注射用水の場合は，ほぼ起こりえないが，精製水のように必ずしも加熱処理していない場合には，採取した精製水の総菌数が規格値を逸脱することも起こりうる。14カ月の間に総菌数がアクションリミットを8回，アラートリミットを何度も超える水を製造に用いていたことは，GMP意識の低い企業である。870 CFU/mLという逸脱も起こりうることである。ただし，GMP的にはこの計測値が連続していたのか，それとも1回だけのものであったのかが重要である（図6-3）。数時間から数日間続く逸脱“エクスカーション”の場合は，システムに欠陥のあることが示唆されるが，単発の逸脱（スパイク）の場合は，測定ミスも考えられる。測定ミスの中には，採水容器の汚染やバイオバーデン試験手技の失敗等も含まれる。

バイオバーデン測定の結果が得られるまで，USPは2～3日間，日局は4～7日間かかる（表6-9）。規格値を逸脱した測定結果が出たときには，当該精製水を使って調製した医薬品は，製剤化まで進んでおり，それを出荷するかどうかの判断が迫られる。現在，各方面で迅速微生物試験法の導入が検討されているが，最も導入しやすいのは製薬用水のバイオバーデンモニタリング手法として考えられる。感度や特異性には若干の問題はあっても，グレードA区域の環境モニタリングや無菌試験法の代替法に適用するのとは違い，若干の計測誤差が生じても問題ないのが，製薬用水のバイオバーデン計測である。とりわけ，精製水の規格値は100 CFU/mLであるので，導入した迅速微生物試験法で逸脱成績が得られれば，再度，サンプリングし，同じ迅速微生物試験装置で確認するなり，公定法に則り，培養法を採用すればよいだけである。

表6-7｜精製水（バルク水）の規格値

	日局	USP	EP
硝酸性窒素	規定なし	規定なし	0.2 ppm以下
アルミニウム	規定なし	規定なし	10 ppb以下（透析用）
重金属	規定なし	規定なし	0.1 ppm以下
TOC	0.50 mg/L以下	0.50 mg/L以下	0.5 mg/L以下

	日局	USP	EP
導電率（インライン）	1.1 μS/cm以下（20℃）	1.3 μS/cm以下（25℃）	5.1 μS/cm以下（25℃）
導電率（オフライン）	2.1 μS/cm以下（25℃）	2.1 μS/cm以下（25℃）	5.1 μS/cm以下（25℃）
エンドトキシン	規定なし	規定なし	0.25 IU/mL未満
生菌数	10^2 CFU/mL未満	100 CFU/mL未満	100 CFU/mL未満

表6-8｜注射用水（バルク水）の規格値

	日局	USP	EP
硝酸性窒素	規定なし	規定なし	0.2 ppm以下
アルミニウム	規定なし	規定なし	10 ppb以下（透析用）
TOC	0.50 mg/L以下	0.5 mg/L以下	0.5 mg/L以下
導電率（インライン）	1.1 μS/cm以下（20℃）	1.3 μS/cm以下（25℃）	1.3 μS/cm以下（25℃）
導電率（オフライン）	2.1 μS/cm以下（25℃）	2.1 μS/cm以下（25℃）	2.1 μS/cm以下（25℃）
エンドトキシン	0.25 EU/mL未満	0.25 EU/mL未満	0.25 IU/mL未満
生菌数	10 CFU/100mL未満	10 CFU/100mL未満	10 CFU/100mL未満

表6-9｜日局とUSPにおける製薬用水中のバイオバーデン試験

	精製水		注射用水	
	日局	USP	日局	USP
計測方法	平板混釈法又はメンブランフィルター法	平板混釈法又はメンブランフィルター法	メンブランフィルター法	メンブランフィルター法
最少試料量	1.0 mL	1.0 mL	100 mL	100 mL
培地	R2Aカンテン培地	Plate Count Agar	R2Aカンテン培地	Plate Count Agar
培養期間	4〜7日間（又はそれ以上）	48〜72時間	4〜7日間（又はそれ以上）	48〜72時間
培養温度	20〜25℃又は30〜35℃	30〜35℃	20〜25℃又は30〜35℃	30〜35℃

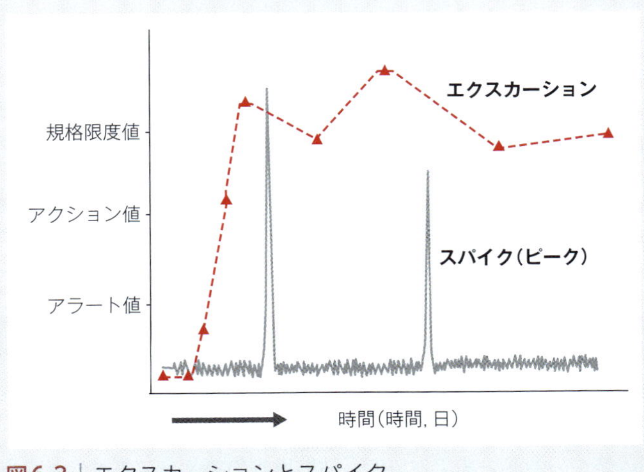

図6-3｜エクスカーションとスパイク

事例2 水システムの不適切なモニタリング

企業名　　　：Swabplus, L.P.（米国）
査察実施日　：2019年3月19日～4月11日
警告書発出日：2019年10月31日

FDAは，2019年4月24日付の同社の回答書を照査したが，十分な是正措置が欠如しているのを確認している。警告書での主な指摘内容は次のとおりである。査察官が，以下を含むがこれに限定されるものではない違反を指摘した。

水システムの不適切なモニタリング

水システムのすべての必要な品質特性を定期的にモニターしていなかった（**解説③**）。このシステムからの水は，炎症および傷口への適用とラベル表示されたOTC医薬品の原料として使われている。SOPは●●を要求していた。

水システムにおいて頻度の低いモニタリングは不適切である。さらに，手順書に記されたこれらの最小限のスケジュールを守っていなかった。水を定期的にモニタリングすることなしには，水が医薬品製造に適合する最小限の微生物学的および理化学基準を満たすことを保証することはできない。

当警告書への回答として，以下を提示すること。

- 製造する医薬品の各バッチにおける使用の容認性を保証するために，水の定期的な微生物試験を規定する水システムモニタリングの手順書。
- 精製水システムに使われる総菌数および特定菌に対する現在のアクション/アラート限度。
- 改善されたシステムがUSPモノグラフの精製水規格および微生物限度を満たす水を一貫して製造することを保証する，日常的な管理，保全，およびモニタリングの計画を管理する手順書。
- 適切に設計されたシステムが導入された後に得られた水システムのバリデーション報告書。システムバリデーションプロトコール，すべての試験結果，および最終のバリデーション報告書を含めること。
- すべての製品のリスト，各処方における水分含量，および製品の使用用途。製品がヒト用か動物用かを明記すること。

解説③：サンプリングポイントとサンプリング頻度

本警告書は，精製水の製造システムに対するものであるが，注射用水システムからのサンプリングポイントとサンプリング頻度についてもForm 483の対象になることが多いので，以下に要件を示す。多くの製薬企業において，注射用水の各ユースポイントから週に1回はサンプリングし，水質試験を行っている。日局参考情報「製薬用水の品質管理」の“サンプリング”と

USP<1231> の"サンプリングでの考慮点"に述べられているサンプリングポイントやサンプリング頻度を表6-10に示す。

表6-10｜注射用水の水質モニタリング

日局	製薬用水システムが良好な管理下にあり，要求される品質の製薬用水が連続的に製造できていることを保証するためには，適切な頻度でモニタリングを行う必要がある。試験用サンプルは，製造工程及び供給システム内の適切な場所より採取するが，製薬用水システムの稼働状況が反映されるようなポイントを選択する必要がある．通常，ユースポイントは必ず採水口の一つとして選択する。なお，採水口付近における微生物学的管理の方策は，それぞれの周辺状況に応じて適切に定める。サンプリングの頻度は，製薬用水システムのバリデーションデータに基づいて適切に定める。なお，微生物モニタリングのために採取した水は，採水後2時間以内に試験に供することが望ましい。2時間以内に試験を行うことができない場合には，2～8℃に保存し，12時間以内に試験を行う。
USP	水システムは，当該システムが管理状態下にあり，許容できる品質の水を継続的に製造できていることを確認できる十分な頻度で監視すること。サンプル水は，処理および分配システム内の代表的な場所から採取する必要がある。サンプリング頻度の確立は，システムバリデーションデータに基づいており，製薬用水使用サイトを含む重要なエリアをカバーする必要がある。サンプリング計画は，サンプリングされる水の所望の属性を考慮に入れるべきである。例えば，注射用水製造システムは，より重要な微生物学的要件により，より厳密なサンプリング頻度を必要とするであろう。 水試料の分析は，しばしば2つの目的を有する：工程内管理評価と最終的な品質管理評価である。工程内管理分析は，通常，システム内の水の属性に焦点を当てている。品質管理は，主に，システムによってさまざまな用途に提供される水の属性に関係している。後者は，通常，分配システムの使用ポイントバルブと実際の水使用場所との間の隙間を埋めるために，何らかの種類の移送装置（しばしば可撓性ホース）を使用する。 （中略） 化学分析のためのサンプリングは，工程内管理および品質管理を目的とし行われる。しかしながら，微生物分析とは異なり，化学分析は，オンライン装置を用いて行うことができ，しばしば実施されている。このようなオンライン試験は，当該システムから供給される水に実施されないので，明確な工程内管理を目的としている。しかしながら，微生物学的属性とは異なり，化学的属性は通常，ホースによって著しく低下することはない。したがって，検証試験を通じて，オンライン計測装置（工程内試験）によって検出された化学的属性は，ホース末端のユースポイントで検出された化学的属性（品質管理試験）と同等であることを示すことができる。 注射用水のバイオバーデンおよびエンドトキシン測定用検体の採取箇所は，USP <1231> にあるように，実際の使用箇所である。通常，実際の使用箇所まではループの採水ポイントからホース等で運ばれる。ホースは使用後，水を落とし，乾燥状態にすることがGMP要件であるが，水はけが悪いと微生物の増殖を促すことになる。そのため，ホースの先端もしくはホースを介して貯水装置からの採水検体について試験することになる。

水システムのUVランプの不備

水システムにおけるUVランプの役割は，バイオバーデンを減らすことである（**解説④**）。

水品質への影響を評価することなく，このシステムからの水を使い続けた。品質部門（QU）および作業マネージャーは，医薬品の各バッチを製造する際に，設備および製造管理基準が満たされていたことを保証しなかった。

Form 483への回答では，UVランプ不備に関する調査は進行中であり，システムを修理しているところであると述べている。Form 483への回答は不適切である。水システムが使用用途に対してふさわしく，ライフサイクルを通して信頼性を維持しているかどうかを見極めるために，水システムをモニターする（すなわち，微生物学的試験，TOC，導電率）必要性について言及しなかった。水システムが信頼でき，保全されており，管理状態で運転されているかどうかを見極めるために，バリデーションにおけるシステムの広範囲なモニタリングと，それに続く定期的で慎重なモニタリングが必要である。

回答では，水品質を保証するために暫定的に何をしているのかについても述べていなかった。同社の水システムで作られた水品質の試験頻度が低いので，この点は特に懸念される。

当警告書への回答として，以下を提示すること。

- 水システムの設計，管理，および保全の包括的で公正な評価。
- 適切な水システムを設置し運転するためのすべての改善計画。改善されたシステム設計が，USP精製水モノグラフの規格および微生物限度に適合する水を一貫して製造することを保証するための，頑健で日常的な管理，保全，およびモニタリング計画を含めること。
- 水の総菌数限度が，製品の使用用途の観点から適切であることを保証する手順書。
- 指摘された水システムの不備が使用期限内にあるすべての医薬品ロットの品質に与える潜在的な影響に言及するリスク評価の詳細。リスク評価に応じて取ろうとする，顧客への通知および製品回収のような措置を明記すること。
- 再試験結果を含む，2018年から現在までのすべての水の試験結果の概説。限度を超える結果に対しては，原料および関連する調査を含む試験結果の詳細を提示すること。

解説④：紫外線ランプの効果

紫外線は，太陽光線中，最も強いエネルギーを有する短波長の光で，その強力な殺菌力はさまざまな分野で有効活用されている[1)]。通常，紫外線は380 nm以下の波長の長い順にA波，B波，C波に分類される（表6-11）。

表6-11｜紫外線の種類と特徴

波　長	特　徴
280 nm未満：C波	自然界に存在せず，UVランプなどによる人工光線で，水の腐敗防止や殺菌用に利用される。
280～320 nm：B波	日焼けによる火傷をもたらすが，生体内でのビタミンD合成に役立つ。
320～380 nm：A波	シミやそばかすの原因となり，皮膚の弾力を奪い，皺やたるみの原因となる。

製薬用水の配管内に設置される紫外線ランプは，C波の254 nmと185 nmの2種類が利用され，用途により使い分けられる。その強力な殺菌作用は，紫外線が微生物に照射されることにより，細胞内で光化学反応が起こり，細胞分裂が阻止されることによる。

配管系内の殺菌や有機物分解のために，配管中にUVランプを設置することは有効であるが，その能力には限界があることをよく理解した上で使用すべきである。設計上の留意点を以下に示す。

1）目的が有機物分解のときは，185 nmの波長のUVランプで照射する。

2）目的が殺菌のときは，254 nmの波長のUVランプで照射する。その殺菌効果は，照射部位の近傍に限定される。殺菌効果は，温度，流速，照射強度，および対象とする微生物の種類などにより変化する。通常，常温での殺菌効果は90%程度である。

3）微生物の殺菌を目的とするときのUVランプの設置位置は，循環ループの内のユースポイントより前の位置とする。

4）有機物の分解を目的とするUVランプを使用するときは，負荷を下げるためRO膜で前処理する。水が長期間使用されず，高温循環が繰り返されると，有機物の分解により，導電率が上昇し，水質が劣化する可能性があるので，その場合，UVランプの使用は慎重に行う必要がある。

紫外線照射による微生物の生存率（S）の計算

紫外線による殺菌は，すべての微生物に対して有効だが，微生物の種類や照射条件により，感受性は変化する。紫外線照射による微生物の生存率（S）は，一般に次式により表される。

$$S = P/P_o = e^{-Et/Q}$$

S：微生物の生存率

P_o：紫外線照射前の菌数

P：紫外線照射後の菌数

E：有効な紫外線照度（mW/cm^2）

t：照射時間（秒）

Q：生存率Sを1/e = 36.8%とするために必要な紫外線照射線量

表6-12にUV照射エネルギーと微生物の不活化の関係を示す。

表6-12｜UV照射エネルギーと微生物の不活化

微生物のタイプ	微生物	3-log不活化 UV dose（mJ/cm^2）	4-log不活化 UV dose（mJ/cm^2）
ウイルス	Adenovirus Type 40	90	120
ウイルス	MS2	52	71
ウイルス	Poliovirus Type 1	23	30
ウイルス	Hepatitis A	15	21
芽胞細菌	*Bacillus subtilis*	61	78
細菌	*Salmonella enteritidis*	9	10
細菌	*Salmonella typhi*	5	9
細菌	*Escherichia coli*	6.7	8.4
細菌	*Vibrio cholerae*	2.2	2.9
原虫	*Cryptosporidium parvum*	＜6	−
原虫	*Giardia lamblia*	＜6	−

参考文献
1） 村上大吉郎：製薬用水製造設備の維持管理．製薬用水の製造管理：GMPの正しい理解のために（佐々木次雄，岡田敏史・監），じほう，pp146-148，2014

GMP調査よもやま話⑩

特例承認

医薬品医療機器等法第14条の3には「特例承認」が定められている。新型コロナウイルス治療薬「レムデシビル」が申請からわずか3日でのスピード承認となり，一躍脚光を浴びた。2010年1月の新型インフルエンザワクチン2品目に続いて3例目の特例承認である。2009年に世界的に流行した新型インフルエンザ（A/H1N1）に備え，国は国産ワクチンのみでは対応できないとのことで，外国産ワクチンの緊急輸入を検討した。輸入ワクチンは，グラクソ・スミスクライン（GSK）社製とノバルティス社製のものであった。

記録によると，2009年12月26日開催の「厚労省薬事・食品衛生審議会」に間に合うように，これら両社へのGMP査察に参加した。製造所のあるドイツ，カナダ，アメリカと2週間で回る忙しい査察であった。年が明けて1月20日に2品目とも特例承認された。政府は，海外ワクチンメーカー2社と3月末までに9,900万人分を輸入する契約を結び，費用は1,126億円であった。2月に輸入ワクチンが届いた時点では，新型インフルエンザも終息しており，3月1日時点で接種を受けた人はたったの2,336人との報告であった。国の発表では，国産ワクチンの購入金額は約259億円（約5,400万回分），輸入ワクチンの購入金額は，当初契約分で約1,126億円（約9,900万回分）であった。実際の，国への納入量・確保量は，国産ワクチンは約5,400万回分，輸入ワクチンは約6,700万回分であった。一方，医療機関に供給されたワクチンは，国産ワクチンが約2,300万回分，輸入ワクチンが約1万回分であった。輸入ワクチンは有効期限が過ぎたものから廃棄された。

2010年，新型インフルエンザワクチンの輸入を決断したのは，当時厚生労働大臣の舛添要一氏，自民党から民主党に政権が代わって，特例承認時の厚生労働大臣は長妻昭氏であった。国民の健康を守るために「特例承認」はあるが，判断を間違うと大きな税金の無駄遣いにもなる。

6.6 原薬製造

1 洗浄バリデーション

事例1 不適切な洗浄バリデーション（中国の原薬製造業者）

企業名　　　：Yicheng Goto Pharmaceuticals Co., Ltd（中国）
査察実施日　：2017年9月11日～14日
警告書発出日：2018年7月26日

FDAは2017年10月13日付の同社の回答書を照査したが，十分な是正措置が欠如しているのを確認している。警告書での主な指摘内容は次のとおりである。なお，この査察結果を受けて，同社に2018年1月10日付で輸入警告（Import Alert）が出された。

1）装置の洗浄および保全の工程を適切にバリデートしていない。

共用製造装置の洗浄方法がAPI間の交差汚染の可能性を防ぐために適切であることを示す洗浄バリデーションを行っていなかった。この装置で中間体も製造している。より具体的には，●●中間体とAPIを製造するのに用いる重要な共用製造装置の大部分に対する洗浄バリデーションを行わなかった（**解説**，p. 426）。

反応器と●●は重要な共用装置の例である。査察中に，バッチ間の装置洗浄を記録することは求められていないと担当者が述べた。例えば，あるバッチ●●に対して，バッチ製造前に洗浄が行われたことを示す洗浄記録を提示できたのは1つの装置だけであった。

Form 483への回答では，共用装置に対して洗浄バリデーションを行うと述べている。しかしながら，この間に装置が適切に洗浄されることを保証するための計画書を提示しなかった。

当警告書への回答として，以下を提示すること。

- 原薬を製造するために用いるすべての装置に対する改訂された洗浄バリデーションプロトコールと報告書。すべての結果と許容基準を含むこと。また，すべての洗浄作業の記録などを含むよう規定された装置の洗浄と保全のための改訂手順書も含むこと。
- 不適切な洗浄のやり方によって，米国へ出荷された中間体とAPIで，影響を受けた可能性のあるすべてのロットに及ぼす結果を見極めるためのリスク評価。この評価には，潜在的な交叉汚染のリスクがあるすべてのロットの保存サンプルの試験などを含むこと。
- 潜在的な交叉汚染リスクの影響を受けた可能性がある米国サプライチェーンにある中間体やAPIのすべてのロットに対処するための，顧客への通知，保存サンプル試験プロトコール，強化された苦情モニタリング，および回収を含む市場措置計画。

- 洗浄の有効性を保証するために，異なるAPIや中間体ロット製造に切り替える前に，洗浄の確認試験を行うなどを含むバリデーションを完了する前に，適切な洗浄を保証するための暫定的な行動計画を提示すること。各APIや中間体の許容基準も含めること。
- 製造されるAPIや中間体の間での交叉汚染のリスクを特定するための包括的で公正な照査。交叉汚染を防止するための設備と工程設計の適合性を評価すること。また，装置，原材料，作業員，および廃棄物の流れの評価を含めること。システマチックな改善とタイムラインを伴った是正・予防措置（CAPA）計画の詳細を含めること。

2）APIが設定された品質および純度の基準に適合していることを保証するために，すべての試験法において，科学的に根拠があり，また適切であることが保証されていない。

●●APIに対して適切な試験を行わなかった。例えば，システム適合性試験を行うことなく，また標準品を使用することなしに，定量試験，類縁物質試験および残留溶媒試験を行った。さらに，試験者が手順書なしでクロマトグラムに手動処理を行った。

Form 483への回答で，試験者が標準品を使い，システム適合性試験を行い，クロマトグラフィー処理を適切に行うことを要求する手順書を作成したと述べている。しかしながら，標準品の使用とシステム適合性についての手順書を提示しなかった。また回答には，新しい手順書を実施する前に，精製されたデータに対して手動処理が及ぼした影響についての回顧的な評価がなかった。

当警告書への回答として，以下を提示すること。

- 適切な指図書，試験法の適合性基準があり，目的に合っているかどうかを判断するために，適切に検証されていることを確認するために，同社で使用しているすべての試験法の評価。
- システム適合性試験あるいは標準品のない試験法で試験され，再試験日内にあるすべてのバッチに対する再試験計画。
- クロマトグラフィー手動処理のすべての事象の包括的な照査。試験に用いた手動処理パラメータの科学的な正当性を提示すること。科学的な正当性がない処理に対しては，再処理パラメータを用いて再処理を行う計画を提示すること。再処理結果がAPI許容基準に適合するかどうかを評価すること。もしOOS試験結果があれば，市場にある製品の品質を保証し，患者を保護するためにすでに行った，あるいは行おうとしている顧客への通知や回収のような措置について述べること。
- 試験室慣行，方法，装置および試験者の能力の包括的で公正な照査。この照査に基づいて，試験室システムを全面的に改善するためのCAPA計画の照査を提示すること。CAPAの要素には，分析法バリデーションや試験結果の品質保証による照査承認の監視を強める対策などを含めること。計画には実施したCAPAの有効性を評価する過程も含めること。

3）APIの安定性特性をモニターするための文書化された安定性試験計画を作っていない，また結果が保存条件および使用期限を確認するために使われていない。

例えば，あるAPIに指定された再試験日を裏付ける安定性データを持っていなかった。APIの日常的な年次安定性モニタリングも行っていなかった。

Form 483への回答では，次の製造の際に当該APIの安定性モニタリングを開始する予定であると述べている。その間の再試験日の正当性を提示しなかった。

当警告書への回答として，米国向けのAPIに対する完備した安定性計画を作成実施する措置計画を予定表とともに提示すること。計画は指定されたすべての再試験日および各々のAPIの工程中の保管時間を裏付けるように作られるべきである。米国市場にあるすべてのAPIの安定性を評価すること。

4）製造工程が決められた品質特性を満たすAPIを再現性よく製造できることを示していなかった。

いくつかのAPIに対して工程稼働性能適格性評価を行っていなかった。他のAPIに対しては，製造工程における重要な変数（例えば，パラメータ）を適切に評価しなかったので，工程稼働性能適格性評価を部分的に行った。さらに，安定な製造作業と一貫した原薬品質を保証するための工程管理をモニターする適切な継続的な計画がない。FDAがプロセスバリデーションの要素と考えるアプローチについては，FDAガイダンス“Process Validation: General Principles and Practices”を参照のこと。

Form 483への回答では，APIに対する工程バリデーションを完了すると述べている。しかしながら，APIが再現性よく製造されることをどのように保証するかを具体的に示していなかったので，回答は不適切である。原薬品質が悪い影響を受けたかどうかを特定するための，製造工程の回顧的な照査も提示しなかった。

当警告書への回答として，バリデーションプロトコールと報告書を提示すること。米国市場に出荷されたすべてのAPIに対する製造工程の工程稼働性能適格性評価の進捗状況，および製造工程の日常的な管理状態を保証する計画も提示すること。

繰り返される違反

2011年9月12日～15日および2014年9月1日～4日の査察で，類似のCGMP違反をFDAは指摘した。同社はForm 483への回答で，具体的な改善を提案した。これらの繰り返された問題は，経営幹部が中間体やAPIの監視と管理を適切に行っていないことを示している。

解説：洗浄バリデーション

ICH Q7（原薬GMPガイドライン）の「12.7 洗浄のバリデーション」には，以下の記載がある。原薬製造において，共用製造設備を用いる際には，洗浄バリデーションはとりわけ重要である。

12.70 洗浄手順は，通常，バリデーションを行うこと。一般的に，洗浄のバリデーションは，汚染又は偶発的な原材料等のキャリーオーバーが原薬の品質に最大のリスクをもたらす状況又は工程に対して行うこと。例えば，初期段階の製造では，残留物がそれ以降の精製段階で除去される場合には，装置の洗浄についてバリデーションを実施する必要はない場合がある。

12.71 洗浄手順のバリデーションでは，実際の装置の使用パターンを反映させること。種々の原薬・中間体を同じ装置で製造し，当該装置を同じ方法で洗浄する場合は，洗浄のバリデーションには代表的な中間体・原薬を選択する場合がある。その選択は，溶解性，洗浄の困難さ並びに力価，毒性及び安定性に基づく残留物限界値の推定に基づいて行うこと。

12.72 洗浄のバリデーション実施計画書には，洗浄する装置，手順，原材料等，合格洗浄水準，モニタリング及び管理を行うパラメータ並びに分析方法を記載すること。また，実施計画書には，採取する検体の種類，採取方法及び表示方法を記載すること。

12.73 不溶性及び溶解性残留物の両方を検出するために，検体採取には，スワブ法，リンス法又は代替方法（例えば，直接抽出）を適切に含めること。使用する検体採取方法は，洗浄後の装置表面上に残留する残留物の水準を定量的に測定できる方法にすること。スワブ法は，製品接触表面に装置設計又は工程の制約のために容易に近づけない場合は実際的ではない。例えば，ホースの内部表面，移送パイプ，反応タンクの開口部の小さい部分，毒性材料を取扱う反応タンク，微粉砕機やマイクロフルーダイザー等の小型で複雑な装置等が挙げられる。

12.74 残留物又は汚染物を検出できる感度を有するバリデーション済みの分析方法を使用すること。各分析方法の検出限界は，残留物又は汚染物の設定合格水準を検出するのに十分な感度とすること。当該分析方法の達成可能な回収水準を設定すること。
残留物限界値は，実際的で，達成可能であり，立証可能であり，かつ，最も有毒な残留物に基づいたものとすること。限界値は，原薬又はその最も有毒な組成物に関する既知の薬理学的，毒性学的又は生理学的活性の最小量に基づいて設定すること。

12.75 装置の洗浄作業・消毒作業の検討は，原薬中の生菌数又はエンドトキシンを低減する必要のある工程，又は，そのような汚染が問題となる他の工程（例えば，無菌製剤の生産に用いる非無菌原薬）について，微生物汚染及びエンドトキシン汚染を対象として行うこと。

12.76 洗浄手順は，当該洗浄手順が通常の製造時に有効であることを保証するために，バリデーション後適切な間隔でモニタリングを行うこと。装置の清浄性は，分析試験及び可能な場所では目視検査でモニタリングを行う場合がある。目視検査により，検体採取及び分析では検出できない，小さな部分に集中する大量の汚染の検出が可能な場合がある。

事例2 不適切な洗浄および消毒 ①

企業名　　　：Laboratoires Clarins（フランス）
査察実施日　：2018年9月17日～21日
警告書発出日：2019年4月23日

FDAは，2018年10月11日付の同社の回答書を照査したが，十分な是正措置が欠如しているのを確認している。警告書での主な指摘内容は次のとおりである。査察官が，以下を含むがこれに限定されるものではない違反を指摘した。

1）装置および器具が，医薬品の安全性，同一性，含量，品質，または純度を，公的なまたは他の設定要件を超えて変化させるような，機能不全あるいは汚染を防ぐために，適切な間隔で，洗浄，保全，必要に応じて消毒および/または滅菌されていない（21 CFR 211.67(a)）。

洗浄および消毒手法が適切で，●●医薬品製造用装置から汚染物質を取り除くことができることを示さなかった。汚染物質を検出するための表面の目視検査のみで，洗浄消毒工程の妥当性を見極めている。

Form 483への回答では，洗浄バリデーション戦略の概要および完了の時間枠を提示している。しかしながら，計画の詳細およびアプローチに対する根拠を提示しなかったので，Form 483への回答は不適切である。さらに製造作業の間に装置の製品接触表面から汚染物質を取り除くために，洗浄消毒手法が十分であることを保証するデータを提示しなかった。

当警告書への回答として，以下を提示すること。

- 洗浄および消毒の手順および慣行を評価する包括的な計画。計画には，洗浄および消毒のテクニック，使用洗剤，洗剤の使用時間，試験法，および潜在的な化学的あるいは微生物学的な汚染物質に効果的に対処するための試験基準を含むこと。
- 洗浄手順が有効であることを保証するための洗浄消毒バリデーション戦略に対する科学的根拠。
- ワーストケース条件を取り込んだ洗浄消毒バリデーションプロトコールの最新版の要約。以下の点などを含めること。
  - ✓最も毒性が高い薬物の評価
  - ✓洗浄溶媒で最も溶けにくい薬物の評価
  - ✓洗浄しにくい特性を持つ薬物の評価
  - ✓装置をスワブするにあたり，最も洗浄しにくい場所
- 新しい製品，工程，および装置の洗浄消毒手順の検証およびバリデーションに対する適切な計画があることを保証する最新SOPの要約。

事例3 不適切な洗浄および消毒 ②

企業名　　　：Newton Laboratories, Inc.（米国）
査察実施日　：2018年3月26日～30日
警告書発出日：2019年4月23日

FDAは，2018年4月19日付の同社の回答書を照査したが，十分な是正措置が欠如しているのを確認している。警告書での主な指摘内容は次のとおりである。査察官が，以下を含むがこれに限定されるものではない違反を指摘した。

1）装置および器具が，医薬品の安全性，同一性，含量，品質，または純度を，公的なまたは他の設定要件を超えて変化させるような，機能不全あるいは汚染を防ぐために，適切な間隔で，洗浄，保全，必要に応じて消毒および/または滅菌されていない（21 CFR 211.67(a)）。

洗浄のやり方が装置の製品接触表面から汚染物質を取り除くために十分であることを示していなかった。例えば，医薬品は種々の起源の成分を用いて共用装置で製造されている。製造後に装置から集めた洗浄サンプルは，微生物試験の結果が300 CFU/mL以上，また全有機炭素（TOC）が896 ppb, 692 ppbと常時不適となった。これらの製造状況は，医薬品間に交叉汚染の大きなリスクがあることを表している。また医薬品を微生物，洗剤，および薬物残渣による潜在的な汚染のリスクにさらしている。

Form 483への回答では，洗浄バリデーションをタイムリーに行うことを述べている。しかしながら，洗浄のやり方の有効性を裏付けるバリデーション結果を提示しなかったので，Form 483への回答は評価できない。

当警告書への回答として，以下を提示すること。

- 1つ以上の製品を製造するのに用いられる各製造装置に対する洗浄手順，実践およびバリデーションを評価する包括的な計画。
- 洗浄手順が有効であることを保証するための洗浄バリデーション戦略に対する科学的根拠。
- ワーストケース条件を取り込んだ洗浄バリデーションプロトコールの最新版の要約。以下の点などを含めること。
  - ✓最も毒性が高い薬物の評価
  - ✓洗浄溶媒で最も溶けにくい薬物の評価
  - ✓洗浄しにくい特性をもつ薬物の評価
  - ✓装置をスワブするにあたり，最も洗浄しにくい場所
- 新しい製品，工程，および装置の洗浄消毒手順の検証およびバリデーションに対する適切な計画があることを保証する最新SOPの要約。

2 製造管理

事例1 再加工原薬の安定性試験データ欠如

企業名　　　：Interquim S.A.（スペイン）
査察実施日　：2016年5月2日～6日
警告書発出日：2016年11月22日

FDAは2016年5月27日付の同社の回答書を照査したが，十分な是正措置が欠如しているのを確認している。警告書での主な指摘内容は次のとおりである。

1）残渣の許容基準を定め，正当化する適切な洗浄手順がない。

共用装置の内部表面が，洗浄のSOPで要求されているように，きれいではなかった。例えば，"洗浄済み"と表示された装置の内部に残渣が認められた。残渣を十分に取り除いていないと，同じ装置を用いて引き続いて製造される原薬が交叉汚染されることになる。

Form 483への回答で，同社は洗浄が十分でないために残渣が生じたことを認めている。洗浄方法を変えて溶媒工程を加えることにしたと述べている。しかしながら，変更した洗浄方法が有効であることを確認していないので，回答は不十分である。さらに，洗浄方法が，共用装置で製造されるすべての原薬に有効であることを確認していない。残渣のキャリーオーバー（持ち越し）の基準を定めていなかった。

当警告書への回答として，次の事項を提出すること。

- 洗浄バリデーションアプローチ，検証されたサンプリング計画と許容基準を含む，製造装置の洗浄手順が有効かどうかを判断するアクションプラン。それぞれについての科学的根拠。
- 米国に出荷された有効期限内のAPIの洗浄が不十分であることによる，潜在的な交叉汚染のリスク評価。
- これらの活動の完了のためのタイムライン。

2）原材料，中間体，または原薬に接触する表面が設定された規格を超えて，原薬の品質を変更しないように装置を構築できていない。

2つの共用装置の内部表面が変色していた。同社は，変色は装置の劣化によるものであると述べた。装置保全業者は，以前からこのことに気づいており，ある物質●●で修理をした。しかしながら，内部表面を修理するために用いた物質が原薬の品質に影響を及ぼさないことを確認していなかった。

3） 原薬もしくは中間体の再試験日あるいは使用期限日，および保存条件を支持するための安定性データがあることを品質ユニットが保証していない。

再加工された原薬の再試験期間を支持する安定性データを提示しなかった。再加工原薬の12カ月の安定性データを提示した。Form 483への回答では，再加工作業についてのみ記してあるが，安定性データがないことには触れていない。安定性データなしでは，再加工原薬が定められて使用期間で規格に適合することを保証できない。これでは，顧客が原薬から作る医薬品の品質に悪影響をもたらす（**解説**）。

結 論

本警告書に引用されている逸脱は，すべてを網羅したリストではない。原因の特定，再発防止，その他の逸脱防止のために，これらの逸脱を調査する責任がある。

解説：安定性試験ガイドライン

原薬GMPには，再加工（Re-processing）と再処理（Re-working）という言葉が出てくる。再加工とは「品質不適格の製品バッチの全部または一部をある製造の段階に戻し，一工程ないしそれ以上追加作業を加えて品質が合格となるように行う再作業」であり，再処理とは，通常の工程に記載されていない処理を行うもので，GMP上では通常認められていない。

安定性試験は，とりわけ，新規医薬品（原薬，製剤）の有効期間を設定する上で重要な試験である。現在は，承認市販後も少なくとも1ロットの安定性試験が求められている。原薬製造所においては，安定性試験の不備に対する警告書発出が多いので，適切な安定性試験を実施することが重要である。安定性試験ガイドライン（ICH Q1A）の「2.1.7. 保存条件」には，以下の記載がある。

> 2.1.7 一般に，原薬の安定性は，熱安定性と必要であれば湿度に対する安定性が試験できるような適切な保存条件において評価されるべきである。保存条件及び試験期間は，貯蔵，流通及びそれに続く使用を十分考慮にいれたものとする。
>
> 長期保存試験は，申請時において，試験の途中であっても3ロット以上の基準ロットの12カ月以上の期間の試験成績をもって承認申請して差し支えないが，申請されるリテスト期間を保証する十分な期間継続する。承認申請後引き続き実施した成績は，行政当局の求めに応じて提出する。加速試験成績又は必要に応じて中間的な保存条件で試験された成績は，輸送中に起こりうる貯蔵方法からの短期的な逸脱の影響を評価するために利用される。
>
> 原薬の長期保存試験の保存条件，加速試験の保存条件及び必要な場合の中間的試験の保存条件の詳細は，下記に示す（略）。後続の項に該当しない原薬は，一般的な原薬として取り扱う。根拠があれば，他の保存条件を採用することができる。

事例2　不適切な製造管理

企業名　　：Badrivishal Chemicals & Pharmaceuticals（インド）
査察実施日　：2016年8月16日～19日
警告書発出日：2017年3月2日

FDAは，2016年9月8日付の同社の回答書で十分な是正措置が欠如しているのを確認している。警告書での主な指摘内容は次のとおりである。なお，この査察結果を受けて，同社に2016年12月19日付で輸入警告（Import Alert）が出された。

1）水が適切な品質を持ち，目的とされる用途に適していることを保証するために，水浄化システムをバリデートし，モニターしていない。

水を原薬の原料として，また設備や装置の洗浄用に用いているために，これらの欠陥は原薬の安全性に重大なリスクを及ぼす。

[源水]

●●水システムに用いる源水を試験していない。源水は近くの川に発し，農地を通り，工場に達するまでに，農業排水と動物の糞尿にさらされている。この源水を外気に開放された大きな穴のあるタンクに貯めている。この保管方法は不潔物や他の汚染物質から，あるいは害虫や好ましくない微生物の侵入や増殖により水を保護しない（**解説①**）。

[消毒とバリデーション]

●●水システムの消毒の手順に従っていなかった。手順書には，消毒時間を●●と定められているが，理由なしに10分間しか消毒を行っていない事例がいくつかあった。2016年3月に●●水システムの稼働性能適格性評価を開始したが，まだ完了していないと述べた。システムが適切な品質の水を作ることができる科学的証拠なしに，2014年の据付け以降，この適格性評価が行われていないシステムを日常的に使っていた。

[試験]

工程水サンプルの全好気性細菌数が基準値を超えていたことを知っていたが，調査をしなかった。

2）品質部門が，原薬製造に関連した文書を作成，照査，および承認をしていない。

2016年8月16日，建物の近くに数多くのゴミ袋があるのを査察官が見つけた。ゴミ袋には，試験報告書，●●水試験報告書，およびサンプルノートのような試験と製造の破れたオリジナル記録が入っていた。破り捨てられたこれらの文書にある情報は公式の記録と一致しなかった。品質部門はこれらの食い違いを調査しなかった（**解説②**）。2016年8月

18日，査察官がゴミ袋のあったエリアを再度訪れた際には，これらの文書は取り除かれていた。これらの事実は，品質部門が責任を果たしていないことを示している。

Form 483への回答で，文書整理に関して，“品質保証部門内でギャップがある”ことを認めた。文書の管理を向上させ，作業と同時に記録を行うよう従業員を教育したと述べた。しかしながら，是正・予防措置の詳細を示していないので，回答は不適切である（**解説③**）。また，食い違いが適切に調査されることを保証するために行われた変更について言及しなかった。さらに，破れた文書の入っているゴミ袋を取り除いて，査察官がこれらの文書を調べる邪魔をした。また，これにより，破れた文書を公式のものと突き合せすることができなくなった。

3) 試験法の適合性を検証していない。

試験受託業者であるA社の用いている試験法が，目的とする試験用途に適合していることが検証できていなかった。（**解説④**）正確で信頼できる結果を出せる，資格のある試験受託業者を採用するのは，同社の責任である。

出荷試験をA社に委託している。A社の品質保証契約書には，分析法バリデーションの責任を定めていない。査察官が，A社によって行われた残留溶媒，不純物，および微生物試験の分析法の検証を要求したところ，要求された文書はA社にあり，15日以内に取り寄せると述べた。

Form 483への回答で，要求されたA社からの文書を提示せず，代わりに残留溶媒，不純物，および微生物試験の計画書案を提示した。これらの計画書は2016年12月15日までに検証されると述べたが，どちらの会社が検証実験を行うのか不明確である。回答は不適切である。

警告書への回答として，どの会社が検証を行ったかをはっきりさせること。また，分析法の検証あるいは分析法バリデーションの必要性を決めるために，原薬のすべての他の試験法の内部照査結果を提示すること。

4) 重大な逸脱を適切に調査していない。

A社から送られてきた不純物試験のクロマトグラムに，少なくとも3カ月にわたる，少なくとも6バッチで，実行時間，操作中止，およびデータの再加工に説明されていない食い違いがあった。これらの食い違いを記録せず，あるいは調査を行わなかった（**解説⑤**）。

Form 483への回答で，“HPLCクロマトグラムの結果を規制当局の基準に関して解釈し，照査する専門家がいない”と述べた。クロマトグラフィック規範を保証するために，同社からの“専門家代表”に同席してもらい，A社に6バッチを再試験させることを提案した。さらに，A社との品質保証契約では，規格外試験結果あるいは食い違いについて知らせることを定めていなかった（**解説⑥**）。詳細に欠けるので，回答は不適切である。

OOS試験結果に関しては，FDAガイダンス“Investigating Out-of-Specification（OOS）Test Results for Pharmaceutical Production”を参照のこと。

CGMPコンサルタントを勧める

逸脱の性質と広汎性から考えて，FDAは資格のあるコンサルタントを使って，作業を評価し，CGMP要件に適合することを手助けしてもらうことを勧める。

品質契約

試験受託業者を使う会社は，CGMPを遵守しなければならない。FDAは，多くの医薬品製造業者が，製造設備，試験室，包装業者と，ラベル業者のような独立した契約者を使っていることを知っている。FDAは，これらの契約者を製造業者の延長とみなしている。

同社とA社は，製品の試験に関する品質保証契約を結んでいる。この契約にかかわらず，同社は，製造する原薬の品質に対して責任がある。安全性，本質，含量，品質，純度のためのFDC法のセクション501(a)(2)(B)に従って確実に原薬が作られるように，同社は要求されている。 FDAガイダンス “Contract Manufacturing Arrangements for Drugs: Quality Agreements”を参照のこと。

データ完全性の改善

品質システムが製造する医薬品の安全性，有効性および品質をサポートするデータの正確性と完全性を保証していない。

解説

①水は医薬品製造において非常に重要な原料である。本指摘は製薬用水システム云々以前の源水管理がなっていない。筆者は米国の大手製薬企業でのGMP調査でも同じようなことを経験している。源水は市水ではあったが，貯水装置入口は地上50cmくらいのところにあり，害虫，ネズミ，ヘビでも入り込めるような粗い金網で覆われており，地下に大量の市水が流れ込むシステムであった。「精製するから問題ない」とのことであったが，日本人の感覚とは違うものを感じた。製薬用水システムの適切な管理については，WHO Technical Report Series，No. 970，Annex 2，2012: WHO-GMP: water for pharmaceutical use（製薬用水に関するWHO-GMP）がよくできている。この翻訳版と解説書として，「製薬用水の製造管理：GMPの正しい理解のために」（じほう，2014）が発行されているので，参照されたい。

②インドや中国でデータインテグリティに抵触する逸脱が散見されるようになってから，FDA査察官はゴミ箱に執着している。海外査察は事前通告があるので，査察前に，ゴミ箱に破棄した（破棄することは許されないが）GMP関連のデータや資料がないかどうか確認するのは当然のことであり，お粗末すぎる指摘である。公式な記録と一致しないと品質システム全体の不備と捉えられ，警告書発出は避けられない。

③Form 483の指摘事項への回答として，「SOPを改訂し，従業員を再教育した」と答え，改訂SOPと教育内容を提示するだけでは，ほぼ間違いなく「是正・予防措置の詳細を示していないので，回答は不適切である」との警告書が出される。指摘内容の再発を防ぐ“是正・予防措置”をいかに具体的に示すかがポイントである。

④工程管理試験や出荷試験の一部またはすべてを外部の試験検査受託業者に委託する際には，委託側と受託側で詳細な契約書を締結しなければならない。試験成績に対する責任は委託者側にあるので，試験検査受託業者に対する適切な指導と評価が必要である。WHO Technical Report Series, No. 961, Annex 7, 2011に収載されたWHO guideline on transfer of technology in pharmaceutical manufacturing（WHO医薬品製造における技術移転に関するガイドライン）の翻訳文と解説書として，「WHO-GMPシリーズ② 技術移転管理基準/医薬品の物流管理基準（GDP）」（じほう，2012）が発行されているので，参照されたい。

⑤分析方法の技術移転には，通常，「移転実施計画書」と「分析方法移転計画書」が作成される。これらの中で，委託分析結果に疑問が生じた際の対応方法を詳述しておく必要がある。本指摘は委託者側の品質保証部門がしっかりしていないことに尽きる。委受託契約においての最終責任は委託者側にあるので，監査等を通じて受託者側を適切に管理することが重要である。

⑥PIC/S GMPのPart 1 第7章：委託製造および分析，7.1項には「契約下で取り決められた製造および/または分析，および関連する技術的取り決めを網羅する文書による契約書がなければならない」とある。俗にいう“品質取り決め（quality agreement）”に関する要件である。品質取り決め書には，逸脱報告を含め，必要なことはすべて記載しておく必要がある。

3 原薬の製造管理および品質管理

原薬（API）の製造管理および品質管理に関する基準（原薬GMP）に関わるICH Q7ガイドラインが日米欧規制当局のみならず，EU GMPガイドライン Part II（Basic Requirements for Active Substances used as Starting Materials）やPIC/S GMP Guide Part II（Basic Requirements for Active Pharmaceutical Ingredients）等としても発行されている。内容的にはすべて同じである。

インドや中国が原薬の主要製造国であり，輸出国でもあるので，米国FDAのGMP査察が頻繁に行われており，Form 483や警告書の発行数も両国がずば抜けて多い。前述した2社（スペイン，インド）に対する警告書は，他の原薬メーカーに対する警告書でも共通することが多い。

以下に，FDAが原薬メーカーへのGMP査察でとりわけ注意して観察する事項を，「原薬の製造所査察」（FDAコンプライアンスプログラム7356.002F）の中から列記する。

FDAの原薬製造所査察（Program 7356.002F）

あるシステム内での重大欠陥または欠陥パターン示す証拠は，システムの欠陥を示す可能性がある。システムの欠陥は，すべての医薬品を危険にさらすので，速やかに是正しなければならない。以下に，CDERに規制措置勧告を行う欠陥事例を列挙する。他の欠陥もまた，規制措置を正当化することになるかもしれない。

1) 汚染ルートの探求が必要な，汚物，否定すべき特定微生物，毒性化学物質，または相当量の他の種類の化学物質，またはそのような汚染の可能性を伴うAPIの汚染。（施設・設備

システム，製造システム）

2) APIバッチが，NDA，USP，顧客規格やラベル要件などの確立された規格に準拠していない。コンプライアンスポリシーガイド（CPG）7132.05も参照のこと。（品質システム）
3) 製造プロセス，不純物プロファイル（提出された場合），およびAPIの製造に関連するその他の規格または手順など，必要なすべての情報に関しては正確かつ最新のものでなければならない。DMFを含む医薬品申請書における約束を遵守していない。（品質システム）
4) 制定された規格に準拠しないでAPIを出荷している。（品質システム）
5) 汚物や他の有害な汚染物質を希釈または隠すためにAPIバッチの意図的な混合，または規格を満たすバッチを得るために，重大な品質欠陥を偽装させるために混合を行っている。（製造システム）
6) 製薬用水の精製システムのバリデーションやAPIプロセスの最終段階で使用されるその他の溶媒を含む水が，意図された用途に化学的および微生物学的に適切であり，APIの品質に悪影響を及ぼさないことが実証できない。（材料システム）
7) APIプロセスの重要ステップ，特にAPIの最終的な分離および精製，またはAPIプロセスが適切に管理されていないという証拠がある場合には，適切なバリデーションが欠如している。適切な制御欠如は，繰り返されるバッチ不適合または最終製品の収率が経日的なプロセス平均値と比較して，変動幅が大きい場合に示されうる。市販前承認の対象となる医薬品および医薬品原料のプロセスバリデーション要件（Process Validation Requirements for Drug Products and Active Pharmaceutical Ingredients Subject to Pre − Market Approval）の改訂版（CPG 7132c.08）も参照のこと。（品質システム，製造システム）
8) プロセスが大幅に変更された場合，企業が不純物プロファイルデータを欠いている場合，またはプロセスのバラツキにより，繰り返しバッチが不適合になった場合，存在するAPIプロセスに対して回顧的バリデーションを実施していない。（品質システム，製造システム）
9) APIプロセスごとに不純物プロファイルを確立していない。FDAは，プロセスバリデーション作業の一環として，製造業者が各APIに対して完全な不純物プロファイルを確立することを期待している。これには，(1) APIの合成，精製および保管中に生じる可能性のある実際のおよび潜在的な有機不純物，(2) APIプロセスに由来しうる無機不純物，および (3) APIにキャリーオーバーされることが知られている製造プロセス中に使用される有機および無機溶媒に関するデータの収集を含む。各バッチの不純物プロファイル試験で，または一定数のバッチ製造の後に，API製造プロセスの意図的または意図的でない変更により，現れるかもしれない新しい不純物を検出することがある。（試験室管理システム）
10) 再処理されたバッチがすべての制定された基準，規格，および特性に適合していることを示すことができない。（品質システム，試験室管理システム）
11) 適切な感度レベルの分析手法を使用してAPIにキャリーオーバーされる可能性がある，製造工程中に使用される有機/無機溶媒の残留物試験の欠陥。（試験室管理システム）

12）APIの品質に影響を与える可能性のある出発原料，施設，支援システム，装置，製造ステップ，および包装材料の変更を評価するために，正式なプロセス変更管理システムを確立していない。（すべてのシステム）

13）バッチおよび品質管理記録を維持していない。（品質システム）

14）意図された使用期間に対してAPIの安定性を確立するための不完全な安定性試験，および/または保管中に生じる可能性のある分解物の単離，同定および定量のためのAPIの分解物試験実施の失敗。（試験室管理システム）

15）不適切かバリデートされていないラボ試験法の使用，または，不適切な認定，または追跡不能な参照標準品の使用。（試験室管理システム）

16）誤表示の重大なリスクを招くような方法での包装およびラベリング。（包装・表示システム）

6.7 再生医療等製品（HCT/Ps）

再生医療等製品（Human Cells, Tissues and Cellular/Tissue-based Products：ATMP）の製造所には，生物製剤事業局（OBPO）や生物製剤評価研究センター（CBER）が査察を行う。OBPOは，血液および組織製剤，ならびにCBERが規制するワクチンおよびその他の生物製剤の査察，調査，コンプライアンス活動を実施する専門部隊である。最近，警告書を受けた2つの製造所の違反事項を示す。本書で紹介する警告書のうち，OBPOやCBERから発出された警告書はこの2件のみのため，全文を掲載する。

事例1 脂肪組織由来幹細胞を治療目的で静脈投与

企業名　：StemGenex Biologic Laboratories, LLC（米国）
査察実施日　：2018年1月16日～26日
警告書発出日：2018年10月31日
発行機関　：OBPO（Office of Biological Products Operations）– Division 2

2018年1月16日～26日に実施した，カリフォルニア州サンディエゴ，スイート100，115100エルカミノリアル11515に所在する，StemGenex Biologic Laboratories（SGBL）LLC社の査察において，FDA査察官は同社が自家使用のためにドナーから脂肪組織（体脂肪），構造組織を採取し，処理（加工）していることを報告文書にしている。同社は，さらに間質血管画分（stromal vascular fraction；SVF）に処理される●●を使用している。SVF製品は，●●を含むさまざまな方法で管理されている。

査察中に収集した記録とウェブサイトで入手できる情報は，SVF製品がアルツハイマー病，クローン病，Ⅰ型およびⅡ型糖尿病，線維筋痛症，脊髄損傷，慢性閉塞性肺疾患（COPD），多発性硬化症（MS），筋ジストロフィー，パーキンソン病，末梢神経障害，関節リウマチを含む（これらに限定されない）さまざまな病気や症状の治療を目的としている（**解説①**，p. 443）。

したがって，SVF製品は，連邦食品・医薬品・化粧品法（FDC法）[21 USCのセクション321(g)]の201(g)で定義されている医薬品であり，公衆衛生サービス法（Public Health Service Act：PHS法）[42 USCのセクション262(i)] の351(i) で定義されている生物製剤である。また，21 CFR 1271.3(d)に定義されているヒト細胞，組織，および 細胞組織ベースの製品（HCT/P）であり，PHS法 [42 USC 264] のセクション361規制の下で発行された21 CFR Part 1271に基づく規制対象品である。SGBL社は21 CFR 1271.15の例外対象ではないので，製品は21 CFR 1271.10(a) の基準を満たしていない。したがって，同社製品は，PHS法のセクション361 [42 USC 264] および21 CFR Part 1271の規制のみに基づいて規制されているわけではない。

具体的には，SVF製品は，21 CFR 1271.3(f)(1) の脂肪組織などの構造組織に対して定義している21 CFR 1271.10 (a)(1) で規定されている最小限の操作基準を満たしていない。SVF製品は，再建，修復，または置換の有用性に関連する脂肪組織の元の特性を変えているため，この基準を満たしていない。

さらに，SVF製品は，21 CFR 1271.10(a)(2) に示す基準「HCT/Pは，製造業者の目的意図の表示，広告，またはその他の表示に反映されているように，相同利用（**解説②**，p. 444）のみを目的としている。」を満たしていない。上述のように，SVF製品は，さまざまな病気や症状の治療に使用することを目的としている。SVF製品は，一般に身体のクッションと支持を目的としている脂肪組織と同じ基本機能を実行することを目的としていないため，これらの病気および症状の治療にSVF製品を使用することは，21 CFR 1271.3(c)で定義されている相同利用ではない。その結果，SVF製品は，PHS法のセクション361および21 CFR Part 1271のみに基づく規制の対象にはならない。

生物製剤である医薬品を合法的に販売するには，正当な生物製剤ライセンスが有効であることに留意すること［42 USC 262(a)］。このようなライセンスは，製品の使用目的に対する安全性と有効性が証明された後にのみ発行される。開発段階では，そのような製品は，スポンサーがFDA規制［21 USC 355(i)，42 USC 262 (a)(3)，21 CFR Part 312］によって，新薬治験開始申請書（IND）が有効な場合にのみ，ヒトに使用できる。SVF製品は，承認された生物製剤ライセンス申請書（BLA）も，有効なINDも有していない。この情報に基づいて，同社の行為がFDC法およびPHS法に違反していると判断した。

さらに，FDAの査察官は査察中に，FDC法のセクション501(a)(2)(B)および21 CFR Part 210および211からの逸脱を含む，CGMPからの著しい逸脱証拠を記録した。観察された製造プロセスおよび査察中に収集した記録は，SVF製品の使用が潜在的に安全性上の重大な懸念を引き起こすことを示していた。

例えば，SGBL社のバリデートされていない製造プロセス，制御管理されていない環境，●●などの製造に使用されるコンポーネントの管理欠如，および以下に示すように十分にバリデートした製品試験（無菌性およびエンドトキシン試験）の欠如は，SVF製品が微生物汚染や，そのほか製品品質に重大な欠陥をもたらすリスクがある。

さらに，SVF製品は，すべてが非相同的な使用であり，さまざまな深刻な，または生命を脅かす病気または症状を治療することを目的としている。そのような使用は，レシピエントにおける製品の挙動を予測する根拠が少ないため，潜在的な重大な安全性の懸念を引き起こし，これら未承認製品の使用は，ユーザーが新薬申請またはBLA承認プロセスを通じて，安全かつ有効であることが判明した医療処置を受けることの遅延，または中止となる可能性がある。製品は静脈注射を含むさまざまなリスクの高い投与経路でヒトに投与されるため，汚染されている場合，感染から死亡までの種々の有害事象を引き起こす可能性がある。

査察の終わりに，FDA査察官は，Ms. Rita F. AlexanderにForm 483の査察指摘リストを発行した。これには，CGMP遵守に関連する多くの好ましくない状況が記載されている。FDAは，以下で説明するように，2018年1月の査察中に収集された情報をさらに検討すると，いくつかの追加の重大な逸脱を発見した。欠陥には，次のものが含まれるが，これらに限定されない。

1）すべての無菌操作および滅菌プロセスのバリデーション手順を含む，無菌であるとされる医薬品の微生物汚染を防止するために設計された，適切な書面による手順の作成および遵守の失敗［21 CFR 211.113(b)］。

例えば，

a. 同社は，2012年1月から2018年1月の間にSVF製品の約●●バッチを製造するために使用した無菌プロセスの制御状態を評価するための培地充填シミュレーションを実施していなかった。この製品は，種々の病気や症状にさまざまな方法で投与される。その投与経路の性質により，SVF製品は無菌を目的としており，無菌であると期待される。

b. SOP STEM-LAB-011：ガウニングでは，製造担当者が適切な滅菌ガウンまたはその他の衣類を着用することを規定していない。これには，無菌の無塵衣，手術用マスク，使い捨ての靴カバー，キャップが含まれる。適切なガウンを着用すると，製造担当者が無菌製造プロセス中に製品を不注意に汚染させる可能性を低くする。

c. SVF製品の無菌製造プロセスに関わる作業員に対して，定期的な作業員のモニタリングと資格認定を行っていない。

d. 同社は，2012年1月から2018年1月の間に，●●を含むさまざまなリスクの高い投与経路で投与されるSVF製品の約●●バッチに非無菌の●●を加えた。

2）製造および工程管理については，医薬品の同一性，力価，品質，純度を標榜，または保有していることを保証できるように設計された手順書がなかった［21 CFR 211.100(a)］。

具体的には，同社は●●および●●を通じて脂肪組織から細胞成分を分離し，さらに●●と●●によって，SVF製品に加工している。製造プロセスをバリデートせずにSVF製品を約●●バッチ製造しており，そのような製造および工程管理を適切に確立していなかった。

3）必要に応じて，有害微生物が存在しないことが条件になっている医薬品のバッチごとに，適切な試験室で試験を行っていなかった［21 CFR 211.165(b)］。

具体的には，2012年1月から2018年1月に製造されたおよそ●●バッチのSVF製品で，無菌性およびエンドトキシン試験を含む適切なラボ試験を実施していなかった。このようなラボ試験は，SVF製品の投与ルート上，特定微生物を含まないことが要求される。

4）製造および加工作業中の汚染または混同を防ぐために必要な作業のために，区分または定義された区域，またはその他の制御システムがない［21 CFR 211.42(c)(5)］。

2018年1月18日，FDAの査察官は，●●で2つの異なるSVFバッチを同時に製造しているSGBL職員を観察した。

5) 無菌操作区域の環境状態をモニタリングするシステムがない [21 CFR 211.42(c)(10)(iv)]。

具体的には，同社は，SVF製品を製造する無菌操作区域の環境状態をモニタリングするシステムを確立していない。

6) 器具を含む設備の洗浄および保全に関する手順書の確立を作成し，遵守することの不履行[21 CFR 211.67(b)]。

具体的には，SOP STEM-LAB-020（ラボ清浄）には，2つの装置（#SN ●●，#SN ●●），または遠心分離機●●を含む設備の洗浄または保全について触れていない。さらに，このSOPは，バッチ間の清浄化についても触れていない。

7) 試験室管理には，原料成分，医薬品容器，閉塞具，中間製品，表示材料，および医薬品が同一性，力価，品質および純度の適切な基準に適合していることが保証できるように設計された，科学的に正しく適切な規格，基準，サンプリング計画，および試験手順を含んでいなかった [21 CFR 211.160(b)]。

例えば，SVF製品の同一性，力価，品質，および純度を試験するための規格，基準，サンプリング計画，および試験手順を確立していない。

8) 原料成分，医薬品容器および閉塞具は，ロットごとにサンプリング，試験または検査が適切に行われ，品質管理部門が使用許可するまで使用せずに保管することが実施できていなかった [21 CFR 211.84(a)]。

例えば，次の原料成分および医薬品容器は，出荷前に試験も検査も行われていない。

a. ●●容器，SVF製品の最終調合に使用される。
b. SVF製品の製造に使用される●●。重要な点として，この原料成分は，製造業者の適合証明書に記載されているように，研究専用である。この原料成分は非無菌であり，使用前に滅菌されていない。
c. ●●脂肪組織から細胞成分を分離するために使用。
d. ●●を再構成するために使用される●●。
e. 最終的なSVF製品に使用されるシリンジ。

9) 原料成分および医薬品容器と閉塞具の受入れ，確認，保管，取り扱い，サンプリング，試験，および適否判定について，十分詳細に記述した手順書を備え，これら手順書を遵守していなかった [21 CFR 211.80(a)]。

具体的には，2012年1月から2018年1月の期間中に約●●バッチのSVF製品を製造するために使用された医薬品原料と医薬品容器および閉塞具の受入れ基準を確立し，それに従っていなかった。SVF製品を製造するためにそのような手順なしで同社が使用するものには，以下が含まれるが，これらに限定されない。●●シリンジ。

10) すべての原料成分，医薬品容器，閉塞具，中間製品，包装資材，表示材料，および医薬品の適否を判定する責任および権限を有し，かつ製造中に過誤がなかったことを，あるいはエラーが発生した場合，それらが十分に調査されたことを保証するため，製造記録を照査する権限を有する品質管理部門が設けられていなかった［21 CFR 211.22(a)］。

具体的には，2012年1月から査察時まで品質管理部門がなかった。

11) 医薬品に関するすべての書面および口頭での苦情の処理を記載した手順書を作成し，これを遵守していなかった［21 CFR 211.198(a)］。

例えば，

a. 患者記録によると，SGBL社はSVF製品に関する有害事象の可能性がある複数の苦情を受け取ったが，それらの苦情に対して適切なフォローアップおよび/または調査を行ったことを示す裏付け文書がなかった。

b. すべての書面および口頭による苦情処理を記載した手順書には，苦情が重篤かつ医薬品による予想外の有害な経験を表しているかどうかを判断するためのレビュー条項が含まれていなかった。

査察指摘事項への回答の評価

Form 483に記載されている査察結果に対する，2018年2月16日，2018年3月19日，2018年4月18日，2018年7月13日の書面による回答を受け取り，その内容を確認した。査察指摘事項に応じて，包括的な是正措置を実施するという誓約を認める。

レビューのために提供された限られた情報に基づいて，無菌操作法のバリデーション，環境モニタリング，またはバリデートされた方法を用いての安全性，純度，力価および同一性（これらに限らないが）に関する製品試験に関連するものを含むが，現在の是正措置の妥当性を評価することはできない。また，是正措置を実行する●●があることにも注意すること。しかし，同社の施設でこれらの責任をいかに継続的に処理するかどうか，FDAには不明である。さらに，同社の回答書を確認した後に，次のコメントまたは質問がある。

Form 483指摘1および2への返答

プロセスバリデーションSOP，STEM-QUA-0019.1：同社は，StemGenex注射用間質血管画分（SVF）製品のバリデーションマスタープランと，STEM-QUA-0020.1 StemGenex注射用間質血管画分（SVF）製品のプロセスバリデーションレポートを提出した。実製造を行い，エンドトキシンを除くすべての最終試験結果が許容可能であることを表明した。エンドトキシン試験結果を再評価したところ，最初に設定した限度値を修正して，達成された結果が規格内に収まるようにする必要があったと結論付けている。提供された情報に基づいて，達成された結果は許容可能であるという結論には同意できず，見直しをしたエンドトキシン規格値には同意できない。

一部の回答では，●●を使用しなくなったと述べているが，最初の回答では，より高い品質の同種のものと交換を求めていると述べている。2018年4月の回答で提出したプロセスバリデーションには，●●の使用も含まれていた。●●の使用を完全に中止したのか，代替品を探しているのかが不明である。いずれにしても，プロセスが変更されるため，再バリデーションが必要になるようである。プロセスバリデーションに関するFDAの推奨事項については，FDA業界向けガイダンス「プロセスバリデーション：一般原則と実践」(Guidance for Industry, Process Validation: General Principles and Practices, 2011年1月）を参照のこと。

さらに，提供された情報に基づいて，プロセスバリデーション中に環境モニタリングを実施していないようである。プロセスバリデーション中に環境モニタリングを実施し，許容範囲内の結果を達成することを期待する。

Form 483指摘4への返答

SOP STEM-QUA-0022.1：“StemGenex注射用間質血管画分（SVF）製品製造プロセスのクリーニングバリデーション”は，受け入れ基準を提示し，重要区域を含むすべての区域で●●CFU/mL未満のバイオバーデンであることを示している。この許容レベルに関するデータは不十分であり，重要区域での●●CFUは許容できない。

例えば，「無菌操作法で製造する無菌医薬品の業界向けガイダンス」の5ページには，「クラス100（ISO 5）環境は通常，汚染菌が存在しない」と述べている。

さらに，STEM-QUA-0022.1の10ページ，「StemGenex注射用間質血管画分（SVF）製品製造プロセスのクリーニング検証レポートには，「●●」と記載されている。クリーニング後にバクテリアを検出したという事実に，われわれは関心を抱いている。

Form 483指摘6への返答

無菌性に関しては，各ロット製品について試験する必要性のあることを理解している。

例えば，2018年4月11日の回答には，「製造プロセスと各サンプルの個々の特異性を評価した後，各ロット（患者）の無菌試験が評価されている」と述べている。静注，ネブライザーによる吸入，カテーテル法，くも膜下腔内を含むリスクの高いさまざまな投与経路で投与される製品が予想されるため，無菌性に関して各ロットの医薬品について試験をしているのかどうか，回答からはわからない。

前述のように，エンドトキシン試験に関して，バリデーション中にエラーが発生すると，エンドトキシンの規格が変更された。これは，個々の患者の体重に基づくものではなく，多くの患者にとっては許容範囲を超えているようである。エンドトキシンに関するバリデーション実施のためのプロトコールと計算のレビューを提出すること。

この手紙もForm 483に記載されている所見も，査察の講評時に同社と話し合ったものではなく，同社の施設に存在する可能性のある欠陥の包括的なリストを示している。FDC法，PHS法，および該当するすべての規制を完全に遵守することは同社の責任である。これらの違反を修正するには，すぐに対処する必要がある。早急に対処しないと，予告なしに規制措置がとられる場合がある。そのような行為には，差し押えおよび/または差止め命令がある。

生物学的製剤のIND要件の詳細については，生物学的製剤評価研究センター（CBER），規制プロジェクト管理部門，組織および先端治療オフィス，(240)402-8190，またはOTATRPMS@fda.hhsに問い合わせること。CBERへの最初の提出時には，この手紙のコピーを含めること。

この手紙を受け取ってから15営業日以内に，記載された違反を是正し，再発防止のために行った措置または講じる措置について，書面で下記オフィスに通知すること。是正が達成されたことを示すために必要な文書を含めること。製品がFDC法，PHS法，または該当する規制に違反していると思わない場合は，その理由と，検討のための補足情報を含めること。15営業日以内に是正措置を完了できない場合は，遅延の理由とすべての是正が完了するまでの期間を明記すること。

回答は，以下の住所に送信すること。

Patricia A. Clark, Compliance Officer, FDA, 622 Main Street, Suite 100, Buffalo, New York 14202またはpatricia.clark@fda.hhs.govに電子メールで送信。質問がある場合は，(716)846-6236または電子メールでPatricia A. Clark氏に問い合わせること。

解説

①再生医療等製品の製造販売

2018年11月13日付で，FDA長官Scott Gottliebは，「StemGenex Biologic Laboratories LLCが，重大な製造違反のある施設で未承認の細胞製品を製造し，違法に販売し，患者を危険にさらしている」とのことで警告を促すニュースリリースを出した。再生医療等製品の製造所は，一般に小規模であり，GMPやGCTPに疎いところが多いだけに，本警告書は日本においても参考にするところがある。

FDAは，StemGenexの所有者/責任者であるRita F. Alexanderおよび，研究所長/医学部長のJenny R. Galloway医師に対し，FDAの承認なしに幹細胞製品と称される製品の販売，および微生物汚染の可能性のあるものを含めてGMP要件から大幅に逸脱している製品の製造は，患者を危険にさらす可能性があることを警告している。

「再生医療の潜在的な健康上の便益は，過去数十年間にわたって幹細胞生物学の大きな進歩に拍車をかけてきた。だが，この分野の科学的有望性を利用して，脆弱な患者に安全で効果的な治療を受けていると誤解させてしまうのを見ている。代わりにこれらの幹細胞の製造者は，未承認の，証明されていない，違法で潜在的に危険な製品を押し広げるために，この分野の誇大宣伝を活用している。これは患者の健康を危険にさらす。また，他の事業者が，安全性と恩恵の主張を使用して証明されていない治療法を販売して消費者を誤認させている場合，業界および有効な製品の長期的な存続可能性を危険にさらしている」とScott Gottlieb長官は述べ，「われわれは，細胞に基づく再生医療の健全で科学的な研究と規制を支援している。FDAは，再生医療等製品の効率的な承認を促進するために，包括的な政策枠組みを前進させた。同時にわれわれは，患者の信頼を乱し，管理されていない製造条件で患者の健康を危険にさらしたり，安全性や有効性が実証されていないいわゆる「治療法」を使用する企業に対して，引き続き執行措置を講じる」としている。

FDAは最近StemGenexの施設を査察し，同社が脂肪組織（体脂肪）を間質血管画分（SVF，体脂肪由来の細胞産物）に加工し，静脈内，吸入，脊柱管への直接投与などさまざまな方法で投与していることを発見した。StemGenex社は，アルツハイマー病，クローン病，Ⅰ型糖尿病，Ⅱ型糖尿病，線維筋痛症，脊髄損傷，慢性閉塞性肺疾患，多発性硬化症，筋ジストロフィー，パーキンソン病，末梢神経障害，関節リウマチなど，さまざまな重篤な疾患や生命にかかわる病態を治療するためにSVF製品を違法に販売していた。

StemGenexのSVF製品は，患者の脂肪組織の最小限の操作を含むもので，医薬品と生物学的製剤の両方で規制されている。SVF製品を合法的に販売するためには，有効な生物製剤ライセンスが有効でなければならない。開発段階にある間，同社のSVF製品は，治験中の新薬承認申請（IND）が有効な場合にのみ，ヒトに使用できる。しかしながら，StemGenex社の商品についてそのようなライセンスまたは承認は存在せず，企業は有効なINDを持っていない。

②相同利用とは

「相同利用」とは，採取した細胞が再生医療等を受ける者の再生医療等の対象となる部位の細胞と同様の機能を持つ細胞の投与方法を指し，例えば，腹部から脂肪細胞を採取し，当該細胞から脂肪組織由来幹細胞を分離して，乳癌の術後の患部に乳房再建目的で投与することは相同利用に該当するが，脂肪組織由来幹細胞を糖尿病の治療目的で経静脈的に投与することは，脂肪組織の再建を目的としていないため相同利用には該当しない。

また，末梢血を遠心分離し培養せずに用いる医療技術については，例えば，皮膚や口腔内への投与は相同利用に該当するが，関節腔内等，血流の乏しい組織への投与は相同利用に 該当しない。

事例2 臍帯血製品の違法使用

企業名　：Genetech, Inc.（米国）
査察実施日　：2018年6月18日～22日
警告書発出日：2018年11月29日
発行機関　：CBER（Center for Biologics Evaluation and Research）

2018年6月18日～22日に実施した，カリフォルニア州サンディエゴ市に所在するGenetech社の査察において，FDA査察官は，カリフォルニア州ヨーバリンダ市に所在するLiveyon社に出荷する同種使用のヒト臍帯血由来細胞製品ReGen®5，ReGen®10，およびReGen®30（以下，「臍帯血製剤」または「製品」）を製造していることを報告文書にしている。臍帯血製剤は，関節内注射，場合によっては静脈内投与，あるいは“罹患した軟部組織に直接注入”されていた。

査察中に収集した情報と記録，およびLiveyon社のウェブサイト（www.liveyon.com）から入手可能な情報は，製品がさまざまな整形外科状態を治療することを目的としている。したがって，同社の製品は，連邦食品・医薬品・化粧品法（FDC法）[21 USCのセクション321(g)]の201(g)で定義されている医薬品であり，公衆衛生サービス法（PHS法）[42 USCのセクション262(i)]の351(i)で定義されている生物製剤である。また，21 CFR 1271.3(d)に定義されているヒト細胞，組織，および 細胞組織ベースの製品（HCT/P）であり，PHS法［42 USC 264]

のセクション361規制の下で発行された21 CFR Part 1271に基づく規制対象品である。ただし，Genetech社は21 CFR 1271.15の例外対象ではないので，製品は21 CFR 1271.10(a)の基準を満たしていない。したがって，同社製品は，PHS法のセクション361［42 USC 264］および21 CFR Part 1271の規制のみに基づいて規制されているわけではない。

具体的には，臍帯血製剤は21 CFR 1271.10（a）(2)に示す基準「HCT/Pは，製造業者の目的意図の表示，広告，またはその他の表示に反映されているように，同種使用のみを目的としている」を満たしていない（**解説①**，p. 451）。上記のように，同社の臍帯血製剤は，さまざまな整形外科状態の治療を目的としている。21 CFR 1271.3(c)で定義しているように，整形外科状態を治療するために臍帯血製剤を使用することにより，リンパ造血系の形成や補充など，ドナーと同じようにレシピエントにおける臍帯血が同じ基本的機能を果たすことを目的としていないため，臍帯血製剤を使用して整形外科状態を治療することはできない。

さらに，臍帯血製剤は，21 CFR 1271.10(a)(4)に記載されている基準を満たしていない。具体的には，献血された臍帯血から製造された製品は，その主な機能は生細胞の代謝活性に依存しており，自家使用，一親等血縁者または二親等血縁者の同種使用，または生殖用ではない（**解説②**，p. 454）。

上記のように，製品は21 CFR 1271.10(a) のすべての基準を満たしておらず，Genetech社は21 CFR 1271.15の例外対象ではないため，製品はFDC法［21 USC 321(g)］のセクション201(g)に基づいて医薬品として規制され，ならびにPHS法［42 USC 262(i)］のセクション351(i) で定義されている生物製剤である。生物製剤である医薬品を合法的に販売するには，正当な生物製剤ライセンスが有効でなければならないことに注意すること［42 USC 262(a)］。そのようなライセンスは，製品が安全で，純度を有し，有効であることを証明した後にのみ発行される。開発段階では，そのような製品は，スポンサーがFDA規制［21 USC 355(i)，42 USC 262(a)(3)，21 CFR Part 312］で指定された有効な新薬治験開始申請（IND）を持っている場合にのみ，ヒトでの臨床使用のために出荷できる。同社の臍帯血製剤は，承認された生物製剤ライセンス申請（BLA）の対象ではなく，有効なINDもない。この情報に基づいて，同社の行為はFDC法およびPHS法に違反していると判断した。

さらに，査察中に，FDA査察官は，FDC法のセクション501（a）(2)(B)および21 CFR Part 210，211，1271からの逸脱を含む，CGMPおよびCGTPからの著しい逸脱証拠を記録した。観察された製造プロセスの逸脱と，査察中に収集した書類中の逸脱は，同社製品の使用は潜在的に安全性上の重大な懸念を引き起こすことを示していた。例えば，Genetech社の不十分なドナー適格性評価，検証されていない製造プロセスの使用，制御管理されていない環境，●●の追加など，製造に使用されるコンポーネント管理の欠如，および以下に示すように汚染および混同を防ぐために規定された区域または制御システムの欠如は，製品が微生物汚染を引き起こしたり，そのほか重大な製品品質の欠陥をもたらす重大なリスクがある。さらに，同社製品の安全性に係る懸念事項について数多くの報告を受けた。

査察の終わりに，FDA査察官はCGMPおよびCGTPからの多くの重大な逸脱を指摘した査察結果，Form 483を発行した。FDAは，以下で説明するように，2018年6月の査察中に収集した情報をさらに検討すると，より大きな逸脱を発見した。欠陥には，以下のものが含まれるがこれらに限定されない。

1）ドナーのスクリーニングとドナーの検査結果に基づいて，責任者が細胞または組織のドナーの適格性を判断し，文書化していなかった［21 CFR 1271.50(a)］。

例えば，

a. Genetech社には，ドナーの適格性を判断する責任があるが，2017年半ばに運用を開始して以来，Genetech社は臍帯血のドナーが適格かどうかの文書化をしていない。Genetech社も，Liveyon社も，サプライヤーも，同社製品の製造に使用される臍帯血のドナー適格性判定をしていなかった。

b. Genetech社は，サプライヤーから病歴/社会歴に関するインタビューや身体検査などに関連する医療記録を受け取った場合，それらの記録をドナーの適格性判定のために精査していなかった。

2）関連する伝染病の病原体および疾患の危険因子および臨床的証拠についてドナーの関連医療記録を精査することにより，細胞または組織のドナースクリーニングをしていなかった［21 CFR1271.75(a)］。

例えば，FDAは，ジカウイルス（ZIKV）を21 CFR 1271.3（r）(2)の下で関連する病原体または病気（relevant communicable disease agent or disease；RCDAD）として指定している。したがって，21 CFR 1271.3(s)で規定されているように，関連医療記録の精査では，ドナーの適格性を判断するために，ドナー候補者はZIKV感染の危険因子または臨床的証拠がないことを示さなければならない（**解説③**，p. 454）。

●●にある主要な臍帯血供給者から受け取った●●Recovery Site Assessmentでは，特定された地域での居住者または米国疾病予防管理センター（CDC）が指定した，ZIKV感染のあるアクティブエリアに旅行した者を適切に評価していない。FDA産業向けガイダンス「ヒト細胞，組織，細胞および組織ベースの製品によるジカウイルスの感染リスクを減らすためのドナースクリーニングの推奨事項」（Guidance for Industry, Donor Screening Recommendations to Reduce the Risk of Transmission of Zika Virus by Human Cells, Tissues, and Cellular and Tissue-Based Products，2018年5月更新）を照査することを勧める。

3）関連する病原体または病気の伝播のリスクを十分かつ適切に減らすために，製造業者の指示に従って，適切なFDA許可，承認，または認可されたドナースクリーニングテストを使用してドナー検体の試験を行っていない［21 CFR 1271.80(c)］。

具体的には，臍帯血ドナー●●がB型肝炎ウイルス（HBV），C型肝炎ウイルス（HCV），およびヒト免疫不全ウイルス1（HIV–I）核酸についてFDAの許可，承認または認可を受けていない試験法で試験していた。HBV，HCV，およびHIV-1 NATまたはポリメラーゼ連鎖反応（PCR）アッセイでの試験結果。「このアッセイは，血液ドナーのスクリーニング，関連する再導入プロトコール，またはヒト細胞，組織，および 細胞組織ベースの製品（HCT/P）に使用すべきでなかった」。さらに，臍帯血ドナーの検体は，全サイトメガロウイルス（CMV），ヒトTリンパ好性ウイルスI/II（HTLV I/Ⅱ），またはウエストナイルウイルス（WNV）については試験をしていなかった。

4）21 CFR 1271.45～1271.90のサブパートC「ドナーの適格性」の試験，スクリーニング，およびドナーの適格性を判断する際に実行されるすべてのステップの手順を確立し，維持していなかった。「確立および維持」とは，定義，文書化（書面または電子的に），および実施を意味する。その後，継続的にレビューし，必要に応じて継続的に改訂する［21 CFR 1271.47（a）］。

具体的には，関連する感染症の伝播のリスクを十分かつ適切に低減するために，ドナーの適格性を判断する手順の確立および維持していなかった。

5）スクリーニングおよび試験の結果に基づいて，ドナーが適格か不適格かを判断した声明を含む，ドナーの適格性判断の後，HCT/Pに付随する記録を常に保持すること，またドナーの適格性を判断するために使用された記録の要約［21 CFR 1271.55(a)］を保持していなかった。

具体的には，2017年半ばに会社の製造業務が開始されてから出荷したすべての製品は，ドナーの適格性に関しての声明およびドナーの適格性を判断するために使用される記録の要約なしに出荷されていた。

6）21 CFR 1271.75［21 CFR 1271.55（d）(ii)］に準拠した，伝染病に対するすべてのドナースクリーニングの結果と解釈の文書を保持していなかった。

具体的には，そのような記録を保持するために，臍帯血供給者から，医療/社会歴の面接や身体検査などの関連する医療記録を一貫して受領していなかった。

7）無菌である医薬品の微生物学的汚染を防止するように設計された，適切に文書化された手順の確立と順守ができていなかった［21 CFR 211.113(b)］。

例えば，

a. 同社は，製造作業を2017年半ばに開始して以来，およそ●●バッチの製品の製造に使用された無菌工程の制御状態を評価するための培地充填試験を実行していなかった。投与経路の性質上，製品は無菌を目的としており，無菌であることが期待されている（**解説④**，p. 456）。

b. 製造施設と更衣室は清浄空気に関して分類されていないため，無菌状態を確保するために管理および維持されていない。

c. 更衣手順を示していなかった。適切な更衣は，無菌製造工程中に製造作業者が製品を不注意に汚染させる可能性を減じる。

d. 同社は，●●および関連する●●およびカラムを用いて，2017年半ばから2018年6月までに製品を約●●バッチ製造してきた。この●●および 関連する試薬には「研究用のみ」というラベルが付いていた。

e. 同社は，2017年半ばから2018年6月までに，製品の約●●バッチに非無菌の●●を加えた。これらの●●は「研究用のみ」と標識されていた。

8）無菌操作区域内の環境状態を監視するための適切なシステムの欠如[21 CFR 211.42(c)(10)(iv)]。

例えば，同社は，製品を製造している無菌操作区域内で環境および人員を監視するための適切なシステムを有していなかった。

9）無菌状態を作り出すために，部屋と設備を清浄および消毒するための適切なシステムを有していなかった［21 CFR 211.42(c)(10)(v)]。

例えば，

a. 同社は，清浄工程の検証をしていなかった。

b. 使用した清浄剤またはそのローテーションについてのデータまたは理論的根拠がなかった。

c. 清浄記録には，希釈または接触時間が含まれていなかった。

d. 清浄は●●のみで実施され，バッチの製造間では実施していなかった。

10）医薬品が標榜し，または保有している真正性，力価，品質，および純度を保有していることを保証するように設計された，製造および工程管理の手順書を確立し，遵守していなかった［21 CFR 211.100(a)]。

例えば，

a. 製品の製造工程が検証されていなかった。

b. 製品の製造工程への変更が検証されていなかった。具体的には，凍結保存剤の検証をしないで●●凍結保存培地から●●凍結保存培地に変更していた。

11）製造作業および加工作業中の汚染または混同を防止するために必要な作業のために，個別のまたは定義された領域，またはその他の制御システムがないこと［21 CFR 211.42(c)(5)]。

査察中，FDAの査察官は，冷凍庫内に無菌試験結果を待っているラベルのない最終製品バイアルを観察した。異なるドナーから製造された製品は，●●によってのみ分離される。

12) 予想していなかった齟齬，またはバッチもしくは原料成分がそれぞれの規格に適合しない場合に，十分な原因調査を実施していなかった［21 CFR 211.192］。

具体的には，臍帯血幹細胞のロット番号●●は無菌試験に不合格であり，汚染微生物のさらなる調査と同定なしに廃棄されていた。

13) 原料成分および医薬品容器および閉塞具の受入れ，確認，保管，取り扱い，サンプリング，試験および適否判定について，十分詳細に記述した手順書を備え，これら手順書を遵守していなかった［21 CFR 211.80(a)］。

具体的には，入荷する臍帯血の承認または拒否の基準を十分に詳細に記述した手順書がなかった。

14) 原料成分，医薬品容器，閉塞具，中間製品，表示材料，および医薬品が真正性，力価，品質，および純度の適切な基準に適合していることが保証できるように設計された，科学的に正しく適切な規格，基準，サンプリング計画，および試験手順を含んでいる試験管理ができていなかった［21 CFR 211.160(b)］。

例えば，製品の真正性，力価，品質，および純度を試験するための規格，基準，サンプリング計画，および試験手順がなかった。

15) 臍帯血製剤の製造，加工，包装，または保管での重要な段階ごとに文書化するバッチ生産記録および管理記録を作成していなかった［21 CFR 211.188(b)］。

例えば，追加されたHESpan®の量を含む指示どおりにすべてのステップが実行されたことを保証するために，「ヒト臍帯血からの●●の精製」というタイトルのGEN-SOP-004に記載されている無菌操作工程は，臍帯血に添加したHESpan®の量，使用した遠心分離パラメータ，●●の量など，すべての工程が指示どおりに実行されたことを保証するための文書化がなされていなかった。

16) 製造された臍帯血製品の安定性の特性を評価し，安定性試験の結果を使用して，適切な保管条件と有効期限を決定するように設計された，文書化された試験プログラムを確立し，遵守していなかった［21 CFR 211.166(a)］。

具体的には，サポートデータなしで1年間の有効期限を割り当てていた。さらに，ラベルに記載されている効力または細胞濃度（有核細胞の総数）は，●●によって決定されていた。

17) 各ロットの原料成分，医薬品容器，および閉塞具は，ロットごとにサンプリング，試験または検査が適切に完了し，品質管理部門が使用のために出荷するまで保管していなかった［21 CFR 211.84(a)］。

例えば，以下の原料成分や容器は出荷前に試験または検査をしていなかった。

a. 臍帯血の●●
b. 臍帯血から●●に関連して使用される●●
c. 製品の製造に使用される●●
d. 製品の最終処方に使用される凍結保存培地●●

18）製品の名称と力価，および剤形の説明，荷受人の名前と所在地，出荷した期日と数量，ならびに当該医薬品のロット番号または管理番号を含む出荷記録を作成し，保管していなかった［21 CFR 211.196］。

具体的には，同社は出荷記録を保持していなかった。

19）すべての原料成分，医薬品容器，閉塞具，中間製品，包装資材，表示材料および医薬品の適否を判定する責任と権限を有し，かつ製造中に過誤がなかったことを，あるいはエラーが発生した場合，それらが十分に調査されたことを保証するため，製造記録を照査する権限を有する品質管理部門を確立していなかった［21 CFR 211.22(a)］。

具体的には，2017年半ばに製造作業が開始されてから査察までの間，品質管理部門がなかった。

Form 483での査察指摘事項に対する2018年8月7日および2018年8月10日の回答を書面で受け取り，その内容を精査した。両方の回答で，同社は違反を認め，それらを修正するために一生懸命に対応することを表明している。同社は，空白のドナー履歴票，環境モニタリングサービス契約，空白の製品発送票，加工チェックリスト付きの臍帯血沈降試験など，いくつかの回答ファイルを提供し，これらの文書がドナーの適格性，環境モニタリング，製品の出荷および加工要件を満たしているどうかを問い合わせてきた。同社が提出した文書は，査察観察で指摘された欠陥を修正したことを証明せず，製品を合法的に販売するために，製品または承認されたBLAの欠如を究明するための有効なIND（臨床試験実施申請書）になっていない。上述の逸脱を確認し，製造違反による患者に対する潜在的な重大なリスクを考慮し，第三者専門家と相談して包括的な修正措置を実施することを勧める。

この手紙もForm 483に記載されている所見も，査察の講評時に同社と話し合ったものではなく，同社の施設に存在する可能性のある欠陥の包括的なリストを意図している。FDC法，PHS法，および該当するすべての規制を完全に遵守することは同社の責任である。これらの違反を修正するには，すぐに対処する必要がある。早急に対処しないと，予告なしに規制措置がとられる場合がある。そのような行為には，差し押えおよび/または差し止め命令がある。

生物学的製剤のIND要件の詳細については，生物学的製剤評価研究センター（CBER），規制プロジェクト管理部門，組織および先端治療オフィス，(240)402-8190，またはOTATRPMS@fda.hhsに問い合わせること。CBERへの最初の提出時には，この手紙のコピーを含めること。

この手紙を受け取ってから15営業日以内に，記載された違反を是正し，再発防止のために行った措置または講じる措置について書面で下記オフィスに通知すること。是正が達成されたことを示すために必要な文書を含めること。製品がFDC法，PHS法，または該当する規制に違反していると思わない場合は，その理由と，検討のための補足情報を含めること。15営業日以内に是正措置を完了できない場合は，遅延の理由とすべての是正が完了するまでの期間を明記すること。

回答は，以下の住所に送信すること。

Daniel W. Cline, Compliance Officer, FDA, 19701 Fairchild, Irvine, CA 92612 または Daniel.Cline@fda.hhs.govに電子メールで送信。質問がある場合は，(949) 608-4433または電子メールでCline氏に問い合わせること。

解 説

①臍帯血とは

臍帯血とは，胎児と母体をつなぐ胎児側の組織であるへその緒の中に含まれる胎児血で，白血病などの血液疾患患者への移植医療に広く用いられている。海外では，羊膜，胎盤，または臍帯血由来製品を用いての「幹細胞」治療が盛んである。米国では，代謝活性を持つ生細胞が存在する場合，製品には公衆衛生サービス法（Public Health Service Act：PHS法）第351条が適用されるが，Genetech社は生物製剤ライセンスを取得せずに製品を販売していた。日本でもインターネット上に，臍帯血由来製品を肌再生医療と銘打って美容目的に使用しているクリニックが見受けられる。日米における臍帯血由来製品の使用に一石を投じる警告書である。

米国FDAは，カリフォルニア州サンディエゴに所在するGenetech社（Genetech, Inc.）とその社長であるEdwin N. Pinos氏に，FDAの承認なしに幹細胞製品を販売した，CGTPおよびCGMPの要件違反により，警告書を発出した。Genetech社は臍帯血を未承認のヒト細胞製品に加工し，カリフォルニア州ヨーバリンダ市に所在するLiveyon社（Liveyon, LLC）からReGen5，ReGen10，ReGen30として出荷していた。Liveyon社のウェブサイトでは，現在，臍帯血由来製品として生細胞1,000万個が含まれる“PURE®”と生細胞3,000万個を含む“PURE PRO®”を販売しており，炎症緩和を目的としているようである。

Genetech社製品は，同種の使用（ドナーとレシピエントにおいて，同じ機能を目的とする製品）を目的としておらず，製品には全身効果はあるが，第一親等血縁者または第二親等血縁者における同種の使用を目的としていない。そのため，製品は医薬品と生物学的製品の両方で規制されることになり，これらの製品を合法的に販売するには，生物製剤ライセンスの承認が必要である。開発段階では，新薬治験申請書（IND）が有効な場合にのみ，製品をヒトに使用できる。しかし，Genetech社で処理された製品には，そのようなライセンスまたはINDは存在しなかったための警告書である。

日本と米国における再生医療等製品の法的根拠について整理してみたい。日本における「再生医療等製品」の定義（表6-13）と米国FDAにおける「ヒト細胞・組織利用製品（HCT/Ps）」（表6-14）を以下に示す。

表6-13 | 日本における「再生医療等製品」の定義

医薬品医療機器等法（第２条）

9　この法律で「再生医療等製品」とは，次に掲げる物（医薬部外品及び化粧品を除く。）であって，政令で定めるものをいう。

一　次に掲げる医療又は獣医療に使用されることが目的とされている物のうち，人又は動物の細胞に培養その他の加工を施したもの

イ　人又は動物の身体の構造又は機能の再建，修復又は形成

ロ　人又は動物の疾病の治療又は予防

二　人又は動物の疾病の治療に使用されることが目的とされている物のうち，人又は動物の細胞に導入され，これらの体内で発現する遺伝子を含有させたもの

遺伝子治療等臨床研究に関する指針（平成31年2月28日，厚生労働省告示第48号）

「遺伝子治療」とは，疾病の治療又は予防を目的とした次のいずれかに該当する行為をいう。

(1) 遺伝子又は遺伝子を導入した細胞を人の体内に投入すること。
(2) 特定の塩基配列を標的として人の遺伝子を改変すること。
(3) 遺伝子を改変した細胞を人の体内に投与すること。

表6-14 | 米国FDAにおける「ヒト細胞・組織利用製品（HCT/Ps）」

CGTP規制医薬品とは

- ヒト細胞・組織利用製品をHCT/Ps（Human Cells, Tissues and Cellular/Tissue-based Products）と称し，公衆衛生サービス法（Public Health Service Act：PHS法）第351条が適用されるヒト細胞治療薬と遺伝子治療薬，公衆衛生サービス法第361条が適用されるヒト組織がある。
- FDAのPHS法第361条が適用されるヒト組織には，骨，腱，軟骨，角膜，筋膜，靭帯，心膜，強膜，皮膚，人工血管，心臓弁，硬膜，羊膜，生殖細胞および組織，末梢血または臍帯血幹細胞などがある。

米国における再生医療等製品に関連する法規制を以下に要約する。

1．公衆衛生サービス法（Public Health Service Act；PHSA）の歴史的背景

- 1902年以前，米国ではワクチンと生物製剤は事実上規制されていなかったが，ジフテリア抗毒素治療を受けた子供が破傷風に感染し死亡したことを受け，議会は1902年，生物製剤規制法（Biologics Control Act；BCA）を可決した。BCAは，生物製剤（ワクチン）の製造に定められた純度と安全性のガイドラインに適合することを求めた。しかし，力価（Potency）や有効性（Efficacy）に関する特定の法的要件はなかったが，後にFDAは，製品に有効期限の日付を付すことを要求することにより，力価と有効性を法的要件として組み入れた。
- 1944年，議会はBCAをPHSAに再編し，臨床的有用性の尺度として力価の要件を明確に追加した。PHSAの管理は主にアメリカ国立衛生研究所（National Institutes of Health；NIH）に与えられたが，後にFDAに移管された。
- PHSAは，連邦政府に微生物学的検疫権限を与えた。これにより，海外から米国への伝染病の持ち込み，伝播，蔓延を防止する責任が公衆衛生局に与えられた。

- 1990年代初頭，ヒト組織の移植によるHIV感染事例の増加により，FDAは国民を感染症から保護するために，移植組織の連邦規制を強化する必要性を強く意識するようになり，これらの懸念に対処するためにPHSAのセクション361に目を向けた。FDAに，外国から米国への伝染病の持ち込み，伝播，蔓延を防止するために必要な規制を作成させ，施行する権限を与えている。1993年，セクション361に基づき，FDAは移植を目的としたヒト組織に関する暫定規則を発表し，特定の伝染病の検査，ドナーのスクリーニング，および記録の保持を要求した。

2. 21 CFR Part 1270

FDAは，1997年7月29日に「移植を目的とするヒト組織（Human Tissue Intended for Transplantation）」というタイトルの最終規則21 CFR Part 1270を作成し，移植に使用されるヒト組織を介したHIVおよび肝炎ウイルスの伝播を防ぐために，特定の感染症検査，ドナースクリーニング，および記録管理を要求した。

21 CFR Part 1270の適用範囲は以下のとおりである。

21 CFR Part 1270.1 Scope

(a) ヒトの組織，およびヒトの組織の回復，スクリーニング，試験，加工，保管，または出荷に従事する職員や施設に適用される。
(b) 医薬品，生物学的製剤，医療機器，またはFDAが規制するその他の商品に適用される本章の規制は，このパートで指定されている場合を除き，ヒトの組織には適用されない。
(c) 本章の規制は，ヒトの自家組織には適用されない。
(d) 本章の規制は，同じ施設内での移植のみのためにヒト組織を受け入れて保管する病院またはその他の臨床施設には適用されない。

3. 21 CFR Part 1271

本パートは，ヒト細胞，組織，および細胞・組織製剤（HCT/P）というタイトルの下，6つのサブパートA：一般規定，B：HCT/Pの登録とリスト化手順，C：ドナー適格性，D：CGTP（Current Good Tissue Practice），E：Part 1271.10に記載されている施設の追加要件，F：1271.10に記載されている施設の査察と施行から構成される。特に，Part 1271.10(a) は，HCT/Pを規制するためのリスクベースアプローチの基盤を形成する基準を定めている。

21 CFR 1271.10

(a) HCT/Pは，以下のすべての基準を満たしている場合，PHS法のセクション361およびこのパートの規制に基づいてのみ規制される。
(1) HCT/Pには最小限の処理を施す。
(2) HCT/Pは，表示，広告，または製造業者の客観的意図の他の表示に反映されているように，同種使用のみを目的としている。
(3) HCT/Pの製造には，水，クリスタロイド，または滅菌，保存，貯蔵を除いて，細胞または組織と別の物質との組み合わせを含めない。
(4) 以下のいずれかである。
(i) HCT/Pには全身作用がなく，その主要な機能は生細胞の代謝活性に依存しない。または，

（ii）HCT/Pが全身作用を持っているか，その主要機能が生細胞 の代謝活性に依存しており，
a. 自家用である。
b. 第一度または第二度の血縁者での同種使用。または，
c. 生殖用である。

4. PHS法第361条

FDAのPHS法第361条が適用されるヒト組織には，骨，腱，軟骨，角膜，筋膜，靭帯，心膜，強膜，皮膚，人工血管，心臓弁，硬膜，羊膜，生殖細胞および組織，末梢血または臍帯血幹細胞などがある。

FDAが21 CFR 1271.10(a) のすべての基準を満たしていないと判断した製品は，医薬品および/または生物学的製品として規制される。例えば，以下のような製品が該当する。

- 培養軟骨細胞
- 培養神経細胞
- リンパ球免疫療法
- 遺伝子治療薬
- 遺伝物質（細胞核，卵母細胞核，卵細胞質のミトコンドリア遺伝物質，遺伝ベクターに含まれる遺伝物質）の転移を伴う治療に使用されるヒト細胞
- 関連のない同種造血幹細胞
- 注入のための非関連ドナーリンパ球

5. 生物製剤とは

- PHS法のセクション351は，生物製剤として規制される製品のセットを特定している。生物学的製剤とは,「ウイルス，治療用血清，毒素，抗毒素，ワクチン，血液，血液成分または血液製剤，アレルゲン製品，または類似製品であり，人間の疾患または状態の予防や処置，治療に適用できる」とある。
- 2018年12月12日，FDAは生物製剤価格競争・イノベーション法（Biologics Price Competition and Innovation Act；BPCIA）の定義と一致させるため,「生物学的製品」の定義を修正する規則案を発行し，2020年3月23日発行のFederal Registerで正式採用された。本規則では「生物学的製品とは，ウイルス，治療用血清，毒素，抗毒素，ワクチン，血液，血液成分または誘導体，アレルギー性製品，タンパク質（化学合成ポリペプチドを除く），または類似製品，またはアルスフェナミンまたはアルスフェナミン誘導体で，ヒトの病気または状態の予防，処置，または治療に適用できる」とある。

②第一親等，第二親等血縁者とは

第一親等血縁者とは両親と子供，第二親等血縁者とは祖父母，兄弟姉妹，孫を指す。Genetech社製品は，他家使用で血縁者規定はなかった。

③ドナーの適格性判断

ドナーの適格性について,「該当する伝染病病原体または疾患（RCDAD)」について，FDAが発行した業界向けガイダンス「ヒトの細胞，組織，および細胞・組織製剤（HCT/P）のドナーの適格性判断」には以下のように記されている。ジカウイルス（ZIKV）と具体的な名前は出ていないが，21 CFR 1271.3(r)(2) に関連して読み込むことになる。

該当する伝染病病原体および疾患は，2つのグループに分かれる。最初のグループは，21 CFR 1271.3(r)(1)に具体的に記載されている伝染病および病原体のグループである。2つめのグループは，21 CFR 1271.3(r)(2)の下で記述されている伝染病および病原体のグループである。

21 CFR 1271.3(r)

(1) 21 CFR 1271.3(r)(1)に具体的に記載されている，該当する伝染病および病原体

(i) 下記の伝染病および病原体は，すべての種類のHCT/Pについて該当する［21 CFR 1271.3(r)(1)(i)］。
- ヒト免疫不全ウイルス（HIV），Ⅰ型およびⅡ型
- B型肝炎ウイルス（HBV）
- C型肝炎ウイルス（HCV）
- クロイツフェルト・ヤコブ病（CJD）を含めたヒト感染性海綿状脳症（TSE）
- 梅毒トレポネーマ（梅毒）

(ii) 下記の細胞関連の伝染病または病原体は，生殖細胞または組織が生存白血球を多く含むと考えられる場合は，それらも含め，生存白血球を多く含む細胞および組織に対して該当する［21 CFR 1271.3(r)(1)(ii)］。
- ヒトT細胞白血病気ウイルス（HTLV），Ⅰ型およびⅡ型

(iii) 下記の尿生殖路系の伝染病または病原体は，生殖細胞または組織に対して該当する［21 CFR 1271.3(r)(1)(iii)］。
- クラミジア・トラコマチス
- 淋菌

(2) 21 CFR 1271.3(r)(2)に記載されている基準を満たすが，21 CFR 1271.3(r)(1)に具体的に記載されていない伝染病または病原体は，それが以下の1つである場合は，該当する。

(i) 病原体または疾患が下記のa，bのとおりであるため，HCT/Pのレシピエント，または医療関係者のようにHCT/Pを取り扱う，または接触する可能性のある人々に対して，HCT/Pによる感染のリスクの可能性があるものに関して，

a. 潜在的にHCT/Pによる感染性のものであり，

b. (1) 潜在的なドナーの母集団に影響を与えるのに十分な発生率および／または有病率を示しているか，または(2) 潜在的なドナーの感染のリスクを高めるように偶然または故意に菌が放出されたもののいずれか［21 CFR 1271.3(r)(2)(i)］。

(ii) 致命的または生命を脅かす可能性があり，身体機能の永続的な障害または身体構造に対する永続的な損傷につながる可能性があり，または身体機能の永続的な障害または身体構造に対する永続的な損傷を防止するために，内科的または外科的介入を必要とする可能性がある［21 CFR 1271.3(r)(2)(ii)］，そして，

(iii) 適切なスクリーニング法が開発される，および／またはドナーの検体に対する適切なスクリーニング検査がこのように使用に対してFDAの認可・承認または審査を受け，利用可能な状態であるものに関して［21 CFR 1271.3(r)(2)(iii)］。

④無菌性の検証

臍帯血は，出産直後，新生児と臍帯を切り離し，新生児から切り離された臍帯の表面を消毒し，チューブで採取用バックに採取後，細胞処理を行い液体窒素に保管する。とりわけ細胞処理工程については，培地を用いての無菌性検証（プロセスシミュレーション）が求められる。“培地充填試験”とは，小分充填工程の無菌性検証に使用される言葉であるが，ここは臍帯血の加工（処理）工程の無菌性検証について言及しているように見えるので，“プロセスシミュレーション”の呼称のほうが適切と思われる。

GMP調査よもやま話⑪

GMP調査時は，調査に専念しなければならないが，調査の休憩時などを使って調査先とはいろいろと意見交換することはできた。その一例として，厚生労働科学研究「ワクチンの品質確保のための国家検定手法の国際協調に関する研究」（厚生労働省医薬品・医療機器等レギュラトリ―サイエンス総合研究事業，主任研究者：渡辺治雄 国立感染症研究所長，2009～2011年）に分担研究者として，「検定合格証紙に関する考察」を担当したときの調査内容と結論を紹介する。

1. 薬事法（現，医薬品医療機器等法）43条に「厚生労働大臣の指定する医薬品は，厚生労働大臣の指定する者の検定を受け，かつ，これに合格したものでなければ，販売し，授与し，又は販売若しくは授与の目的で貯蔵し，若しくは陳列してはならない」とある。本条文を受け，国家検定に合格したロット製品には，「検定合格証紙」の貼付が義務付けられていた。EFPIA Japan（欧州製薬団体連合会）からも検定合格証紙の貼付廃止が求められていた。そこで，以下の国内外の国家検定対象製剤の製造所において，検定合格証紙貼付の影響について情報収集した。
    - 海外製造所：サノフィ・パスツール，GSK，バクスター，CSLベーリング，ノバルティス，メルク，ワイス等
    - 国内製造所：阪大微研，北里研究所，デンカ生研，化血研，武田薬品工業，日本ポリオ，日本BCG，ベネシス，千歳血漿分画センター，日本製薬等

2.　その結果，以下の結論を報告書に示した。
- 薬事法第43条医薬品に対して，検定合格証紙の貼付を廃止しても，GDP強化を図ることにより，生物学的製剤の流通上の問題はないと判断される。
- 廃止することによって，国内外製造所より歓迎され，メリットのほうが大である（表）。

本研究報告書が功を奏したかどうかはわからないが，その後，国家検定証紙の貼付は廃止になっている。

表1　検定合格証紙貼付の場合と廃止した場合

	検定合格証紙貼付の場合	検定合格証紙を廃止した場合
検定合格証紙貼付装置	個包ラインの導入が必要	個包ラインは不要
検定合格証紙の管理	裁断，貼付自動ライン，貼付の自動確認装置，枚数管理等が必要	不要
薬事監視員による貼付確認	必要	不要
製造個数の確認	検定申請書に記載された製造本数に相当する検定証紙を発行	検定申請書に記載された製造本数の確認は，GMP調査時に可能
検定合格証紙の送付	検定機関（国立感染症研究所）より所用数の検定合格証紙を送付	不要
検定合格証紙の貼付	薬事監視員による検定合格証紙貼付の確認	不要
不正医薬品の流通	検定合格証紙の貼付有無にかかわらず不正医薬品流通の可能性はある。GDP（医薬品の適正流通）の制度化により，不正医薬品流通の可能性は低減できる。	

6.8 高薬理活性医薬品

事例 β-ラクタム系抗菌薬

企業名　　　　：Deva Holding AS-Cerkezkoy Subesi（トルコ）
査察実施日　　：2019年2月4日～15日
警告書発出日　：2019年8月6日
警告書発行機関：CDER

FDAは，2019年3月6日付の同社の回答書を照査したが，十分な是正措置が欠如しているのを確認している。警告書での主な指摘内容は次のとおりである。なお，この査察結果を受けて，同社に2019年7月1日付で輸入警告（Import Alert）が出された。査察官が，以下を含むがこれに限定されるものではない違反を指摘した。

1) ペニシリンの製造，加工，および包装に関連する作業を，他のヒト用医薬品とは別の設備で行わなかった（21 CFR 211.42(d)）。

同社は約1/4マイル離れた2つのキャンパス，Cerkezkoy 1（CK1）およびCerkezkoy 2（CK2）で医薬品を製造している。CK1は，ペニシリン，●●，および非β-ラクタム医薬品を含む種々の製品を製造している。CK2キャンパスでは，●●ビルディングで米国向けの●●カプセルを，また隣接するビルディングでペニシリン医薬品を製造している。

A. ペニシリンの交叉汚染

ペニシリン製造エリア外のCK2キャンパスで，2017年に103回，2018年に44回，および2019年は6月までに9回ペニシリン●●が検出された。これらの事象では，非β-ラクタム医薬品である●●カプセルが米国向けに製造される●●ビルディングの原材料受け入れスロープで2回，および作業員入口エリアで5回ペニシリンが検出された。ペニシリンと非ペニシリン製造エリアの両方の作業員が出入りする食堂を含む共通エリアでもペニシリンが検出された。

非ペニシリン薬がペニシリンで汚染されるのを防ぐ設備と管理は不適切である。非β-ラクタム薬のβ-ラクタム薬による汚染は，アナフィラキシーおよび死の可能性を含む患者の安全性に大きなリスクを呈する。ペニシリン汚染は，どのレベルも許容できる安全性レベルとはされていない（**解説①**，p. 460）。超低レベルのペニシリンおよび他のβ-ラクタム薬にさらされた感受性の強い患者で厳しいアレルギー反応が起こる。

2019年3月6日付Form 483への回答では，新たにバリデートされた方法を用いて試験し，その結果，すべてのバッチが“不検出”となった●●カプセルのすべての商用バッチの保存サンプルのペニシリン汚染試験を含む，是正措置の概要を述べている。回答では，査察後に●●ビルディングの追加のペニシリンモニタリングを行い，ペニシリン残渣が検出されなかったことについても記している。

試験法の検出限界が不適切であったことから，Form 483への回答は不適切であり，また回答では，工場全体における汚染の程度についての包括的な再評価および除染計画が欠けている。さらに，●●ビルディングで行われたβ-ラクタムモニタリングの検討は次の理由で不適切であった。

(1) 1回だけの検討であった。

(2) サンプリング箇所が7カ所しかなかった。

(3) ●●カプセルの製造エリア内にサンプリングの箇所がなかった。

B. 不適切なペニシリンモニタリング

●●カプセルが製造される製造エリア内でモニタリングを行っていなかったので，2017年1月～2019年6月に行われた非ペニシリンエリアにおける定期的な●●ペニシリンモニタリングは不適切であった。2019年7月，同社に輸入警告66-40が出された後に，●●製造エリアにおけるペニシリンのモニタリングを開始したことにFDAは気づいている。

C. ペニシリン洗浄バリデーション

同社はペニシリンを表面から除染するのに●●溶液を用いている。しかしながら，CK1およびCK2で用いられる除染剤溶液が，すべての従業員が出入りする食堂を含む共通エリアで有効な除染剤であることを示す有効性データが欠けている。2019年2月12日に，溶出試験のデモを行った1人の従業員がCK1キャンパスでの共通の食堂で休憩し，戻ってきた後に作業服の試験を行ったら，●●であると確定された汚染があることがわかった。β-ラクタム薬にさらされた作業員が非β-ラクタム薬製造の他の従業員と隔離されていない共通のエリアがあることは許容されることではない（**解説②**，p. 461）。

2019年3月6日の回答では，●●溶液に対する追加の洗浄バリデーションを含んでいた。しかしながら，上記Aで記された知見によって証拠づけられるペニシリン交叉汚染を取り除くために，なぜ●●溶液の同じ濃度を用いた元の洗浄工程が不十分であったかについての説明がなかった。

ペニシリン交叉汚染の可能性のために，●●カプセルのすべてのバッチを米国市場から回収する決定をFDAは了解する。

当警告書への回答として，以下を提示すること。

- 工場にある非β-ラクタム部分を完全に除染する計画。β-ラクタム残渣のある工場を完全に除染することは非常に難しい。米国向けの非ペニシリン製造のみを再開できるように除染を試みるのであれば，包括的な計画書を提示すること。
- 除染剤溶液が製造されるβ-ラクタム医薬品のβ-ラクタム環を壊すことができることを裏付けるバリデーションデータを含む，工場で使用されるすべての除染剤溶液のリスト。
- 工場全体のβ-ラクタム残渣の将来的モニタリング計画。

・特定されたβ-ラクタム汚染ルートに対する管理計画の改訂版。

さらなる情報として，FDAガイダンス“Non-Penicillin Beta-Lactam Drugs: A CGMP Framework for Preventing Cross-Contamination”を参照のこと。

2）非ペニシリン医薬品がペニシリンで交叉汚染された可能性があるときに，非ペニシリン医薬品中のペニシリンを試験していなかった（21 CFR 211.176）。

同社は，非ペニシリン医薬品の●●カプセルについて，ペニシリンで汚染される可能性を知りながら，ペニシリンの試験を行っていなかった。

査察での知見に応えて，2019年3月6日付Form 483への回答で，米国に出荷された●●カプセルの，すべてのバッチの保存サンプルのペニシリン汚染試験を新たにバリデートされた方法を用いて行い，その結果，すべてのバッチが“不検出”となったと述べた。しかしながら，製造された非ペニシリン薬におけるペニシリンの検出方法は感度が十分ではなく，極めて低レベルの汚染を検出できなかった。試験法の検出限界（LOD）は●●mg/mLと報告されており，●●ppbと同等である。●●ppbは，LODとして許容されるものではない。LODを0.2 ppbとするFDAの試験法を参照されたい。

当警告書への回答として，非ペニシリン医薬品におけるペニシリンの分析を0.2 ppbのLODで行うために，FDAの試験法をバリデートし実施するか，あるいは0.2 ppbと同等あるいは優れているLODを持つ試験法をバリデートするかを表明すること（**解説③**，p. 462）。

CGMPコンサルタントを勧める

違反の性質から考えて，FDAは21 CFR 211.34にある資格のあるコンサルタントを使って，CGMP要件に適合することを手助けしてもらうことを勧める。FDAはまた，FDA規則に適合する状態にしようとする前に，資格のあるコンサルタントが，すべての作業のCGMP適合性について包括的な監査を行い，実施したCAPAの充足性，完了および有効性を評価することを勧める。

コンサルタントを使うことは，CGMPを遵守する義務から解放されるものではない。同社の経営幹部には，すべての欠陥を全面的に解決し，日常的CGMP遵守を保証する責任がある。

解説

①ペニシリンによる汚染

ICH/Q7Aガイドライン（原薬GMPガイドライン）の4.4項「封じ込め」には以下の要件がある。EU GMP（PIC/S GMP）Guideline Part 1（Basic Requirements for Medical Products）の第３章「施設及び設備」，3.6項「製造区域」にも同様の記載があったが，2015年にEU GMP Guideline Part 1の3.6項が改訂され，「ペニシリン類やセファロスポリン類のように強い感作性を有する物質」は，「β-ラクタムのような高感作性物質」となった。

ICH/Q7Aガイドライン

4.4　封じ込め

4.40　例えばペニシリン類やセファロスポリン類のように強い感作性を有する物質を製造する場合には，設備，空気処理装置及び工程装置を含め，専用の製造区域を用いること。

4.41　例えばある種のステロイド類や細胞毒性のある抗がん剤のように感染性，強い薬理作用又は毒性を有する物質が関与する場合には，検証された不活化工程及び清掃手順又はそのいずれかを確立し，保守しない限り，専用の製造区域の使用を考慮すること。

4.42　ある専用区域から別の専用区域へ移動する従業員，原材料等による交叉汚染を防止するため，適切な対策を確立し，実施すること。

4.43　除草剤，殺虫剤等の強い毒性を有する非医薬品の製造に係る作業（秤量，粉砕及び包装を含む）は，原薬の製造に使用する構造及び装置を使用して行ってはならない。これらの強い毒性を有する非医薬品の取扱い及び保管は原薬から分離すること。

ペニシリンによるアナフィラキシーショックは，死に至る重篤な副作用である。投与後15分以内に起きるのがほとんどであり，内服では30分以内がほとんどである。症状は四肢のしびれ感，冷汗，皮膚蒼白，呼吸困難で，この自覚症状に引き続き，急性循環不全による血圧の低下，気道狭窄による呼吸困難が出現する。発症すれば経過は急速に進展する。そのため秒単位の救急処置が重要となる。ペニシリン・ショックの頻度は0.015～0.004％で，ペニシリン注射の数万回に1回程度の頻度とされている。そのため，EU GMP Guideline Part 1でも「毒性面の検討で得られる科学的データから，リスクを管理できないといえる（例えば，β-ラクタムのような高感作性物質から生じるアレルギーの可能性）」と述べられており，ペニシリンには許容安全レベルを設定できないので，“製造において1分子も漏らしてはならない”と究極的な対応をとる必要がある。β-ラクタム系抗菌薬製造所における従業員の雇用にあたっては，当該抗菌薬に対する感受性試験が求められる。

②β-ラクタム系抗菌薬

β-ラクタム系抗菌薬の製造所においては，封じ込め施設が必要である。最も簡単な方法は，アイソレータを導入し，薬液充填から凍結乾燥終了までは陽圧管理，凍結乾燥終了後に完全打栓をし，巻き締め工程とバイアルの外側に付着しているかもしれないβ-ラクタム系抗菌薬の洗浄工程を陰圧管理下で行うのが一案である。製造エリア全体の封じ込めは難しいものがある。β-ラクタム系抗菌薬以外の高感作性医薬品の製造におけるGMP対応は，「有害物質含有医薬品に関するWHO-GMP」や「ISPE Baseline Guide: Risk Based Manufacturer of Pharmaceutical Product」を参照されたい。これらの詳細は，じほう社より出版された書籍「WHO-GMPシリーズ④ ケミカルハザード/バイオセーフティ」も参考になる。

③試験法の検出限界

FDAが引用した論文「医薬品および医薬品製造表面の潜在的なβ-ラクタム汚染をモニターするための“液体クロマトグラフィータンデム質量分析装置（LC-MS / MS法）”」(AAPS J, 20：70，2018）は，中国の上海大学グループが発表したものであるが，FDAは本論文をβ-ラクタム系抗菌薬の検出限界（LOD）としている。論文では，7種類のβ-ラクタム抗生物質をLC-MS/MS法で評価したところ，検出限界（LOD）は0.2 ppb，定量限界（LOQ）は2 ppb，直線性（LDR）は2～2,000 ppbで観察されたとのことで，0.2 ppbの検出限界（LOD）を求めている。

6.9 無菌性保証

1 無菌性保証の欠如

事例1 韓国の医薬品製造業者への警告書

企業名　　　：Firson Co., Ltd.（韓国）
査察実施日　：2016年11月3日～11日
警告書発出日：2017年8月31日

FDAは，2016年11月28日付の同社の回答書を照査したが，十分な是正措置が欠如しているのを確認している。警告書での主な指摘内容は次のとおりである。なお，この査察結果を受けて，同社に2017年5月11日付で輸入警告（Import Alert）が出された。

以下に，FDA査察官が観察した違反の概要を示すが，これらに限定されるものではない。

1） **無菌医薬品の微生物汚染を防止するように図られた，またすべての無菌および滅菌工程のバリデーションを含む手順書がなく遵守されていなかった（21 CFR 211.113(b)）。**

無菌操作が製品の微生物汚染を防ぐことができることを示さなかった。

[不適切な培地充填]

培地充填計画が不適切であった。シミュレーションは十分な頻度で行われておらず，ワーストケース条件を表していなかった。工場作業員が，培地充填の前に追加の洗浄が行われたと述べた。アルコールが発育培地に加えられた。培地充填計画は，操作ラインで行われる無菌中断（計画されたものとそうでないもの）および入室許容最多人員をシミュレートして作られ，記録されていなかった。さらに，わずかな培地充填記録には，培地充填に参画した作業員などの基本的な情報がなかった。

無菌操作が製品の汚染を防止することを示していない。適切な培地充填試験は，実生産で起こる中断を含めて，無菌操作ラインの活動と条件を正確にシミュレートする。各々の無菌操作ラインが管理状態にあり，患者の使用に合った無菌医薬品を確実に作るかどうかを評価するために，これらの試験は（各シフトに対して）少なくとも年2回行われる。

Form 483への回答で，2017年1月16日付で品質部門が承認したMedia Fill Validation Protocol for Aseptic Process Simulationを新しい培地充填の結果とともに提示した。中断と充填ユニットの汚染検査の記録（例えば，培地充填バッチ記録）がないので，回答は不十分である。

[不適切なスモークテスト]

軟膏無菌操作ラインに一方向の空気の流れがあるかどうかを評価するスモークテストが行われていなかった。Form 483への回答では，動的なエアフロー試験を行ったと述べ，3つのスモーク試験のビデオを提示した。これらの試験は，“動的な”条件で行われたと述べているが，操作条件や無菌中断（例えば，容器やキャップの積み替え）の評価に欠けている。さらに，無菌操作ゾーンが遮られて見えなかった。また，スモーク多岐管が十分な時間静止していなかった。

[不適切な滅菌]

医薬品を滅菌するための堅牢な工程に欠ける。

当警告書への回答として，以下を提示すること。

- 商業用生産のワーストケース条件のシミュレーションを保証するために，培地充填計画と是正・予防措置（CAPA）の包括的な照査を提示すること。また，どのようにユニットの発育を試験し，バッチの収量照合を行うかを詳しく述べること。
- 改訂計画が半年ごとの培地充填を各々の無菌操作ラインに要求しているかどうかを述べること。
- 2015年1月1日以降に行われたすべての培地充填の要約を提示すること。操作ライン，培地充填日，ユニット数，検査された数，汚染された可能性があるユニット数を含めること。
- 製品の無菌試験の履歴を提示すること（あとで無効にされたかどうかは関係なく，すべての無菌陽性を含めること）。
- 無菌充填前に，医薬品成分をどのように滅菌したかを述べること。滅菌サイクルパラメータ，バリデーション計画書，報告書，工程の致死性および無菌性保証水準。
- 容器や栓が滅菌されたかどうかを述べること。すべての容器，栓に対する滅菌方法，バリデーション計画書，報告書を含めること。
- 顧客への通知と，適切な滅菌をせずに製造され，米国内で流通している使用期限内の軟膏製品の回収を含む是正措置を実施する計画と予定を提示すること。
- 環境および人のモニタリングの手順書を提示すること。モニタリング場所，頻度，およびアクション限界を正当化すること。
- 無菌中断の評価を含む動的な条件で，また遮るものがない状態でのスモーク試験を提示すること。静的なスモーク試験も含めること。

2）バッチがすでに出荷されたか否かにかかわらず，説明のつかないバッチや原料の規格への不一致あるいは不合格を調査していない（21 CFR 211.192）。

顧客からの苦情を十分に調査しなかった。2016年に，米国向け医薬品に関して顧客から32の苦情を受け取った。これらの苦情には，軟膏使用後のかぶれ，炎症，痛みおよび分泌（膿）が含まれていた。

査察官が軟膏の3つの調査報告書を照査した。調査では，“保存サンプル”の試験を行い，少なくとも3つの苦情ロットからの医薬品を“試験品”として従業員に適用させていた。

調査には，根本原因を決める手助けとなる重要な要素が欠けていた。例えば，3つの調査には，製造工程や関連する記録の評価がなされていなかった。また，苦情ロットのすべての関連する品質特性（例えば，無菌性）を日常的に試験していなかった。重要な要素が欠けているにもかかわらず，調査は関連ロットには，“何ら問題はない”と結論付けていた。調査を完全に行っていないため，信頼できる根本原因を決め，有効な措置を講ずるための十分な情報を品質部門は持っていない。

Form 483への回答では，無菌試験バリデーション，苦情サンプルの微生物試験（無菌試験），安全性有効性試験を行い，製造環境を照査することを，品質部門が確認すると述べた。“こうすることによって，原因を見つける”ことを示した。

これらの苦情が適切に調査されることを保証するために，製造工程（原料を含む）を十分に評価するかどうかはっきりしないので，回答は不適切である。苦情調査システムを改善することも示さなかった。

当警告書への回答として，以下を行うこと。

- 苦情調査過程を包括的に改善するために行った措置を要約すること。改訂調査手順と職員が手順を守るために行っている措置を含めること。
- 2016年1月以降に受け取った医薬品品質に関連する各苦情に対して，改訂手順を用いて行った調査結果を要約すること。各々の要約には，すべての試験結果，根本原因，米国へ出荷された関連するバッチ，およびCAPAを含めること。

3）試験室管理に，原料，容器，栓，中間品，ラベルおよび医薬品が，本質，力価，品質，および純度の適切な基準に適合することを保証するための，科学的に信頼できる適切な規格，基準，サンプリング計画および試験法を定めていなかった（21 CFR 211.160(b)）。

化合物Aの入荷ロットを試験するための特異性を持つ確認試験手順を作っていなかった。韓国薬局方（KP）に基づく同社の試験法は，化合物Aと類似化合物の化学構造を識別するのに不適切である。化合物AのUSPモノグラフは確認試験に赤外分光法を用いている。

当警告書への回答として，以下を提示すること。

- 損なわれた可能性があるすべてのバッチに対して，以前にさかのぼって確認試験を完了する予定表を提示すること。すべての結果を伴って直ちに回答すること。もし問題の製品が米国市場にあるのであれば，製品の回収を表明すること。
- 原料，工程品，最終製品の試験に用いるすべての方法がUSP-NFを用いているかどうか確認すること。そうでなければ，同等かよりよい方法を採用すること。特定された不適切な方法に対処するCAPAを提示すること。

CGMPコンサルタントを勧める

違反の性質から考えて，FDAは21 CFR 211.34にある資格のあるコンサルタントを使って，作業を評価し，CGMP要件に適合することを手助けしてもらうことを勧める。

無菌操作の追加ガイダンス

無菌医薬品を無菌操作で製造する際の，CGMP要件に適合する手助けとするために，FDAガイダンス"Sterile Drug Products Produced by Aseptic Processing – Current Good Manufacturing Practice"を参照のこと。

事例2 日本の医薬品製造業者への警告書

企業名　　　：S. Pharmaceutical Co., Ltd.（日本）
査察実施日　：2016年2月8日～12日
警告書発出日：2017年2月2日

FDAは，2016年2月26日付の同社の回答書を照査したが，十分な是正措置が欠如しているのを確認している。警告書での主な指摘内容は次のとおりである。

以下に，FDA査察官が観察した違反の概要を示すが，これらに限定されるものではない。

1）無菌操作エリアにおける環境状態を監視する管理システムがない（21 CFR 211.42(c)(10)(iv)）。

改造前の無菌製造の操作中，人のモニタリングを定期的に行っていなかった。新しい標準操作手順書の改訂案「Common Hygiene Standard-015: Monitoring of Adherent Microorganism for the Filling Operator of (b)(4) Drugs Production」を作成しているが，このSOPには明快な指図が欠けている。例えば，人のモニタリングの結果がアクションやアラートの限界を超えたときに，とるべき対応について十分に触れていない。また，アクションやアラートの限界が，科学的根拠に裏付けされているかどうかはっきりしない。

さらに，クリーンルーム環境の表面サンプリングを定期的に行っていなかった。SOP「C001: Measurement Location and its Frequency for Environmental Monitoring and Common Hygiene Standard-014」および「Manufacturing Facility Surface Sampling (Aseptic Production Area: White Zone」が改訂されたことは知っているが，環境モニタリングの頻度と場所は不十分のままである。

2）無菌医薬品の微生物汚染を防止するように図られた，またすべての無菌および滅菌工程のバリデーションを含む手順書がなく，遵守されていなかった（21 CFR 211.113 (b)）。

開放型アクセス制限バリアシステム（RABS）の空気流れを評価するために，"非稼働時"と"稼働時"の条件で，スモーク試験を行っていなかった。その後，操作中に曝露された無菌製品の上の一方向流を証明する検討を行っていない無菌操作ラインで製造した無菌製品を出荷した。

それ以来，同社はRABSを閉鎖型仕様に改造してバリデーションを行ってきた。しかしながら，元の開放型仕様RABSを使って製造した製品を最近米国へ出荷したことに対処しておらず，回答は不十分である。

CGMPコンサルタントを勧める

違反の性質から考えて，FDAは21 CFR 211.34にある資格のあるコンサルタントを使って，作業を評価し，CGMP要件に適合することを手助けしてもらうことを勧める。

無菌操作の追加ガイダンス

無菌医薬品を無菌操作で製造する際の，CGMP要件に適合する手助けとするために，FDAガイダンス“Sterile Drug Products Produced by Aseptic Processing – Current Good Manufacturing Practice”を参照のこと。

事例3　米国の医薬品製造業者への警告書

企業名　　　：S.R. Burzynski Manufacturing Facility（米国）
査察実施日　：2015年3月9日～19日
警告書発出日：2016年6月13日

FDAは，2015年3月9～19日にテキサス州にある同社を査察し，2015年4月10日付の回答書を照査したが，十分な是正措置が欠如しているとして，その結果から2016年6月13日付で警告書を発出した。警告書での主な指摘内容は次のとおりである。

1）無菌を標榜する医薬品の微生物学的汚染を防止できるように設計された適切な手順書を作成せず，またその手順を遵守していなかった。さらに，すべての無菌および滅菌プロセスのバリデーションに関する手順書も作成せず，手順を遵守していなかった。同社は，製造，加工，包装，または保管に使用する設備が適切なデザインおよびサイズでなく，設置場所では，意図した用途で作業を実施するのが困難であり，かつ洗浄や保全が容易に実施できなかった（21 CFR 211.63）。

2）同社の施設および設備のデザインは，製造作業中に無菌製品を保護するのに不適切であり，製品の無菌性に実質的な危害をもたらし，患者の安全性に対して不合理なリスクをもたらしている。例えば，ISO 5のクリーンゾーンは，周辺のISO 7のクリーンルームに開放されている。このため，低品質の空気が無菌プロセス作業区域へ侵入するようになっている。さらに，半年ごとにプロセスシミュレーションテストを実施していないため，無菌プロセスが管理状態にあることや，無菌製品の日常的製造が保証できていなかった（21 CFR 211.113(b)）。

3）具体的に規定され，適切なサイズの作業区域内で作業を実施しておらず，無菌作業での汚染や混同を防止するのに必要な管理システム，もしくは分離または規定された作業区域がなかった（21 CFR 211.42(c)(10)）。

4）製造部門の作業員が，医薬品を汚染から保護するのに適切な作業衣を着用しているのを保証していなかった（21 CFR 211.28 (a)）。施設で使用している作業衣（顔面マスク，ヘアネット，手袋，フードを除く作業衣）は，無菌操作中に医薬品を微生物汚染から保護するのに適していなかった。同社は，無菌作業中に洗浄および消毒を実演してくれたが，査察官は，メークアップした眼を保護していない作業員がいるのを認めている。この作業員は，顔や頸部の皮膚をむき出しにしていた。また，無菌プロセスの作業を複数回実施したとき，作業員は洗浄や滅菌を行わずに作業衣を再利用していた。管理職は，作業員に対して使用済みの作業衣を廃棄するように指示せず，次回も着用するため，清潔な場所に保管するよう指示していた（21 CFR 211.28(a)）。

5）意図した用途からみて有害な微生物汚染のおそれがある医薬品成分を，ロットごとに，使用するまでに微生物学的試験に供していなかった（21 CFR 211.84(d)(6)）。

2 その他の事例

上述した3件の警告書事例は，注射剤ではなく，無菌外用剤や消毒剤である。しかし，FDAは注射剤と同等の無菌性保証を求めている。米国FDAのみならず，GMP査察において無菌性保証関連の指摘は多岐にわたる。それらの中から，特に指摘の多い以下の事項について，筆者の見解を述べてみたい。

1）不適切な培地充填試験
2）不適切なスモークテスト
3）不適切な消毒手法
4）不適切な環境モニタリング
5）不適切な更衣と無菌作業等

1）不適切な培地充填試験

培地充填試験は，1973年にWHOから生物学的製剤の充填工程の無菌性を保証する手法として提案された。日本の生物学的製剤メーカーは，WHOが提案してから20年以上は培地充填試験に振り向きもしなかった。日本の大手製薬企業が培地充填試験に関心を抱くようになったのは，1987年にFDAが培地充填試験の実施を発表して以降である。1992年にISO/TC198

(Sterilization of health care products）にWG 9（Aseptic processing of health care products）が発足し，培地充填試験の国際規格作成が始まった。当時，欧米では培地充填試験の実施が無菌医薬品の製造許可要件になっていたが，1992年，日本で調査した結果，培地充填試験を実施したことのある無菌医薬品製造所は半数程度であった。そこで，WG 9で作成中の培地充填試験を参考に，日本薬局方（日局）参考情報に「培地充てん試験法」を導入したのが1996年で，それから2年後に国際規格ISO 13408-1が発行された。現在，ISO 13408-1，WHO-GMP，EU-GMP，PIC/S-GMP，日局等で採用している培地充填試験の許容規格は，FDAが2004年に発行したガイダンスに基づくものである。

GMP査察でよく指摘される培地充填試験項目としては，①充填容器数，②作業時間，③介在作業等がある。特に充填容器数については，米国FDAと日本や他国の査察官の間に意見の違いが認められる。FDAのGMP査察において，「培地充填試験では，日常的に製造している無菌注射剤のバッチサイズを再現していなかった」という指摘事例が多い。FDAガイダンス（2004年）には，「手動で集中化された充填ラインのように汚染の可能性が高い場合は，一般的には実生産規模と同じくらいの充填数が必要であるが，アイソレータ内での製造は，人の介在がなく汚染リスクが低いので，実製造本数に比較して少ない本数で十分にシミュレートできる」とある。

現在，グレードAブース内で高速充填機を用い，ロットあたり10万個以上の製品製造が一般化してきているが，米国FDAは，「実製造規模と同じくらいの充填容器数」を要求している。一方，日局では，「実際の製造におけるバッチサイズを用い，実際の工程時間で充填するのが最も正確なプロセスシミュレーションになるが，これ以外の適切なバッチサイズと充填時間でも，当該ラインの無菌性を正確に評価することができる」とあり，実製造規模と同等の充填容器数は必ずしも要求していない。2015年以来，PIC/S GMP Annex 1（無菌医薬品の製造）の改訂作業中である。これまでに2回（2017年，2020年），改訂ドラフトが提示されたが，2020年版の改訂ドラフトでは「通常，最低5,000個から10,000個容器に充填する」となっており（表6-15），まだ最終版ではないが，充填容器数に関しては現実的な提案と思われる。

充填工程の無菌性保証というのは，製剤の特性（液剤，凍結乾燥剤，防腐剤添加剤，他）や製造環境（クリーンルーム，RABS，アイソレータ）等を考慮すべきであるが，現在のGMPは製剤の特性や製造環境等を考えずに同じ水準での無菌性保証を求めており，これは科学的に正しいとは思えない。とりわけ，培地充填試験の充填容器数と実施頻度については，以下のようなことを検討する必要がある。

①1ロット10万個から構成される医薬品の培地充填試験を半年ごとにフルスケールで行う場合と，年に3～4回各1万個で行う場合，製造ラインの無菌性保証という観点からどちらのほうがベターであろうか？　現在の培地充填試験では，10万個の容器を用い2個に汚染が認められれば，初期バリデーションとして，各10万個の容器で3回の培地充填試験を行わなければならない。30万個の培地充填容器の培養装置の準備や容器・栓の価格等を考えた場合，年に3～4回各1万個の容器を用いて培地充填試験を行うほうが，合理的かつ科学的に正しいように思われる。

②充填工程で微生物が混入しても死滅してしまうであろう凍結乾燥製剤や保存剤の入っている点眼剤に対する培地充填試験において，1万個あたり2本以上の汚染が認められた場合，品質リスクマネジメントの観点（ICH Q9ガイドラインの主要原則の1つ，品質に対するリスクの評価は，科学的知見に基づき，かつ最終的に患者保護に帰結されるべきである）からみて，再バリデーションを実施する必要があるだろうか?

③USP <1116>によると，同じISO 5エリアでも人が介在するクリーンルームと人が介在できないアイソレータでは，汚染菌の出現率（contamination recovery rate）はクリーンルームのほうが10倍高い。アイソレータ内での充填工程にもクリーンルーム同様，半年ごとの培地充填試験が必要であろうか?

表6-15｜培地充填試験の定期的再評価（半年ごとに実施）

年	発行元	許容規格
1973	WHO（Sterility of Biologicals）	少なくとも年に2回，1,000個以上の容器に培地を充填し，もし充填容器の0.3％以上に汚染が認められれば，国によってはその無菌操作を許容しない場合もある。
1987	FDA Industrial Guideline on Sterile Drug Products Produced by Aseptic Processing	一般に，1,000個中に1個以下の汚染確立を示す結果は許容される。培地充填試験の結果，FDAがこのレベルの汚染率を許容していることは，本来無菌であるべき医薬品のロットが無菌的に処理された結果，1,000個中に非無菌のものが1個存在しても構わないということを意味しているわけではない。製造業者は，非無菌医薬品を1個でも出荷したなら完全に責任を負うべきである。ただしFDAは，いかに正確で精密なバリデーションを実施しても，汚染防止を目的とした管理システムを作り出すことに科学的，かつ技術的な限界があることを認めているに過ぎない。
1998	ISO 13408-1. Aseptic processing of health care products. Part 1 – General requirements	0.1％の汚染率を十分検出できる数の容器に培地を充填し，95％信頼上限での汚染率が0.05％以上0.1％未満を警報基準値，0.1％以上を処置基準値とする。なお，培地充填試験における汚染率0.05％は最低許容基準であって，製造業者はより低い汚染率を達成できるように努力しなければならない。
2004	FDA Guidance for Industry. Sterile Drug Products Processed by Aseptic Processing	• 5,000個以下の充填の場合，汚染容器が検出されないこと。 ・1個の汚染の場合，汚染原因の調査後，再バリデーションの実施 • 5,000～10,000個充填の場合 ・1個の汚染の場合，汚染原因の調査，培地充填試験の繰り返しを検討 ・2個の汚染の場合，汚染原因の調査後，再バリデーションの実施を検討 • 10,000個以上の充填の場合 ・1個の汚染の場合，汚染原因の調査 ・2個の汚染の場合，汚染原因の調査後，再バリデーションの実施を検討
2020	PIC/S GMP Annex 1 改訂案	• 通常，最低5,000個から10,000個容器に充填する。

2）不適切なスモークテスト

無菌医薬品製造所には，重要区域での気流パターン調査が求められる。気流パターンの可視化手法としては“スモークテスト”が一般的であり，その結果をビデオに収め，査察時に査察官に提示する必要がある。GMP査察官は，スモークテストで乱流を確認すると，即汚染原因になると結論付ける教育を受けている。“乱流が即汚染原因”にならないことを十分に理解していても，それを否定するデータを提示することは難しいので従うしかない。FDAでは，スモークテストに関して以下のようなForm 483や警告書を発している〔PHARM TECH JAPAN誌, Vol. 33（2017）より抜粋〕。

事例1 スモークテスト関連

- スモーク試験は，製品を汚染から守るためにすべての無菌操作中に一方向気流を維持しているという主張をサポートしていない。FDAは，メーカーがどのように違反を是正し再発を防止するかを具体的に説明するように求めた。さらに，同社は当局に以下を提供しなければならない。
  - ✓工程ラインの設計と管理の妥当性についての包括的な評価
  - ✓作業員の無菌技術の評価
  - ✓医薬品が品質基準に適合することを保証するための暫定的な計画
- 開放型アクセス制限バリアシステム（RABS）の空気の流れを評価するために，“非稼働時”と“稼働時”の条件でスモークテストを行っていなかった。それ以降，同社はRABSを改造して閉鎖型仕様にした。**当警告書への回答**として，すべての工程の潜在的な問題と無菌性履歴（無菌試験，培地充填）を含むリスク評価もFDAは期待している。さらに，とられたすべての措置が説明され，開放型RABSで製造され，米国市場へ出荷された製品の受容性について言及すること。
- スモークテストでは，スモークの容量があまりに小さいため，気流を正確に実証できなかった。さらに，単一方向気流に作業員が関与する影響を示す作業区域へ，スモークを導入していなかった。これらの結果から，同社のスモークテストでは，微生物学的汚染が防止でき，製品の無菌性を高度に保証できるように製造ラインが設計されていることが実証できなかった。スモークテストでは，作業員が単一方向気流を混乱させる程度を計測するため，実作業中に実施する作業員の介在を模擬することが必須である。
- 注射剤製造区域でスモークテストを実施せず，気流が単一方向であり，無菌操作中に移動中の製品の真上に気流が流れているのを実証していなかった。このスモークテストは，実際の製造作業を代表する条件で行っていなかった。日常的な無菌操作作業を観察するため，無菌操作を実施している作業室の扉にある窓の位置が不適切なため，工程内品質保証部門や管理職が無菌操作作業を観察できなかった。
- 重要作業区域でスモークテストなどにより現状での気流パターンを計測し，気流が単一方向気流であること，ならびに動的な作業が製品品質に影響しないようなパターンで空気が流れていること，それぞれを実証した結果が文書化されていなかった。設備などの設計や管理が適切であれば，乱流発生や重要作業区域での気流停滞が防止できることを企業は承知していること。乱流には，空気を介しての汚染原因となるおそれがある。このような乱流があるか否かを見定めるためには，気流パターンを評価することが極めて重要である。さらに，無菌操作作業区域内での差圧をモニターした結果を文書にせず，またモニターする手順書がなかった。

解説：模擬「無菌試験」の実施

FDA無菌操作法ガイド（2004）での気流パターン要件を以下に示す。

> 重要区域では，充填/閉塞作業区域から微粒子を十分に除去でき，また作業中に層流を維持できるような風速の空気をHEPAフィルターでろ過し，供給すること。重要区域内で製造ラインごとに設定した風速パラメータが，動的条件下で単一方向流ならびに空気の品質を維持するのに適切であることを実証すること。設計や管理が適切なら，重要区域内での空気の乱流や停滞を防止できる。
>
> 関係するパラメータを一度設定すれば，汚染空気（例えば，隣接のクラスの低い部屋からの流入空気）の流れ，または蓄積となり得る乱流または渦気流などの気流パターンを評価する上で重要である。単一方向流ならびに動的条件下で製品から微粒子が除去できることを実証するために，重要区域では気流パターンの調査を行うこと。この調査では，無菌作業（例えば，介在作業）や設備デザインに与える影響を評価し，結論をよくまとめて文書化しておくこと。ビデオテープやその他の記録方式は，建設当初の気流だけでなく，以降に設備配置を変更したときの評価の有効な補助手段となる。

査察期間中に，GMP査察官は間違いなく気流パターンを確認する。そのため，グレードA区域全体やグレードAとBの境目については，稼働時および非稼働時の気流パターンをビデオに録っておく必要がある。グレードA区域内で一方向気流が維持されていなかったり，グレードB区域からグレードA区域に空気の逆流が認められると，査察官は汚染が起こったと判断する。筆者は，そのようなことで汚染は起こらないと自信を持って言えるし，凍結乾燥製品の巻き締め工程への搬送に，グレードAの気流確保などの要件には違和感を覚える。

筆者は過去5年間，JICAプロジェクトでベトナム・ハノイにあるワクチンメーカーで麻疹・風疹混合ワクチンの製造および品質管理に関する技術指導を行ってきた。研修の一環として，“汚染はどういうときに起こるのか”を体感していただくために，清浄度管理されていない通常の会議室で模擬「無菌試験」を行わせた（図6-4）。模擬「無菌試験」では，200本の液状チオグリコール酸培地と200本のSCD培地に滅菌注射用水を各1 mL接種し，32℃で1週間培養後，何本に汚染が認められるかという質問を出した。64名から回答が寄せられ，推定汚染本数として最も多かったのが350本以上であった。次いで201～350本，51～200本と続いた。GMP教育を受けた者なら適切な回答結果といえるかもしれない。結果は，1週間培養で液状チオグリコール酸培地に3本，SCD培地に1本の計4本の汚染しか認められなかった。この4本の汚染も，接種作業者のグローブがピペッターに装着したピペットの先端に接触したケースのように見えた。この模擬「無菌試験」をグレードD区域内でグレードDのガウニングを着用して行えば，まず汚染は認められない。筆者は，過去40年間の無菌保証業務において，JICAの研修などに関わった際には，この模擬「無菌試験」を実施させ，汚染はどうして起こるのかを考えさせる教材としてきた。読者の皆さんにも是非体験していただき，汚染原因とは何かを考えてほしい。

図6-4｜模擬「無菌試験」実施風景

3）不適切な消毒手法

PHARM TECH JAPAN誌，Vol.33（2017）で散見された，消毒関連の指摘事項を以下に示す。

事例2　消毒関連

- RABSが適切に消毒されていなかった。例えば，RABSの表面が日常的に消毒されておらず，またRABSの底を十分に消毒していなかった。さらに，無菌操作クリーンルームで用いる消毒剤の有効性を十分に確保していなかった。消毒剤の検討では，製造機器表面を調べているだけであった。窓ガラスやRABSの内部表面のような他の代表的な表面を調べていないことの科学的な根拠を示していなかった。**当警告書への回答**として，追加の代表的な表面における消毒手順の有効性をサポートするデータを提示すること。
- 無菌作業区域を含め，製造作業区域での環境真菌数が一時的に逸脱してから数カ月後に，施設の洗浄を開始していた。製造作業区域の消毒で使用する洗浄剤について，自社で単離した菌や代表的な菌について消毒の有効性を検討していなかった。
- ISO 5の作業区域（無菌操作区域）で使用している消毒剤や清拭布は，無菌ではなかった。
- クリーンルームやISO 5の作業区域では，殺芽胞剤を使用していなかった。

解説：消毒剤に関する指摘

FDA査察官が発出するForm 483の中でも消毒剤に関する指摘は多い。その多くが，①殺芽胞剤を使用していない，②使用している消毒剤の有効性評価をしていない，である。殺芽胞剤はFDA無菌操作法ガイダンス（表6-16）にあるように，「消毒プログラムには，殺芽胞剤を含んでおり，手順書に記された間隔および環境モニタリングデータが芽胞形成菌の存在を示す場合に使用すること」であり，常時使用ではない。FDAとほぼ同じ消毒要件が，改訂中のAnnex 1に導入される予定である。人が介在するクリーンルームでは，*Bacillus*属菌が検出されるのは一般的である。FDA査察官が環境モニタリング結果を評価して，殺芽胞剤の使用を指摘する判断基準がわからない。グレードA区域やB区域に*Bacillus*属菌が“芽胞”状態で常在的に存在するとも思えないし，多くは“栄養型”状態で一時的に存在するであろうから，芽胞形成菌が検出されても環境モニタリング成績が一貫して基準内に収まっているなら，殺芽胞剤を使用する必要はないと考えられる。数年前，日本PDA製薬学会「無菌グループ」が国内製薬企業で消毒剤の使用方法を調査し，発表していた。発表によると，国内製薬企業では，半数の製造所において日常消毒で使用する消毒剤は1種類で，2種類の消毒剤を交互に使用することはしていなかった。衛生管理手順書には，問題があったら使用する殺芽胞剤や殺真菌剤をリストアップしておけば，通常は1種類の消毒剤使用で問題ないと思われる。

表6-16｜PIC/SおよびFDAの消毒剤に対する要件

PIC/S GMP Guide Annex 1: 改訂案（2020年）	**4.36** 清浄区域の消毒は特に重要である。清浄区域は，文書化されたプログラムに従い完全に清掃して消毒すること。消毒が有効であるためには，表面の汚染を取り除くための事前の清掃を実施すること。複数のタイプの消毒剤を，異なった作用様式でそれらを組み合わせて使用した場合にすべての細菌および真菌に有効であることを保証すべく使用すること。消毒剤は，殺芽胞剤の定期的使用を含むこと。消毒プログラムの有効性を評価し，微生物叢のタイプの変化（例えば，現在使用中の消毒処方に抵抗性の微生物）を検出するためにモニタリングを定期的に実施すること。クリーニングプログラムは消毒剤の残渣を効果的に除去するものであること。
FDA CGMP 無菌操作法ガイダンス（2004年）	消毒剤の適切性，有効性，限度，および適応手法を評価すること。消毒剤の有効性および適応手法は，存在する可能性がある汚染微生物を表面から適切に除去できることが保証できる方法で測定評価すること。 消毒剤は調製後には無菌であり，手順書に規定したとおりの時間を限定して使用すること。定期的に使用する消毒剤は，施設から検出される通常の栄養型微生物に対して有効性を保持すること。一般に使用されている消毒剤は，芽胞に対しては無効である。例えば，70%イソプロピルアルコールは，*Bacillus*属の芽胞に無効である。消毒プログラムには，殺芽胞剤を含んでおり，手順書に記された間隔および環境モニタリングデータが芽胞形成菌の存在を示す場合に使用すること。 消毒の手順は再現性を確保するためにその詳細（調製手順，使用頻度，接触時間）を規定すること。サニテーション手順を確立したら，日常的に清浄化の有効性について通常の環境モニタリングプログラムを用いて評価すること。通常と異なる傾向を持つ微生物が確認されたら，単離された微生物の存在したクリーンルーム内で使用される消毒剤への感受性を調査すること。

次に問題なのが，使用する消毒剤の有効性評価である。第十七改正日本薬局方（日局）の参考情報に「消毒法及び除染法」というチャプターが新規に導入された。消毒法の中で消毒剤の評価方法として「試験菌懸濁法」と「硬質表面キャリア法」が提示されている。「試験菌懸濁法」は，実際に使用する濃度に希釈した消毒剤 1 mLあたり10^5〜10^6 CFUの試験菌を接種し，規定時間（5〜15分間）作用させた後，消毒剤を希釈やろ過で除去し，微生物限度試験法に準拠して生菌数を計測する。消毒剤作用前後の試験菌数から対数減少量を算出し，細菌および真菌では3 log以上，芽胞では2 log以上の減少を認めた場合，各々の対象微生物に対して有効であると判断する。

一方，「硬質表面キャリア法」では，クリーンルームや製造設備内を構成する各種表面材質に対する消毒法の有効性を評価するものである。約5 cm×5 cmの各種表面材質の担体（キャリア）あたり，試験菌を1×10^5〜1×10^6 CFUになるように広範囲に接種する。接種菌が乾燥する前に実使用濃度の消毒剤を滴下し，規定時間（5〜15分間）作用させた後，不活化剤を含む回収液でキャリア上の試験菌を回収する。本評価法を日局に導入するにあたり，本法の妥当性検証を行った（図6-5〜6-7，表6-17）。

その結果，試験菌は乾燥するとその多くが死滅してしまい，消毒剤の効果を評価できないことがわかった。キャリアとしてSUSを用い，経時的に行った結果を図6-8に示す。3時間後には栄養型菌種を中心に生菌数の減少が認められた。

「硬質表面キャリア法」では乾燥直前に消毒剤を適用させるようになっているが，クリーンルーム内の各種表面材質は乾燥状態になっているので，環境モニタリングで検出される菌種は，ある程度乾燥に強い*Bacillus*属菌やカビが多いかもしれない。本結果からも清浄度の高い区域の無菌性維持には乾燥状態が重要であることがわかる。

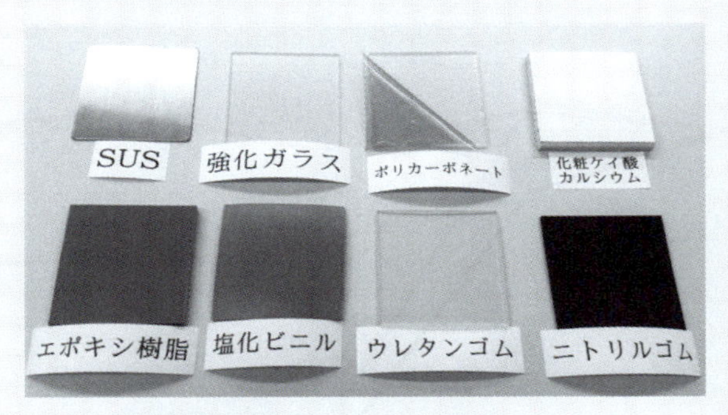

図6-5｜消毒剤の評価に用いた各種キャリア

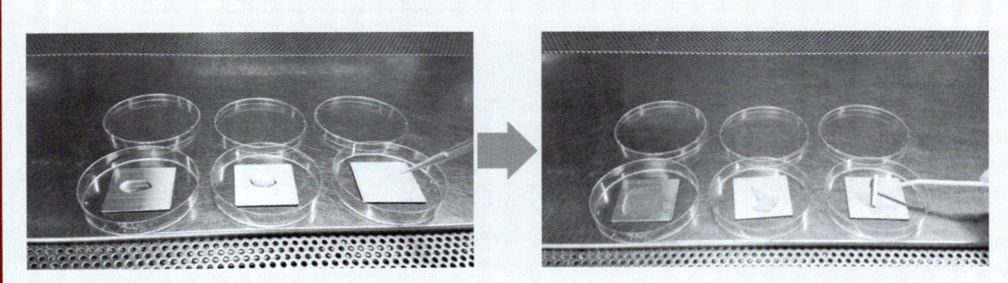

図6-6｜操作方法（1）
セーフティキャビネット内で滅菌または消毒した各種キャリア上に試験菌（10^6 CFU/mL）を0.1 mL接種し，全体的に菌液を拡げる。

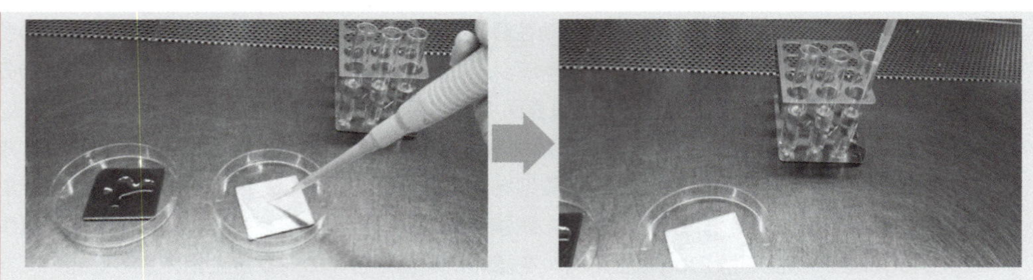

図6-7 | 操作方法（2）
乾燥直前に消毒剤を滴下させ，規定時間（5～15分間）作用させた後に菌を回収し，生菌数を計測するが，ここでは接種菌の回収バリデーションとして，乾燥後に消毒剤を使用せず，菌の回収を行った。

表6-17 | ステンレス表面からの接種菌の回収結果

試験菌	材質	接種菌数（CFU）	回収菌数（CFU）	対数減少量
S. aureus	ステンレス	7.2×10^4	4.0×10^3	1.3
P. aeruginosa		2.2×10^4	1.5×10^2	2.1
E. coli		3.3×10^4	8.5×10^2	1.6
C. albicans		3.0×10^4	1.0×10^2	2.5
B. subtilis		9.5×10^4	2.1 x $\times 10^4$	0.7
A. brasiliensis		4.5×10^4	1.2 x $\times 10^4$	0.6

出典：内藤貴博（塩野義製薬株式会社），消毒剤の評価法「硬質表面キャリア法」について，微生物試験法Q&A，じほう（平成29年4月）

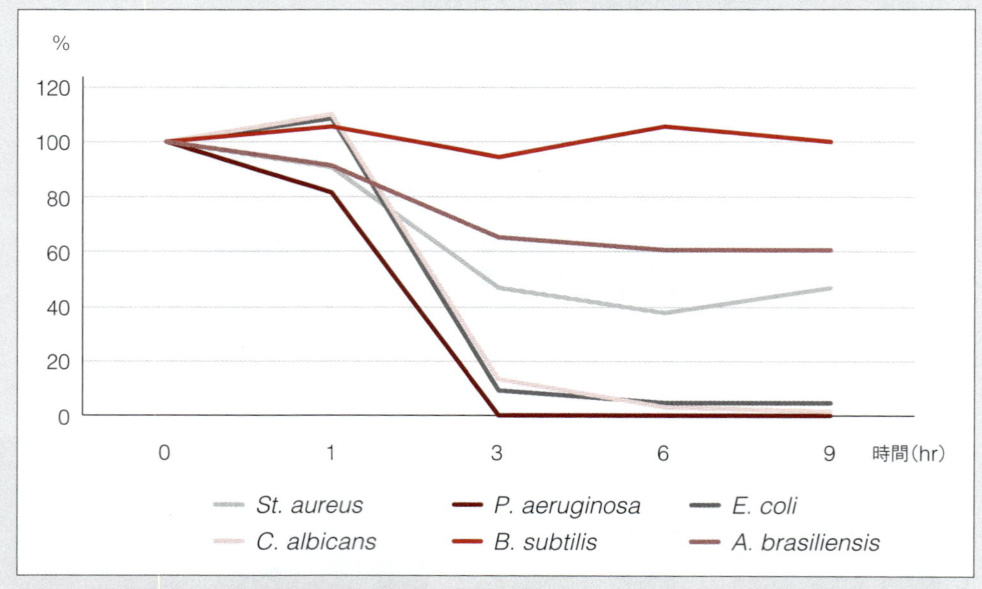

図6-8 | 消毒剤使用前の乾燥菌の回収率（SUS）
提供：澁谷工業株式会社

4）不適切な環境モニタリング

PHARM TECH JAPAN誌，Vol.33（2017）で散見された，環境モニタリング関連の指摘事項を以下に示す。

事例3　環境モニタリング関連

- 無菌操作エリアにおける環境状態を監視する管理システムがない。**当警告書への回答**として，FDAは以下のようなモニタリングプログラムに関する再評価とCAPA措置を要望している。
  - ✓アクションとアラート限界を含むサンプリング箇所の評価。
  - ✓特に無菌操作室の表面の定期サンプリングに関して，すべての箇所が適切な頻度でサンプリングされることを保証すること。
  - ✓不都合な傾向および規格外結果の調査が引き起こされる状況の説明と，起こった場合に汚染の危険に速やかに対処するための対応の仕方。
- 無菌作業区域での環境条件モニタリングシステムに欠陥があった。無菌注射剤を製造するのに使用する設備を対象とし，作業区域で日常的な微生物学的表面接触プレートやスワブを実施する場所を規定していなかった。
- 無菌作業区域にある環境条件モニタリングシステムに欠陥があった。具体的には，無菌医薬品の製造を実施している日に，クリーンルームの日常モニタリングを実施していなかった。
- 環境モニタリングに，手順に指定されたすべての箇所からサンプルをとったことを記録は立証していなかった。記録によると，同社が集めたサンプルと得られた結果が合っていなかった。もう1つの懸念事項は，無菌医薬品の微生物汚染を防止するように図られた手順書がなく，遵守されていなかった。
- 環境モニタリングでは，日常的に施設や設備を適切に検査しておらず，汚染が検出されないことを保証していなかった。査察では，クラス100の作業室でカビの汚染があり，凍結乾燥設備の部屋の壁に不備があることを認めてこれを文書にした。無菌充填室の作業員は，製品の汚染を防止するために適切な無菌操作を行っていなかった。生産終了時点での環境モニタリングでは，監督者や品質部門の職員が着用している作業衣の胸や，よく使用する手からサンプリングし，作業が正しく行われたことを保証していた。しかし，この手法は容認できない。FDAは無菌作業を実施しているすべての作業者を対象として，適切に教育訓練を実施し，サンプリングや充填作業などすべての作業を正しく実施しているのをモニターすることを期待している。
- 環境モニタリングプログラムでは，環境に存在する汚染物質の検出結果が信頼できることを保証できなかった。例えば，充填作業中に浮遊菌や浮遊微粒子を測定せず，また環境から単離した菌を適切に同定する方法がなかった。重要作業区域でスモークテストなどにより気流パターンを計測して，気流が単一方向流であり，動的な状態で重要表面を掃引しているのを実証した証拠を文書にしていなかった。さらに，無菌操作を実施している作業区域での差圧をモニターする手順書には不備があった。清浄度が高い作業室は，清浄度が低い隣接する作業区域に対して適切かつ実質的な差圧を設定し，シフトごとに連続してモニターし，頻度高く結果を記録することが極めて重要である。また汚染につながるおそれのある乱流があるかどうかを評価することも重要である。これらの実施結果を文書にまとめ，結論を記載し，人の介在など手作業による無菌操作や設備デザインの影響を評価すべきである。

- 環境モニタリングの中で，芽胞形成菌である *Bacillus* sp. を複数回単離していることも指摘している。環境モニタリングプログラムを改訂しようとするForm 483の回答は，以下の理由で不適切である。
  - ✓菌数のアラート/アクションの規格を設定する十分に科学的な根拠がない。規格は過去の平均値と標準偏差のみに基づいており，他の要素を考慮していないように思える。
  - ✓新たに作られたクリーンルームで用いられる落下菌のアクション規格は，不必要に高い空気汚染のレベルを許容しているように思える。
  - ✓環境菌を同定するための適切な計画が提出されていない。今までは，いくつかの菌だけが規格に達したときのみ同定している。

  当警告書への回答では，以下を含む環境モニタリングの改訂手順書を提示すべきである。
  - ✓ISOのすべてのエリアのアラートとアクション規格
  - ✓規格外（OOL）微生物検出結果の調査についての規格
  - ✓充填打栓エリアからの微生物を定期的に同定する計画
- 環境モニタリングプログラムは，無菌操作室での組み立て，充填，その他の作業中にISO 5エリアでの人のモニタリングを行っていなかった。例えば，2015年9月16，17日のクラス100の入退室記録および他の製造記録の照査で，充填作業を行ったと示されている作業員の大部分はモニターされていなかった。Form 483への回答書では，ISO 5エリアで無菌活動を行うすべての人のモニターを十分にしていないことに対するリスクアセスメント（RAS-088-3950）を行うと表明したが，どのように評価するのかの詳細な説明がなされていない。
  - ✓**当警告書への回答**として，リスクアセスメントのコピーを提示すること。リスクアセスメントの結果としてとられるすべての措置を知らせること。
  - ✓無菌の組み立て作業を行う製造の職員が，日常のモニタリングプログラムに入っているかどうかを説明すること。以前の警告書でも，人のモニタリングが不十分であることが指摘されている。しっかりとしたモニタリングプログラムが作られていないことが繰り返されていることは，無菌操作への監視が不十分であることを意味している。

解説：清浄度

環境モニタリングを含め，無菌性に関する警告書には，FDAが2004年に発行した「無菌医薬品の製造」に関するガイダンスを参考にするようにとある。米国FDAは，PIC/Sメンバー国であるにもかかわらず，PIC/S Guide Annex 1はあまり気にしていないのかもしれない。そのため，これまでFDAガイダンス（2004年）に記載のない，打栓したバイアルをキャッピング工程に搬送する際にグレードAの気流が保持されていないとか，5μm微粒子を測定していないとかで指摘を出したことはないと思われる。しかし現在，FDAもPIC/S Guide Annex 1の改訂作業に参加しているので，改訂作業の終了後にFDAガイダンス（2004年）も改訂するのかどうか注目される。

(1) 空気の清浄度区分（表6-18）

クリーンルームの清浄度区分は，ISO 14644-1（Cleanrooms and associated controlled environments – Part 1: Classification of air cleanliness by particle concentration, 2015年）に従って行われる。詳細は日局参考情報「無菌医薬品製造区域の環境モニタリング法」を参照のこと。ISO 14644-1は長年の議論の上，2015年に改訂され，クリーンルームの面積に対応した最少サンプリングポイント数や1回あたりの最少吸引量が規定されている。ISO 14644-1は半導体産業などすべての業界に共通する国際規格であり，微粒子のみでの清浄度規格になっているが，医薬品製造においては微生物のモニタリングも考慮に入れなければならない。新しいクリーンルームを建設し，すべての用役を供給できる状態ではあるが，製造機器，原材料および作業員が存在しない竣工時状態（as-built）では，清浄度区分を決定する上で役立つ方法である。しかし，機器の据付が完了しているが稼働していない非作業時（at-rest）や通常の製造作業が行われている作業時（in-operation）においては，据え付けられている設備機器が邪魔になるので，測定ポイントの選定には工夫が必要である。改訂ISO 14644-1ではグレードA（ISO 5）区域での5μm微粒子の測定規格がなくなったのも特徴である。

FDAはISO 6（クラス1,000）についても規定しているが，WHO GMP，EU GMP，PIC/S GMP，日局等ではISO 5（グレードA），ISO 7（グレードB），ISO 8（グレードC）の規定である（表6-19）。

表6-18｜FDA（2004）の空気清浄度区分[a]

清浄区域の分類（0.5μm微粒子/ft^3）	ISO呼称[b]	0.5μm以上の微粒子/m^3	空中浮遊微生物処置基準（CFU/m^3）[c]	落下菌処置基準（直径90 mm, CFU/4時間）[c, d]
100	5	3,520	1[e]	1[e]
1,000	6	35,200	7	3
10,000	7	352,000	10	5
100,000	8	3,520,000	100	50

a) 作業中に露出される材料/製品の近くで測定されたデータに基づく分類。
b) ISO 14644-1の指定では，多数の業界のクリーンルームで同一の微粒子濃度の値が提示されている。ISO 5の微粒子濃度はクラス100に等しく，EUのグレードAにほぼ等しい。
c) 値は環境基準の推奨レベルを示す。操作の性質または分析方法により，代替の微生物学的処置基準を設定するのが適切であると認められることがある。
d) 静置プレートの追加使用は任意である。
e) クラス100（ISO 5）環境のサンプルは，通常，微生物学的汚染は検出されないはずである。

表6-19 | WHO GMP，EU GMP，PIC/S GMP等の空気清浄度区分

グレード	表示サイズ以上の微粒子のm³あたりの最大許容数			
	非作業時[a]		作業時[b]	
	0.5μm	5μm	0.5μm	5μm
A	3,520	20	3,520	20
B	3,520	29	352,000	2,900
C	352,000	2,900	3,520,000	29,000
D	3,520,000	29,000	規定せず	規定せず

a）“非作業時”とは，設備・装置の設置が使用者および供給者が同意した方法で完了し稼働しているが，作業員のいない状態をいう。
b）“作業時”とは，設備・装置が決められた操作モードおよび決められた人数の作業者がいる状態で稼働している状態をいう。クリーンルームおよび環境コントロールシステムは，“非作業時”，“作業時”双方の状態が可能なよう，設計しなければならない。

(2) 微生物のモニタリング

WHO GMP, EU GMP, PIC/S Guide等では，CFUで表示している（表6-20）。

USP<1116> Microbiological Evaluation of Clean Rooms and Other Controlled Environmentsでは，CFUではなく汚染検出頻度（contamination recovery rate）で表している（表6-21）。

FDAでは空中浮遊微生物と落下菌を規定しているが，表面付着微生物は規定していない。

表6-20 | 作業中の清浄区域での微生物の推奨限度値[a]

グレード	エアサンプル (CFU/m³)	落下菌法 (直径90 mm) (CFU/4時間)[b]	コンタクトプレート (直径55 mm) (CFU/プレート)	グローブ（5指） (CFU/グローブ)
A	＜1	＜1	＜1	＜1
B	10	5	5	5
C	100	50	25	–
D	200	100	50	–

a）これらは平均値である。
b）個々のプレートの曝露時間は4時間未満でもよい。

表6-21 | USP<1116>で推奨される汚染回収率（%）

クラス	空気吸引法 (%)	落下菌法，直径9 cm シャーレ，4時間（%）	コンタクトプレート，またはスワブ（%）	グローブまたは無塵衣（%）
Isolator/Closed RABS（ISO 5 or Better）	＜0.1	＜0.1	＜0.1	＜0.1
ISO 5	＜1	＜1	＜1	＜1
ISO 6	＜3	＜3	＜3	＜3
ISO 7	＜5	＜5	＜5	＜5
ISO 8	＜10	＜10	＜10	＜10

表6-22｜空中浮遊微生物の許容規格値の推移

清浄度区分		NASA	FDA(1)	FDA(2)	USP(1)	USP(2)	EU	WHO
グレード	M	1967	1987	2004	1992	1998	1996	2002
A	M3.5	3.5	3-4	＜1	＜1	＜3	＜1	＜3
B	M5.5	17.6		＜10	＜18	＜20	10	10
C	M6.5	87.5	88	＜100	＜88	＜100	100	100
D							200	200

WHO TRS No. 902, Annex 6: Good manufacturing practices for sterile products (2002)

各清浄度区分における微生物基準値は，基本的にNASA（米国宇宙航空局）が1967年に出したNASA Standard（NHB 5340.2）に基づいている。表6-22は，各公定書における空中浮遊微生物の規格値を示す。NASAの許容値は，ft^3あたりの数値であるので，比較しやすいようにm^3あたりに換算した。現在，一般に使用されている微粒子計測計（particle counter）は1分間に1 ft^3（28.3 L）の空気を採取するのが多いが，これもNASA規格に合わせたためである。日局参考情報に「無菌医薬品製造区域の微生物評価試験法」を導入した1998年に，グレードA区域の許容値を1 CFUにするのか3 CFUにするのか大いに議論になった。結局，厳しい1 CFUにし，現在に至っている。

微粒子と違い，微生物の環境モニタリング結果は測定から1週間くらい遅れて出てくる。その間，製品は先に進んでいる。設定基準値を超えた値が出た場合，それが一過性のものか，それとも構造的欠陥あるいは設備機器の汚染によるものかを見極めることが肝心である。そのためにも特にグレードA区域においては，1作業シフト中に複数のポイントで複数回測定し，得られたデータを総合的に評価する必要がある。構造的欠陥は，通常，微粒子の測定値に表れるので，グレードAやB区域の微粒子測定は連続的に行うのが望ましい。USP <1116>には，「空中浮遊，表面あるいは職員由来のいずれかの1つのサンプルから，おおむね15 CFU以上が回収されるような一過性逸脱はまれにしか起こらないはずである。このような一過性逸脱が特に製品や部材に近接したISO 5の重要区域で発生した場合，それらは重大な制御喪失を示しているかもしれない。したがって，15 CFU以上の一過性逸脱が1つでもあったなら，詳細かつ完全な調査を促すこと。微生物担当者は，典型的な1～5 CFU範囲の微生物検出を含め，すべての微生物検出を慎重に考察すべきである。検出された微生物の同定は，この調査を行う上で重要な因子である」とあり，非常に妥当なことを述べている。

Annex 1改訂ドラフト（2020年）での環境モニタリング（微生物）は，平均値から最大値評価に変わり，グレードA区域で汚染菌が検出されたら原因究明を行うことになった。グレードA区域から1 CFUの微生物が検出されても逸脱管理として原因究明が求められるが，汚染原因の究明は非常に難しいものがある。せめて汚染菌を種レベルまで同定し，病原性や上述した製剤の特性（液剤，凍結乾燥剤，防腐剤添加剤，他）を考慮に入れながら製品への影響を考えるべきであろう。

5）不適切な更衣と無菌作業等

PHARM TECH JAPAN誌，Vol.33（2017）で散見された，不適切な更衣や無菌作業関連の指摘事項を以下に示す。

事例4 更衣や無菌作業関連

- 作業員は，手袋を装着した手で，ISO 5の作業区域外の設備表面に接触しており，さらに手袋を交換せず，または清浄化せずに無菌処理作業を実施していた。
- 作業員は，作業衣を汚染させるおそれがある不適切な方法で着用していた。
- 医薬品加工作業に従事している作業員の作業衣は，実行している業務に適していなかった。具体的には，作業員は，非無菌の手袋を装着したまま，ISO 7のクリーンルームや，無菌医薬品を調製しているISO 7の作業区域へ入室していた。
- 従業員用の適切な手洗い設備やトイレが設置されていなかった。例えば，警備用ゲートと工場の側にある来客用の男性用および女性用の手洗い設備の流しには，温水が供給されておらず，紙タオルもなかった。男性用手洗い設備では，流しや尿路の表面が褐色になっていて，汚れが蓄積されていた。トイレの内側表面も褐色に変色していた。作業衣を着用する前に従業員が利用できる手洗い設備がなかった。
- 無菌工程，装置，設備に関連するすべての汚染による危害を特定すること。これには，特にISO 5エリア，設備配置，人および物の流れ，空気システム，ISO 5エリア保護，および装置の人間工学とのすべての相互作用の解析を含むこと。これらの工程，装置および設備による危害の正式なリスク評価を行い，提出すること。リスク評価は作業を通しての微生物汚染リスクを評価し，リスク低減と改善について述べること。
- 無菌であるべき医薬品の微生物学的汚染が防止できるように設計された手順書を遵守していなかった。グレードAのクリーンルームで作業している作業員は，作業中にゆっくり移動することがSOPで規定されているが，実際にはこれが遵守されていなかった。
- 作業員は，開放した状態にある設備や機器の近くを素早く移動しているため，気流が乱れ，ISO 5の作業区域の品質を劣化させていた。
- ISO 5の作業区域（無菌プロセス作業区域）で使用している消毒剤や清拭布は，無菌でなかった。
- クリーンルームやISO 5の作業区域では，殺芽胞剤を使用していなかった。
- ワーストケースや無菌作業で問題となる条件などを適宜含んだ無菌清掃作業を，培地充填試験で綿密に実施していなかった。
- 無菌医薬品の微生物汚染を防止するように計画された手順書を遵守していなかった。例えば，無菌充填の最中に，次のような無菌テクニックの逸脱がみられた。
  - ✓無菌充填作業員がバイアルの入ったトレイの蓋を取り除く際に，作業員の左手と前腕が空バイアルの上を通っていた。
  - ✓午前11:20にクリーンルームを出る際に，ある無菌充填作業員は，ヒト用サンプルがとられる直前に手袋を取り替えた。午後2:51頃，クリーンルームを出ようとするもう一人の無菌充填作業員が，ヒト用モニタリングサンプルがとられる前に手袋を消毒剤でスプレーしていた。

前述のようなお粗末な無菌テクニックの事例は重大で，同様の問題が以前の査察でもみられた。回答書では，作業員の再教育を行ったとしているが，無菌操作作業員が再認定を必要としているかを評価していなかった。また，クリーンルーム内の作業員に行われた教育の概要を説明しなかった。

解説：最大の汚染原因は不適切な更衣

環境モニタリングで検出されるグレードAやB区域での最大汚染原因は，①不適切な更衣，②不適切な表面消毒，③不適切な無菌操作に尽きると思われる。とりわけ，更衣は重要である。着用する無塵衣の種類（洗濯・滅菌して何回も着用するタイプか，それとも使い捨てタイプか）や首から上の完全性（マスクと肌の密着性，装着ゴーグル）には特に注意を払う必要がある。欧米の無菌医薬品製造所では，使い捨ての無塵衣が主であるが，日本では洗濯・滅菌して何回も着用する無塵衣が主である。後者の場合，SOPに使用回数を設定するが，ファスナー部分を中心に目に見えないほころびがあっても肉眼的には検出できない。インナーを装着してもほころびには対応できない。

また，重要なのは首から上である。作業員が体を動かすことにより，無塵衣内の汚染空気が頭巾（フード）と無塵衣の隙間からポンピング現象によりクリーン区域に放出される危険がある。特に，顔面マスクやゴーグルは汚染防止上，重要である。顔面との間に隙間のあるマスクの着用，ゴーグル上部に曇り防止の穴が開いたゴーグルの着用は，間違いなく指摘対象になる。メガネ着用者はゴーグルの着用によって汗をかくと，メガネが曇って作業ができなくなるため，作業中にゴーグルを外し，内表面を消毒用エタノールで拭き取っているのを見たことがあるが，瞬時でも顔面肌を露出するのは汚染原因になる。

PIC/S GMP Annex 1の第62項には「消毒剤および洗剤は，それらが微生物に汚染されていないかどうかを検査すること。希釈した消毒液はあらかじめ洗浄した容器に保存し，滅菌しない場合には一定期間だけ保存すること。グレードAおよびB区域で使用する消毒剤および洗剤は，使用前に滅菌すること」とある。グレードAおよびB区域で使用する消毒剤や清拭布は無菌でなければならない。ゴム栓供給器（ゴムホッパー）を滅菌しないで消毒して使用している製造所があるが，消毒は滅菌と違い完全ではないので，汚染ゴム栓を介して製品汚染につながる可能性は否定できない。また，ゴム栓ホッパーが作業員の首から下に位置し，作業員がゴムホッパー上面を遮るようにゴム栓供給をしている製造所もいくつかあった。FDA査察官から「作業員は，開放した状態にある設備や機器の近くを素早く移動しているため，気流が乱れ，ISO 5の作業区域の品質を劣化させていた」という指摘も頻繁に出ているので，無菌充填作業に従事する作業員の教育を徹底する必要がある。

6.10 データ管理とデータの完全性

1 警告書中に含まれるデータインテグリティ指摘割合の推移

本書の第2章「2.4　日本企業に対する主な警告書」(p. 58) にすでに挙げた2017～2018年発行の警告書およびForm 483の3例ではすべて，データ管理とデータの完全性，すなわちデータインテグリティの問題が主要指摘事項となっていた。一方で,「データインテグリティの指摘は一時に比べて減ってきているのではないか」という観測がある。

そこで，FDAがウェブページで公開している医薬品企業宛の警告書※のうち，“Office of Manufacturing Quality；OMP)”の欄に掲示された2015～2019年のすべての警告書について，その記載内容を読解してデータインテグリティの指摘を含むものを抽出し，件数と割合を集計した結果を表6-23および図6-9に示す。ただし，OMP欄に掲示されている警告書は主として米国外の製造施設に対するものに限定されており，部分集合であることに留意されたい。

また，警告書にデータインテグリティの指摘があるものには，通常「Data Integrity Remediation」というパラグラフが含まれるが，この抽出ではそれにとどまらず，当該パラグラフがなくとも，データインテグリティの指摘がみられるものを含めている。

図6-9を見ると，2015年から一貫してデータインテグリティ指摘を含む警告書の割合は減少傾向にあることがわかる。しかし，それでもなお2019年で3分の1近くを占めている。したがって，今後も引き続きこの分野には十分な対応を行っておく必要がある。

表6-23｜FDA OMP発出警告書のうちデータインテグリティ指摘を含むものの割合

警告書発行暦年	警告書全件数	データインテグリティの指摘を含むもの	
		件数	割合（%）
2015	20	16	80
2016	43	22	51
2017	61	24	39
2018	58	25	43
2019	47	14	30
総計	229	101	44

※　FDA：Warning Letters and Notice of Violation Letters to Pharmaceutical Companies（https://www.fda.gov/drugs/enforcement-activities-fda/warning-letters-and-notice-violation-letters-pharmaceutical-companies）

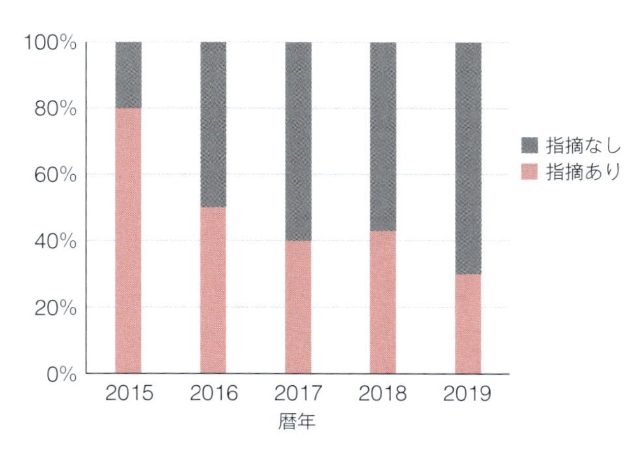

図6-9 | データインテグリティ指摘を含む警告書の割合の推移

2 ALCOA原則の厳守

紙の記録，コンピュータシステムによる電子的記録の両方の管理において，データインテグリティ確保の基本は，ALCOA原則の厳守である。ALCOAは，2018年12月発行のFDAの業界向けガイダンス，"Data Integrity and Compliance With Drug CGMP, Questions and Answers, Guidance for Industry"のQ&Aの章の先頭に書かれている（表6-24）。

また，2018年11月発行のPIC/Sのドラフトガイダンス，"Good Practices for Data Management and Integrity in Regulated GMP/GDP Environments"の7.5項には，ALCOAに表6-25の4項目を追加した，ALCOA＋が示されている。

PIC/Sの有力メンバーであるFDAは，実際の査察時と警告書ではPIC/S流のALCOA＋を採用している。

表6-24 | ALCOA

A：Attributable（帰属性）	：誰が，何のために残した，何の記録かわかる
L：Legible（判読性）	：内容が書いたとおりに読み取れる
C：Contemporaneous（同時性）	：そのときにその場で書かれた
O：Original（原本性）	：元の記録である
A：Accurate（正確性）	：正確である

表6-25 | ALCOA＋で追加された4項目

C：Complete（完備性）	：全部そろっている
C：Consistent（一貫性）	：矛盾がない
E：Enduring（耐久性）	：長持ちする，消えない
A：Available（可用性）	：必要なときに使える

事例 警告書回答の要件に現れたALCOA原則

企業名　　　：Tismor Health and Wellness Pty Limited（オーストラリア）
施設タイプ　：受託医薬品製造業者
査察実施日　：2019年5月20日～24日
警告書発出日：2019年12月5日

本警告書への回答には，以下を提示されたい（1項目，省略）。

- どこに文書化実践規範の不十分さがあるかを決定するために実施する，自社製造・試験業務全般を通じて用いられている文書化システムの完全な評価。文書化実践規範のどこが不十分かを決定するための，自社製造・試験室業務全般にわたる文書化システムの完全な評価。これには，自社業務全般を通して帰属性，判読性，完備性，原本性，正確性，同時記録性を有する記録の保管を確保するために，自社の文書化実践規範を包括的に矯正する是正措置・予防措置（CAPA）を含めること。

解 説

上述の事例は，警告書への回答に提示されるべき要件を記述した一種の定型文からの抜粋であり，ALCOA＋の9項目のうちの6項目が列挙されている。

以下，ALCOA＋のどの項目に該当するのかを示しながら，警告書に現れたデータインテグリティに関する指摘事例を解説する。

3 紙記録の管理

まず紙記録の管理に関して求められる内容は，CGMPに限らず，GMPで従来から求められてきた文書化要件を守るべく当たり前に行われてきた実践規範の内容と基本的に同じである。それらが実施されていない場合は，データインテグリティ上の指摘になりうることがわかる。

事例1 ブランクシート管理＜原本性・正確性・帰属性の問題＞

企業名　　　：Henan Lihua Pharmaceutical Co., Ltd.（中国）
施設タイプ　：原薬製造業者
査察実施日　：2017年12月11日～14日
警告書発出日：2018年6月12日

- 当局査察官は同社製造作業場事務所のオープンキャビネットの中に無数のバッチ製造記録書のブランクシートがあるのを見出した。その中には「工場外持ち出し可」の赤い品質保証出荷判定スタンプの押された複数の製品出荷用紙のブランクシートがあった。当局査察官は当該オープンキャビネットにバッチ番号・ページ番号用の2種類の発行スタンプをも見つけた。

- 同社の標準作業手順書ではブランクCGMP記録の発行は品質部門に責任があると書かれているにもかかわらず，これらのブランク記録とスタンプは管理されていなかった。同社品質部門はこれら記録に記載される情報が正確で信頼できることを保証するようこれら記録を管理することができていない。品質部門の照査・承認なしの非管理の記録の使用は，データインテグリティと製品品質の適切な保証をリスクにさらすものである。FDAはブランク用紙が品質部門または他の文書管理部門によって管理されることを推奨する。
- 同社回答中で同社は，同施設から「製品を出荷・倉庫処理するのに便利なので製品出荷用紙にあらかじめスタンプを押してあった」と言った。同社はまた，品質部門の記録管理者が記録用紙とスタンプを収めたキャビネットの「破損した鍵のリスクを認識していなかった」と言った。
- 当局は同社が標準作業手順書を改訂し品質従事者を再教育したことを記す。しかしながら，同社の回答は，同社従業員がその責務を実行する上で，適切に認定され訓練されていることの保証を提示していないとの理由により不十分である。

解 説

GMP記録のブランクシートの管理は，FDAに限らず世界中のすべてのGMP査察・調査・監査を実施する機関が必ず質問する項目である。品質部門によってその発行が管理されなければならない。

事例2　ログブック記載の扱い<原本性・正確性・帰属性の問題>

企業名　　　：Shriram Institute for Industrial Research（インド）
施設タイプ　：医薬品製品・原薬製造業者
査察実施日　：2019年10月15日～22日
警告書発出日：2020年4月15日

- 当局査察官は分析ログブックと結果の照査手順が守られていないことを見出した。これら所見は以下を含む。
  - ✓オリジナル値の上に新たな紙を貼り付けて文書誤りがカバーされている。
  - ✓試験が同時的に記録されていない。
  - ✓サンプル識別が同社“サンプル記録登録”に入力されていない。
  - ✓分析試験室パケットを裏付ける電子データが最終試験室結果を発行する前に照査されていない。

事例3 バッチ記録記載修正方法<原本性の問題>

企業名　　：Proandre SL（スペイン）
施設タイプ　：医薬品製品製造業者
査察実施日　：2018年6月11日～14日
警告書発出日：2019年2月13日

- 同社バッチ製造管理記録は完全な情報を含んでいない。当局査察官は数件のバッチ記録をレビューし，修正液の使用，曖昧なデータ，かつまたは密度試験結果と当該バッチ承認のような情報の欠落を見つけた。数カ所の記入が，署名・日付・理由説明無しに重ね書きまたは上に線を引いて取り消されていた。（中略）
- 同社回答中で，同社はいくつかの重要製造段階において，日付・署名・第二者署名の記入欄を追加した「製造ガイド」と題された文書を提示した。このガイドは，重要段階での確認署名を欠いていた●●のバッチ記録のガイドを含んでいた。

事例4 試験結果への第二者署名の欠如<正確性の問題>

企業名　　：Proandre SL（スペイン）
施設タイプ　：医薬品製品製造業者
査察実施日　：2018年6月11日～14日
警告書発出日：2019年2月13日

- 試験室の試験結果（例えば，粘性率，密度，性状，香気）が，正確性・完備性および制定された標準に対する適合について，オリジナル記録が照査されたことを，第二者が示すイニシャルまたは署名を欠いている。

解 説

GMP記録の記入法（日付の形式，誤記の訂正方法，空白欄の処理方法）は，GMP作業分野に配属された従業員に対して，真っ先に実施する教育訓練内容として必ず実施されているものであり，不適切な記入の指摘と是正は記録照査の日常業務中に必ず行われていることであるが，万が一，査察中に不適切な記入が発見された場合には，警告書の指摘となりうることを今一度認識しておく必要がある。

また，重要工程のバッチ製造記録書においてCGMPでは，当該工程作業の第一作業者の記入に対して，現場で確認を実施した第二者の署名欄も要求される。試験室の試験結果についても同様である。

事例5　記載欠損<完備性の問題>

企業名　　　：Keshava Organics Pvt. Ltd.（インド）
施設タイプ　：原薬製造業者
査察実施日　：2017年5月25日～31日
警告書発出日：2018年3月15日

- 数件の具体例で，同社は試験して米国に出荷した原薬の完備したデータを維持していなかった。例えば，査察官は，含量試験でのサンプル重量，参照標準と試薬でのバッチ・ロット番号，装置識別，および類縁物質での完全な薄層クロマトグラフィーのない試験データシートを見つけた。

事例6　微生物学的試験結果の過少報告<正確性の問題>

企業名　　　：Hospira Healthcare India Pvt. Ltd.（インド）
施設タイプ　：医薬品製造業者
査察実施日　：2018年3月27日～4月3日
警告書発出日：2019年3月4日

- 同社の微生物学的試験室は正確な試験結果を報告していなかった。2018年3月27日の同試験室の実地検証中，当局査察官は，無菌処理ラインの●●に関する●●の作業員/環境モニタリング培地プレート上の菌生育を見出した。しかしながら，査察官の試験室記録のレビューは，これらプレートそれぞれについて分析者が“Nil”（増殖せず）の結果を記録していることを見つけた。同日，当局査察官は同社生物学的試験担当者が，3個の●●サンプルについての微生物結果を非常に過少報告したことを見出した。
- 本査察中，同社スタッフは，試験室記録がプレート上の実際の菌生育を正確に反映しないことを確認した。
- 同社の書面回答は，これら菌生育カウントの食い違いの重大性を認めた。同社はまた，生物学的試験室における追加のプレート読み取り監視を履行後，特に施設内にわたる作業員モニタリングの一過的逸脱における，鋭い増加を伴うような環境モニタリング結果でのカウント数増加が現れたと言明している。
- 正確な微生物学的データは，無菌プロセス操業の管理された状態を評価・維持するための基本である。無菌プロセス操業中の微生物の一過的逸脱の認知は，環境管理を維持の迅速な措置を発令するために必須である。同社の正確なデータ報告の欠陥は，同施設から出荷される医薬品製品の無菌性保証を損ない，患者に対するリスクを増大させるおそれのあるものである。

解 説

培地充填試験の菌生育を過少に報告していたことは，無菌性保証を損ない，患者に対するリスクを増大させるおそれがあるとして，厳しく指摘されている。

事例7 機器データと手書き記録データの不一致<正確性の問題>

企業名　　　：Indoco Remedies Limited（インド）
施設タイプ　：医薬品製造業者
査察実施日　：2019年1月17日～25日
警告書発出日：2019年7月9日

- 米国市場向け●●mg錠製造中のバッチ製造記録で，打錠機プロセス制御値が適切に報告されていなかった。同社の品質部門はこれらの不十分な記録を同医薬品製品バッチの出荷判定に使用していた。
- 2018年3月に●●によって実施された査察でも，同様の打錠圧値のバッチ記録とPLCデータの間の食い違いを見出していた。

解 説

出荷判定時にチェック対象となる製造工程での重要工程パラメータについて，装置制御機器が示す値を正確にバッチ製造記録に記入していなかったという指摘である。査察中にこのような食い違いが調査されることがあることを十分に認識しなければならない。

事例8 オリジナル記録の廃棄・事前承認済みブランク用紙の使用<原本性・完備性・同時性の問題>

企業名　　　：Centurion Laboratories Private Limited（インド）
施設タイプ　：医薬品製造業者
査察実施日　：2018年10月22日～26日
警告書発出日：2019年5月4日

- 2018年10月24日に当局査察官は，安定性試験データ，分析試験シート，分析計算，および判定用紙の破られた文書が透明ゴミ袋に入れられているのを見出した。●●mg錠の3バッチの安定性試験結果がゴミ箱から拾い出され，公式の承認済記録と比較された。発見データ中には規格外（OOS）結果データがあったが，公式データは規格内を記録していた。加えて，ブランク安定性試験用紙が試験データ記録前に準備され，事前署名され，かつ品質部門によって承認されていたことが見出された。
- 同社回答中で，同社は，破られた品質管理文書を含む複数のゴミ袋とデータ記録前の文書署名の実践を認めた。同社は破られた文書はスケールアップバッチからのものであり，査察官の混乱を招かないように同文書を破り捨てたと言明している。同社の回答は，OOS値を含む破られた文書と，合格値を含む品質管理試験室で保管されている文書の間の食い違いを説明していないとの理由により不適切である。

- 加えて同社は，試験室試験実施前に，署名済のブランク文書の使用等を含むデータインテグリティ実践行為の発生範囲を決定するための潜在的影響を受ける，すべての品質関連記録についての回顧的評価を完了していない。

解 説

透明ゴミ袋中の破り捨てられた書類から，関係バッチのOOS結果が査察官によって復元され，OOSなしと記載された正式記録との食い違いが指摘されている。また，あらかじめ署名承認済みのブランク用紙を使用していたことも同時に露見した。

事例9　製造装置操作パネルとバッチ記録の時間不一致 <同時性の問題>

企業名　　　：Apollo Health And Beauty Care, Inc.（カナダ）
施設タイプ　：OTC医薬品受託製造業者
査察実施日　：2019年8月12日～16日
警告書発出日：2019年12月23日

- 同社のバルク●●のロット●●中の●●成分のOOS調査のレビューで，当局査察官はマン・マシンインターフェース（Human Machine Interface；HMI）データと運転員によるバッチ記録入力の間の食い違いを特定した。例えば，当該運転員は●●時刻に●●についてのステップ●●中にバッチの●●を記録していた。しかしながらHMIデータは，●●が当該時刻に運転状態になかったことを示していた。
- 査察時，同社品質部門はバッチ記録が示すようには，運転員が当該製品を●●していなかったことを認めた。にもかかわらず，同社はこれらの食い違いを適切に調査して解決することをしていなかった。

解 説

OOS調査の記録を査察官がレビュー中に，製造装置の操作パネル（HMI）による運転時間記録とバッチ記録の運転時間記録に食い違いを発見したという指摘である。ここでバッチ記録は，電子的記録なのか紙記録なのかの詳しい言及はないが，バッチ記録には運転員が手入力するか用紙に手書き記入していたものと思われる。製造装置側の内部時計の時刻が標準時からずれていることもあるので，定期的に時刻表示を点検する手順を定めて実行するなどの注意を要する。

4 電子記録の管理

続いて，コンピュータシステムを使って作成・管理・保管される電子的な記録の管理に特有な指摘事例を解説する。

コンピュータシステムによる電子記録・電子署名の取り扱いについては，1997年8月20日付で連邦規則21 CFR 11（通称Part 11）が発効して以来，二十年以上が経過している。しかしながら，その解釈と対応に混乱があり，業界に不必要な弊害をもたらしているとのFDAの判断により，2003年8月に業界向けガイダンス「Part 11, 電子記録；電子署名–範囲と適用（Guidance for Industry, Part 11, Electronic Records; Electronic Signatures – Scope and Application）」によって，FDAからPart 11の一部条文の施行に関して行政裁量権の行使が表明された。それ以来，CGMP分野の査察において明示的にPart 11違反を指摘した事例は皆無ではないが極めて少ない（Part 11が引用されるのは，Part 11の存在をまったく知らずに無管理でコンピュータシステムが使用されていると推測される場合に限られている）。それに代わって行われているのが，データインテグリティ確保不十分の観点から，CGMPを規定する連邦規則21 CFR 210, 211の条文に基づいて行われる指摘である。

コンピュータシステムに特有の管理には以下の項目がある。

- 監査証跡機能の使用と照査
- コンピュータシステムのバリデーションの実施
- 当該システムのユーザー管理（ユーザーID・パスワード管理・権限設定等）
- 通常業務内でのデータの取り扱いの管理（作成・修正・照査・承認等）
- データの保管管理（バックアップ，アーカイビング，取り出し，移行，廃棄，災害復旧，業務継続性計画等）

これらの項目すべてを網羅するものではないが，以下にいくつかの指摘事例を挙げる。

事例1 監査証跡無効化運用 ー今回FDA査察実施通告を受けて初めて有効化

企業名：Shriram Institute for Industrial Research（インド）
施設タイプ：医薬品製品・原薬製造業者
査察実施日：2019年10月15日～22日
警告書発出日：2020年4月15日

- 同社は原薬と医薬品製品の両方を分析する受託試験室のサービスを行っている。同社は高速液体クロマトグラフィー装置の監査証跡機能を，本FDA査察が通告された2019年10月11日かまたはその頃まで有効化していなかった。本査察中，同社の分析者は2019年10月まで有効化されていなかったことを認めた。これは2016年8月のFDA査察のrepeat observationである。

事例2　監査証跡無効化運用 －ICP-OES機器の監査証跡機能を無効化しての測定

企業名　　　：Chemland Co., Ltd.（韓国）
施設タイプ　：医薬品製品製造業者
査察実施日　：2019年8月19日～22日
警告書発出日：2020年2月11日

- 同社の品質部門（QU）は信頼性のある業務を保証するための適切な責務と権限を欠いている。例えば，
  A. 同社の誘導結合プラズマ－発光分光(ICP-OES)機器において，データの作成・修正・削除を追跡するための監査証跡機能が有効化されていることを確実にしていなかった。同機器は同社医薬品製品の含量結果を得るために使用されている。

解説

上述の事例1と事例2の2件は，クロマトグラフィーデータ管理システム，または分析装置に付属するコンピュータシステムに監査証跡機能があるにもかかわらず，それを無効化して監査証跡データを残さずに運用していたことに対する指摘事例である。

FDAに限らずGMPに関する査察・調査・監査を実施する担当者は，何らかの品質データ不正が行われていないかのレビューを実施する際の最も信頼できる確証として，コンピュータシステム内に記録された監査証跡データを参照する。このデータを残さない設定が意図的に採用されている場合，それは査察活動自体への不適切な対応行為とみなされ，上記のような指摘となる。さらに，当該施設全体のデータインテグリティ上の不正行為の懸念となり，データの信頼性が徹底的に調査されることとなる。監査証跡機能を無効化していることだけで品質不正行為が疑われるのである。

しかしながら，長年使用されている分析機器に付属するコンピュータシステムにおいては監査証跡機能の不十分なものが存在するし，製造装置の運転制御機器には監査証跡機能のないものも珍しくない。これらの機器を継続して使用する場合は，運用による操作記録を残すしか方法がないが，それを完璧に履行するのは決してたやすいことではない。したがって，予算の確保が可能な場合は，監査証跡機能付きのものに買い替えるのがもっとも容易な改善策である。査察時に旧来からの使用機器で，後述するデータセキュリティ管理機能の不十分や監査証跡機能の不十分さが指摘された場合，具体的にいつまでにそれらの機種更新を行うという計画を含むステートメントを作成して提出することにより，OAI結果を免れたという事例が多くある。

監査証跡機能を重要視する査察官の場合，監査証跡機能を持たない分析装置によって，出荷判定試験が実施された製品の品質結果データの信頼性は担保されないとして，すべての参考品の再試験が求められた例もある。このように影響範囲が広いのである。

ところで，Part 11で規定された監査証跡機能とデータインテグリティ確保の文脈における監査証跡機能には違いがあり，前者ではデータの修正をすべて記録するものであるのに対して，後者では装置・機器の利用者がどのような操作を行ったのかを，後に必要となった場合に再構築できることが求められる。後者が求められるのは，査察官がどの分析者・運転者がどの許された特権を用いてどのような操作を行ったのかを，事実に基づいてレビューできるようにする

ためである。そこでレビュー対象となるのは，分析装置の場合は，出荷判定に用いられる試験項目において未報告のOOSの「試行分析」がなかったか，製造装置の場合は，重要工程パラメータの逸脱がなかったかである。したがって，警告書中に監査証跡機能の無効化が指摘される場合は，これらの指摘と結びついている。

事例3 共有ユーザーIDパスワードの使用<帰属性の問題>

企業名　　：Lijiang Yinghua Biochemical and Pharmaceutical Co., Ltd.（中国）
施設タイプ　：原薬製造業者
査察実施日　：2017年10月17日～22日
警告書発出日：2018年4月19日

- 同社品質部門によってバッチ出荷判定用分析データの生成に使用される試験室装置にアクセス制限がない。例えば，高速液体クロマトグラフィー（HPLC）とガスクロマトグラフィーのシステムそれぞれが管理者権限を持つ単一のユーザー名を使用していた。全ユーザーがファイルの削除または修正を行うことができ，コンピュータ化システムによって生成されたデータを作成，修正，または削除した個人を追跡するメカニズムがなかった。

解説

前述した監査証跡機能が有効化されていたとしても，コンピュータシステムのユーザーIDと操作者個人が1対1に結び付けられなければ，どの従業員が当該操作を行ったかを特定することが不可能となり，監査証跡記録は意味をなさなくなる。そのため，原則としてコンピュータシステムの利用者個人を特定できるようなユーザーIDの割り当てが求められ，それを保証するためのパスワード管理が求められる。また，コンピュータシステムセキュリティ保持の観点から，有効なユーザーはその時点において業務での利用が必要な従業員に限定することが求められ，そのためユーザー登録状況は定期的に点検されなければならない。その間隔は短い場合は3カ月，長い場合でも1年を越えないのが一般的であろう。

一方で，利用が不要となった従業員のユーザーIDは，削除するのではなく，無効化して保持するのが鉄則である。なぜならば，削除した場合は，監査証跡記録が参照する元データが消失したことになるからである。

製造装置に付属する制御機器などでは，ハードウェア上の制約からソフトウェアが持つ機能が制限され，登録可能なユーザー数が少ない場合があるが，そのような場合は，運用により，どのユーザーIDで誰がいつ操作したのかの管理と記録が必要となるであろう。

過去に，原薬製造施設の試験室において，交代勤務シフトにまたがる運転をせざるを得ない分析装置が共有ユーザーIDで運用されていた事例が指摘され，その理由においては，FDAに認められなかった例がある。

事例4　不適切なアクセス権付与<帰属性の問題>

企業名　　　：Lantech Pharmaceuticals Limited（インド）
施設タイプ　：原薬製造業者
査察実施日　：2019年3月6日～15日
警告書発出日：2019年8月8日

- 同社は自施設で生成されたデータのインテグリティを確かなものとするための適切な管理を履行していなかった。例えば，品質部門の上級管理者が，品質管理試験室機器上のクロマトグラフィーデータシステムのシステム管理者を兼ねていた。システム管理者は，データの編集・削除・修正および監査証跡を含むコンピュータ化システムへのフルアクセス権を持つ。

解説

GMPにおいて明示的にこの言葉が強調されることは少ないが，欧米では企業活動を含むあらゆる法人業務を遂行・管理する上で「職務の分離」(Segregation of Duties）の履行が大原則の1つとなっている。特に「お金の取り扱い」においてそれが厳格に求められるが，「一人の人間の判断と行為で何でもできてしまうような権限の集中を排除し，相互監視が可能なように権限を担当者間で分離する業務実行上の仕組みを導入せよ」というものである。GMP業務についても同様であり，その中のコンピュータシステムの管理についても，この大原則の適用が求められる。

したがって，コンピュータシステムの利用者にはその業務上与えられた権限に基づいて，適切に分離された操作特権の割り当てが行われ，適宜更新されていなければならい。

事例5　権限を有しない分析者によるデータの削除<完備性の問題>

企業名　　　：Tismor Health and Wellness Pty Limited（オーストラリア）
施設タイプ　：受託医薬品製造業者
査察実施日　：2019年5月20日～24日
警告書発出日：2019年12月5日

- 同社は，出荷前の医薬品製品の試験に使用されるガスクロマトグラフィー（GC）機器の十分な管理を欠いていた。具体的には，同社はEmpowerクロマトグラフィーソフトウェアデータシステムを使用して，ルーチンの含量試験を実施する分析者に管理者特権を割り当てていた。
- 同社の医薬品製品のEmpowerクロマトグラフィーの監査証跡のレビュー中に，当局査察官は同社が2017年10月から100件以上の試験結果を削除したことを見出した。また，調査を実施しないにもかかわらず，同期間中に100件以上のサンプルセット結果を途中終了させていた。

解 説

ALCOAの原本性の観点から，コンピュータシステム上で管理されるデータに対して絶対に行ってはいけないのはオリジナルデータの削除である。逸脱処理等の手順書に定められた処理を経ずして，オリジナルデータを分析者が削除することは厳禁である。しかし，これを完全に技術面でシステム機能的に禁止することは非常に難しい場合が多い。分析装置に接続したPCのMicrosoft Windowsオペレーティングシステム上で動作する分析アプリケーションプログラムを分析者が実行し，Windowsのエキスプローラを使って分析結果データファイルを操作する場合，分析結果データファイルを分析者が作成はできるが，修正・削除ができないように設定することは非常に難しい。

したがって，運用的に削除を禁止とする手順書とし，削除が行われていないかを監査証跡で確認する運用が必要となる。その点で，高速液体クロマトグラフィー装置やガスクロマトグラフィー装置の運転と，データを一元集中管理するクロマトグラフィーデータシステム（CDS）では，クロマトグラムデータと再処理を含む処理データをWindowsのファイルではなくデータベース内に格納して管理するため，削除防止は容易である。しかしながら，CDSにおいても上記の指摘事例のようにアクセス権設定が不適切であれば，不適切なデータ削除が発生しうることを忘れてはならない。

査察官がデータの削除に注意を払うのは，事例2の解説（p. 493）の最後の部分で述べた「試行分析」が行われていないかを確認するためである。

事例6 不実施試験データの改ざん<原本性・正確性の問題>

企業名　　　：Cosmecca Korea Co., Ltd.（韓国）
施設タイプ　：原薬製造業者
査察実施日　：2017年9月18日～22日
警告書発出日：2018年2月2日

- 当局査察官は試験室記録改ざんの複数例を文書化した。同社の品質管理試験室従業員は電子的試験室記録を不正操作することにより，未試験の最終医薬品製品の試験室データを捏造したことを言明した。例えば，同従業員はファイル名が製品の他のロットの結果を反映するように見せるかけるために，以前に試験した医薬品の試験結果についてファイル名を書き換えた。同社は，その●●OTC医薬品製品の力価を決定するためのこの改ざんに試験室データを用いた。同社回答は，同社の品質保証管理者がデータの不正操作，改ざん，捏造を指示したと言明した。

解 説

そもそも，データインテグリティの「インテグリティ」という言葉は，人間の人格や振る舞いをよい意味で形容する場合に使用される倫理的意味合いを持つ表現である。しかしながら，実際に問題となるのはデータインテグリティが確保されない深刻な局面においてであり，「データインテグリティを確保せよ」という英語表現の意図するところを直接的にわが国の言葉で言い換えるならば，「品質不正をするな，させるな」という表現が適切である。

品質不正は，その企業の持つ「企業風土」,「品質文化（クォリティ・カルチャー）」の問題点の顕在化であり，品質不正を起こさないためには，まずそれらの見直しと改革から始めなければならない。そのために必要な活動は，トップダウンで会社全体の重要な課題として位置付けられ実行されるべきものである。

本事例ではデータの捏造が指摘されているが，データインテグリティ確保の基本中の基本は，その企業・施設の信用を棄損するような言動・行為を絶対にしない，別の言い方をすれば，何事にも「誠実な」態度で取り組むにつきるといえる。教育訓練と日常の業務の中で繰り返して指導することにより，企業はそのような態度の重要性を，従業員の考え方に浸透させるべきである。

またそれと同時に,「品質不正をさせない」仕組みを構築し，それが適切に運用されていることを，査察官という第三者に確証を持って示せることも必要である。

事例7　マスターバッチ記録のセキュアでないExcelへの保存 <原本性・耐久性・可用性>

企業名　　　：Chemland Co., Ltd.（韓国）
施設タイプ　：医薬品製品製造業者
査察実施日　：2019年8月19日～22日
警告書発出日：2020年2月11日

- 同社の品質部門（QU）は信頼性のある業務を保証するための適切な責務と権限を欠いている。例えば,（A.　省略）
  B.　同社はマスターバッチ記録を権限のない作業員による改変，複製および削除に対して無防備な未ロックのExcelファイルの形で保存していた。
  C.　同社の分析者はサンプル調製情報と最終計算の文書化に，開放されたExcelファイルを使用していた。これらの記録は保持されていなかった。例えば，同社作業員は査察中に，試験溶液，サンプル重量および最終計算が保持されていないことを認めた。
- 製造データは，自社のバッチ廃棄決定，安定性研究および調査等を含むCGMP活動を裏付けるために保持されなければならない。
- 同社回答中で同社は,（中略）バッチ記録を発行するために同社ERPプログラムEcountを使用開始することを計画していると言明した。同社はまた，試験情報と計算を取り込むための試験記録を改訂することを示した。同社回答はデータの改変・削除を防止するための暫定管理措置を含まないため不適切である。また同社は，完備したCGMPデータなしに製品を出荷することの影響を評価していない。

解 説

マスターバッチ記録等のCGMP文書にスプレッドシート形式の電子データ（この指摘中ではMicrosoft-Excel）を用いること自体は認められることであるが，その電子データを管理する仕組みを整えた上で使用することが必須である。通常のGMP業務以外のさまざまな個人の業務処理において電子スプレッドシートを使用する場合は問題とはされないが，GMP業務で使用される場合は，いったん作成されたファイルそのものが，改変，あらかじめ認められているのではない複製，削除から保護され，かつその中で定義されているセル・見出し・計算式・値などが，同じく保護されていなければならない。また，スプレッドシートに作り込まれた計算・転記・読み替え等の機能は，あらかじめバリデーションされていなければならない。

このような観点からは，スプレッドシートの使用は簡単ではなく，周到な準備と変更管理の必要があることを認識しておく必要がある。

事例8　データ保存フォルダが不適切＜帰属性の問題＞

企業名　　　：Reine Lifescience（インド）
施設タイプ　：原薬製造業者
査察実施日　：2017年10月30日～11月3日
警告書発出日：2018年5月9日

- 同社は分析法バリデーションもしくは分析法確認の文書化を行っていなかった。
- 当局の査察官はまた，分析データが“PD Trial”と命名されたフォルダにあるのを見出した。当該フォルダが通常は製品開発を意図して使用される一方，原薬のバッチデータも含んでおり，その結果は記録された試験結果とは大きく異なるようであった。

解 説

本事例では査察官が分析装置に付属するコンピュータのデータファイルの格納状況をレビューした際に，本来，製品開発のデータを保存する目的で作られたフォルダ中に実出荷ロットの分析試験結果を発見し，そのデータを実出荷ロットのそれと比較し，このフォルダが「試し分析」結果の隠し場所として使用されたと推定したようである。

この指摘の趣旨とは異なるが，コンピュータ内にフォルダ・ファイルとして分析試験結果データを保存する場合，誤解・混同を招きやすいような安易な名前を付けるべきではなく，命名規則をあらかじめ手順書等に定めておき，それを守ることが望ましい。本事例のほかにForm 483の所見に「このような不適切な名前が使用されている」と記載され，世界中の第三者の目にそれらの名前がさらされた事例が実在する。

事例9　データ移行に失敗し査察時にデータのレビュー不可＜可用性の問題＞

企業名　　　：China Resources Zizhu Pharmaceutical Co., Ltd.（中国）
施設タイプ　：原薬製造業者
査察実施日　：2016年11月28日～12月1日
警告書発出日：2017年4月24日

- HPLCクロマトグラムが削除されており，査察官レビューに利用できなかった。同社回答中にて，同社は2016年1月にネットワーク版のクロマトグラフィー操作システムが導入された際に，「いくつかのデータが削除された」ことを認めた。

事例10　オリジナルデータの未保管<原本性・耐久性・可用性>

企業名　　　：Lantech Pharmaceuticals Limited（インド）
施設タイプ　：原薬製造業者
査察実施日　：2019年3月6日～15日
警告書発出日：2019年8月8日

- 同社は，一切のバックアップなしに3カ月より古い回収溶媒のガスクロマトグラフィー（GC）データを定期的に永久消去していることを認めた。

事例11　オリジナルデータ入PCを他部署へ移管してデータを逸失<原本性・耐久性・可用性>

企業名　　　：Hunan Norchem Pharmaceutical Co. Ltd.（中国）
施設タイプ　：原薬製造業者
査察実施日　：2017年7月24日～28日
警告書発出日：2018年1月9日

- 同社は2014年に合衆国に出荷した●●ベースの●●および●●バッチの分析生データを保持しておくことをしていなかった。同社回答中で同社は，「分析データはバックアップされていなかった」と言明した。同社はまた，2015年にデータを生成した機器を同社●●支所に移管し，同所のスタッフがデータを削除したと述べた。必要な場合に逸脱と調査のためにCGMP活動を再構成し，かつ生データを照査できる能力を確かなものとするために生データを保持することは必須である。
- 当局の所見は，同社が適切な文書化，教育訓練された従業員，および文書化された手順等の法規制に適合した製造作業の基本要素の理解を欠いていることを明示するものである。

解説

CGMP活動に使用されるコンピュータシステムに保存されているCGMP記録のデータは，法令で定められた保持期間内は，それらが必要となった際に直ちに取り出して使用できるようになっていなければならない。上記の3事例は，いずれも何らかの理由により，生データが保持されていなかったことに対する指摘である。

データの保存については，大きく3つのカテゴリーがある。

A.　コンピュータに内蔵されたハードディスクへのそのままの保存
B.　Aのコンピュータ本体またはハードディスクドライブ単体の故障時の復旧に供するための外部媒体（CD-R，DVD-R，Blu-rayディスク，磁気テープ装置，外付ハードディスクドライブデータ共有サーバ等）への複写保存

C. 内容が固定化されたデータの法定期間内のシステム外部保存

PIC/Sのドラフトガイダンスでは，Bをバックアップ（backup），Cをアーカイビング（Archiving）と呼ぶのに対して，FDAのガイダンスではCをバックアップと呼び，Bをバックアップとは呼ばない。しかしながらどちらにおいても，BとCの保存が要求される。しかも，BとC共に生データそのものに加えてメタデータといわれるデータに付随する諸情報も保存されなければならないし，生データとメタデータが必要となった場合に，直ちに保存先から取り出して復元し，利用に供することができなければならない。したがって，査察中に査察官から生データ提示の指示を受けたならば，遅延することなく提示できなければならない。

そのためには，A，B，Cについて，確実にそれらが行える方法の確立と運用が必要となる。特に，BとCについては，保存された媒体から復元，すなわちリストアできることまで定期的に確認実施する運用が必要となり，査察官はそれが実施されているかを必ず質問する。

事例12 セキュアでないバックアップデータ管理<耐久性の問題>

企業名　　　：Jilin Shulan Synthetic Pharmaceutical Co., Ltd.（中国）
施設タイプ　：原薬製造業者
査察実施日　：2017年11月7日～10日
警告書発出日：2018年5月14日

- 同社は，これらの機器からポータブルドライブ●●に電子データをバックアップした。しかしながら当該ドライブはパスワード保護がなされておらず，未施錠事務所の未施錠引き出しの中に保管されていた。

解 説

本事例では，バックアップデータを保護するためのデータセキュリティ上の管理が必要なことが指摘されている。

5 日常的に管理すべき事項の一覧

データインテグリティを確保するために制定・履行すべき組織・文書・手順等をここで体系立てて詳しく解説するものではないが，次に示す事例は，日常的に何を行っていなければならないかを列挙しているため，大変参考になるものとして示す。本事例は，ほとんどデータインテグリティの対応を行っていなかった施設に対して発行された警告書の中に，当該警告書への回答中の必須記載事項として提示された内容である。逆にいうと，これらの内容はデータインテグリティを確保するために，すでに確立されて文書化・運用されているべき事項と手順である。

これらを一見すると，FDAが求める内容は非常に範囲が広くかつ具体的で実現が難しいように感じられるかもしれない。しかし，世界的に活動する製薬企業では，当然のこととしてこれらの項目の管理と手順が制定されて実践されており，そのような対応が必須なのである。

事例　警告書の回答書への記載を求められた項目

企業名　　　：Tismor Health and Wellness Pty Limited（オーストラリア）
施設タイプ　：受託医薬品製造業者
査察実施日　：2019年5月20日～24日
警告書発出日：2019年12月5日

本警告書への回答には，以下を提出すること。（中略）

・コンピュータシステムの性能とセキュリティの包括的で第三者による評価。自社の個々の試験室コンピュータシステムについての設計と管理に潜む脆弱性，および徹底した是正措置・予防措置（CAPA）を特定した報告を提示すること。それは以下の要素を取り扱うものである。

✓同社試験室で使用されるすべてのハードウェア（スタンドアローンとネットワーク接続の両方の）の一覧。

✓すべてのこれらコンピュータシステムの性能とセキュリティ上の脆弱性の特定と評価。それはこれらにとどまらず，構成，管理者権限，パスワード管理，各システムでの監査証跡機能の有無と利用状態，適格性評価/バリデーションステータス，逸脱履歴，バックアップ機能，ネットワーク要件，データ記録の完備性，現状ハードウェア/ソフトウェアの意図した使用に対する安定稼働性，変更管理，および管理的監視を含む。

✓各システムについてのユーザー特権に付随する詳細。

- 試験室コンピュータシステムにアクセスするすべてのスタッフレベルごとについてのユーザーロールと関連するユーザー特権を規定し，組織的所属関係，責務および役職を提示のこと。管理者特権を有するすべてのスタッフを明確に規定すること。
- 管理者特権から試験室試験業務に関わる会社従業員の分離を確かなものとする方法を完全に記載すること。管理者権限を持つことが許された全スタッフロールについて，適用範囲と特権のタイプを規定すること。

✓ユニークなユーザー名とパスワードが使用されているかを決定するため，各システムを評価する。

✓監査証跡，データ削除，および結果の適切な修正に特別に重点を置いたコンピュータとデータガバナンスに係るポリシーと手順を評価すること。自社がデータ削除と文書化されない/不適切な修正をいかに防止するかを規定すること。また，オリジナルデータと情報を自社がいかに確かなものとするかを記載する。監査証跡照査の手順を提示する。

✓全試験室システムについてのデータ保管とバックアップについての要件を提示する。

✓自社で全品質管理試験が分析者によって実施され，その上位者照査を（例えば，試験室責任者のような）別の認定された個人から受けることを，いかに確かなものとするかを記載する。および関連する手順を提示する。

✓自社のCAPA計画が履行される間の信頼性のある性能とセキュリティを保証する中間的管理手段を要約する。

GMP調査よもやま話⑫

図　Jacques Morénasと関係者（2009年6月12日）

厚生労働省が日本のPIC/S加盟に向けて動き出した頃，PIC/S会長のJacques Morénas氏をPMDAに招聘し，意見交換したときの集合写真である（図）。PIC/S加盟に向けての実働部隊の記念的写真でもある。PIC/S加盟にあたっては，大きく2つの評価段階があった。1つはPIC/SのGMP関連文書と加盟申請国のGMP文書の整合性である。この作業には産官学が一体になって取り組んだ。もう1つは，加盟申請国のGMP査察（調査）手法の評価であった。

日本がPIC/Sに加盟申請を出したのが2012年3月9日，加盟が承認されたのは2014年5月19日，正式加盟は同年7月1日である。加盟準備段階から加盟承認まで多くの関係者が精力的に働いたことをいま改めて思い出す。日本がPIC/Sに加盟する際の最大の貢献者は，櫻井信豪氏（当時，PMDA品質管理部長）であったことを記憶に留めておきたい。

第 7 章

PMDAのGMP調査（査察）

第7章

PMDAのGMP調査(査察)

情報公開の進んでいる米国では，GMP査察結果を常時公開しているが，日本では医薬品医療機器総合機構（PMDA）が関連シンポジウムやセミナーでGMP調査結果について紹介することはあるが,毎年まとまった報告集としては公表してはいない。本章ではセミナーやインターネット等で収集したPMDAによるGMP調査結果を以下に示す。

7.1 PMDAによるGMP調査の年度別推移

図7-1に2006～2016年におけるGMP調査申請数，実地調査件数，書面調査件数を示す。2009年（平成21年）にGMP調査申請数が一気に増えたのは，5年ごとの業の更新年にあたったためである。2010年にはGMP調査申請数は2009年の半分まで減ったものの，それ以降も増加傾向にあり，現在のGMP調査申請数は年間1,800件くらいである。申請数のうち，実地調査件数は約10%で，90%は書面調査である。PMDAが担当するGMP調査先は，新規承認申請のあった医薬品製造所，厚生労働大臣許可施設（生物学的製剤，放射性医薬品，再生医療等製品等の製造所）と海外の製造施設である。これ以外の医薬品製造施設へのGMP調査は，各都道府県が担当している。

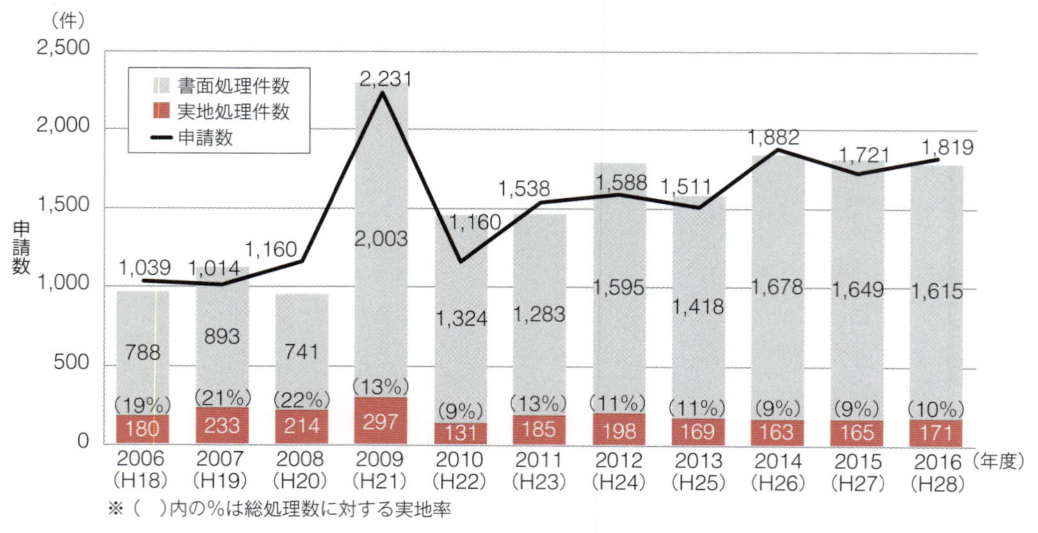

図7-1 | GMP調査申請数，実地調査件数，書面調査件数の推移

7.2 PMDAによる指摘事項

表7-1に2014～2017年におけるGMP調査における指摘項目と指摘件数（中程度以上の指摘）を示す。毎年，指摘件数が多いのは，文書管理・記録，バリデーション，製品の汚染防止，逸脱管理などである。

表7-1｜2014～2017年におけるGMP調査での指摘項目と指摘件数

2014年		2015年		2016年		2017年	
項目	件数	項目	件数	項目	件数	項目	件数
バリデーション	35	バリデーション	33	文書管理・記録	41	文書管理・記録	33
文書管理・記録	34	文書管理・記録	25	製品の汚染防止	18	バリデーション	19
製品の汚染防止	24	逸脱管理	19	バリデーション	15	逸脱管理	19
逸脱管理	18	製品の汚染防止	13	変更管理	13	製品の汚染防止	14
原材料・中間体の保管管理	10	変更管理	11	逸脱管理	10	変更管理	13
品質マネジメント	9	製造手順	7	施設設備の管理	8	洗浄バリデーション	8
施設設備の管理	7	施設設備の管理	5	品質マネジメント	7	原材料・中間体の保管管理	7
教育訓練	5	教育訓練	5	原材料・中間体の保管管理	6	出荷判定	7
出荷判定	5	洗浄バリデーション	5	洗浄バリデーション	6	教育訓練	4
供給者管理	4	製品品質の照査	5	出荷判定	4	製品品質の照査	4
						品質マネジメント	4

7.3 PMDAの地域別実地調査件数

図7-2に2014～2018年における地域別実地調査件数を示す。2018年（平成30年7月18日）に，EUとGMP相互承認を締結したことにより，ヨーロッパでのGMP調査は基本的になくなった。その代わり，インドや中国における原薬メーカーへの実地調査が増加している。調査結果を表7-2に示す。日本の評価が，中国，インド，韓国，台湾を中心とするアジア諸国より低い結果になっている。

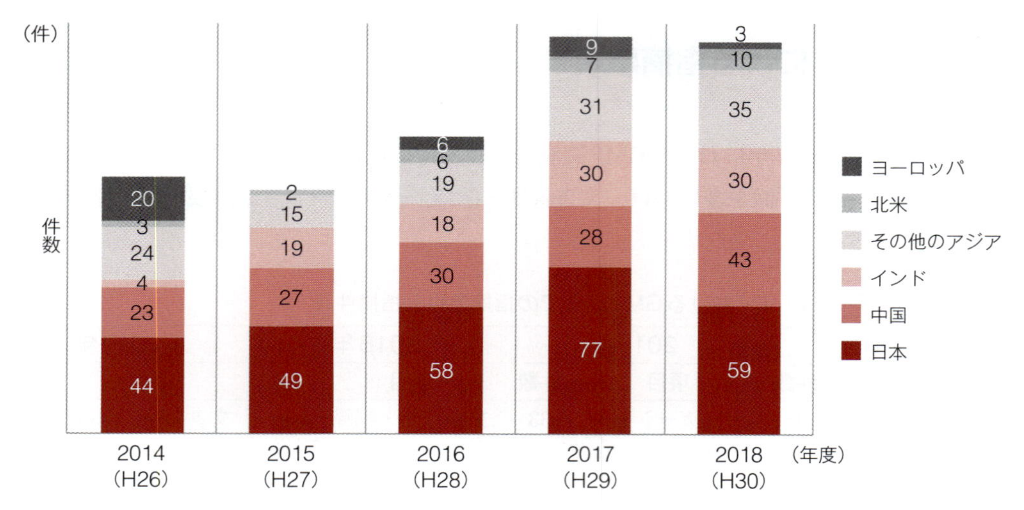

図7-2 | GMP実地調査地域（2014～2018年）
※製造所ベースで集計（立入検査は含まず）

表7-2 | 実地調査における製造所の評価（2014年4月～2019年3月）

地域	実地調査件数	製造所の評価		C・D評価件数	C・D評価の割合
		C	D		
アジア	374	108	7	115	31%
EU	37	5	0	5	14%
北米	7	1	0	1	14%
中南米	23	5	0	5	22%
日本	291	103	4	107	37%

評価C：GMPに不適合ではないが，一定期間内に適切な改善が必要
評価D：GMPに不適合，薬事監視指導要領に従って措置を実施

7.4 実地調査での指摘事例

以下には，PMDAによるGMP調査での指摘事例をシステム別に示す。指摘事例は，米国FDAのように詳細には示されていないので絶対的なものではないが，参考にはなる。

1 品質システム

［品質システム一般］

- 品質部門が製造部門から独立していない。
- 外部試験検査機関，製造委託先，主要な原料のサプライヤーより，速やかに逸脱・変更の連絡等が得られるように品質取り決め等を結んでいない。
- 外部試験検査機関，製造委託先，主要な原料のサプライヤーへの監査を，原料の種類，受入れ試験結果の恒常性，過去の監査結果をもとにした評価等により実施する手順がない。
- 変更管理，逸脱管理，文書管理の手順書がない。
- 出荷判定の際に，逸脱の有無・内容を確認する手順になっていない。
- 種々の記録がほとんどない。
  - 逸脱管理，苦情処理（品質情報管理）等の手順書はあったが，記録がまったくなかった（作業者が「逸脱」とは何かを認識していなかった）。
  - 試験データの信頼性を確保できない（試験結果のみで試験記録がまったくないため，実際に行われたかどうか不明）。
  - 実際の製造出来高量の記録がなかった（収量，収率が不明，余剰分がどのように処置されたか追跡不可能）。

[組織管理]
- 特定の1名が以下の主要なGMPの責任者を兼任したため，業務が集中し品質システムが運用できていなかった。
  - 製品品質照査が行えていない状態であった。
  - OOSの試験結果を見過ごし，適合と判定していた。最悪の場合，回収が必要となる可能性があった。
  - 逸脱発生時の詳細な原因調査が不十分で，CAPAが実施できていない案件が散見された。

[教育訓練]
- 教育計画書がすべての部署を対象に作成されていない。
- 対象者が全員教育を受けていることが確認できるように対象者リストを作成し，毎回確認をしていないため，欠席者へのフォローができていない。
- 教育結果を客観的に評価していない。
- 教育訓練で実施した教育訓練内容が記録に残っていない。
- 担当者への教育訓練不足により，作業担当者が逸脱やOOSの発生に気づかず，責任者へ報告していなかった。

[定期的な品質照査]
- 工程管理および製品品質の照査を定期的に行っていない。
- 工程パラメータの年次照査時にトレンド解析が実施されていなかったため，解析結果を工程管理の改善に役立てていない。
- 試験結果の照査のみで，クリティカルプロセスパラメータが照査項目に含まれていない。

[苦情・回収処理]
- 苦情処理作業が，品質部門の管理下で行われていない。

- 再発防止措置の可否について販売部門の意見が重視され，GMP文書に販売部門が最終承認を行っている。
- 苦情処理手順に従って実施した作業の記録様式がなく，記録が保管されていない。

［変更管理］

- 変更管理記録には文書管理番号がなく，変更管理責任者の照査もないなど，変更管理手順に従っていない。
- 変更管理手順に従わない事例
  - 工程管理試験項目を，手順書の変更のみで実施。
  - 中間体の規格値を緩める変更を記録せずに実施。
- 製造方法の変更について，変更管理手順に従い，バリデーションを含めた検証が行われていない。
- 原薬の製法を変更した変更管理において，製法変更後に類縁物質が経過的に増加する傾向が検知されていたものの，変更実施後の効果の評価を適切に行わないまま，変更管理を完了していた。その後，安定性モニタリングの18カ月経過時点でOOSが発生したが，それまで対応が行われていなかった。
- 変更の評価に関する不備
  - 変更の重要度の決定を，誰がどのように決定したのかの記録がない。
  - 品質部門が変更の実施を承認する際に，計画内容の確認のみで，品質への影響評価と種々の検討結果を評価していない。
  - 変更実施後の結果の適切性について，品質部門が確認する手順になっていない。

［逸脱管理］

- 逸脱管理手順に従って対応していない逸脱事例があった。
- 再発防止のために，逸脱の種類および発生頻度等を分析していない。
- 逸脱処理の調査時に，品質への影響評価がない。
- 機器の定期点検で異常が認められた場合に，試験・製造された品目への影響評価を行う手順がない。
- 逸脱の改善措置が確実に終了するまで進捗を確認していない。
- バッチ内の均一性が確認できないという逸脱が発生した際に，是正措置として混合工程を追加していたが，均一に製造できなかった原因を調査していなかった。また，この逸脱は過去に出荷した他のバッチにも影響しうるが，影響の規模や品質リスクを評価していなかった。
- PVロットの製造中に，グレードA環境の微粒子数が基準値を超過する問題が発生していたが，作業者は記録を怠った。製造日から2カ月近く経過した時点でも，原因究明や影響評価が実施されていなかった。
- 機器異常など，危険回避のための緊急処置について規定がない。

- OOSの処理の過程でラボエラーが否定された後，製造状況等を十分に調査することなく再試験を行っている。
- 出荷判定済み製品の逸脱処理の不適
  - 製造所出荷判定済み製品が逸脱発生により，開封・再封緘の包装行為を常習的に行っていたが，これらの逸脱はGMP文書ではない“作業メモ”に記載し，GMP上の製造記録に一切記録を残していない。
  - 上記の逸脱は，品質部門で把握しておらず，改めて出荷判定することなく出荷されていた。また，これらの処理は責任者の指示の下で行われたが，これらの逸脱をGMP文書に記載する必要性について，担当者に認識がなかった。

[文書管理]

- GMP文書の保管期間が，GMP省令に規定されたとおり，製品の有効期間に1年を加算した期間となっていない。
- 品質管理部門や製造部門へ配布されたGMP文書は，作業者が自由にコピーできるなど，管理された状況ではない。
- 最新のGMP文書が必要とされる部門に配布されていない。
- 最新の製造所図面を管理していない。

[文書管理・記録の不備事項]

- 製品試験記録等を確認したところ，以下の記録がなかった。
  - 工程管理試験，製品試験用のサンプル採取の記録
  - 出発原料・製品の試験用サンプルの出納記録
  - 社内調製していたpH試験標準液の調製記録
  - 製品試験の各試験項目の試験実施日・実施者の署名
  - 試験に使用した試薬のロット番号
  - 類縁物質試験における内部標準物質およびサンプルの秤量値
  - 秤量値のダブルチェックの記録（天秤にはプリンターがない）
  - TLC（薄層クロマトグラフィー）で不純物を調べた際の結果の写真と，ダブルチェックの記録
  - 微生物試験における培養の開始，取り出し日時，培養後の観察者名，培養を行ったインキュベーターの機器番号の記録

[記録用紙の発行管理の不備事項]

- 承認されたマスター製造記録書のコピーが複数保存されていた。
- 製造記録書には記録後，新たな製造記録書に差し替え可能な状態であった。
- 試験記録用紙を発行管理しておらず，担当者がQCサーバーから印刷，使用していた。
- 製造記録書，試験記録書が自由に再発行できるようになっていた。

- 製造記録を保管する文書管理が乱雑で，何の文書が保管されているかを製造所の部員が把握していなかった。
- 事務室の事務用品を保管しているロッカーに，GMP文書保管室に保管すべき試験記録の原本が雑然と保管されていた。
- 製造所内にGMP文書を保管する場所が複数存在するが，文書リスト等がなく，品質部門が文書の具体的な保管場所を把握していなかった。文書の貸し出し記録を作成していなかった。
- 長期間貸し出されたまま，所在，使用目的，返却予定時期が確認されていない文書が複数あった。

［データの信頼性に関する不備事項］

- PV 1ロット目の原薬の類縁物試験について
  - 初回試験結果を合理的な理由なしに棄却し，再試験結果を正式に採用していた。
  - その初回試験の記録，結果を比較した判断等に関する文書は作成されていなかった。
  - さらにQA責任者は，製品品質への影響も評価せずに，採用した再試験結果のみを記載したPV報告書を承認していた。

［自己点検］

- 自己点検実施者の資格要件がない。
- 点検実施者が自己の所属する部署を点検している。
- GMP課長通知に示された全点検項目について，定められた期間内に自己点検が実施されていない。
- 自己点検の結果に基づく改善を，担当部署が報告をする手順がない。

［出荷管理］

- 出荷判定の時までに，生データに基づき試験記録を照査した記録がない。
- 出荷判定を実施する上で評価すべき項目（変更管理，逸脱管理等）が規定されていない。

［外部委託業務］

- 安定性モニタリングを外部試験検査機関に委託して実施していた。生データの保管について，製造所での文書保管期間より短い，外部試験検査機関での保管期間に従うこととなっており，必要な際に生データを参照できなくなる可能性があった。
- 参考品の保管業務を，同一法人の別工場に委託していたが，相互の連絡方法，参考品の保管条件，運搬時の品質管理の方法等，業務委託に関する取り決めがなかった。また，委託先で参考品が適切に保管されていることを定期的に確認していなかった。

[バリデーション]

- 製造施設，機器の一部変更に伴うバリデーションが行われていない。
- バリデーション計画書および報告書が，責任者が承認（確認等のサイン，署名日等を明記）したGMP文書と位置付けられていない。
- プロセスバリデーション（PV）時の逸脱について，遡及調査を含め，具体的な処理の内容を記録し，バリデーション成立要件に影響がないことを，バリデーション結果報告書で考察していない。

[製造販売承認書（MFを含む）との齟齬]

- 原薬等登録原簿（MF）の管理について実態と相違があった。
  - 定量法および純度試験の類縁物質の試験で使用するHPLCのカラムの内径が，MFと異なっていた。
  - 重金属の試験法がMFと異なっていた。
- 製造所から提出された製造記録等の写しの確認を行ったところ，承認書（MFを含む）との齟齬が多数見つかった。
  - 記載整備時に，適切な製造方法等の確認が行われていなかった。
  - 承認書に記載の工程管理規格等が，製造所で実施されていなかった。または，規格・管理値が実際と一致しなかった。
  - 粉砕工程が記載されていなかった（特に，粉砕を外部委託している場合，当該製造所の記載がなかった）。
- 製造方法等が無届けで変更されていた。
  - 承認書（MFを含む）の記載整備において，品質に影響を与えると考えられる重要なパラメータとされたものが，製造所において無届けで変更されていた〔製販業者またはMF国内管理人等が記載整備をし，製造所が日本承認（MFを含む）の内容を把握していなかった〕。
  - 製造所において，製造方法や規格等が変更されていたが，軽微変更届出や一変申請がされていなかった。当該変更内容について，製販業者への連絡もされていなかった。
  - 薬事手続きを行わないまま，MFに登録されている規格を変更していた。変更管理は実施されていたが，科学的妥当性の評価や検証は行われておらず，変更に伴う薬事手続きの要否も判断していなかった。
- 原薬製造業者と製販業者，MF国内管理人の意思疎通欠如
  - 2005年（平成17年）4月以降に追加された製造所について，旧法下から使用されていたように定期の適合性調査申請がされていた。製造所追加に係る一変申請もされておらず，当該一変に伴うGMP適合性調査申請もされていなかった。また，この製造所追加の事実について，製販業者が認識していない場合もあった（委託先，商社，MFの国内管理人から適切な情報を得ていなかった）。製造所との直接的な連絡窓口である商社，MFの国内管理人が指摘されるまで，当該情報を入手していない場合もあっ

た（委託先が再委託などをしていた）。

- 製剤の承認書に記載されたMF番号が，間違っていた，もしくは不適切であった。
  - まったく違う原薬のMF番号が記載されていた。
  - 同じ原薬のMFだが当該製剤に使用されている原薬ではなかった（グレード違い，他社が使用しているもの）。
  - 製剤の承認書に記載されている製造所がMFに登録されていない（MFの不備を製販業者が認識していない）。
  - 承認書における参照すべきMF登録日の誤記記載。
    - 製販業者が承認書の変更を怠っていた。
    - 製造所またはMF国内管理人が連絡を怠っていた。
    - 製販業者がMF登録証の写しを入手していなかった。
  - MFの国内管理人自身が，日本の法的要件を認識していなかった（外国製造業者への適切な情報伝達ができていなかった）。
  - 製販業者が，MFの中身については完全なブラックボックスなので，何もわからないと答えるケースがあった。

[承認書規格不適合に関する不備事項]

- MF規格の含量規格に適合しない出発原料，不純物の規格に適合しない中間体が一部の商業生産ロットに使用され，当該ロットはすでに出荷されていた。
  - 調査の結果，同社の担当者は，各試験結果に用いるべき規格の選択を誤り，MF規格よりも緩い自国向けの規格および他の原料規格を判定に用いていたことが原因と判明した。
  - さらに当該製造所では，正しい規格で判定されたことを確認するシステムが構築されていなかった。

2 施設および設備システム

[施設・機器の管理]

- 施設の保全・修理に関する手順がない。
- 対象設備全体のメンテナンス実施計画書が作成されていないため，期限内に完了できる手順ではない。
- 外部に委託して行う設備機器の維持管理では，実施項目の事前確認と報告書の内容を確認していない。
- 設備のメンテナンスや補修が適切に実施されておらず，製造の用途に適さない状態であった。

[空調管理]

- 定期的なリーク試験の結果を反映したHEPAフィルターの交換頻度を設定していない。
- 差圧管理しているフィルターについてアラートレベル，アクションレベル等が設定されていない。
- 空調排気側に設置された外部集塵機と空調の吸気口が，隣り合わせに配置されている。

[衛生管理]

- 製造エリアの清掃手順を文書化していない。
- 製造エリアの清掃手順を文書化していない。
- 倉庫（製品倉庫）の清掃確認が不十分で，ゴミが集積していたり，製品ラベルが剥がれて落ちたりしていた。
- 製造エリアへの入室前の手指洗浄石鹸の使用期限がない。
- 製造エリアへの入室前の手指消毒では，複数の人間が洗面器に溜めたエタノールを繰り返し使用していた。
- 作業台にこぼれた原薬等を再利用していた。

[防虫防鼠]

- 製造エリアの防虫防鼠管理に関するモニタリング箇所が，データに基づき設定されていない（調査時に虫の死骸や飛翔を確認）。
- 歩行虫やネズミ等に対するトラップモニタリング箇所が不十分であり，適切な防虫対策（傾向対策，防止策等）が実施されていない。

[洗浄バリデーション]

- 機器の洗浄方法をバリデートしていない。
- 洗浄作業が手順書どおりに実施されておらず，洗浄不十分の状態であった。
- 研究開発段階の品目など，洗浄方法が確立されていない品目に使用した機器の清浄度確認の方法がない。
- 反応器の洗浄バリデーションで，スワブ法の結果が検出限界以下とされていたが，手法（拭き取り箇所，拭き取り面積，拭き取り方法）が規定されておらず，拭き取った綿棒を目視で確認し，検出限界と評価していた。
- 共用の棚式乾燥機器の洗浄バリデーションが実施されていなかった。
- 結晶スラリーの通るボールバルブ等，洗浄が困難な箇所の分解洗浄を実施していなかった。実際にバルブを分解したところ，残留物が認められた。
- キャンペーン生産を行っていたが，キャンペーン後の洗浄バリデーションについて，キャンペーン期間や最大製造バッチ数を考慮しておらず，ワースト条件で検討が実施されていなかった。
- 残留許容値を設定し，スワブ法にて評価を実施していたが，残留許容値付近で測定対象物質が検出可能であることを検証していなかった。

[設備の共用]

- GMP省令適用外の物質（人に適用しない工業用製品）の製造設備で医薬品原薬を製造していた。しかし，工業用製品と設備を共用することによる，医薬品原薬の品質および安全性への影響を評価していなかった。さらに，設備を共用できることの妥当性を示す洗浄バリデーション等を実施していなかった。
- 開発品や受託製造品
  - R&D部門がGMP適用外の試製のために設備共有を行っていたが，製造設備の使用記録が残されていなかった(問題が発生した場合，原因究明ができないリスクがあった)。
  - 新たな化合物の製造を受託し，設備共有を行う場合における，当該化合物に関する情報（治療領域，生理活性，毒性等）の収集手順，当該情報を踏まえた設備共有の可否の判断基準等が定められていなかった。

3 材料システム

[原材料・中間体・製品の管理]

- 原材料の受入れ時に，検収作業をしていない。
- 原材料の受入れ試験を，供給業者の適格性評価をすることなく省略している。
- 原材料の受入れ試験を適正な手順により省略しているが，供給業者の試験成績書の確認をしていない。
- 原料の使用期限，および再試験後の有効期限を，科学的根拠に基づき設定していない。
- 回収溶媒の規格及び試験方法，ならびに繰り返し使用回数について，科学的根拠に基づき設定していない。

[製造用水管理]

- 品質試験のサンプリングをユースポイントで実施していない。
- 採取した水の試験までの保管期間等が規定されていない。
- 精製水のモニタリング時にアラートレベルを超えたにもかかわらず，調査し，記録を残していない。
- 定期的な滅菌に使用する蒸気の品質確認をしていない。
- 製造用水管理の不備（微生物汚染に対する管理の不備）
  - 精製水の配管は一方向ラインで，月1回の使用以外は，精製水が滞留した状態で放置されていた。定期的な殺菌処理も行われていない。
  - ユースポイントでの微生物学的評価が行われていない。

4 製造システム

［製造管理］

- 承認規格を遵守した原料を使用していなかった。
- 原材料の秤量記録が製造記録にない。
- 製造に使用する試液に個別ロット番号の付番がなく，調製記録も作成していない。
- 製造指図記録の不備
  - 製造指図書が製造指図者により発行されていない。
  - 製造指図が文書として記載されていない（口頭で実施していた）。
  - 原料ロットの記録がない。
  - 製造指図記録書の用紙は，QA担当者がマスターから複写して製造担当者へ配付しており，複製を防止するためにQA担当者が各ページに押印して配付していたが，印は事務室の机上に置かれており，誰でも押印可能であった。
- 承認申請書の製造条件に規定したパラメータの管理記録がない。
- 承認申請書に規定した工程管理を実施した記録がない。
- バッチ混合に際し，混合前のバッチすべてが対象工程の原料規格に合格していることを確認していない。
- 包装工程の作業記録がない。
- 目視による異物検査工程において，作業員は各自のメモに結果を記録し，作業終了後に製造指図記録へその結果を転記していたが，一次記録となるメモ用紙は廃棄していた。
- 包装工程で表示ラベルの収支記録がなく，使用した表示ラベル見本も製造記録に残されていない。
- 最終出荷ラベルの発行は，製造部門が行い，品質部門が内容の適切さを確認していない。

［保管・区分］

- 試験中，合格，不合格等の状態がわかるステータス管理になっていない。
- 不合格品，リテスト品に表示がなく，区別できない。
- 原料をロットごとに付番していない。
- 原材料をロット単位，または管理単位ごとに，明確に区分して保管していない。
- 冷蔵室内の温度マッピング（ワーストケースとして，夏・冬）の結果に基づき，室温の測定位置を設定していない。

［無菌性保証］

- 無菌製造エリアの環境モニタリング不備
  - 無菌製造エリアの環境モニタリングが作業時に行われていない。
  - クラス100のブース内の環境を適切に評価していない。
- 生菌数試験の培養期間が公定書で規定されている期間より短く，その妥当性が示されなかった。
- 無菌エリアで使用する着衣では，顔面の露出部分が多く，汚染発生を否定できない。
- 無菌ろ過工程後に使用する製造ライン内を蒸気滅菌しているが，外気が侵入する経路がある。
- 製品の製造記録に，一次容器のロット番号の記録がなく，滅菌記録もない。
- 薬液の無菌ろ過フィルターの性能試験を実施していない。
- 無菌化された原薬を扱うエリアのラミナーフローの確認をしていない。
- 充填室のクリーンブース内に，汚染原因となる記録用紙等を持ち込んでいる。
- 輸送バリデーション時に使用する容器の気密性を確認していない。
- 無菌製剤の外観目視検査員の教育に使用されている不良品見本について，品質管理部門の承認を得ていない。
- 高圧蒸気滅菌機の滅菌検証では，製造所内で検出された環境菌をBI（バイオロジカルインジケーター）としていたが，その熱抵抗性が考慮されていない。
- トンネル滅菌器内部に錆が認められたが，対処されていない。
- 無菌凍結乾燥製剤製造における無菌性保証の欠如
  - 滅菌後のバイアルおよびゴム栓の保護が不完全な状態でグレードBに保管され，グレードAに持ち込まれ使用されている。また，凍結乾燥品が全打栓後，十分な密封性の確認を行わず保護が不完全なままに，巻き締め室までグレードBの廊下を経由し移送されていた。
  - 無菌充填作業やバイアルの凍結乾燥機への搬入等，グレードA要求エリア内に作業員が常時（製造時，頻繁に）立入作業が行われる状況であった。
  - 上記の製剤化工程にて，グレードAエリア内が一方向気流を確保していない状態で製造が行われることに気づきながら，改善を実施していなかった。
- 無菌原薬製造における無菌性保証の欠如
  - 滅菌後の一次容器の取扱い：滅菌後の容器はクラス10,000の環境下で取り扱われていたが，設置したクリーンブースの適格性が得られなかった。
  - 無菌的に投入されるべき原料の投入環境の不備：無菌区域で実施されるべき原薬の投入がクラス10,000環境下で取り扱われていた。改善のため，クリーンブースを設置したが，そのデザインが不適切であり，無菌的環境が得られているとは認められなかった。
  - 一連の作業を行う作業者が無菌操作を実施していなかった（無菌操作を実施する上で，十分な教育を受けていなかった）。

[汚染防止・封じ込め]
- β-ラクタム系抗生物質の製造棟から別の製造品目の汚染の可能性がある。
  - 各作業室の排気口にフィルターが設置されていない。
  - 集塵機のバグフィルター交換時および空調機HEPAフィルター交換時に，β-ラクタム系抗生物質の飛散防止策を講じていない。
- ・β-ラクタム系抗生物質の製造所内の飛散モニタリングを施していない。
- ・β-ラクタム系抗生物質製造棟の入退室の動線が着・脱衣室で交差している。

- β-ラクタム原薬および製剤が共用製造棟内で取り扱われる非β-ラクタム原薬/原料/直接資材/製剤を汚染する可能性がある。
  - ・倉庫が非β-ラクタム系原薬/製剤と共有であり，製造エリアへの原薬搬入ルート（廊下）も共通である。
  - ・β-ラクタム製造エリアで取り扱われる製造記録等のGMP文書をβ-ラクタム製造エリアからそのまま搬出し，一般エリアで保管されており，文書の適切な取り扱い方法が規定されていない。
  - ・β-ラクタム製造エリアから充填バイアルが搬出された後，二次包装が行われるまでの間にバイアルが破損した場合の対応が規定されていない。
  - ・試験室でのβ-ラクタム系抗生物質の飛散防止策を講じていない。

[交叉汚染に関する不備事項]
- 洗浄済みの製造設備に明らかな残留物が認められた。
- 晶析槽と遠心分離機をつなぐホース内に変色した大量の液体の滞留が認められた。
- 洗浄後の反応槽の下の配管およびボールバルブ内部に汚れの残留が認められた。
- 一部の装置内部に，褐色物質の残留，純水の供給ラインに大量の液体が滞留していた。
- 当該設備について，ロットごとに洗浄しているとの説明であったが，洗浄記録がなかった。
- 当該製造設備は複数品目で共用されていたが，洗浄バリデーションを実施していなかった。

5 試験室管理システム

[試験室管理]
- 天秤の日常点検に用いる標準分銅を定期的に校正していない。
- HPLC試験開始前にシステム適合性を評価していない。
- 試験記録書および試液調製記録は，操作手順に沿っておらず結果の記録しかない。
- 回収溶媒の規格，試験方法，使用回数について検討していない。
- 温度管理が必要な試薬の保管エリアの温度管理をしていない。
- 粉末のpH標準試薬の使用期限に根拠がない。
- 受入れ試験製品および参考品のサンプリング手順と記録がない。
- 外部委託試験の結果報告書を照査し保管していない。
- 試験結果の異常原因が，明らかに標準品の品質にあったにもかかわらず，標準品の品質確認をしていない。
- 工程管理試験の手順の不備
  - ・システム適合性が設定されていない，カラムの交換条件がない，カラムの使用記録がない，移動相の調製記録がない。

- 試験記録の不備による試験データの信頼性の欠如
  - 試験が適切な条件で実施されたかを示す情報の記録がない。
  - 滴定試験で記録に結果の数値しか記載していなかった。滴定量，滴定試薬のファクターや試薬ロット，結果算出の計算の過程などがない。試薬調製記録がない。生データの保管もない。
  - 試験記録用紙の発行管理がされていない（データの改ざん，試験のやり直しの疑い）。
  - 試験記録用紙は，QAが発行しているが，制限なく発行できるようになっており，試験室のゴミ箱に記録用紙が大量に廃棄されていた。
- 記録の信頼性
  - HPLCの解析ソフト上で監査証跡の確認を実施していたが，その具体的な方法を定めた手順がなく，記録も残されていなかった。
  - HPLCの試験について，自動解析後に必要に応じてマニュアル操作での再解析を行っていたが，再解析の方法は手順化されておらず，試験データの信頼性が保証されていなかった。

[OOS処理]

- OOS発生時の再サンプリング方法および試験結果の取り扱い手順を規定していない。
- OOSが発生した際に，原因が特定されないまま，規格に適合となるまで再試験を繰り返し実施しており，規格に適合となった結果を採用していたが，その妥当性について検討していなかった。
- OOSが発生した際に，ラボエラーが否定された場合には再試験を行い，その結果が適合であれば初回の結果を棄却して再試験結果を採用する手順となっていたが，製造や保管等に原因がないかの調査を実施していなかった。

[検体管理]

- 試験検体は，試験者が使用の都度，保管棚から取り出しており，試験記録に使用した重量を記録していたが，試験検体の出納がわかる記録は作成しておらず，検体廃棄時に重量を測定していなかったため，不正に持ち出された際に検知できないおそれがあった。
- 試験検体の余りは廃棄用のドラムに移し，月に1回廃棄していたが，回収可能な状態でドラムに保管されており，誰でも取り出せる状態であった。

[試験指図・記録に関して]

- 無菌試験の結果判定時にダブルチェックを実施していなかった。重要かつ定性的な試験については，データの客観性や信頼性を高めるためにダブルチェックを行い，確認者のサインも記録するよう見直すこと。
- 試験の一次記録として試験機器から生成された感熱紙のチャートは，コピーなどで複写していないため結果が消えかかっていた。経時的に消えてしまう印刷物は，一次記録が喪失しないように複写すること。

- 試験記録等の記録用紙のブランクシートは複数枚複写して作業室に保管されており，担当者がいつでも何枚でも使用できる状態になっていた。正式な手続きを経ずに試験が繰り返されることのないように試験用紙の管理を確実にすること。
- 試験記録書の発行は試験担当者が試験計画に基づき，LIMSから発行する手順となっていた。試験記録書の複写は手順上禁止しているが，発行した試験記録書が複写された場合，オリジナルの試験記録であるかどうか識別できず，試験担当者が何度もやり直し可能な状態であった。試験記録の信頼性を確保するためにも，試験記録書の発行管理体制を見直すこと。
- 試験記録書を再発行した際に，元の記録書を保存しておらず，再発行された試験記録書からも，再発行であることがわからなかった。
- システム適合性試験等の結果により，試験不成立となった場合，試験責任者の指示のもと再試験を実施していたが，試験不成立の原因や再試験の要否の判断に関係する記録が残されていなかった。
- 試験記録の発行において，QC責任者がブランクフォーマットを発行して試験担当者に渡すが，発行者のサイン等がされていないため，ブランクフォーマットがコピーされて使用されても判別できない状態だった。記録の信頼性が得られないリスクがあるため，発行された各ブランクフォーマットが識別できる管理体制とすること。
- QC棟2階の微生物試験室の棚に個人の印鑑が置かれていた。記録の信頼性の観点から，不正に使用されることがないよう，適切な管理下に置くこと。

[安定性モニタリング]

- 安定性モニタリングにおいてOOSが発生していたが，以下のように対応の遅滞や不適切な評価が行われていた。
    - OOSが発生した際に，原因究明に長期間を費やし，製品品質への影響が否定できない製品を市場に流通させていた。
    - 承認書に規定された力価試験（動物試験と生化学試験の2通りの試験の実施が要求される）のうち，動物試験でOOSが発生するものの，試験特有のバラツキであると判断し，理化学試験が適合したことをもって，製品品質への影響はないと結論付けていた。
- 製品の安定性モニタリングにおいて，経時的な有効成分の低下が認められていたが，製造所において傾向評価を適切に実施しておらず，有効期間内に承認規格を逸脱する可能性等について考察していなかった。
- PMDAによる調査において，上記不備が判明して以降も，当該ロットについて特段の措置を図ることなく，結果的に有効期間内に規格不適合となった。

6 データインテグリティ

［HPLCの再解析］

- HPLCを用いた試験検査で再解析を行う前に，担当者が責任者の承認を得る手順となっていなかった。試験検査の信頼性確保の観点から，再解析を行う前にその理由を責任者は評価し，その記録を行う手順とすること。
- 純度試験の類縁物質の試験について，製品特性から，手動解析の必要がある試験項目との説明を受けた。運用上，再解析前後の記録を保管していたものの，再解析を行う上での指図，当該品目の試験条件および再解析を実施してよい具体的な例の提示（ピークの図示等），再解析の記録の保管方法等，適切な再解析を実施し，その記録を残すための手順が整備されていなかった。不適切な再解析が実施されることがないよう，記録の保管方法を含めて，全般的に手順を見直す必要がある。
- 錠剤検査の類縁物質試験における不純物ピークの除去は，「試験手順書 純度試験 類縁物質」に従い実施していたが，試験結果の判定に係る再解析の手順において，以下に示す不適切な事例が確認された（GMP省令第11条第1項第2号違反）。これらの事例は，再解析の手順が規定されていないため，試験者が意図的に不純物ピークのピーク面積を少なく算出し，評価が必要な不純物ピークを排除できる状況が常態化していることを示している。
    - 事例1：「サンプル名xx1（錠剤検査）」では，自動解析後，保持時間48.5分のピーク以降の不要なピークを除去していない段階で，意図的に保持時間25.67分（0.08面積％）のピーク面積を少なくし，このピークが除去されていた。
    - 事例2：「サンプル名xx2（錠剤検査）」でも，事例1と同様に，不要なピークを除去していない段階で，保持時間25.67分（0.09面積％）のピークが除去された解析の記録が残されており，このような解析の手順が常態化している可能性があった。

［監査証跡］

- HPLCに監査証跡機能は付与されていたが，運用はされていなかった。監査証跡に関する運用管理手順書を作成し，適切な運用方法を規定するとともに，試験データの信頼性を確保すること。
- HPLC等の詳細な操作について，手順書に明文化されていない事例が確認された。誰でも誤りなく適切に対応できるように明文化すること。
    - 監査証跡の確認をQC責任者が試験ごとに毎回実施しているとの説明であったが，手順化されていなかった。
    - 再解析の手順は，責任者に報告してから実施すること等が運用で決まっていたが，手順化されていなかった。データの完全性の観点から，HPLCシステムのアクセス制限やメソッド変更権限，監査証跡の確認等の手順を作成すること。
- QCで使用しているGCはデータの削除が可能であり，かつデータが削除されたことを検出できないため，不都合なデータを削除することが可能なシステムになっていた。現在監査証跡機能のついたGCシステムへの更新を検討中とのことであるので，早期に導入し，データの信頼性の向上につなげること。また，導入するまでの間は，データの信頼性を確保するためのデータ管理方法について，早急に適切な手順を定め，実施すること。

[パスワード管理/操作権限に関して]

- 分析ソフトウェアのアクセス権限について次の2点の不備を確認した。試験結果の信頼性を担保できるよう，アクセス権限の許可範囲や付与対象を見直すこと。
  - 品質管理部門の誰に，どの権限を付与しているか明らかにされていなかった。
  - 試験責任者がシステム管理者の権限を有していた。監査証跡の定期確認によって第三者的に不正なログを確認することもなく，試験責任者はQC部門で実施されている試験結果の合否判定を実施していた。
- QCで管理している測定機器に対して管理者権限，メソッドを変えることができる権限，分析者権限の3種類が決められていたが，測定業務を担うグループリーダーがメソッドを変えることができる権限を持っており，実施する分析に対して不適切に操作をできてしまうリスクが認められた。権限付与のメンバー構成について改めて見直しを図ること。

[コンピュータバリデーションに関して]

- エクセルシートによる計算結果を試験検査記録に転記していたが，当該エクセルシートの計算が正しく行われることの検証を行っていなかった。現在作成中のCSV手順に基づき表計算のカテゴリーを定め，台帳登録し，必要な検証を実施する必要がある。
- QCの試験検査で使用されている社内で作成されたスプレッドシート（表計算ソフト）の適格性について，初期の検証を行った後は，3年に1回の定期点検でシートの編集がブロックされていることを確認するのみであった。スプレッドシートの定期点検では，システムが設計された仕様どおりの機能および性能を満たして作動していることを，確認する必要がないか見直すこと。

参考文献

1）PMDAのGMP適合性調査からの事例について，CPhI China 2012, Jun 27, 2012
2）GMP適合性調査の指摘事例と問題点，CPhl China 2013, Jun 26, 2013
3）第32回 GMPとバリデーションをめぐる諸問題に関するシンポジウム，日本防菌防黴学会，2017年3月2日
4）GMP調査の指導事例とGMP調査の最新動向について，インターフェックス，2018年6月28日
5）GMP省令改正と最近のGMP査察での指導事例，NPO QAセンター創立15周年セミナー（東京会場），2019年3月6日
6）第39回 医薬品GQP・GMP研究会（東京会場），2019年10月29日
7）無菌医薬品の品質保証と最新のGMP査察動向に関するシンポジウム，日本製薬工業協会 品質委員会・一般財団法人日本医薬情報センター共催，2019年11月16日

GMP調査よもやま話⑬

海外調査の場合，週をまたいで2カ所を調査することが何度かあった。2011年7月11日～7月22日にわたる調査も，週末を挟んでドイツのマールブルクにある製薬企業の調査であった。土曜日に調査仲間とライン下りを楽しみ，夕方には欧州薬局方「微生物試験法委員会」のドイツ代表委員であり，またISO/TC 198/WG 9（ヘルスケア製品の無菌操作法）の座長を長く務められたDr. Klaus Haberer夫妻と夕食をとり，翌日曜日には同僚と女子ワールドサッカーの決勝戦が行われたスタジアムに出かけた。今にも雨が降り出しそうな天候のなか，かなりの数のダフ屋がチケットの販売価格を表示した紙をかざしながら客を求めていた。同僚は大のサッカー好きで試合を観たかったのか価格を見比べていた。記憶ではダフ屋価格は，日本円で数十万円であったが，結局スタジアムには入らなかった。ホテルに戻り，現地時間で夕方の8時頃からアルコールを嗜みながらTVで試合を観た。なでしこジャパンが優勝したときの感激は，今でも忘れられない思い出である。

マールブルクには2009年の新型インフルエンザワクチン製造所への調査でも出かけており，街の小高い丘にある教会は，ルターの宗教革命で有名なところとのこと。製造所は，街から車で20～30分程度離れた狭い谷間に開けた地にあった。北里研究所を設立した北里柴三郎博士は1876年に炭疽菌の純粋培養に成功したドイツのロベルト・コッホ（Robert Koch）に師事を仰ぎ，1889年には世界で初めて破傷風菌の純粋培養に成功している。1890年に破傷風菌抗毒素を発見し，菌体を少量ずつ動物に注射しながら血清中に抗体を生み出す方法を確立し，この血清抗体でジフテリア症を治療する血清療法を開発した。同僚のベーリング（Behring）と連名で，「動物におけるジフテリア免疫と破傷風免疫の成立について」という論文を発表し，第1回ノーベル生理学・医学賞（1901年）の候補に挙がりながら，当時の時代背景もあり，ベーリングのみが受賞した。

1904年にベーリングが設立したベーリングベルケ社（現，CSL Behring社）の玄関前には，馬で抗血清を作製した記念碑がある（図）。記念碑の近くには，ベーリング記念館があり，そこには上述のノーベル賞受賞論文が展示されていたが，わずか2ページのものであった。

図　ウマで抗血清を作製した記念碑（現，CSL Behring 社玄関前）

第 8 章

付属資料

第8章

付属資料

8.1 GMP調査要領の制定について
（薬食監麻発0216第7号，平成24年2月16日）

薬食監麻発0216第7号
平成24年2月16日

各都道府県衛生主管部（局）長　殿

厚生労働省医薬食品局監視指導・麻薬対策課長

GMP調査要領の制定について

GMP調査要領については，「GMP/QMS調査要領について」（平成17年11月30日付け薬食監麻発第1130002号厚生労働省医薬食品局監視指導・麻薬対策課長通知。以下「GMP/QMS調査要領通知」という。）により，すべての調査権者間に共通の調査体制，業務の根拠及び業務の要領を示し，国内における調査権者間のGMP関連業務の標準化を図ってきたところである。

今般，医薬品査察協議会及び医薬品査察協同スキーム（以下，「PIC/S」）における調査協力等を見据え，GMP調査の国際整合性の一層の確保等の観点からGMP調査の体制や業務の要領を整理し，GMP/QMS調査要領のうちGMPに係る要領について，別添のとおり，改正することとした。

ついては，下記の点に留意の上，GMP調査の円滑な実施に遺漏なきようお願いする。

なお，本通知の写しについては，別添の関係団体の長あて送付することを念のため申し添える。

記

1. 本通知により制定されたGMP調査要領（以下「本調査要領」という。）に基づきGMP調査を円滑に実施するため，各調査権者は，想定されるGMP調査の業務量を踏まえ，所定の要件を満たす職員の確保，当該職員に対する研修の実施及び公的認定試験機関等を含む実施体制の整備を図ること。
2. 各調査権者は，平成24年6月30日までに本調査要領の実施のために必要な体制等を確保することとし，同年7月1日から，本調査要領に基づきGMP調査を実施することとすること。

3.　本調査要領にかかわらず，QMS調査については，引き続きGMP/QMS調査要領通知に基づき実施すること。ただし，QMS調査においても，本調査要領を参考とすることは差し支えないこと。

別記
独立行政法人医薬品医療機器総合機構
日本製薬団体連合会
日本製薬工業協会
日本医薬品原薬工業会
日本OTC医薬品協会
社団法人東京医薬品工業協会
大阪医薬品協会
社団法人日本薬業貿易協会
米国研究製薬工業協会在日技術委員会
在日米国商工会議所製薬小委員会
欧州製薬団体連合会在日執行委員会

GMP調査要領

目次

第１．調査要領について

本要領は，薬事法（昭和35年法律第145号。以下「法」という。）第14条第6項（同条第9項において準用する場合を含む。）及び第80条第1項に基づく医薬品及び医薬部外品の製造所における製造管理又は品質管理の方法（以下「GMP」という。）の基準適合性に係る調査並びに法第69条に規定されたGMPの遵守状況の確認に係る立入検査等（以下これらを総称して「GMP調査」という。）を各都道府県及び独立行政法人医薬品医療機器総合機構（以下「総合機構」という。）が適切に実施できるよう，各調査権者の品質管理監督システムに関連する事項を定めたものである。

本要領は，GMP調査の分類及び法的根拠等の説明，各調査権者共通の品質マニュアル並びにGMP調査の実施に関する手順から構成される。

なお，この要領では，医薬品及び医薬部外品のGMP調査の実施主体である各調査権者のGMP調査を担当する部局（総合機構及び47都道府県のGMP調査実施部局）を「調査当局」と称する。また，この要領で使用される用語については，平成22年2月19日付け薬食審査発0219第1号・薬食監麻発0219第1号厚生労働省医薬食品局審査管理課長・厚生労働省医薬食品局監視指導・麻薬対策課長連名通知「医薬品品質システムに関するガイドラインについて」を参照のこと。

第２．GMP調査の分類及び法的根拠

1.　GMP調査は，適合性調査（製造販売承認（製造販売承認事項の一部変更承認を含む。）又は輸出品の製造に関連して製造販売業者又は製造業者が申請して受けることと定められている調査）及び立入検査等（法第69条第1項若しくは第3項又は法第69条の2第1項の規定に基づく検査等（以下「69条調査」という。）及び第75条の2第1項第2号及び第3号，第75条の2第3項，第75条の4第1項第1号若しくは第2号又は第75条の4第3項において準用する第75条の2第3項の規定に基づく検

査等）に分類される。

2. 適合性調査については，医薬品及び医薬部外品の製造管理及び品質管理の基準に関する省令（平成16年厚生労働省令第179号。以下「医薬品・医薬部外品GMP省令」という。）に定める基準に適合していると認められるかを確認するものであり，さらに製造販売承認前適合性調査，製造販売承認後等適合性調査及び輸出品製造に係る適合性調査に分類され，それぞれ根拠となる法の条項ごとに次のような調査から構成される。

（1） 製造販売承認前適合性調査

ア．製造販売承認申請に係る適合性調査（法第14条第6項）

イ．製造販売承認事項一部変更承認申請に係る適合性調査（法第14条第9項において準用する第14条第6項）

ウ．外国特例承認申請に係る適合性調査（法第19条の2第5項において準用する第14条第6項）

エ．外国特例承認事項一部変更承認申請に係る適合性調査（法第19条の2第5項において準用する第14条第9項において準用する第14条第6項）

（2） 製造販売承認後等適合性調査

ア．既存承認に係る定期適合性調査（法第14条第6項）

イ．既存外国特例承認に係る定期適合性調査（法第19条の2第5項において準用する第14条第6項）

（3） 輸出品製造に係る適合性調査（法第80条第1項）

3. 立入検査等は，その目的等により次のように分類される。なお，69条調査については薬事監視員又は法第69条の2第3項の政令で定める資格を有する総合機構の職員が行うものであること。

（1） 通常調査

定期的に医薬品・医薬部外品GMP省令の規定を遵守していることを監視指導するもの。

（2） 特別調査

予見できない事情等により遵守状況を監視指導する必要がある場合において，以下の確認を行うものである。

ア．改善内容確認（適合性調査として行うものを除く。）

イ．回収，検定不合格及び苦情等のあった品目（製品）に係る製造所における医薬品・医薬部外品GMP省令の遵守状況の確認

ウ．その他

第3．品質マニュアル

調査当局は，次の事項を含む品質マニュアルを作成し，維持すること。

1. 目的

品質マニュアルは，品質管理監督システムを構築し効果的に運用するために定めるものであり，調査当局の行う医薬品及び医薬部外品のGMP調査を適正かつ円滑に実施し，さらに，継続的に調査の品質を向上させることを目的とする。

2. 適用範囲

品質マニュアルは，国内全ての調査当局が実施する医薬品及び医薬部外品のGMP調査関連業務に適用する。

3. 参照規格

品質マニュアルは以下の規格等を参照している。

PIC/S Quality system requirements for pharmaceutical inspectorate

WHO Technical report series, No. 902 Annex 8

ISO9001-2000

4. 調査当局の長の責任

4. 1. 調査当局の長のコミットメント

調査当局の長は，適切なGMP調査の実施のため，品質管理監督システムが有効に機能し，組織全体に伝達されていることを確実にする。

4. 2. 調査当局の品質方針

調査当局の長は，品質方針について次の事項を確実にする。

・調査当局の品質方針は，国民の命と健康を守るという絶対的な使命感に基づき，純良な医薬品の流通を目指して，判断の遅滞なく，高い透明性の下で業務を遂行することとする。

・調査当局内のすべての調査員に上記の品質方針を伝達し，理解を得る。

・上記の品質方針の継続的な有効性について定期的にレビューする。

4. 3. 品質管理監督システムの構築

調査当局の長は，品質マニュアルに基づき各当局内の品質管理監督システムを確立し，文書化し，実施し，維持する。品質管理監督システムには以下の事項を含む。

・品質マニュアルに規定した事項を評価できる品質目標を設定し，マネジメントレビューを実施する手順を確立する。

・業務を継続的に改善するため，自己点検やマネジメントレビューで発見された品質管理監督システムに関する問題点について調査を行い，是正措置・予防措置を行う手順を確立する。

5. 管理体制

（1） 調査当局の組織構造，所属者の資格及び業務は，調査等の公平性を保証するものでなければならない。

（2） 調査員は，調査に影響を与える可能性のある商業的，金銭的その他いかなる圧力からも影響を受けてはならない。利益相反の確認等にかかる規定については各調査当局の手順書に定める。

（3） 調査当局は，GMP調査プロセスとその他の相談業務等を区別して実施する方針をとらなければならない。

6. 組織

（1） 調査業務に関連する組織及び責任者の責務について図1のように定める。調査当局は，図1に基づき，各担当者を割り当て，確立した組織を維持する。

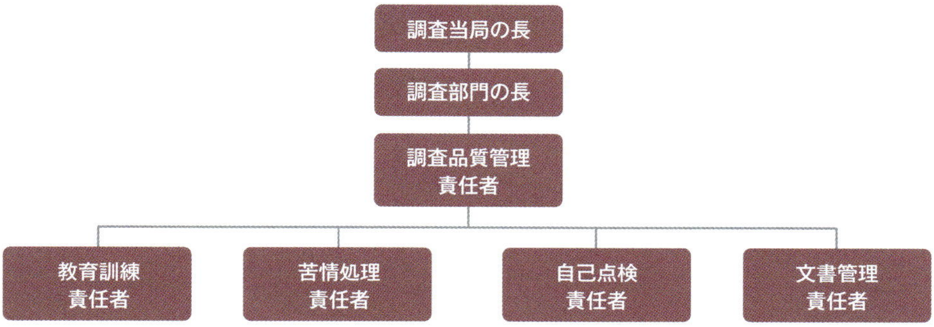

調査当局の長
調査部門の長
調査品質管理
責任者
教育訓練
責任者
苦情処理
責任者
自己点検
責任者
文書管理
責任者

調査部門内にGMP調査業務に係る責任者として，調査品質管理責任者を設置する。
また，調査品質管理責任者の監督の下に，以下の責任者を設置する。
（1）教育訓練に関する業務の責任者として，教育訓練責任者
（2）苦情処理に関する業務の責任者として，苦情処理責任者
（3）自己点検に関する業務の責任者として，自己点検責任者
（4）文書管理に関する業務の責任者として，文書管理責任者

図1｜調査業務に関連する組織及び責任者の責務

（2）　調査当局の品質管理監督システムの維持及び相互のコミュニケーションのために，厚生労働省，総合機構及び都道府県の代表から構成された図2に示される組織（以下「GMP調査当局会議」という。）において，会議等を定期的に開催する。相互のコミュニケーションには，各調査当局相互の評価の実施も含まれる。

2つのネットワークで国内全48調査権者の連携を構築
・47都道府県を7つのブロックに分け，各ブロック内での協力体制を構築する。
・各ブロック代表，総合機構，厚生労働省から構成される「GMP調査当局会議」を構築する。

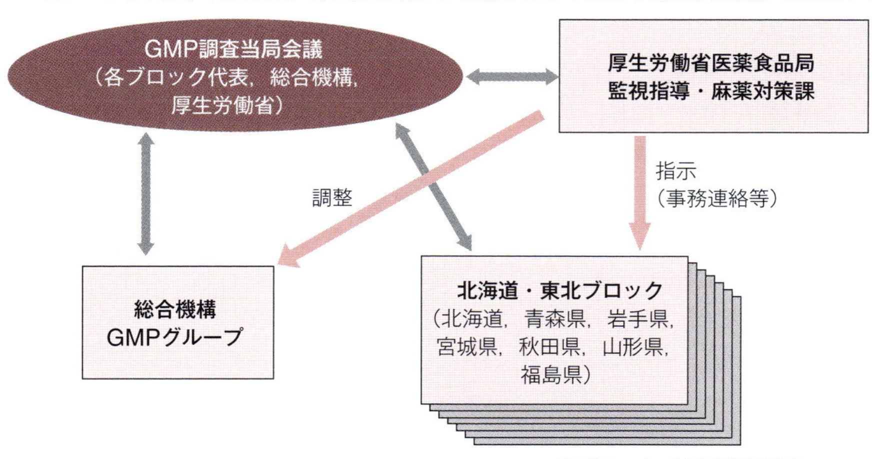

GMP調査当局会議の役割
（1）調査権者間の品質管理監督システムの共通化（手順書の改訂作業，自己点検実施等）
（2）GMPガイドラインの継続的改訂
（3）教育訓練プログラムの立案，教育資料提供
（4）国際整合性に関する情報入手と調査権者への情報提供
（5）全体会議の開催
（6）指導内容にかかる調査権者及び業界双方からの相談の受付と公表（機密情報に注意する）

図2｜調査当局の品質管理監督システムの維持及び相互のコミュニケーション

（3） 調査当局における調査部門と業務内容上の関係がある主な組織として，次の組織がある。調査当局は，これらと相互に緊密な連携をとる手順を確立する。

1）厚生労働省（医薬食品局：監視指導・麻薬対策課，審査管理課，安全対策課）

2）調査当局の各部門（調査部門，承認審査部門，安全対策部門及び試験検査機関）

3）他の調査当局

4）日・欧州共同体相互承認協定（以下「MRA」という。）対象国，GMP調査等協力覚書（以下「MOU」という。）対象国等の海外のGMP担当当局

7. 人員

7.1. 資源の確保

調査当局は，品質管理監督システムの実施，維持及びその有効性の継続的改善のために，十分でかつ適切な資源を有するよう配慮する。また，調査当局に所属する全ての調査員が，適切な教育訓練を受け，かつ，業務を実施する能力があることを確実にしなければならない。

7.2. 調査員の要件

調査を実施する者は，別添1に示す要件を満たしていなければならない。また，個々の調査には別添1のリーダー調査員又はシニア調査員の要件を満たす者が必ず1名含まれなければならない。

7.3. 教育訓練

調査当局は，調査員の要件を満たし，適切な調査を遂行できるよう，教育訓練システムを確立し，教育訓練記録及び資格認定記録を保管する。教育訓練システムには，計画的な教育訓練の実施及びその効果の定期的な評価（以下「教育訓練プログラム」という。）が含まれる。現場教育等の教育訓練を実施する者は，別添1のシニア調査員の要件を満たす者が望ましい。

8. 文書管理

8.1. 文書管理システムの維持

調査当局は，調査及び品質管理監督システムに関するすべての文書を適切に維持・管理する手順である文書管理システムを定める。当該文書管理システムには，調査員が常に最新版を参照できるよう，版に関する管理も含まれる。

8.2. 調査当局の文書体系図

図3に示す文書体系図に基づき，必要となる文書及び記録類を整備する。

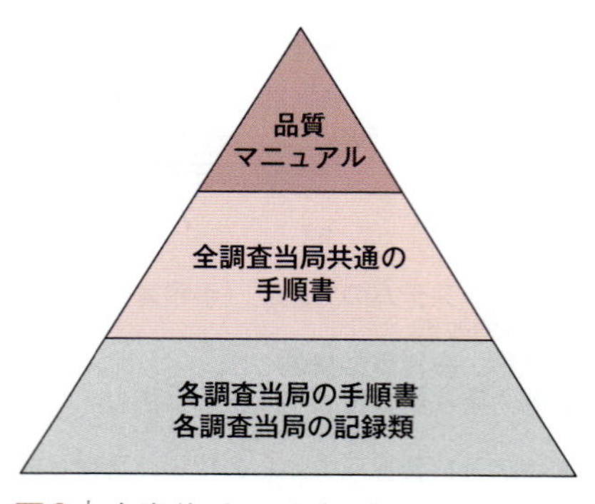

図3 | 文書体系及び手順書

8.3. 手順書の一覧

以下の手順書を作成する。

・マネジメントレビューに関する手順
・適合又は不適合とすることの可否の決定，調査結果通知の手順
・苦情等の処理に関する手順
・自己点検に関する手順
・教育訓練に関する手順
・文書及び記録の管理に関する手順
・調査の実施に関する手順
・収去又は検体の入手及び試験検査機関との連携に関する手順
・監視指導部門その他GMP調査業務に関係する部門との連携に関する手順
・利益相反の確認等に関する手順
・その他GMP調査業務を適正かつ円滑に実施するために必要な手順

8.4. 記録等の保管

調査当局は，文書及び記録について，作成の日（手順書等については使用しなくなった日）から少なくとも次に掲げる期間保存する。

ア．特定生物由来製品又は人の血液を原材料として製造される生物由来製品たる品目（製品）に係る調査に関するもの 35年間

イ．生物由来製品，細胞組織医薬品に係る調査 15年間

ウ．生物由来製品，細胞組織医薬品以外の品目（製品）に係る調査 10年間

エ．教育訓練，自己点検等品質管理監督システムに係る文書及び記録 ア～ウに関わらず5年間

9. 調査の実施

9.1. 調査頻度

調査当局は，それぞれの製造所に対して，概ね2年に一度GMP調査を行う。調査は実地調査を原則とするが，リスク評価に基づいた上で，書面調査も活用する。

9.2. 計画的実施

調査当局は，年度当初に従前の実施状況等を勘案の上，年度計画を定めること。その際，利用可能な資源に照らして実際的，現実的な計画となっているか所要の確認を行うようにすること。また，個別の調査についても，調査実施前に可能な限り調査対象製造所について主体的に情報を得て計画的に進めるようにする。

9.3. 調査の連携

調査当局は，必要に応じ，各調査当局で連携して調査を実施する。

9.4. 調査結果の管理

調査当局は，調査実施した記録を適切に維持・管理し，定期的に照査（必要に応じ統計処理を用いる）を行う。定期的な照査の結果については，調査当局のマネジメントレビューのインプット因子とするとともに，厚生労働省医薬食品局監視指導・麻薬対策課にも報告を行う。

10. 自己点検

調査当局は，品質管理監督システムの要件を満たしているかどうかを審査するために，その業務に関する自己点検を定期的に行い，文書化しなければならない。また，自己点検の結果とそれに伴う是正措置・予防措置を，調査当局のマネジメントレビューのインプット因子とする。

11. 苦情処理

調査当局は，その活動，またはその職員あるいは組織の活動に関する苦情を処理するための手順を確立し，維持するものとする。当該手順には，苦情調査の結果として行われる是正措置・予防措置の適用や検証について記述する。また，それらの是正措置・予防措置を，調査当局のマネジメントレビューのインプット因子とする。

12. 製造業許可取り消し，製造販売承認取り消し等の行政措置

調査当局は，調査の結果GMP不適合となった場合においては，薬事監視指導要領の規定に基づき製造販売業許可権者に通報を行う。また，通報を受け取った製造販売業許可権者は，関連する製造業許可権者及び製造販売承認権者等と連携を図って対応できるようにする。なお，対応の必要に応じ該当する調査当局は，製造販売承認の取り消し，管理者の変更命令，製造管理方法等の改善命令，構造設備等の改善命令等の不利益処分及び報告命令等の措置を行う。また，薬局等構造設備規則不適合となった場合においては，必要に応じて，国内の製造業者に対しては製造業許可の取り消し，業務の停止，構造設備等の改善命令等の不利益処分及び報告命令等の措置を，外国製造業者に対しては構造設備等の改善の請求，認定の取り消し等の不利益処分を行う。

13. 品質不良が疑われる場合の処置と緊急通報システム

調査当局は，品質不良が疑われる製品の情報を入手した場合若しくはそれをGMP調査にて確認した場合，適切な措置を行うとともに，関連する製造販売業許可権者に連絡する。また，回収が必要と判断される場合，その製造販売業許可権者は，回収通知に基づき適切に回収等を行われるよう指導する。なお，当該回収製品の輸出先国がMRA等の対象国に該当する場合には，回収通知に基づき，その製造販売業許可権者は品質上の欠陥，バッチの回収，偽造その他品質に関する問題について，厚生労働省（医薬食品局監視指導・麻薬対策課）に速やかに情報提供する。厚生労働省は当該対象国に緊急通報手続きを実施する。

14. 試験検査機関との連携

調査当局は，検体の分析に係る試験検査については，別添2に示す要件を満たした試験検査機関を公的認定試験検査機関と認定した上で依頼する。また，検体，試験結果の受渡並びに文書及び記録の保管等に関して公的認定試験検査機関と相互に取り決め等を行う。

第4．GMP調査の実施に関する手順

1. 目的

本手順は，医薬品・医薬部外品GMP省令に関し，平成17年3月30日付け薬食監麻発第0330001

号厚生労働省医薬食品局監視指導・麻薬対策課課長通知「薬事法及び採血及び供血あつせん業取締法の一部を改正する法律の施行に伴う医薬品，医療機器等の製造管理及び品質管理（GMP/QMS）に係る省令及び告示の制定及び改廃について」（以下「施行通知」という。）及び平成17年3月30日付け薬食審査発第0330006号・薬食監麻発第0330005号厚生労働省医薬食品局審査管理課長・厚生労働省医薬食品局監視指導・麻薬対策課長連名通知「GMP適合性調査申請の取扱いについて」に示された運用等の方途に加え，より整合性のとれたGMP調査の実施を確保することを目的として定めるものである。なお，製造業の許可及び外国製造業者の認定に係る法第13条第4項第1号（同条第7項及び第13条の3において準用する場合を含む。）に係る調査はこの要領の直接の対象ではないが，GMP調査とあわせて行う場合にはこの要領に沿って行うこととする。

2.　調査の方法

2.1.　調査にあたって

調査当局は，GMP調査を，その目的，製造所の規模，品目（製品）数，剤形，過去の調査実績等を考慮して適切に実施すること。なお，調査にあたってはPIC/SのGMPガイドラインを品質確保のための参考となる手法とし，製造業者の自らの製造管理及び品質管理の手法によってもPIC/SのGMPガイドライン等の手法と同等以上の品質が確保されているか，科学的な知見に基づき検討すること。その結果，製造業者等の自らの手法において，許容できない品質又は保健衛生に対するリスクがあると判断される場合には，GMP省令を踏まえた上で必要な指導の一つとしてPIC/SのGMPガイドラインにある手法を求める等，適宜指導すること。

2.2.　調査の頻度

調査当局は，医薬品・医薬部外品GMP省令等関係法令の最新の要求事項について，認識不足による重大な不備が発生する可能性を考慮し，一製造業者の製造所につき概ね2年に一度調査を行うようにすること。また，製造業許可の有効期間内に当該製造所の製造管理及び品質管理の主たる構成要素（サブシステム）一通りについて調査がなされていること（製造業許可の有効期間内に複数の部分調査を行うことでサブシステム一通りをカバーすることでも差し支えないこと）を調査の頻度の標準とした上で，表1に掲げる事項を勘案し，柔軟に対応すること。

表1｜調査の内容，頻度，手法及び期間の決定に当たつて考慮すべき事項

考慮すべき事項	具体例
品目（製品）種類	剤形，生物由来医薬品等か否か，用量の少ないもの，治療域の狭いもの，特殊な製剤技術によるもの等
工程内容	滅菌・無菌操作の有無，作業環境管理内容等
その他製造所の状況	職員数等
変更履歴	適合性調査を受ける必要がある製造販売承認事項一部変更のほか，交叉汚染，混同等のリスクに影響を及ぼし得る次のような変更・製造所所有者（製造業者等）の変更・製造所の変更（場所等）・品質に影響を及ぼし得る構造設備の変更・品質に影響を及ぼし得る責任者等の変更・新たなカテゴリーの品目（製品）の追加・新たな教育訓練を要する新しい設備器具の導入・その他
製造所履歴	初回調査か否か，前回調査結果，前回調査以後の回収や品質情報等の有無及び内容，他の調査権者等の調査結果，前回調査から経過した期間，外国等当局からの情報等
品目（製品）履歴	副作用報告又は不具合報告その他市販後に得られた情報，一斉監視指導結果，外国等当局からの情報等

2.3. 調査期間

初回の調査については，すべての要求事項への適合状況を包括的に調査することとなることに鑑み，調査当局は，原則として調査期間を2日以上とすること。その他の調査については，表1に掲げる事項を勘案の上，調査当局がその責任において調査期間を決定すること。

2.4. 実地調査と書面調査

申請を受けた調査当局は，表1に掲げる事項を勘案した上で，実地又は書面のいずれによって調査を行うかを決定し，申請者に伝えること。適合性調査申請を受けた日から過去2年の間に当該製造業者の製造所において実地のGMP調査を実施していない場合においては，原則として実地調査を行うものとすること。ただし，上記にかかわらず，法の遵守状況，管理状況等を勘案し，実地調査を行うこととして差し支えないこと。

2.5. 他の調査当局等の調査

調査当局は，その責任において，他の調査当局等の調査結果のうち利用可能なものを参考とすることができること。

2.6. 調査の対象

調査の対象については，特定の品目（製品）とするか，製造所全体とするか等，その調査の目的を踏まえ，表2の分類を参考に決定すること。

表2 | GMP調査の対象のあり方

<table>
<tr><th colspan="4">調査の分類</th><th>調査対象のあり方</th></tr>
<tr><td rowspan="5">適合性調査</td><td colspan="3">承認前適合性調査</td><td>承認（製造販売承認事項一部変更承認）申請に係る品目（製品）ただし当該製造所として初回の調査である場合においては製造所全体</td></tr>
<tr><td rowspan="4">承認後等適合性調査</td><td rowspan="2">輸出品製造</td><td>初回</td><td>適合性調査申請に係る品目（製品）ただし当該製造所として初回の調査である場合においては製造所全体</td></tr>
<tr><td>2回目以降</td><td>適合性調査申請に係る品目（製品），又は適合性調査を受けなければならない品目（製品）をまとめての製造所全体，特に前回調査以降変更等のあった部分に重点</td></tr>
<tr><td rowspan="2">既存定期</td><td>初回</td><td>適合性調査申請に係る品目（製品），又は適合性調査を受けなければならない品目（製品）をまとめての製造所全体</td></tr>
<tr><td>2回目以降</td><td>適合性調査申請に係る品目（製品），又は適合性調査を受けなければならない品目（製品）をまとめての製造所全体，特に前回調査以降変更等のあった部分に重点</td></tr>
<tr><td rowspan="3">立入検査等</td><td rowspan="2">通常調査</td><td colspan="2">初回</td><td>製造所全体</td></tr>
<tr><td colspan="2">2回目以降</td><td>製造所全体，特に前回調査以降変更等のあった部分に重点</td></tr>
<tr><td colspan="3">特別調査</td><td>調査目的による</td></tr>
</table>

（1） 製造所全体について調査を行うときは，各工程等において代表的な品目（製品）を選定し，また，確認すべき文書又は記録の適切な選択を行う等により，複数の品目（製品）を網羅するように調査を計画し，実施すること。

（2） 前回の調査以降に変更等のあった部分に重点を置いて調査を行うときは，医薬品・医薬部外品GMP省令の規定に基づき変更，逸脱等が適切に管理されているかについて確認することとなる。例えば，逸脱の記録，品質部門による変更の承認の記録や変更後の工程管理の照査の記録，不合格品に係る記録，参考品の試験検査記録，回収処理記録等を重点的に調査し，変更がないとされた場合においても，製造方法，規格及び試験方法，品目（製品）仕様等が製造販売承認（届出）

事項に適合していることを確認すること。さらに，成分及び分量について変更がないとされているときにおいても，製造記録のほか，製品等の試験検査記録，設備器具の保守点検記録等を調査すること。また，変更がなされていた場合においての重大な不備として想定し得るものとしては，バリデーションの未実施，製造販売業者に連絡せずに行った重大な変更等が挙げられること。

2.7. 承認前適合性調査

承認前適合性調査を行うときは，申請事項のうち医薬品・医薬部外品GMP省令に係る事項の確認も調査事項となる。調査権者は，承認審査に係る標準的事務処理期間等，承認前調査における留意事項を踏まえ，承認権者にも適宜連絡した上で適切に対処すること。

2.8. 医薬品・医薬部外品GMP調査に係るサブシステム

製造所全体についてのGMP調査においては，表3に示す製造管理及び品質管理の主たるサブシステムを踏まえて行うことにより，医薬品・医薬部外品GMP省令の個々の要求事項への適合性に加え，製造所の管理が効果的に機能しているかを総合的かつ効率的に評価すること。一調査において，品質サブシステムについては，必ずそのほか一以上のサブシステムを調査の対象とするようにすること。製造所全体を調査しようとする場合においては，少なくとも4つのサブシステムを調査するようにすること。サブシステムの調査においては表3に掲げる主な調査項目（必要に応じて他のサブシステムに掲げられている調査項目を含む。）のうち関連性のあるものを中心に調査し，調査の結果不備が見出されたサブシステムにおいては適宜重点的に調査を行うこと。

表3｜医薬品・医薬部外品GMP調査に係るサブシステム

サブシステム	調査項目	
1. 品質	1：組織 2：製品標準書 3：文書管理 4：出荷管理 5：変更管理 6：逸脱管理 7：品質情報・品質不良（苦情） 8：自己点検 9：回収処理 10：GMP教育訓練	11：製造販売業者との合意事項の遵守 12：品質方針 13：品質マネジメント構築文書 14：製品品質の照査（工程管理の定期照査） 15：継続的改善（リスクマネジメント） 16：原材料等の管理 17：経営陣の責任 18：内部監査 19：技術移転
2. 構造設備	1：手順書・記録書 2：図面管理 3：建屋・施設（作業室含む）及び設備と適格性確認（製造用水・製造設備・空調設備） 建物及び施設 4：設備・機器管理（メンテナンス） 5：コンピュータ管理	6：校正 7：原水管理 8：空調管理 9：遮光管理 10：出入り口管理 11：構造躯体管理 12：衛生管理 13：防虫・防そ管理
3. 製品原料資材保管等	1：手順書・記録書 2：受け入れ管理 3：区分保管管理 4：表示管理 5：出納管理 6：不合格品管理 7：施設及び設備の適格性確認	8：設備・機器管理 9：校正 10：衛生管理 11：環境管理 12：防虫・防そ管理 13：出荷作業 14：教育訓練

サブシステム	調査項目	
4. 製造 (1) 一般 (2) 無菌 (3) 生物由来 (4) 放射性	(1) 一般 1：手順書類 2：製造指図書・記録書管理 3：作業前確認 4：工程管理 5：異物混入・汚染・混同防止 6：設備・機器管理 7：校正 8：動線	9：ゾーニング（区分） 10：防虫・防そ管理 11：作業着管理 12：衛生管理 13：環境管理 14：微生物学的モニタリング 15：バリデーション 16：教育訓練
	(2) 無菌 1：手順書類 2：製造指図書・記録書管理 3：作業前確認 4：工程管理 5：異物混入・汚染・混同防止 6：設備・機器管理 7：校正 8：動線 9：ゾーニング（区分） 10：防虫・防そ管理 11：作業着管理	12：衛生管理 13：環境管理 14：微生物学的モニタリング 15：バリデーション 16：教育訓練 17：エンドトキシン管理 18：培地充填試験 19：清浄化（サニタイズ） 20：浮遊塵埃管理 21：滅菌管理 22：消毒剤等管理
	(3) 生物由来 1：手順書類 2：製造指図書・記録書管理 3：作業前確認 4：工程管理 5：異物混入・汚染・混同防止 6：設備・機器管理 7：校正 8：動線 9：ゾーニング（区分） 10：防虫・防そ管理	11：作業着管理 12：衛生管理 13：環境管理 14：微生物学的モニタリング 15：バリデーション 16：教育訓練 17：原料入手・保管管理 18：ウイルス等の除去・不活化工程の製造管理 19：原料取り扱い管理
	(4) 放射性 1：手順書類 2：製造指図書・記録書管理 3：作業前確認 4：工程管理 5：異物混入・汚染・混同防止 6：設備・機器管理 7：校正 8：動線 9：ゾーニング（区分） 10：防虫・防そ管理	11：作業着管理 12：衛生管理 13：環境管理 14：微生物学的モニタリング 15：バリデーション 16：教育訓練 17：放射性原料入手・保管管理 18：放射線被爆確認管理 19：放射性物質廃棄管理

サブシステム	調査項目
5. 包装表示	1：手順書・記録書 2：作業前確認 3：表示材料管理 4：工程管理 5：汚染・混同防止 6：施設及び設備の適格性確認 7：設備・機器管理 8：校正 9：衛生管理 10：作業着管理 11：動線 12：ゾーニング（区分） 13：防虫・防そ管理 14：環境管理 15：バリデーション 16：教育訓練
6. 試験検査	1：手順書・記録書 2：検体採取 3：施設及び設備の管理（試験検査設備・装置の適格性評価・校正並びに試験検査方法の適格性評価） 4：設備・機器管理 5：校正 6：試薬・試液・標準品管理 7：試験用水管理 8：試験動物管理 9：試験検査結果判定・逸脱管理 10：合格ラベル・情報管理（合格情報を保管管理担当者等に伝達する場合等） 11：参考品管理 12：衛生管理 13：安定性試験 14：バリデーション（分析法バリデーション） 15：委託試験管理 16：教育訓練 17：試験室環境管理 18：微生物試験管理 19：無菌試験管理

2.9. 調査資料

調査実施者が必要に応じて調査対象製造業者等から事前に入手できる資料としては別紙1に掲げるものが考えられるが，調査内容や調査対象製造業者等の規模等により，適宜必要な資料を要求する等，当日の調査を効率的に進める観点から必要な資料を事前に得て準備を進めること。承認前適合性調査又は初回輸出品製造に係る適合性調査の場合においては，品目（製品）に重点を置き，品目（製品）の製造販売承認申請又は製造販売届出において引用される原薬等登録原簿等，必要な情報の収集に努めること。また，立入検査等の場合においてもこれに準じて必要な情報の事前入手に努めること。

3. GMP調査の具体的手順

3.1. GMP調査

GMP調査は，事前準備，調査の実施，調査実施後の措置及び指導等，調査結果報告書（別紙2）の作成並びに報告書等の送付といった手順から構成される。具体的内容は以下のとおりであること。

3.2. 基本方針の策定

調査当局は，調査の目的を明確にするほか，表1に掲げる事項別紙1の資料を踏まえ，調査の基本方針を決定すること。また，製造所の製品，製造工程の内容等から調査実施者の安全上懸念される事項がある場合においては，適切な措置（特定の薬剤に過敏症を有している者を当該薬剤に係る調査から外すこと，放射性物質を扱う場所，放射線を放出する製品の試験検査を行う場所，放射線滅菌を行う場所等を調査させるに当たりフィルムバッジ，熱蛍光線量計（TLD）等を携帯させること，細菌，ウイルス等に感染のおそれのある場所，有毒ガスの発生のおそれのある場所等を調査させるに当たり製造所の衛生管理基準を遵守すること等注意徹底すること等）を講じること。

3.3. チーム編成

調査当局は，原則として1名以上の調査当局に所属する調査員及び必要に応じて関係する分野の専門家等を確保し，調査チームを編成（調査実施者間の専門性・経験の相互補完，調査実施者の安全確保の観点からも2名以上のチームとすることが望ましい。）すること。また，調査チームの中から調査実施責任者を指名し，調査の実施全般のほか，講評，指摘事項の伝達，調査結果報告書の作成を行わせること。なお，調査チームには，調査ごとに別添1のリーダー調査員の要件を満たす者を1名確保すること。また，リーダー調査員の要件を満たす者の確保が難しい場合は，他の調査当局と連携し，他の調査当局から要件を満たす調査員を確保すること。

また，MRA対象国等の当局の職員，関連機関の職員等調査実施者ではない者が調査にオブザーバーとして参加することについては，調査を受ける製造所に係る製造業者等及び調査実施責任者が認める場合に限り可能であること。その際，調査当局は，オブザーバーに対し守秘義務の遵守等必要な事項を指示し，オブザーバーはこれに従うこと。

3.4. 調査計画の策定

調査当局は，調査実施責任者に調査に関する情報を十分に収集，分析させ，調査チーム内で調査の進め方につき入念に意思疎通を図らせるとともに，利用可能な資源と時間を勘案の上で下記の事項等を盛り込んだ調査計画を立てさせること。調査計画については，必要に応じて調査対象製造業者等に伝達し，合理的かつ的確な調査の実施に努めるようにすること。また，調査計画の内容は調査の現場での状況に柔軟に対応できるようなものとし，変更があった場合においては調査対象製造業者等の責任者にその旨伝達すること。

（1） 調査実施者の氏名及び職名並びに調査における役割
（2） 調査の目的
（3） 調査日時・場所（別途書面調査を行うときはそれについての事項を含む。）
（4） 調査対象製造所（当該製造所に関連する外部試験検査機関等を併せて調査する場合（適合性調査の場合においては申請書，GMP調査指摘事項書，調査結果報告書のいずれも別になること。）においては併記しておくこと。調査対象製造所が複数の品質管理監督システムに関わっているときはいずれのシステムかを特定すること。）
（5） 調査において用いる言語（日本語とどの言語との通訳を手配するか）
（6） 調査の範囲① 特定の品目（製品）の調査：調査対象サブシステム，それぞれにおける該当工程（必要に応じ作業所，区域，組織，文書・記録等を特定）② 製造所全体の調査：調査対象サブシステム，それぞれにおける重要工程と代表製品
（7） 主たる調査事項ごとの所要時間（予定）
（8） 講評の時間（予定）
（9） 調査結果報告書の交付日（予定）

3.5. 事前通知

調査当局は，GMP調査を行うに当たり，原則として調査通知書（別紙3）の写しのほか，更衣サイズ等の必要な情報を調査対象製造業者等に提供することにより，事前通知を行うこと。製造販売業者からの申請に基づく適合性調査の場合においては，当該製造販売業者に対して事前通知を行うものとし，当該製造販売業者が調査対象製造所へ伝達すること。また，立入検査等の場合においては，必要な文書及び記録の効率的な閲覧，必要な職員の出席等を調査の際に確保し，合理的かつ的

確な調査の実施に資することを目的として原則1週間前までに通知すること。なお，69条調査を行うに当たっては，法第69条第5項又は法第69条の2第4項の身分を示す証明書を携帯する職員以外の者が調査実施者として加わるときは予め調査対象製造業者等の同意を得ておくこと。

調査当局が事前通知を行っても上記目的を達成することが困難であるときその他調査当局が不要と認めたときは，事前通知を行わないこともあり得る。また，事前通知は，調査当局がその責任において主体的に行うものであり，いわゆるアポイントをとるという趣旨のものではないこと（ただし合理的な内容であれば調査対象製造業者等からの相談に適宜応じること）。

調査を行った際には，必要な文書及び記録が閲覧できたか，必要な職員が出席していたかについて調査結果報告書に記載をし，次回調査時における事前通知の有無の判断に資するようにすること。

3.6.　調査の手順

実地調査は，原則として次のような手順で進行する。

（1）　実地で調査を行うことの理解確保
（2）　調査基本事項確認
（3）　調査実施
（4）　講評，調査指摘事項書の交付
（5）　改善計画書及び改善結果報告書の徴収，改善内容確認（調査）
（6）　調査結果報告書作成，写しの交付，台帳記録（薬事監視指導要領に定める処分台帳への記録を含む。）

3.7.　実地で調査を行うことの理解確保

製造所に立ち入るに当たっては，調査通知書を提示し，調査対象製造所から立入りについての理解を得ること。

3.8.　調査の基本確認事項

（1）　調査対象製造業者等の責任者に対し，各調査実施者の氏名，職名及び所属を自己紹介，調査実施者と調査対象製造業者等双方の連絡窓口の確認
（2）　調査通知書を手交し，調査の目的と調査事項の説明
（3）　調査手順の説明
（4）　上記について，調査実施者と，調査対象製造業者等の責任者との間で確認
（5）　調査実施者のための資源（打合せのための会議室等）の確認
（6）　講評のための段取りの確認
（7）　調査実施者の打合せ時間，各日の調査終了予定時刻の決定
（8）　初回の調査の場合においては，基本的な申請事項等（調査対象製造業者等の氏名及び住所等）の確認
（9）　組織図，製造管理及び品質管理の概要（必要に応じて，品質方針等の概要），前回調査以後の変更，前回調査時において不備とされた事項の改善の内容等について，調査対象製造業者等の責任者から概要説明

3.9.　調査の実施

（1）　調査当局は，調査期間中の調査実施者からの照会等の連絡に対応できるような体制を整備しておくこと。
（2）　調査実施者は，友好的な雰囲気の醸成に努めること。

（3）　調査チームは，チームとしての能力を最大限発揮できるようにし，調査実施者間のお互いの意思疎通を図り（適宜席を外して意見交換を行うこと，調査実施者が二手以上に分かれて別の場所を調査するときに調査実施責任者から他の調査実施者に対し調査のポイントを指示すること等），対応・見解の整合性を確保すること。

（4）　調査実施責任者は，調査が複数の日にわたる場合においては，各日（最終日を除く。）の調査終了時に調査対象製造業者等の責任者に対し，調査が未了であることを伝達すること。調査通知書の手交は初日の1回のみで差し支えないが，調査が当初の予定よりも長い時間を要することが予想される場合においては，調査対象製造業者等の責任者に対しその旨をあらかじめ伝達すること。

（5）　調査実施者は，調査中に不備をみつけたときは，遅滞なく調査対象製造業者等の責任者にその旨の伝達がなされるようにし，講評時になってはじめて同責任者が知るということのないようにすること。

（6）　製造記録，教育訓練記録等の調査においては，利用可能な資源と時間の範囲内において，文書又は記録のサンプリングがリスク又は統計学的に妥当なものとなるよう努めること。

（7）　調査が効率的に進行するよう，調査の手順を適切に組み立てること。例えば，倉庫等のツアーを先に行って不合格や逸脱の事例等サンプリングのための情報を当初に確認しておくこと，用意に手間を要する文書記録類について早い段階で提出を指示すること等が挙げられる。

（8）　69条調査の調査実施者は，法第69条第5項に基づき身分を示す証明書を携帯し，関係人の請求があったときはこれを提示しなければならないが，薬事監視員証の複写に応じてはならないこと。調査が拒まれ，妨げられ又は忌避され，調査に着手できない場合においては，調査通知書の裏面の記載事項を調査対象製造所に提示し，そのような場合における法令の規定について説明すること。それでもなお調査に応じようとしない場合においては，調査通知書を手交してから調査対象製造所を離れ，直ちに調査権者に報告すること。調査の実施中に製造工程，情報等の一部についての調査が拒まれ，妨げられ又は忌避された場合においては，上記法令の規定を説明した上で調査を続行すること。

（9）　調査実施者は，調査対象製造業者等から傷害の免責，企業秘密等の漏洩等について署名を求められた場合においては丁重に断ること。ただし，かかる要請があったときはその旨を調査結果報告書その他に適切に記録しておくこと。

（10）　調査対象製造業者等から録音の許可を求められた場合においては，必ずしも拒否する必要はないが，調査実施者の記録の正確性を確保する観点から，調査実施者も録音を行う又は録音のコピー等の提出を求めることを調査対象製造業者等に伝えるものとすること。

（11）　調査の実施時に，調査実施者及び調査対象製造業者等ではない外部の者が調査の場所に参加することは原則として認められないこと。特段の事情により外部の者の参加を認める場合においても，当該外部の者は調査に何ら影響を及ぼすことはできず，調査の実施に不適切な影響を及ぼす場合においては退出を求めること。また，調査実施者が調査において入手した企業秘密等が当該外部の者に漏洩しないよう細心の注意を払うこと。なお，外部の者による企業秘密等の漏洩については，調査実施者は何ら責任を負わないものであることを調査対象製造業者等に伝達すること。

（12）　不注意な言動等による他の製造所等に係る機密の漏洩等，調査権者の信頼を失墜させることのないよう慎重に行動すること。外部試験検査機関等，滅菌を担当する製造所等，同一品目（製品）に係る製造所に対してであっても機密である情報があり得ることに留意すること。

(13)　調査期間中に調査実施者が作成した記録，撮影した写真（写真機の持込み等について製品の品質に影響を及ぼさないか製造業者等に確認すること）等について，調査対象製造業者等から複写させて欲しい旨の希望があった場合においては，その場では複写に応じず，後日情報公開手続きによるよう伝えること。

(14)　無菌操作を行う区域等に入る必要性がある場合においては，調査対象製造所における無菌管理の妥当性に十分留意の上，調査対象製造所の衛生管理基準の遵守等必要な措置を採ること。

3.10.　講評，指摘事項書の交付

(1)　調査実施責任者は，調査の全体を概括し，調査において観察された不備等を伝達し，当該事項について調査対象製造業者等の責任者との意見交換を行い，調査実施者が指摘する事項について調査対象製造業者等の理解を深めるための会合(以下「講評」という。)を開催する。講評は，調査期間中に調査実施者が観察した事項について，調査対象製造業者等の適正な認識及び理解を確保することを目的として行うものであり，調査において把握した客観的事実に基づき説明をし，説明に対する質問には誠意をもって対応し，調査対象製造業者等の側も納得するよう努めること。指摘事項の伝達は，不備のあった事項に限定して，施行通知の適合性評価基準を踏まえ，明確に行うことを旨とすること。異なる作業所，作業区域等において見出された不備であっても共通のものについては，改善をより容易にする観点から適宜まとめること。なお，重度の不備と疑われる事項については，調査実施者単独で法令違反か否かを断定することはせず，持ち帰りあらためて連絡することとする等により，調査権者の判断に委ねること。

(2)　調査実施責任者は，調査をすべて完了し，調査対象製造所を離れるに当たっては指摘事項の内容を伝達するようにし，調査対象製造所の責任者に対し調査対象製造業者等あてGMP調査指摘事項書（別紙4）を調査終了日から原則として10業務日以内に調査対象製造業者等に交付するようにすること。なお，調査の完了前に調査対象製造所を離れる必要が生じた場合においては，あらかじめ調査が未了であること及び調査を再開してすべての調査が完了した後に指摘事項を伝達する予定であることを調査対象製造所の責任者に伝えておくこと。

(3)　講評において不備の程度について説明を行う調査実施者は，適合性調査又は69条調査以外の立入検査等においては総合機構又は都道府県の職員，69条調査においては法第69条第5項又は法第69条の2第4項の身分を示す証明書を携帯する職員であることを原則とすること。なお，調査通知書に記載した調査実施者(専門家を含む。)であって上記職員に該当しない者であっても，指摘事項の内容について技術的説明を行うことはできるものであること。

(4)　調査実施者が記名押印又は署名していないGMP調査指摘事項書（案）については，調査対象製造業者等に交付してはならないこと。講評は口答で行った上で，各指摘事項について調査対象製造業者等の十分な認識と理解を確保した上でGMP調査指摘事項書を交付するようにすること。

(5)　指摘事項のうち，調査対象製造業者等から調査期間中に是正した旨の報告があったときは，調査期間を不合理に延長させるものではない限りにおいて確認に応じることが望ましいこと。

(6)　講評の際に，調査対象製造業者等から改善の方法等について相談された場合においては，調査実施者は，自らの職務上責任をもって応じることができる場合を除き，対応することはせず，調査権者に対して別途照会するように指示すること。

（7） 適合状況の評価結果が重度の不備（D）（必要な処分等は薬事監視指導要領によること。）に分類された事項については，直ちに改善を行い詳細な改善結果報告書（その改善についての客観的証拠の提示が求められる。）を提出するよう指示すること。この際，当該事項については，GMP調査指摘事項書の交付日から15日以内にすみやかに改善を行った上で詳細な改善結果報告書（別紙5）を提出し，かつ，確認を受けないときは，「重度の不備」として確定する（15日以内に改善を行い確認を受けた場合であっても，不備の内容等により「重度の不備」として確定することがある）旨を伝えること。なお，既に該当の品目（製品）について自主回収に着手していたことをもって直ちに重度の不備の指摘が撤回されるものではないこと。

（8） 適合状況の評価結果が中程度の不備（C）に分類された事項については，適切な期間内（承認前適合性調査の場合においては当該不備が他の品目（製品）には関係しないときは，当該承認審査に係る標準的事務処理期間の残余期間内）に，適切な改善がなされた詳細な改善結果報告書（その是正措置についての客観的証拠の提示が求められる。）を，次回更新の日から仮に不利益処分となった場合において要する日数を遡った日を期限日として，提出するよう指示すること。

（9） 適合状況の評価結果が軽度の不備（B）に分類された事項については，具体的な改善計画書（別紙6）又は詳細な改善結果報告書（別紙5）の提出を求め，次回調査等において改善を確認する旨を伝えること。

（10） 中程度の不備（C）又は軽度の不備（B）に分類された事項で又は指摘事項がない場合であっても，調査権者により重度の不備事項と判断される場合があり得ること，また，その場合においては追って連絡がなされることを言い置くこと。

（11） 適合性評価基準に基づき適切に評価を行った結果，「不適合」である場合においては，薬事監視指導要領に従って措置を行うこと。

（12） 69条調査においては，試験検査のために必要な最少分量に限り試料の収去を行うことがあるが，収去する際は原則として調査対象製造業者で実施された試験検査結果の信頼性に関し十分な検討を行うこと，また，収去した試料の試験検査の結果は調査対象製造業者等に連絡されるものであること等を念頭において実施すること。

（13） GMP調査指摘事項書については，調査終了日から原則として10業務日以内に交付するようにすること。

（14） 調査当局は，GMP調査指摘事項書の写しを，監視指導を行う部門等にも送付するなどして，回収の指示等の措置等に資するようにすること。指摘した不備がその他の製造販売業者にも関係する場合においては，薬事監視指導要領に定める手順に基づき当該製造販売業許可権者に適宜連絡をすること。

3. 11.　改善計画書，改善結果報告書の徴収，改善内容確認（調査）

（1） 調査実施責任者は，徴収した改善計画書又は改善結果報告書の内容を確認し，必要に応じて内容確認のための調査を行い，妥当と認める場合においては，調査結果報告書を作成し，調査を終了すること。

（2） 改善計画書の内容が適切ではない場合においては，調査対象製造業者等に対し是正を指導し，なお是正されない場合においては，調査権者として薬事監視指導要領等に従い適切な措置を採るよう取り計らい，調査を終了すること。

（3） 改善内容確認（調査）を行った結果，改善が確認された場合においては，改善の契機となったGMP調査指摘事項書をもとに監視指導措置等が採られていたときはすみやかに当該措置を採った関係部門に連絡すること。

（4） 改善計画書，改善結果報告書の徴収の際において，他の部門等が受領すべき書類（製造販売承認事項一部変更承認申請書，軽微変更届出書等）を受領しないよう注意すること。

3. 12. 調査結果報告書作成，写しの交付，台帳（薬事監視指導要領に定める処分台帳を含む。）記録

（1） 調査当局は，GMP調査を実施したときは，調査実施責任者に別紙2に示す様式により調査結果報告書を作成させること。

（2） 調査結果報告書の作成に当たっては，GMP調査指摘事項書に記載した不備事項について，調査実施者が調査において実際に確認した事実（不備事項については，その具体的な内容を含む。）をもとに，その原因（当該不備に係る責任者を含む。）について適宜言及し，要点を明瞭かつ簡潔に記載すること。

（3） 調査した部分（サブシステム含む）又はしなかった部分を記載すること。

（4） 可能な限り調査対象製造業者等にとって改善のための有用な情報となる記載とするよう努めること。個人的感想や自明の事項は極力記載しないようにすること（製造販売承認申請書，製造販売承認書又は製造販売届出書，引用された原薬等登録原簿等に記載された事項等については，番号等を引用することで足りる。）。

調査実施責任者は，調査当局から措置の承認を得ることを前提に記載（例：調査当局の責任において行う監視指導上の措置を断定しないこと等）すること。調査そのものには関係しないが調査において得られた情報は，必要に応じ別途のメモ等により必要な部門等に連絡すること。

（5） 調査実施者は，不備とした事項の証拠が調査対象製造所の外部にあって証拠隠滅のおそれがあると認めるときは，迅速に調査当局に連絡すること。連絡を受けた調査当局は，製造販売業許可権者への連絡等必要な措置を採ること。

（6） 調査当局は，調査結果報告書が総合判定として適合か不適合かについて明確に結論づけられていることを確実にすること。不適合とする場合においては，それに基づき採られる不利益処分において調査結果報告書が重要な証拠となることを十分に認識し，その記載に遺漏なきようにすること。

（7） 調査結果報告書においては，原則として，不利益処分，報告命令，告発等の法的措置の勧告等は行わないものとすること。

（8） 調査結果報告書の作成については，見出された不備事項が軽度のみの場合においては具体的な改善計画書を受理後すみやかに，また，それ以外の場合においては具体的な改善結果報告書が提出され改善内容を確認後すみやかに行うこと。

（9） 調査結果報告書の写しを，開示可能性に十分留意して，調査対象となった製造所に係る製造業者等に交付した後，台帳に必要事項を記録すること。

（10） MRA，MOU等に基づく相手国等からの要請，証明書発給の際の内容確認等の理由により，厚生労働省及び総合機構より文書等で求めがあった場合においては，調査結果報告書の写しをすみやかに送付すること。

（11） 調査結果報告書及び関連する記録については，各調査当局内の規定等に基づき，機密資料

(MRA等締結国間での情報交換協定により要求される場合を除く。)として適切に保管すること。

(12) GMP調査の実施状況については，一元管理の観点から，実施日，製造所名称，品目，適否等の内容について，厚生労働省(情報の一元管理を総合機構に委託する場合を含む。)に定期的に報告すること。

(了)

別紙1（GMP調査の事前資料）

製造所から調査前に入手する資料リスト

1. 製造所についての一般的情報
   1.1 製造業者及び製造所の情報／連絡先（名称，所在地，連絡先等）
   1.2 許可区分
   1.3 医薬品・医薬部外品の製造以外で実施している活動
2. 製造所の品質マネジメントシステム
   2.1 当該製造所の品質マネジメントシステムの概要
   2.2 製品のリリース（出荷判定含む。）に関する手順
   2.3 供給業者および委託者の管理に関する事項（サプライチェーンの簡潔な記述，生物由来原料基準への対応状況の説明）
   2.4 品質リスクマネジメント（QRM）に関する事項
   2.5 製品品質レビューに関する事項
3. 人員（組織図，各部門の人数，各GMP責任者の一覧）
4. 施設および機器
   4.1 施設に関して，動線等を記入した製造区域の配置図
      4.1.1 空調（HVAC）システムの簡潔な記述
      4.1.2 製薬用水システムの簡潔な記述
      4.1.3 他の関連するユーティリティ，例えば蒸気，圧搾空気，窒素などの簡潔な記述
   4.2 機器に関して
      4.2.1 主要な製造およびラボ用機器のリスト
      4.2.2 洗浄およびサニテーションの概要（CIP/SIPの利用状況等）
      4.2.3 GMP上の重要なコンピュータ化システムの概要
5. 文書化システムの概要（電子的かマニュアルか），文書体系図，文書リスト等
6. 製造に関する事項
   6.1 製造品目の一覧（全ての品目のリストと実施する工程，高生理活性物質等に該当するもののリスト，専用設備で製造する製品のリスト等）
   6.2 プロセス・バリデーションの全体的な方針，再加工・再処理に関する方針
   6.3 原材料管理および倉庫管理の概要（供給業者との取決めの概要等）
7. 品質管理の概要（実施している物理的，化学的及び微生物／生物学的試験の概要）
8. 配送，品質情報処理，品質不良及び回収
   8.1 配送（製造業者の責任下にある部分）の概要
   当該製造所の出荷先の業者の種別（卸売販売業者，製造販売業者，製造業者等）と場所（外国等），当該製造所の製品が不法なサプライチェーンに入ることを防ぐためにとられている方策
   8.2 品質情報処理及び回収処理にかかるシステムの概要
9. 自己点検にかかるシステムの概要

（了）

別紙2（調査結果報告書様式）

報告年月日：　年　月　日

GMP調査結果報告書

（調査権者）殿

調査実施責任者：(所属・職名・氏名（記名押印又は署名）)
その他の調査実施者：(所属・職名・氏名（記名押印又は署名）)

1.　参照番号
2.　一般的事項
（1）　調査実施日（調査に要した時間を含む。）
（2）　調査対象製造業者等の氏名（法人にあっては，名称）
（3）　調査対象製造業者等の住所（法人にあっては，主たる事務所の所在地）
（4）　調査対象製造所の名称
（5）　調査対象製造所の所在地
（6）　調査対象製造所に係る製造業者等の【許可・認定】の区分，番号及び年月日
（7）　調査対象製造所で実施している活動（該当するもの全てに印）
□原薬製造，□最終製品製造，□中間製品（バルク製剤）製造，□小分け，包装，表示工程，□試験検査，□出荷判定，□その他（　　）
（8）　調査の範囲
（9）　調査対象製造業者等の責任者の氏名，所属及び連絡先
（10）　前回調査結果等（　年　月　日実施）
3.　調査内容
（1）　調査目的
（2）　調査の分類【適合性調査【実地・書面】・立入検査等】
（3）　調査事項
・製造所側対応者氏名及び役職
・調査した場所及び文書
・所見の記載（以下，表題の例）
品質マネジメント
組織，人員
施設及び設備機器
文書化
品質管理（試験検査）
苦情処理及び回収
自己点検

・承認申請書との齟齬等

4.　参考情報

・入手したサンプル等

5.　指摘事項

（1）　内容

①重度の不備事項

②中程度の不備事項

③軽度の不備事項

（2）　措置及び改善結果確認

【不 適 合】 指摘事項書交付日：　　年　月　日

改善結果報告書受理日：　年　月　日

改善内容確認日：　　年　月　日

改善内容確認者：

【要 改 善】 指摘事項書交付日：　　年　月　日

改善計画書受理日：　　年　月　日

改善結果報告書受理日：　年　月　日

改善内容確認日：　　年　月　日

改善内容確認者：

【概ね適合】 指摘事項書交付日：　　年　月　日

改善計画書受理日：　　年　月　日

6.　総合判定

【適合・不適合】：　　年　月　日

（了）

GMP調査結果報告書の記載に当たっての留意事項

1.　実際に調査した製造所が複数に及んだときは，製造所ごとにGMP調査結果報告書を作成すること。

2.　「その他の調査実施者」には，調査実施責任者を除く調査実施者全員の氏名，職名及び所属を記載すること。また，調査の一部のみに参加した者については，それぞれ調査に参加した日時を括弧書で添記すること。

3.　「一般的事項」については，以下の要領により記載すること。

（1）「調査実施日」については，調査実施年月日のほか，調査に要した時間が判るように記載すること。(例)「平成18年4月1日（9時30分～12時，13時～16時），同2日（9時30分～12時30分）」

（2）「調査対象製造所に係る製造業者等の【許可・認定】の区分，番号及び年月日」については，許可（認定）の区分，番号及び最新の許可（認定）証に記載された許可（認定）期間の最初の年月日を記載すること。なお，「区分」については，以下の要領により記載すること。

ア.　医薬品：生物由来等，放射，無菌，一般，包装等，試験検査

イ．医薬部外品：無菌，一般，包装等，試験検査

（3）「調査の範囲」については，特定の品目（製品）についての調査の場合においては当該品目（製品）の名称を記載すること。製造所全体についての調査の場合においては，調査したサブシステム及び全ての品目（製品）の名称を記載すること。

（4）「調査対象製造業者等の責任者の氏名，所属及び連絡先」については，管理監督者，医薬品製造管理者，生物由来製品の管理者，外国製造所の責任者等の氏名，所属及び連絡先（電話番号（直通），ファクシミリ番号及び本人の電子メールアドレス）（調査権者からの公式文書が送付されるべき連絡先を特定のこと。）を記載すること。調査時に不在であった場合においては，その旨と理由を記載すること。

（5）「前回調査結果等」については，前回調査での指摘事項及び対応状況のほか，前回調査以降の回収着手報告，副作用等報告等の製造販売業者又は製造業者等による措置のうちGMPに関連するものの概要を記載すること。

4.「調査内容」については，以下の要領により記載すること。

（1）「調査目的」には，第2の2の（1）ア～エ，(2）ア～エ，3の（1），(2）ア～ウのうち該当する調査名を記載すること。

（2）「調査事項」には，調査の要点を明瞭かつ簡潔に記載すること。

ア．構造設備面については，確認した設備器具，作業室等を適宜特定すること。

イ．管理運用面については，製品標準書，基準書，手順書，記録等，どの書類を確認したか（できれば項目も）適宜特定すること。

ウ．工場長等，実際に対応した者のうち重要な者について職名，氏名を記載すること。

（3） 前回調査において「概ね適合」とされていた場合においては，原因となった不備事項の改善状況を確認した上で，その改善状況を記載すること。

（4） 調査を拒否された事項については，「調査拒否事項」との標題を付してその概要を記載すること。

5. 他の調査権者に写しが提供され得ることも勘案し，調査対象製造所の概要についてわかりやすくかつ簡潔に記載すること。また，調査で確認できた参考情報や設備・組織等の変更予定等，次回の調査時に参考となる情報があれば記載すること。

6.「指摘事項」については，適合性評価基準に照らし，重度の不備，中程度の不備又は軽度の不備とされた事項について，それぞれ明確に区別し，表3のサブシステムの順を参考に明瞭かつ簡潔に記載すること。「その他の事項」については，記録として残すべきその他指摘事項があれば記載すること。

（了）

別紙3（GMP調査通知書様式）

年　月　日

GMP調査通知書

（調査対象製造業者等の氏名（法人にあっては，名称））殿

（調査権者）

薬事法（昭和35年法律第145号）第●条第●項の規定に基づく調査を下記により実施します。

1. 参照番号
2. 調査実施者の氏名，職名及び所属
3. 調査の目的
4. 調査事項
5. 調査日時（予定）：（年月日時）～（年月日時）
6. 調査対象製造業者等の氏名（法人にあっては，名称）
7. 調査対象製造業者等の住所（法人にあっては，主たる事務所の所在地）
8. 調査対象製造所の名称
9. 調査対象製造所の所在地

（次頁に続く）

薬事法（昭和35年法律第145号）抜すい
（医薬品等の製造販売の承認）
第14条　医薬品（厚生労働大臣が基準を定めて指定する医薬品及び第23条の2第1項の規定により指定する体外診断用医薬品を除く。），医薬部外品（厚生労働大臣が基準を定めて指定する医薬部外品を除く。），（略）又は医療機器（一般医療機器及び同項の規定により指定する管理医療機器を除く。）の製造販売をしようとする者は，品目ごとにその製造販売についての厚生労働大臣の承認を受けなければならない。
2　次の各号のいずれかに該当するときは，前項の承認は，与えない。
一～三（略）
四　申請に係る医薬品，医薬部外品（略）又は医療機器が政令で定めるものであるときは，その物の製造所における製造管理又は品質管理の方法が，厚生労働省令で定める基準に適合していると認められないとき。
3～5（略）
6　第1項の承認を受けようとする者又は同項の承認を受けた者は，その承認に係る医薬品，医薬部外品（略）又は医療機器が政令で定めるものであるときは，その物の製造所における製造管理又は品質管理の方法が第2項第4号に規定する厚生労働省令で定める基準に適合しているかどうかについて，当該承認を受けようとするとき，及び当該承認の取得後3年を下らない政令で定める期間を経過するごとに，厚生労働大臣の書面による調査又は実地の調査を受けなければならない。
7・8（略）
9　第1項の承認を受けた者は，当該品目について承認された事項の一部を変更しようとするとき（当該変更が厚生労働省令で定める軽微な変更であるときを除く。）は，その変更について厚生労働大臣の承認を受けなければならない。（略）
（総合機構による審査等の実施）
第14条の2　厚生労働大臣は，総合機構に，医薬品（略），医薬部外品（略）又は医療機器（略）のうち政令で定めるものについての前条第1項

又は第9項の規定による承認のための審査及び同条第五項の規定による調査並びに同条第6項（同条第9項において準用する場合を含む。）の規定による調査を行わせることができる。
2 厚生労働大臣は，前項の規定により総合機構に審査及び調査（以下「審査等」という。）を行わせるときは，当該審査等を行わないものとする。（略）
3 厚生労働大臣が第1項の規定により総合機構に審査等を行わせることとしたときは，同項の政令で定める医薬品，医薬部外品（略）又は医療機器について前条第1項又は第9項の承認の申請者又は同条第6項の調査の申請者は，総合機構が行う審査等を受けなければならない。
4 （略）
5 総合機構は，第3項の審査等を行ったとき又は前項の届出を受理したときは，遅滞なく，当該審査等の結果又は届出の状況を厚生労働省令で定めるところにより厚生労働大臣に通知しなければならない。
6 総合機構が行う審査等に係る処分（審査等の結果を除く。）又はその不作為については，厚生労働大臣に対して，行政不服審査法による審査請求をすることができる。

(医薬品等の製造販売業者等の遵守事項等)

第18条（略）
2 厚生労働大臣は，厚生労働省令で（略）医薬品又は医療機器の製造業者又は外国製造業者がその業務に関し遵守すべき事項を定めることができる。
3 （略）

(外国製造医薬品等の製造販売の承認)

第19条の2 厚生労働大臣は，第14条第1項に規定する医薬品，医薬部外品（略）又は医療機器であって本邦に輸出されるものにつき，外国においてその製造等をする者から申請があったときは，品目ごとに，その者が第3項の規定により選任した医薬品，医薬部外品（略）又は医療機器の製造販売業者に製造販売をさせることについての承認を与えることができる。
2 （略）
3 第1項の承認を受けようとする者は，本邦内において当該承認に係る医薬品，医薬部外品（略）又は医療機器による保健衛生上の危害の発生の防止に必要な措置を採らせるため，医薬品，医薬部外品（略）又は医療機器の製造販売業者（当該承認に係る品目の種類に応じた製造販売業の許可を受けている者に限る。）を当該承認の申請の際選任しなければならない。
4 （略）
5 第1項の承認については，第14条第2項（第1号を除く。）及び第3項から第11項まで並びに第14条の2の規定を準用する。
6 （略）

(立入検査等)

第69条 厚生労働大臣又は都道府県知事は，医薬品，医薬部外品（略）若しくは医療機器の製造販売業者，製造業者（略）（以下この項において「製造販売業者等」という。）が（略）第14条第2項，第9項（略），第18条（略）第2項（略）若しくは第80条第1項の規定又は第71条，第72条第1項から第3項まで，第72条の3，第73条若しくは第75条第1項に基づく命令を遵守しているかどうかを確かめるために必要があると認めるときは，当該製造販売業者等に対して，厚生労働省令で定めるところにより必要な報告をさせ，又は当該職員に，工場，事務所その他当該製造販売業者等が医薬品，医薬部外品若しくは医療機器を業務上取り扱う場所に立ち入り，その構造設備若しくは帳簿書類その他の物件を検査させ，若しくは従業員その他の関係者に質問させることができる。
2 （略）
3 厚生労働大臣，都道府県知事，保健所を設置する市の市長又は特別区の区長は，前二項に定めるもののほか必要があると認めるときは，（略）医薬品，医薬部外品（略）若しくは医療機器の製造販売業者，製造業者（略）その他医薬品，医薬部外品（略）若しくは医療機器を業務上取り扱う者（略）に対して，厚生労働省令で定めるところにより必要な報告をさせ，又は当該職員に（略）工場，店舗，事務所その他医薬品，医薬部外品（略）若しくは医療機器を業務上取り扱う場所に立ち入り，その構造設備若しくは帳簿書類その他の物件を検査させ，従業員その他の関係者に質問させ，若しくは第70条第1項に規定する物に該当する疑いのある物を，試験のため必要な最少分量に限り，収去させることができる。
4 （略）
5 当該職員は，前各項の規定による立入検査，質問又は収去をする場合には，その身分を示す証明書を携帯し，関係人の請求があったときは，これを提示しなければならない。
6 第1項から第4項までの権限は，犯罪捜査のために認められたものと解釈してはならない。

(総合機構による立入検査等の実施)

第69条の2 厚生労働大臣は，総合機構に，前条第1項の規定による立入検査若しくは質問又は同条第3項の規定による立入検査，質問若しくは収去のうち政令で定めるものを行わせることができる。
2 総合機構は，前項の規定により同項の政令で定める立入検査，質問又は収去をしたときは，厚生労働省令で定めるところにより，当該立入検査，質問又は収去の結果を厚生労働大臣に通知しなければならない。

3　第1項の政令で定める立入検査，質問又は収去の業務に従事する総合機構の職員は，政令で定める資格を有する者でなければならない。

4　前項に規定する総合機構の職員は，第1項の政令で定める立入検査，質問又は収去をする場合には，その身分を示す証明書を携帯し，関係人の請求があつたときは，これを提示しなければならない。

（改善命令等） 第72条（略）

2　厚生労働大臣は，医薬品，医薬部外品（略）若しくは医療機器の製造販売業者（選任製造販売業者を除く。）又は第80条第1項に規定する輸出用の医薬品，医薬部外品（略）若しくは医療機器の製造業者に対して，その物の製造所における製造管理若しくは品質管理の方法が第14条第2項第4号に規定する厚生労働省令で定める基準に適合せず，又はその製造管理若しくは品質管理の方法によって医薬品，医薬部外品（略）若しくは医療機器が第56条（第60条及び第62条において準用する場合を含む。）若しくは第65条に規定する医薬品，医薬部外品（略）若しくは医療機器若しくは第68条の6に規定する生物由来製品に該当するようになるおそれがある場合においては，その製造管理若しくは品質管理の方法の改善を命じ，又はその改善を行うまでの間その業務の全部若しくは一部の停止を命ずることができる。

3・4（略）

（承認の取消し等）

第74条の2　厚生労働大臣は，第14条の規定による承認を与えた医薬品，医薬部外品（略）又は医療機器が同条第2項第3号イからハまでのいずれかに該当するに至つたと認めるときは，薬事・食品衛生審議会の意見を聴いて，その承認を取り消さなければならない。

2（略）

3　厚生労働大臣は，前二項に定める場合のほか，医薬品，医薬部外品（略）又は医療機器の第14条の規定による承認を受けた者が次の各号のいずれかに該当する場合には，その承認を取り消し，又はその承認を与えた事項の一部についてその変更を命ずることができる。

一（略）

二　第14条第6項の規定に違反したとき。

三（略）

四　第72条第2項の規定による命令に従わなかつたとき。

五・六（略）

（外国製造医薬品等の製造販売の承認の取消し等）

第75条の2　厚生労働大臣は，外国特例承認取得者が次の各号のいずれかに該当する場合には，その者が受けた当該承認の全部又は一部を取り消すことができる。

一・二（略）

三　厚生労働大臣が，必要があると認めて，その職員に，外国特例承認取得者の工場，事務所その他医薬品，医薬部外品（略）又は医療機器を業務上取り扱う場所においてその構造設備又は帳簿書類その他の物件についての検査をさせ，従業員その他の関係者に質問をさせようとした場合において，その検査が拒まれ，妨げられ，若しくは忌避され，又はその質問に対して，正当な理由なしに答弁がされず，若しくは虚偽の答弁がされたとき。

四・五（略）

2　第19条の2の規定による承認については，第72条第2項並びに第74条の2第1項，第2項及び第3項（第1号及び第4号を除く。）の規定を準用する。この場合において，第72条第2項中「命じ，又はその改善を行うまでの間その業務の全部若しくは一部の停止を命ずる」とあり，及び第74条の2第2項中「命ずる」とあるのは「請求する」と，同条第3項中「前二項」とあるのは「第75条の2第2項において準用する第74条の2第1項及び第2項」と，「命ずる」とあるのは「請求する」と，「第14条第6項」とあるのは「第19条の2第5項において準用する第14条第6項」と（略）読み替えるものとする。

3　厚生労働大臣は，総合機構に，第1項第3号の規定による検査又は質問のうち政令で定めるものを行わせることができる。この場合において，総合機構は，当該検査又は質問をしたときは，厚生労働省令で定めるところにより，当該検査又は質問の結果を厚生労働大臣に通知しなければならない。

（外国製造業者の認定の取消し等）

第75条の4　厚生労働大臣は，第13条の3の認定を受けた者が次の各号のいずれかに該当する場合には，その者が受けた当該認定の全部又は一部を取り消すことができる。

一　厚生労働大臣が，必要があると認めて，第13条の3の認定を受けた者に対し，厚生労働省令で定めるところにより必要な報告を求めた場合において，その報告がされず，又は虚偽の報告がされたとき。

二　厚生労働大臣が，必要があると認めて，その職員に，第13条の3の認定を受けた者の工場，事務所その他医薬品，医薬部外品（略）又は医療機器を業務上取り扱う場所においてその構造設備又は帳簿書類その他の物件についての検査をさせ，従業員その他の関係者に質問させようとした場合において，その検査が拒まれ，妨げられ，若しくは忌避され，又はその質問に対して，正当な理由なしに答弁がされず，若しくは虚偽の答弁がされたとき。

三　次項において準用する第72条第3項の規定による請求に応じなかつたとき。

四　この法律その他薬事に関する法令又はこれに基づく処分に違反する行為があつたとき。

2　第13条の3の認定を受けた者については，第72条第3項の規定を準用する。この場合において，同項中「命じ，又はその改善を行うまでの間当該施設の全部若しくは一部を使用することを禁止する」とあるのは，「請求する」と読み替えるものとする。

3　第1項第2号の規定による検査又は質問については，第75条の2第3項の規定を準用する。

（薬事監視員）

第77条　第69条第1項から第3項まで又は第70条第2項に規定する当該職員の職権を行わせるため，厚生労働大臣，都道府県知事，保健所を設置する市の市長又は特別区の区長は，国，都道府県，保健所を設置する市又は特別区の職員のうちから，薬事監視員を命ずるものとする。

2　前項に定めるもののほか，薬事監視員に関し必要な事項は，政令で定める。

（適用除外等）

第80条　輸出用の医薬品，医薬部外品（略）又は医療機器の製造業者は，その製造する医薬品，医薬部外品（略）又は医療機器が政令で定めるものであるときは，その物の製造所における製造管理又は品質管理の方法が第14条第2項第4号に規定する厚生労働省令で定める基準に適合しているかどうかについて，製造をしようとするとき，及びその開始後三年を下らない政令で定める期間を経過するごとに，厚生労働大臣の書面による調査又は実地の調査を受けなければならない。

2　前項の調査については，第13条の2の規定を準用する。この場合において，同条第1項中「同条第5項」とあるのは「第80条第1項」と，同条第2項中「行わないものとする。この場合において，厚生労働大臣は，前条第1項の規定による許可をするときは，総合機構が第4項の規定により通知する調査の結果を考慮しなければならない。」とあるのは「行わないものとする。」と，同条第3項中「前条第1項の許可又は同条第3項の許可の更新の申請者」とあるのは「第80条第1項の調査の申請者」と読み替えるものとする。

3〜5（略）

（権限の委任）

第81条の4　この法律に規定する厚生労働大臣の権限は，厚生労働省令で定めるところにより，地方厚生局長に委任することができる。

2　前項の規定により地方厚生局長に委任された権限は，厚生労働省令で定めるところにより，地方厚生支局長に委任することができる。

第87条　次の各号のいずれかに該当する者は，50万円以下の罰金に処する。

一〜八　（略）

九　第69条第1項，第2項若しくは第3項の規定による報告をせず，若しくは虚偽の報告をし，同条第1項，第2項若しくは第3項の規定による立入検査（第69条の2第1項の規定により総合機構が行うものを含む。）若しくは第69条第3項の規定による収去（第69条の2第1項の規定により総合機構が行うものを含む。）を拒み，妨げ，若しくは忌避し，又は第69条第1項，第2項若しくは第3項の規定による質問（第69条の2第1項の規定により総合機構が行うものを含む。）に対して，正当な理由なしに答弁せず，若しくは虚偽の答弁をした者

十・十一　（略）

第90条　法人の代表者又は法人若しくは人の代理人，使用人その他の従業者が，その法人又は人の業務に関して，次の各号に掲げる規定の違反行為をしたときは，行為者を罰するほか，その法人に対して当該各号に定める罰金刑を，その人に対して各本条の罰金刑を科する。

一　（略）

二　（略）第八十七条（略）各本条の罰金刑

（了）

別紙4（指摘事項書様式）

交付年月日：　年　月　日

GMP調査指摘事項書

調査対象製造業者等の氏名（法人にあっては，名称）
（調査対象製造業者等の責任者の職名及び氏名）　殿

調査実施責任者：（所属・職名・氏名（記名押印又は署名））
その他の調査実施者：（所属・職名・氏名（記名押印又は署名））

　年　月　日にGMP調査を実施したところ，下記のような不備事項が観察されましたので指摘いたします。なお，中程度の不備事項又は軽度の不備事項とされた事項であっても，調査権者等により重度の不備事項と判断される場合があり得ること，その場合においては追って連絡がなされることを申し添えます。

　各不備事項については，　年　月　日までに，（調査権者等）あて改善計画書を提出し改善して下さい。なお，重度の不備事項及び中程度の不備事項については，改善の後すみやかに（調査権者等）あて改善結果報告書を提出して下さい。

記

1. 参照番号
2. 調査対象製造業者等の氏名（法人にあっては，名称）
3. 調査対象製造業者等の住所（法人にあっては，主たる事務所の所在地）
4. 調査対象製造所の名称
5. 調査対象製造所の所在地
6. 調査対象製造所に係る製造業者等の許可（認定）番号
7. 調査の範囲
8. 指摘事項
　（1）　重度の不備事項
　（2）　中程度の不備事項
　（3）　軽度の不備事項

（了）

GMP調査指摘事項書の記載に当たっての留意事項

1. 実際に調査した製造所が複数に及んだときは，製造所ごとにGMP調査指摘事項書を作成すること。
2. 複数枚にわたる場合においては，調査実施責任者は，表紙及び最終頁に記名押印又は署名をするほか，三頁以上にわたる場合においては，表紙及び最終頁以外の各頁の上部余白に記名押印，署名又はイニシャルの自記をする等，正本であることがわかるようにすること。
3. 「交付年月日」については，調査対象製造業者等に交付する日を記載すること。
4. 「その他の調査実施者」の記名押印又は署名はやむを得ない場合においては省略できること。
5. 「なお～申し添えます。」の部分については，調査権者としてGMP調査指摘事項書を交付する場合においては省略することができること。
6. 調査権者は，調査実施者が中程度の不備事項又は軽度の不備事項とした事項を重度の不備事項と判断するときは，「 年 月 日にGMP調査を実施したところ，下記のような不備事項が観察されましたので指摘いたします。なお，中程度の不備事項又は軽度の不備事項とされた事項であっても，調査権者により重度の不備事項と判断される場合があり得ること，その場合においては追って連絡がなされることを申し添えます。」を「 年 月 日交付のGMP調査指摘事項書（別添写）において中程度の不備事項又は軽度の不備事項とされた事項（の一部）については，調査権者として精査をした結果，重度の不備事項と判断しますので，下記のとおり修正の上，交付します。」と，「調査実施責任者」及び「その他の調査実施者」を「調査権者」としたものを交付すること。
7. 「指摘事項」は，各不備の程度ごとに，表3のサブシステムの順を参考に記載すること。
8. 「指摘事項」は，実際に観察された事実をもとに理由等を明確にかつ簡潔に記載するようにすること。医薬品・医薬部外品GMP省令の規定に根拠を有しない事項については記載しないようにすること。
9. 「指摘事項」については，「30件の記録を調査した結果，2件の記録について不備がみられた。」等，観察された不備の程度等が判るように記載するよう努めること。
10. 「指摘事項」については，「製造所A」，「職員B」等として特定の名称を記載しないようにすること。なお，調査結果報告書においては支障のない限りにおいて特定の名称を記載してもよく，必要に応じGMP調査指摘事項書における記載との関係について言及すること。

（了）

別紙5（改善結果報告書様式）

GMP調査指摘事項改善結果報告書

調査対象製造業者等の氏名（法人にあっては，名称）	
調査対象製造業者等の住所（法人にあっては，主たる事務所の所在地）	
調査対象製造所の名称	
調査対象製造所の所在地	
調査対象製造所に係る製造業者等の許可（認定）番号	
調査対象品目（製品）	
改善結果	

（調査権者等）　殿

年　月　日に交付を受けたGMP調査指摘事項書（参照番号：　　）により指摘を受けた事項については，改善しましたので上記のとおり結果を報告します。

提出年月日：（年月日）

調査対象製造業者等の責任者：（所属・職名・氏名（記名押印又は署名））

（了）

別紙6（改善計画書様式）

GMP調査指摘事項改善計画書

調査対象製造業者等の氏名（法人にあっては，名称）	
調査対象製造業者等の住所（法人にあっては，主たる事務所の所在地）	
調査対象製造所の名称	
調査対象製造所の所在地	
調査対象製造所に係る製造業者等の許可（認定）番号	
調査対象品目（製品）	
改善計画	
○中程度の不備事項 ○軽度の不備事項	

（調査権者等） 殿

年　月　日に交付を受けたGMP調査指摘事項書（参照番号：　　）により指摘を受けた事項については，上記改善計画に基づきすみやかに改善し，中程度の指摘事項についてはその結果を報告します。

提出年月日：（年月日）

調査対象製造業者等の責任者：（所属・職名・氏名（記名押印又は署名））

（了）

別添1（調査員の要件）

		調査員	リーダー調査員	シニア調査員
適格性基準		調査員として必要な知識が習得できていること。	①品目の特性に応じた調査計画の立案，指摘事項の評価，報告書の作成等が可能であること。 ②観察事項に応じて柔軟に調査計画の変更ができること。	①品目の特性に応じた知識及びその調査手法が習得できていること。 ②リーダー調査員を含めた調査員に対し，指導・教育訓練ができること。
評価方法（注1）		調査当局の調査品質管理責任者により適格性が評価されること。	①リーダー調査員の要件の取得は分野別とし，5つの分野（化成原薬，非無菌製剤，無菌製剤（注6），生物由来医薬品，包装表示保管）それぞれについて，評価を受ける分野ごとに適格性が評価されること。 ②調査当局の調査品質管理責任者により適格性が評価されること。	①調査当局の調査品質管理責任者により適格性が評価されること。
認定要件	資質	①理系大学卒業相当以上の知識，技能を身に付けるために教育を受けていること。 ②ISO19011に示される個人的資質を有すること。	①調査員としての要件を満たすこと。 ②観察力，適応力，決断力が優れていること。 ③認定を受ける分野での専門的な知識があること。	①リーダー調査員としての要件を満たすこと。 ②実務能力があり，専門性があること。 ③自立的，外交的な特質に秀でていること。 ④認定を受ける分野での専門的な知識があること。
	研修（注2, 3）	以下の項目について，40時間以上（現場教育含む。）の教育訓練を受けること。 ①国内法規に関する教育（例：薬事法，日本薬局方，薬局等構造設備規則，GMP省令，バリデーション基準，PIC/Sガイドライン，通知等） ②GMPの概念とその実現方法 ③調査手順に関する教育（例：調査要領，GMP調査，立入調査，収去の手順等）	以下の項目について，計画的に教育訓練を受けること。ただし，②～④については必要に応じ教育訓練の対象とすること。 ①調査の技術に関する教育訓練（計画立案，指摘事項の評価及び報告書の作成方法（現場教育含む。）） ②国際的動向に関する教育（例：ISO9000等の品質保証システムに関する理解，MRA及びその他の協定に関する知識，海外の規制状況の理解（EDQM, ICH, PIC/S，WHO）） ③品目に応じた技術的知識（例：医薬品及び原薬製造所の製造技術，製造及び支援設備の特性，バリデーションの手法，分析技術，微生物学的知識）	以下の項目について，教育訓練を受けること。 ①教育訓練者としての知識及び技能教育訓練 ②より高度な最新のGMP知識及び概念

		調査員	リーダー調査員	シニア調査員
			④最新のGMP知識及び概念（例：医薬品開発・リスクマネジメント・医薬品品質システム等のICHガイドラインの理解，コンピュータ化システムの知識）	
	経験（注2, 3）		以下の項目について，経験を有していること。 ①GMP関連業務経験： ・薬事監視，承認審査，企業での医薬品品質保証業務・開発業務を含む業務経験（注4）が原則4年以上（薬剤師である場合にあっては原則2年以上）。このうち1年相当はGMP調査業務経験（注5）を必須とすること。 ・国立保健医療科学院において実施する5週間の研修を修了した場合にあっては，1年間の業務経験に相当すること。 ②GMP合同模擬査察に1回以上参加すること。 ③包装表示保管の分野を除き，全サブシステム（製造，試験，包装・表示，保管，原材料管理，品質システム）に係る調査を経験し，サブシステムに関する理解があると評価されること。 ④認定を取得する分野（化成原薬，非無菌製剤，無菌製剤（注6），生物由来医薬品，包装表示保管）について，5回以上の調査経験（合同模擬査察，調査同行等も含む。）を有すること。	
	継続評価（注2, 3）	年間計画に基づく教育訓練（個人学習，セミナー，勉強会，会議，現場教育等などを含む年間10日間以上）を受けること。	①年間計画に基づく教育訓練（個人学習，セミナー，勉強会，会議，現場教育等などを含む年間10日間以上）を受ける。 ②リーダー調査員としての実地調査経験，適格性が評価されること。	①年間計画に基づく教育訓練（個人学習，セミナー，勉強会，会議，現場教育等などを含む年間10日間以上）を受けること。 ②シニア調査員及び講師等における経験，適格性が評価されること。

	調査員	リーダー調査員	シニア調査員
離職後の復帰要件	離職の間に変更のあった法令，ガイドライン及び手順書等の知識を習得すること。	①離職の間に変更のあった法令，ガイドライン及び手順書等の知識を習得すること。 ②離職の間に変更のあった分野ごとの知識及び調査の遂行に必要な知識を習得すること。	①離職の間に変更のあった法令，ガイドライン及び手順書等の知識を習得すること。 ②離職の間に変更のあった分野ごとの知識及び調査の遂行に必要な知識を習得すること。

留意点

注１：過去にGMP調査の経験を有する者において，教育訓練の記録が残されていない場合，必要となる教育訓練を再度実施し，適格性基準を満たすことが確認できれば該当の要件の取得が可能である。

注２：各都道府県に存在する製造業者の実態に応じ，必要となる分野のリーダー調査員の要件を満たせるよう教育訓練プログラムを計画すること。

注３：個人ごとの教育訓練記録を作成し，管理すること。

注４：薬事監視の業務経験には，QMS, GMP, GQP, GVP, GCP, GLP, 製造販売関連業務，許可関連業務，薬局や販売業関連業務，医薬品等の試験検査業務などが含まれる。

注５：GMP調査業務経験は調査回数も考慮すること。

注６：放射性医薬品の分野については，無菌製剤の分野のリーダー調査員に必要となる教育訓練を実施した後，認定することで足りる。

（了）

別添2（公的認定試験検査機関の要件）

医薬品等の試験検査を実施する公的認定試験検査機関に求められる要件について

1. 適用範囲

本規程では医薬品及び医薬部外品（以下「医薬品等」という。）の試験検査を行う公的認定試験検査機関に対し，この公的認定試験検査機関が適切に管理され，かつ提出される試験検査結果の妥当性を確保するための要件を定めるものである。

2. 定義

一 公的認定試験検査機関とは，GMP 調査権者から医薬品等の試験検査を受託する機関として，国（PMDA を含む。以下同じ。）又は都道府県が本規程に基づいて認定した機関をいう。

二 試験に供される医薬品等（以下「検体等」という。以下同じ。）とは，国又は都道府県等が採取及び入手した検体又は薬事法第69条第3項及び同法第69条の2第1項の規定により国又は都道府県等が収去した検体をいう。

三 委託者とは，医薬品等の試験検査を委託する各調査当局（国の試験機関であれば厚生労働省及びPMDA，地方自治体の試験機関であれば都道府県）をいう。

3. 組織

公的認定試験検査機関の長は，試験検査データの信頼性を確保するため，試験検査業務を担当する組織から独立した信頼性保証業務を担当する者又は部門（「信頼性保証業務を担当する組織」という。以下同じ。）を設置しなければならない。

4. 職員

公的認定試験検査機関の長は，試験検査業務や信頼性保証業務を適正かつ円滑に実施しうるよう，試験検査業務や信頼性保証業務を担当する組織ごとにそれぞれ責任者を置かなければならない。

5. 構造設備

公的認定試験検査機関は，受託する試験検査を実施するために必要な試験検査施設，試験検査設備及び関連する用役設備を有すること。

6. 手順書等

公的認定試験検査機関の長は，試験所ごとに試験検査が適切に実施されるよう，次に掲げる手順に関する文書（以下「手順書等」という。）を作成し，これを保管しなければならない。

一 試験検査を受託する契約に関する取り決め事項

二 検体等の受け入れに関する手順

三 試験検査にかかる手順（衛生管理，校正，バリデーション等を含む）

四 試験成績書の発行に関する手順

五 試験検査結果の妥当性に関する情報及び不良等の処理に関する手順

六　変更の管理に関する手順
七　逸脱の管理に関する手順
八　自己点検に関する手順
九　教育訓練に関する手順
十　文書及び記録の管理に関する手順
十一　その他試験検査を適正かつ円滑に実施するための手順

7. 取り決め

公的認定試験検査機関の長は，検体等の試験検査の受託に関し委託者の長と取り決め（例えば，文書の保管，委託者による立入検査，業務改善等の指示等）を作成し，保管しなければならない。

8. 試験検査

一　試験検査部門は，手順書等に基づき，検体等の試験検査にかかる業務を計画的かつ適切に行わなければならない。
二　試験検査にかかる検体採取，保管，試薬調製，試験検査作業，試験データの計算等について，その記録を作成し，これを保管しなければならない。
三　試験検査に関する設備及び器具を定期的に点検整備するとともに，その記録を作成し，これを保管しなければならない。また，試験検査に関する計器の校正を適切に行うとともに，その記録を作成し，これを保管しなければならない。

9. 試験検査の成績書の発行

一　公的認定試験検査機関は，試験検査の結果を記載した試験検査成績書を作成し，委託者に交付するものとする。
二　公的認定試験検査機関の長は，試験検査成績書を交付するにあたっては，あらかじめ定めた部門に，手順書等に基づき，試験検査の結果を適切に評価し，試験検査成績書を作成させる業務を行わせなければならない。

10. 試験方法の妥当性確認

公的認定試験検査機関の長は，あらかじめ指定した者に，手順書等に基づき，次に掲げる業務を行わせなければならない。

一　次に掲げる場合においては，試験方法の妥当性を確認すること。
　イ　試験検査を新たに開始する場合
　ロ　試験検査手順が大きな変更があった場合
二　定期的に試験方法の妥当性を確認すること。

11. 変更の管理

公的認定試験検査機関の長は，試験検査手順等について，試験検査データに影響を及ぼすおそれのある変更を行う場合においては，あらかじめ指定した者に，手順書等に基づき次に掲げる業務を行わせなければならない。

一　当該変更が試験検査データに与える影響を評価し，その評価結果をもとに，当該変更を行うことについて信頼性保証業務を担当する組織の承認を受けるとともに，その記録を作成し，これを保管すること。

二　前号の規定により信頼性保証業務を担当する組織の承認を受けて変更を行うときは，関連する文書の改訂，職員の教育訓練その他所要の措置を講ずること。

12. 逸脱の管理

公的認定試験検査機関の長は，試験手順等や試験検査データの規格からの逸脱が生じた場合においては，あらかじめ指定した者に，手順書等に基づき，次に掲げる業務を行わせなければならない。

一　逸脱の内容を記録すること。

二　重大な逸脱が生じた場合においては，次に掲げる業務を行うこと。

イ　逸脱における試験検査データへの影響を評価し，所要の措置を執ること。

ロ　イに規定する評価の結果及び措置について記録を作成し，保管するとともに，信頼性保証業務を担当する組織に対して文書により報告すること。

ハ　ロの規定により報告された評価の結果及び措置について，信頼性保証業務を担当する組織の確認を受けること。

13. 試験検査結果等の妥当性に関する情報及び不良等の処理

公的認定試験検査機関の長は，発行した試験検査成績書に関する苦情等を受けた場合，あらかじめ指定した者に手順書等に基づき，次に掲げる業務を行わせなければならない。

一　当該苦情等にかかる事項の原因を究明し，試験検査作業等に関して改善が必要な場合においては，所要の措置を講ずること。

二　当該苦情等の内容，原因究明の結果及び改善措置を記載した記録を作成し，保管するとともに，信頼性保証業務を担当する組織に対して文書により速やかに報告し，確認を得ること。

14. 自己点検

公的認定試験検査機関の長は，あらかじめ指定した者に，手順書等に基づき，次に掲げる業務を行わせなければならない。

一　当該公的認定試験検査機関の試験検査業務全般について定期的に自己点検を実施すること。

二　自己点検の結果の記録を作成し，これを保管すること。

15. 教育訓練

公的認定試験検査機関の長は，あらかじめ指定した者に，手順書等に基づき，次に掲げる業務を行わせなければならない。

一　信頼性保証や試験検査業務に従事する職員に対して，必要な教育訓練を計画的に実施すること。

二　教育訓練の実施の記録を作成し，これを保管すること。

16. 文書及び記録の管理

公的認定試験検査機関の長は，この規定で示した文書及び記録についてあらかじめ指定した者に，手順書等に基づき，次に掲げる事項を行わせなければならない。

一　文書を作成し，又は改訂する場合においては，手順書等に基づき，承認，配布，保管等を行うこと。

二　手順書等を作成し，又は改訂するときは，当該手順書等の日付を記載するとともに，それ以前の改訂に係る履歴を保管すること。

三　この規定で示した文書及び記録は，取り決めに従い，保管すること。

17. 監督

公的認定試験検査機関は，毎年度ごとに，委託者に対し，本要件に適合していることの確認を求めなければならない。

（了）

8.2 「医薬品に係る立入検査等の徹底について」の一部改正について (薬生監麻発0629第15号，平成29年6月29日)

薬生監麻発0629第15号
平成29年6月29日

各都道府県衛生主管部（局）長　殿

厚生労働省医薬・生活衛生局監視指導・麻薬対策課長
（公印省略）

「医薬品に係る立入検査等の徹底について」の一部改正について

日頃より薬事行政に対して御協力を賜り，厚く御礼申し上げます。

医薬品製造所への立入検査等の手法については，「医薬品に係る立入検査等の徹底について」（平成28年1月15日付け薬生監麻発0115第4号厚生労働省医薬・生活衛生局監視指導・麻薬対策課長通知。以下「無通告立入検査通知」という。）により，取り扱われているところです。

今般，原薬の製造に係る製造所において承認書と異なる製造方法で医薬品の製造を行う等の不正行為が認められ，過去の都道府県による立入検査や製造販売業者等による監査において，偽造した記録等を提示していたことが明らかとなったことから，無通告立入検査通知の一部を下記のとおり改めますので，今後実施する医薬品の製造販売業者及び製造業者への立入検査等を行う場合について，ご配慮いただきますようお願いします。

記

1　1を次のように改める。

1　製造販売業者に対しては，GQP省令の遵守状況について，計画的に監視指導を実施すること。なお，実施にあたっては，以下の点についても留意すること。

（1）医薬品等総括製造販売責任者及び品質保証責任者がその職責を全うできる体制が整えられており，かつ，その業務を適切に実施していること。

（2）製造販売業者による製造業者等に対する定期的な確認の方法が適切か，特に以下の観点から，確認を行うこと。

①確認にあたって，実地又は書面のどちらの手法によるかを適切に判断しているか。

②適切な頻度で定期的な確認を行っているか。

③製品の品質に重大な影響を及ぼす可能性のある製造方法，試験検査方法等の変更に係る事前連絡が，製造業者から製造販売業者に遅滞なく報告されていることを確認しているか。

（3）1（2）③の事前連絡に対して，製造販売業者が適切に評価，指示していること。

（4） 適正かつ円滑な製造管理及び品質管理の実施に必要な品質に関する情報を適時製造業者等に提供していること。

2　3を次のように改める。

3　前2項の調査について，組織的隠蔽等を防止する観点から，立入検査等を実施する場合は，当該事業所における製造管理及び品質管理に注意を要する程度（製造工程の複雑さ，製品のリスクの程度等），過去の立入検査等における結果や不適合の有無，市販後の品質に関する情報，回収等の状況，不正が発覚した場合の影響範囲が大きい原薬製造業者かどうか等の状況を踏まえ，リスクの高いものから優先して無通告で行うこと。また，無通告とすべき事項として，調査日，調査品目，調査スケジュール，調査対象区域，調査対象文書等が挙げられる。

なお，GMP調査要領第2.の3.の（2）の特別調査については，原則として無通告で立入検査等を行うこと。

3　4を次のように改める。

4　調査にあたっては，不正行為の防止，発見等の観点から，特に承認書，手順書等の規程及び実際の作業との整合性について，作業者の観察，聞き取り，一次記録の確認等，作業等に係る直接の証拠に基づき検査を実施すること。

なお，調査手法の開拓，向上にあたっては，継続的な教育訓練，医薬品医療機器総合機構との合同調査等の機会を積極的に活用すること。

（参考）新旧対照表

改正前	改正後
1　製造販売業者に対しては，GQP省令の遵守状況について，計画的に監視指導を実施すること。なお，実施にあたっては，以下の点についても留意すること。 ①製造販売業者による製造業者の監督が適切に実施されていること。 ②医薬品等総括製造販売責任者及び品質保証責任者がその職責を全うできる体制が整えられており，かつ，その業務を適切に実施していること。	1　製造販売業者に対しては，GQP省令の遵守状況について，計画的に監視指導を実施すること。なお，実施にあたっては，以下の点についても留意すること。 （1）医薬品等総括製造販売責任者及び品質保証責任者がその職責を全うできる体制が整えられており，かつ，その業務を適切に実施していること。 （2）製造販売業者による製造業者等に対する定期的な確認の方法が適切か，特に以下の観点から，確認を行うこと。 ①確認にあたって，実地又は書面のどちらの手法によるかを適切に判断しているか。 ②適切な頻度で定期的な確認を行っているか。 ③製品の品質に重大な影響を及ぼす可能性のある製造方法，試験検査方法等の変更に係る事前連絡が，製造業者から製造販売業者に遅滞なく報告されていることを確認しているか。

	（3）1（2）③の事前連絡に対して，製造販売業者が適切に評価，指示していること。 （4）適正かつ円滑な製造管理及び品質管理の実施に必要な品質に関する情報を適時製造業者等に提供していること。
2　（略）	2　（略）
3　前2項の調査については，組織的隠蔽等を防止する観点から，当該事業所における製造管理及び品質管理に注意を要する程度（製造工程の複雑さ，製品のリスクの程度等），過去の立入検査等における結果や不適合の有無，市販後の品質に関する情報及び回収等の状況等を踏まえ，必要に応じ無通告での立入検査等の実施を考慮すること。 なお，GMP調査要領第2.の3.の（2）の特別調査については，特段の理由が無い限りにおいて，原則として無通告で立入検査等を行うこと。	3　前2項の調査について，組織的隠蔽等を防止する観点から，立入検査等を実施する場合は，当該事業所における製造管理及び品質管理に注意を要する程度（製造工程の複雑さ，製品のリスクの程度等），過去の立入検査等における結果や不適合の有無，市販後の品質に関する情報，回収等の状況，不正が発覚した場合の影響範囲が大きい原薬製造業者かどうか等の状況を踏まえ，リスクの高いものから優先して無通告で行うこと。また，無通告とすべき事項として，調査日，調査品目，調査スケジュール，調査対象区域，調査対象文書等が挙げられる。 なお，GMP調査要領第2.の3.の（2）の特別調査については，原則として無通告で立入検査等を行うこと。
4　調査にあたっては，不正行為の防止，発見等の観点から，特に承認書，手順書等の規程及び実際の作業との整合性について，作業者の観察，聞き取り，一次記録の確認等，作業等に係る直接の証拠に基づき検査を実施すること。	4　調査にあたっては，不正行為の防止，発見等の観点から，特に承認書，手順書等の規程及び実際の作業との整合性について，作業者の観察，聞き取り，一次記録の確認等，作業等に係る直接の証拠に基づき検査を実施すること。 なお，調査手法の開拓，向上にあたっては，継続的な教育訓練，医薬品医療機器総合機構との合同調査等の機会を積極的に活用すること。
5　（略）	5　（略）

8.3 医薬品に係る立入検査等の徹底について
(薬生監麻発0115第4号，平成28年1月15日)

薬生監麻発0115第4号
平成28年1月15日
【一部改正】平成29年6月29日薬生監麻発0629第15号

各都道府県衛生主管部（局）長　殿

厚生労働省医薬・生活衛生局監視指導・麻薬対策課長
（公印省略）

医薬品に係る立入検査等の徹底について

日頃より薬事行政に対して御協力を賜り，厚く御礼申し上げます。

今般，血液製剤等の製造に係る製造所が製造する医薬品について，承認書と異なる製造方法での製造が行われてきた不正行為に関し，立入検査等での発覚を逃れるため虚偽の製造記録が作成される等，長期にわたり，周到な組織的欺罔及び隠蔽が図られてきたことが発覚しました。このような事態は，薬事制度の根幹を揺るがし，医薬品に対する国民の信頼を失墜させるものであり，誠に遺憾です。

一方で再発防止の観点からは，立入検査等の手法を見直す必要があるところです。

ついては，今後実施する医薬品の製造販売業者及び製造所への立入検査等について，下記により実効性のある手法での実施について御配慮をお願いいたします。

なお，本通知は，地方自治法（昭和22年法律第67号）第245条の4第1項の規定による技術的な助言であることを申し添えます。

記

1　製造販売業者に対しては，GQP省令の遵守状況について，計画的に監視指導を実施すること。なお，実施にあたっては，以下の点についても留意すること。

（1）医薬品等総括製造販売責任者及び品質保証責任者がその職責を全うできる体制が整えられており，かつ，その業務を適切に実施していること。

（2）製造販売業者による製造業者等に対する定期的な確認の方法が適切か，特に以下の観点から，確認を行うこと。

①確認にあたって，実地又は書面のどちらの手法によるかを適切に判断しているか。

②適切な頻度で定期的な確認を行っているか。

③製品の品質に重大な影響を及ぼす可能性のある製造方法，試験検査方法等の変更に係る事前連絡が，製造業者から製造販売業者に遅滞なく報告されていることを確認しているか。

（3） 1（2）③の事前連絡に対して，製造販売業者が適切に評価，指示していること。

（4） 適正かつ円滑な製造管理及び品質管理の実施に必要な品質に関する情報を適時製造業者等に提供していること。

2　製造業者に対しては，GMP調査要領（「GMP調査要領の制定について」（平成24年2月16日付け薬食監麻発0216第7号）に定めるものをいう。以下同じ。）第2.の3.の（1）に規定する通常調査を計画的に実施し，GMP省令の遵守状況等について，監視指導を実施すること。

3　前2項の調査について，組織的隠蔽等を防止する観点から，立入検査等を実施する場合は，当該事業所における製造管理及び品質管理に注意を要する程度（製造工程の複雑さ，製品のリスクの程度等），過去の立入検査等における結果や不適合の有無，市販後の品質に関する情報，回収等の状況，不正が発覚した場合の影響範囲が大きい原薬製造業者かどうか等の状況を踏まえ，リスクの高いものから優先して無通告で行うこと。また，無通告とすべき事項として，調査日，調査品目，調査スケジュール，調査対象区域，調査対象文書等が挙げられる。

なお，GMP調査要領第2.の3.の（2）の特別調査については，原則として無通告で立入検査等を行うこと。

4　調査にあたっては，不正行為の防止，発見等の観点から，特に承認書，手順書等の規程及び実際の作業との整合性について，作業者の観察，聞き取り，一次記録の確認等，作業等に係る直接の証拠に基づき検査を実施すること。

なお，調査手法の開拓，向上にあたっては，継続的な教育訓練，医薬品医療機器総合機構との合同調査等の機会を積極的に活用すること。

5　違反の発見等については，薬事監視指導要領（「「薬事監視指導要領」及び「薬局，医薬品販売業等監視指導ガイドライン」の改正について」（平成26年12月17日付け薬食発1217第3号）に定めるものをいう。）に基づき当課に報告すること。

また，2の立入検査等の実施状況については，事前通告の有無を含め，「GMP調査要領に基づくGMP調査の実施状況の定期報告について」（平成25年3月18日付け薬食監麻発0318第34号厚生労働省医薬食品局監視指導・麻薬対策課長通知）に基づく定期報告により，当課へ報告すること。

8.4 FDA用語：主な略語

本書で出現した主なFDA用語の略語を，以下に挙げる。

ADE ： Adverse Drug Event，Adverse Drug Experience
薬物有害事象

ADR ： Adverse Drug Reaction
薬物有害反応

AIP ： Application Integrity Policy
申請の完全性に関する指針

ANDA ： Abbreviated New Drug Application
簡略新薬承認申請

API ： Active Pharmaceutical Ingredient
医薬品有効成分，医薬品原薬

APR ： Annual Products Review
製品の年次照査

AR ： Annual Report
年次報告

BLA ： Biologics License Application
生物製剤ライセンス申請

BPD ： Biologic Product Deviations
生物製剤の逸脱

CAPA ： Corrective and Preventive Action
是正措置・予防措置

CBE-30 ： Changes Being Effected in 30 Days Supplement
中程度の変更：30日以内変更届出

CDER ： Center for Drug Evaluation and Research
医薬品評価研究センター

CFR ： Code of Federal Regulations
連邦規則集

CGMP : Current Good Manufacturing Practice
医薬品適正製造基準

CMA : Critical Material Attributes
重要物質特性

CMC : Chemistry, Manufacturing, and Controls
新医薬品承認申請時の品質関連情報

CMO : Contract Manufacturing Organization
製造受託機関

CMS : Compliance Management System
法令遵守マネジメントシステム

CO : Compliance Officer
法令遵守担当官

COA : Certificate of Analysis
試験証明書，品質試験成績書

CPI : Critical Performance Indicators
重要業績評価指標

CPP : Critical Process Parameter
重要工程パラメータ

CPV : Continuous Process Verification
継続的工程確認

CQA : Critical Quality Attribute
重要品質特性

CTD : Common Technical Document
コモンテクニカルドキュメント

DCM : Division of Inspections & Surveillance
査察・サーベイランス課/CBER

DFR : District File Review
FDA地方事務所による書類審査

DMF : Drug Master File
ドラッグマスターファイル

DMPQ : Division of Manufacturing and Product Quality
製造および製品品質課/CBER

DQRS : Drug Quality Reporting System
医薬品品質報告システム

EIR : Establishment Inspection Report
施設査察報告書

FAR : Field Alert Report
注意喚起情報，フィールドアラートレポート

FDASIA : FDA Safety and Innovation Act
FDA安全およびイノベーション法

FD&C Act : Federal Food, Drug, and Cosmetic Act
連邦食品・医薬品・化粧品法

FOIA : Freedom of Information Act
情報公開法

GCP : Good Clinical Practice
医薬品の臨床試験の実施基準

GDP : Good Distribution Practice
医薬品等の適切な流通基準

GDUFA : Generic Drug User Fee Amendments
ジェネリック医薬品申請料の改定

GLP : Good Laboratory Practice
医薬品の安全性に関する非臨床試験の実施基準

ICH : International Council for Harmonisation of Technical Requirements for Pharmaceuticals for Human Use
医薬品規制調和国際会議

IOM : Investigations Operations Manual
査察実施マニュアル

IQA : Integrated Quality Assessment
統合された品質評価

MF : Master File
原薬等登録原簿

MRA : Mutual Recognition Agreement
相互承認協定

NDA : New Drug Application
新薬承認申請

NAI : No Action Indicated
指摘事項なし

NME : New Molecular Entity
新規分子化合物

OAI : Official Action Indicated
重大な指摘があり，行政措置がとられる

OC : Office of Compliance
コンプライアンス部/CDER

OE : Office of Enforcement
施行事務局

OGV : Ongoing Process Verification
日常的な工程確認

OMPTO : Office of Medical Products and Tobacco Operations
医薬品・タバコ業務部/ORA

OMQ : Office of Manufacturing Quality
製造品質課/CDER

OOS : Out of Specification
規格外結果

OOT : Out of Trend
傾向外結果

OPF : Office of Process and Facilities
工程・施設課/CDER

OPQ : Office of Pharmaceutical Quality
医薬品品質部/CDER

ORA : Office of Regulatory Affairs
規制業務部門/FDA

ORS : Office of Regulatory Science
レギュラトリーサイエンス部/ORA

OTC : Over-the-Counter Drugs
市販薬

PAC : Product/Assignment Code
製品/割り当てコード

PAI ： Preapproval Inspection
承認前査察

PAM ： Preapproval Program Manager
承認前プログラムマネージャー

PAS ： Prior Approval Supplement
重大な変更：事前変更申請

PDUFA ： Prescription Drug User Fee Act
処方箋薬ユーザーフィー法

PET ： Positron Emission Tomography
陽電子放出断層撮影

PLI ： Pre-license Inspection
新規生物製剤に対するライセンス取得前査察

pOAI ： Potential Official Action Indicated
行政措置の可能性

PPI ： Patient Package Insert
患者用添付文書

RPM ： Regulatory Procedures Manual
規制手続きマニュアル

SSIL ： Site Surveillance Inspection List
サイト監視査察リスト

SSM ： Site Selection Model
サイト選択モデル

TE ： Therapeutic Equivalence
治療学的同等性

VAI ： Voluntary Action Indicated
指摘はあったが，行政措置はない

注：“Office”を規模の大きさに関係なく，便宜的に上位組織から，局，部，課とした。ORAの職員数は約5,000人であり，日本では“庁”以上の規模であるが，「規制業務部門」とした。

8.5 FDA用語：主な定義

簡略新薬承認申請（Abbreviated New Drug Application；ANDA）

簡略新薬承認申請書（ANDA）を，FDAの医薬品評価研究センター（CDER）のジェネリック医薬品部に提出するときには，ジェネリック医薬品の審査と最終承認を提供するためのデータを含む。ジェネリック医薬品の申請には，安全性と有効性を確立するために前臨床（動物）および臨床（ヒト）データを含める必要がないため，「簡略」と呼ばれている。代わりに，ジェネリック医薬品申請者は，その製品の生物学的同等性を科学的に実証する必要がある（つまり，先発医薬品と同じように機能する）。承認されると，申請者は安全で効果的，低コストの代替薬を米国国民に提供するために，ジェネリック医薬品を製造および販売することができる。

簡略新薬承認申請（ANDA）番号

この6桁の番号は，米国でのジェネリック医薬品の販売承認のために，FDAスタッフによって各承認申請に割り当てられる。

有効成分（Active Ingredient）

有効成分とは，病気の診断，治療，緩和，処置，予防において薬理活性またはその他の直接的な効果を提供，または人や動物の身体の構造や機能に影響を与える成分である。

承認履歴（Approval History）

承認履歴は，特定のFDA申請（NDA）番号を持つ1つの医薬品に関連するすべてのFDAアクションの時系列リストである。ラベルの変更，新しい投与経路，医薬品の新しい患者数など，50種類を超える承認アクションがある。

申請（Application）

新薬承認申請（NDA），簡略新薬承認申請（ANDA），または生物製剤ライセンス申請（BLA）を参照。

承認書状（Approval Letter）

FDAから新薬承認申請（NDA）スポンサーに，当該申請製品の商用市販を許可する公式な連絡。

生物製剤ライセンス申請（Biologic License Application；BLA）

生物製剤は，公衆衛生サービス（PHS）法の規定に基づいて市場販売が承認される。この法律は，州間通商で販売する生物製剤を製造する企業に，製品ライセンスを取得することを要求している。生物製剤ライセンス申請書は，製造プロセス，化学，薬理学，臨床薬理学，および生物製剤の医学的影響に関する具体的情報を含む提出物である。提供された情報がFDAの要件を満たしている場合，申請が承認され，企業に製品を販売できるライセンスが交付される。

生物製剤（Biological Product）

生物製剤には，ワクチン，血液および血液成分，アレルゲン，体細胞，遺伝子治療，組織，組換え治療用タンパク質などの幅広い製品が含まれる。生物製剤は，糖，タンパク質，核酸，またはこれらの物質の複雑な組み合わせで構成されている場合がある。また，細胞や組織などの生物体である場合もある。生物製剤は，人間，動物，微生物などのさまざまな天然源から分離されており，バイオテクノロジー手法やその他の最先端技術によって生産される場合がある。例えば，遺伝子ベースおよび細胞ベースの生物製剤は，多くの場合，生物医学研究の最前線にあり，他の治療法が利用できないさまざまな病状の治療に使用される場合がある。一般に，“医薬品（drugs）”には，治療用生物製品（therapeutic biological products）が含まれる。

ブランド薬（Brand Name Drug）

ブランド薬は，商標で保護された独自の名前で販売されている医薬品である。

化学タイプ（Chemical Type）（表4）

化学タイプは，製剤の新しさ，または既存の製剤の新しい適応を表す。例えば，化学タイプ1は，これまで米国でいかなる形でも販売されたことのない有効成分に割り当てられる。

表4｜化学タイプ

化学タイプ	内　容
1	新規分子化合物
2	新規有効成分（新規の塩タイプ，新規の非共有結合誘導体，新規のエステルタイプ）
3	新規剤形
4	新規コンビネーション
5	新処方または新製造者
6	新表示
7	承認されたNDAではなくすでに市販されている医薬品
8	OTCに変更
9	新しい適応症は個別のNDAとして提出され，承認後に元のNDAと統合される
10	個別のNDAとして提出された新しい適応症‐統合されない

会社（Company）

会社（申請者またはスポンサーとも呼ばれる）は，米国で医薬品を販売するための承認を得るために，FDAに申請書を提出する。

製造中止医薬品（Discontinued Drug Product）

Drugs@FDA（FDA承認済み医薬品の検索ページ）で「製造中止」としてリスト化されている製品は，販売されていない，販売が中止されている，軍事使用，輸出専用，または安全性または有効性以外の理由等で承認が取り下げられた承認済み製品である。

剤形（Dosage Form）

剤形とは，錠剤，カプセル剤，または注射剤など，医薬品が製造され投与される物理的形態のこと。

医薬品（Drug）

医薬品は次のように定義される。

- 公的な薬局方または医薬品集により認められた物質。
- 病気の診断，治癒，緩和，治療または予防に使用することが意図された物質。
- 体の構造や機能に影響を与えることを意図した物質（食品以外）。
- 医薬品の成分として使用することを意図した物質であって，機器，機器の部品，部品または付属品ではないもの。
- 生物製剤はこの定義に含まれ，一般的に同じ法律や規制の対象となるが，製造工程（化学的工程と生物学的工程）に違いがある。

製剤（Drug Product）

原薬を含む最終剤形。一般に，他の活性成分または不活性成分と関連しているが，必ずしもそうである必要はない。

FDAアクション日（FDA Action Date）

アクション日とは，オリジナル申請承認または変更申請承認など，FDAの規制アクションが行われた日付を示す。

FDA申請番号（FDA Application Number）

NDA（新薬承認申請）番号とも呼ばれるこの番号は，米国で新薬を販売するための承認のために，FDAスタッフによって各申請に割り当てられる。1つの医薬品に異なる剤形または投与経路がある場合，複数の申請番号を持つことができる。

ジェネリック医薬品（Generic Drug）

ジェネリック医薬品は，投与量，安全性，含量，服用方法，品質，性能，および使用目的においてブランド薬と同等である。ジェネリック医薬品を承認する前に，FDAは，ジェネリック医薬品をブランド薬に置き換えることができることを保証するために，多くの厳密な試験と手順を要求する。FDAは，科学的評価に基づいてジェネリック医薬品の代替可能性，つまり「治療的同等性」の評価を行う。法律により，ジェネリック医薬品には，ブランド薬と同じ有効成分が同量含まれている必要がある。「治療的に同等」と評価された医薬品は，ブランド薬に置き換えても同等の効果があり，差がないことが期待される。

ラベル（Label）

FDAの承認ラベルは，表示（医薬品の用途），誰がそれを使用すべきか，有害事象（副作用），妊婦や子どもおよびその他の集団での使用に関する指示，患者の安全情報を含む製剤の公式説明である。多くの場合，ラベルは医薬品のパッケージ内にある。

新薬承認申請（New Drug Application；NDA）

新薬のスポンサーが，当該医薬品の安全性と有効性に関する十分な証拠が得られ，FDAのマーケティング承認の要件を満たすと判断した場合，スポンサーはFDAに新薬承認申請（NDA）を提出する。承認申請書には，化学，薬理学，医療，生物薬剤学，統計学など，審査のために固有の技術的観点からのデータが含まれている必要がある。NDAが承認された場合，当該製品は米国で販売される可能性がある。内部追跡のために，すべてのNDAにはNDA番号が割り当てられる。

新薬承認申請（NDA）番号

この6桁の番号は，米国で新薬を販売するための承認のために，FDAスタッフによって各申請に割り当てられる。医薬品は，異なる剤形または投与経路を持っている場合，複数の申請番号を持つことができる。Drugs@FDAでは，「FDA Application」という名前の列の下にNDA番号がある。

新規分子化合物（New Molecular Entity；NME）

NMEは，連邦食品・医薬品・化粧品法のセクション505に基づいて提出された申請で，FDAによって以前に承認された，または以前に米国で医薬品として販売された有効成分を含まない有効成分である。

市販薬（Over-the-Counter Drugs；OTC）

FDAは，一般の人々が医師の処方箋なしでOTC薬を使用するのに安全で効果的であると定義している。

患者用添付文書（Patient Package Insert；PPI）

患者用添付文書には，医薬品を安全に使用する方法を患者が理解するための情報が含まれている。

医薬品同等物（Pharmaceutical Equivalents）

FDAは，次の3つの基準を満たしている医薬品を“医薬品同等物”とみなす。

- 同じ有効成分を含んでいる
- 同じ剤形および投与経路のもの
- 含量または濃度が同一である

医薬品と同等の医薬品は，次のように特性が異なる場合がある。

- 形状
- 放出機序
- ラベリング（ある程度）
- スコアリング
- 添加剤（着色剤，着香剤，防腐剤を含む）

処方箋薬（Prescription Drug Product）

購入するには，医師の処方箋が必要な薬。

製品番号（Product Number）

製品番号は，NDA（新薬承認申請）に関連付け，各医薬品に割り当てられる。医薬品が複数の含量で利用できる場合，複数の製品番号が割り当てられる。

審査（Review）

審査は，申請を承認するためのFDA決定の基礎となる。これは，FDAの医薬品申請審査員によって作成される臨床試験データおよびその他の情報の包括的な分析である。審査（レビュー）は，医学的分析，化学，臨床薬理学，生物薬剤学，薬理学，統計学，微生物学のセクションに分かれている。

審査の分類（Review Classification）

NDAおよびBLAの分類システムは，最初の受領時および審査プロセス全体で医薬品申請を記述し，審査の優先順位を付ける方法を提供する。「レビュー分類とその意味のリスト」を参照（表5）。

表5｜レビュー分類およびその意味

Letter	意 味
P	優先審査薬（Priority review drug）： 利用可能な治療法が先進的であると思われる医薬品
S	標準的な審査薬（Standard review drug）： すでに上市されている医薬品と同様の治療効果があると思われる医薬品
O	希少疾病用医薬品（Orphan drug）： 200,000人未満の米国人に影響を与える希少疾患を治療する医薬品

参照リスト薬（Reference Listed Drug；RLD）

参照リスト薬（RLD）とは，新しいジェネリックバージョンと比較され，生物学的に同等であることを示す承認済みの医薬品である。ジェネリック医薬品の販売承認を求める製薬会社は，その簡略新薬承認申請書（ANDA）に“参照リスト薬”を引用する必要がある。すべてのジェネリックバージョンが生物学的に同等であることを示すために，1つの“参照リスト薬”を標準として指定することにより，FDAはジェネリック医薬品とその先発医薬品相当物の間で起こりうる大きな変動を回避したいと考えている。

ルート（Route）

投与経路は，患者の部位への医薬品の投与方法である。特定の投与経路の包括的なリストは，CDER Data Standards Manualに記載されている。

含量（Strength）

製剤の含量は，各投与量に含まれる有効成分の量を示す。

変更申請（Supplement）

変更申請とは，承認済みの新薬承認申請書（NDA）にある製品に変更を加えることができるようにするための申請である。CDERは，製品に最初に設定された条件がまだ満たされていることを保証するために，すべての重要なNDAの変更（例えば，包装や成分）を承認する必要がある。

変更申請番号（Supplement Number）

変更申請番号は，既存のFDA新薬承認申請（NDA）番号に関連付けられている。企業は，承認後，医薬品またはそのラベルを変更することができる。ラベルを変更したり，医薬品の新しい用量や含量のものを販売したり，医薬品の製造方法を変更したりするには，会社は新薬承認事項変更申請書（sNDA）を提出する必要がある。各sNDAには，常にではないが，通常は001から始まる番号が割り当てられる。

変更申請の種類（Supplement Type）

企業は，承認後，医薬品またはそのラベルを変更することができる。ラベルを変更したり，医薬品の新しい用量や含量のものを販売したり，医薬品の製造方法を変更したりするには，会社は新薬承認事項変更申請書（sNDA）を提出する必要がある。変更申請書の種類は，FDAによって承認された変更の種類を指す。これには，製造，適用患者集団，処方の変更が含まれる。

暫定承認（Tentative Approval）

参照リスト薬に記載されている特許または独占権の満了前にジェネリック医薬品の承認の準備ができている場合，FDAは申請者に暫定的な承認書を発行する。暫定承認書には，暫定承認に関連する状況の詳細が記載されている。FDAは，すべての特許または独占権の問題が解決されるまで，ジェネリック医薬品の最終承認を延期する。暫定的承認では，申請者はジェネリック医薬品を販売することはできない。

治療用生物製剤（Therapeutic Biological Product）

治療用生物製剤は，病気を処置または治療するために使用される生体材料（細胞や組織など）に由来するタンパク質である。

治療学的同等性（Therapeutic Equivalence；TE）

治療学的に同等と分類された医薬品は，当該代替製品が処方箋製品と同じ臨床効果と安全性プロファイルを生成するという十分な期待に置き換えることができる。医薬品は，次の基準を満たしている場合にのみ治療的に同等とみなされる。

- 「医薬品同等物」である（同じ有効成分，剤形と投与経路，および含量）
- FDAにより，文字「A」で始まる同じ“治療学的同等性”コードが割り当てられている。文字「A」を取得するには，
- FDAがブランド薬またはジェネリック医薬品を参照リスト薬（RLD）に指定する。
- 医薬品スポンサーがANDAで提出するデータに基づいて治療学的同等性コードを割り当て，その製品が生物学的に同等であることを科学的に証明する（つまり，参照リスト薬と同じ方法で機能する）。

治療学的同等性（TE）コード（Therapeutic Equivalence (TE) Codes）

治療学的同等性評価のためのコーディングシステムにより，ユーザーは，FDAが特定の承認済み製品を他の薬理学的に同等な製品と治療学的に同等であると評価したかどうかを判断でき（最初のアルファベット），FDAの評価に基づいて追加情報を提供できる（2番目のアルファベット）。サンプルTEコード：AA，AB，BC（TEコードの詳細）。

- FDAは，治療学的同等性コードを薬理学的に同等な医薬品に割り当てる。製剤は，次の場合にのみ治療的に同等とみなされる（「A」を割り当てる）。
- 製薬会社の承認申請書には，*in vivo*および/または*in vitro*の研究を通じて，選択された参照薬と申請製品の生物学的同等性を証明する適切な科学的証拠が含まれている。
- *in vivo*での生物学的同等性の問題が知られていない，または疑われる活性成分または剤形。
- 一部の医薬品には複数のTEコードがある。
- FDAが治療的に同等とはみなさない製品は，「B」格付けである。

（*Drugs@FDA Glossary of Terms*，*https://www.fda.gov/drugs/drug-approvals-and-databases/drugsfda-glossary-terms*，*2017年11月14日*）

索引

数字・ギリシャ文字

欧文

和文

あ行

か行

さ行

た行

な行

は行

ま行

や行

ら行

わ行

Editor Profile

佐々木 次雄

Tsuguo Sasaki

写真は，JICAプロジェクト「ベトナムにおける麻疹・風疹混合ワクチンの製造」（平成24〜29年度）においてGMP指導中の著者。各専門領域に関して，科学論文や解説書〔「ISO規格に準拠した無菌医薬品の製造管理と品質管理」（日本規格協会，2000），「ISO/JIS規格準拠 ヘルスケア製品の滅菌及び滅菌保証」（日本規格協会，2011），「図説 呼吸器系細菌感染症 疫学・診断・治療」（じほう，2006），「無菌製造法に関する製造指針と品質管理 第2版 PIC/S GMP対応版」（じほう，2012）ほか〕を多数執筆。

現職

技術顧問（GMP Technical Advisor）：
　メルク株式会社，澁谷工業株式会社，日本ビーシージー製造株式会社
大阪大学大学院工学研究科招聘教授

主な専門領域

- 細菌学（主にマイコプラズマ感染症）
- ワクチンの品質管理
- 日本薬局方（微生物関連試験法，製薬用水）
- ヘルスケア製品の無菌性保証
- GMP

FDAのGMP査察から学ぶ　第2版
読めばわかる 査察官の視点・指摘の意図

定価　本体10,000円（税別）

2018年7月25日　初版発行
2020年9月20日　第2版発行

編　集　佐々木 次雄（ささき つぐお）

発行人　武田 正一郎

発行所　株式会社 じほう

101-8421　東京都千代田区神田猿楽町1-5-15（猿楽町SSビル）
電話　編集　03-3233-6361　販売　03-3233-6333
振替　00190-0-900481
<大阪支局>
541-0044　大阪市中央区伏見町2-1-1（三井住友銀行高麗橋ビル）
電話　06-6231-7061

組版　BUCH⁺　　印刷　（株）暁印刷

ISBN 978-4-8407-5310-4